Cargo is een imprint van uitgeverij De Bezige Bij, Amsterdam

Copyright © 2009 Carolina De Robertis
Copyright Nederlandse vertaling © 2009 Monique Eggermont
Oorspronkelijke titel *The Invisible Mountain*
Oorspronkelijke uitgever Alfred A. Knopf, New York
Omslagontwerp Studio Jan de Boer
Omslagillustratie IC/Glasshouse/Imagestore
Foto auteur Joanne Chan
Vormgeving binnenwerk Peter Verwey, Heemstede
Druk Koninklijke Wöhrmann, Zutphen
ISBN 978 90 234 4182 3
NUR 302

www.uitgeverijcargo.nl

Tonita en Pamela,
dit boek is voor jullie

Maar gij, waarom keert ge terug naar zo veel ramp-
spoed? Waarom beklimt ge niet de blijde heuvel,
bron en oorzaak van elk geluk?
– Dante Alighieri, *Inferno*

Een stilte zo groot dat wanhoop wordt beschaamd.
Bergen zo hoog dat wanhoop wordt beschaamd.
– Clarice Lispector, *Soulstorm*

PAJARITA

I

Het meisje
dat in een boom verscheen

Toen Salomé eindelijk een brief aan haar dochter schreef – in die tijd een jonge vrouw, een vreemde, duizenden kilometers ver – stond daarin: *Alles wat verdwijnt blijft ergens,* alsof natuurkunde de tijd kon terugdraaien en hen beiden kon redden. Het was een regel die ze op school had geleerd: energie wordt niet gemaakt en gaat niet verloren. In feite gaat er nooit iets verloren. Mensen zijn ook energie, en als je hen niet kunt zien, zijn ze gewoon van plaats veranderd of van vorm, en soms beide. Uitzondering hierop zijn zwarte gaten, die dingen opslokken zonder er ook maar iets van achter te laten, maar Salomé liet haar pen verder schrijven alsof die niet bestonden.

Haar rokken waren nat en plakten tegen haar benen, haar pen schreef almaar door zonder dat haar hand hem leek voort te duwen, en vormde de krullen en lussen en halen van hellende woorden, puntige t's en j's, y's en g's met strikjes onderaan alsof ze aan elkaar verbonden wilden worden, vrouwen weer met elkaar wilden verbinden, en tijdens het schrijven werden de lussen groter, alsof er meer touw nodig was om vast te maken wat er in haar was geknapt, en niet alleen in haar, maar ook om haar heen, en vóór haar, in de tijd dat haar moeder en haar grootmoeder leefden, al die verhalen die Salomé niet zelf had meegemaakt maar die tot haar kwamen zoals dat met verhalen gaat: uitvoerig, ongevraagd, soms met veel omhaal, soms met een kracht die je kon overweldigen of je tot aan de hemel kon blazen. Andere verhalen waren nooit tot haar gekomen; die bleven onverteld. Ze lieten een lege stilte achter. Maar als het klopte dat alles wat verdween ergens bleef, zouden zelfs die nog schitteren, ergens in de verborgen hoekjes van de wereld.

De eerste dag van een eeuw is nooit zoals andere dagen, en al helemaal niet in Tacuarembó, Uruguay, een piepklein stadje dat erom bekendstond de eeuw altijd te beginnen met een merkwaardig wonder. En dus waren de bewoners die ochtend er helemaal klaar voor, gretig, nieuwsgierig, opgewonden, sommige beschonken, sommige verdiept in gebed, sommige nog beschonkener, sommige lagen te vrijen in de bosjes, sommige leunden in hun zadel, en sommige vulden kalebassen met maté om wakker te blijven en tuurden naar de onbeschreven lei van de eeuw die voor hen lag.

Een eeuw daarvoor, in 1800, toen Uruguay nog geen land was maar slechts een strook koloniaal gebied, waren er enorme manden met paarse bessen verschenen op het altaar in de kerk. Ze kwamen nergens vandaan, sappig en precies rijp genoeg, voldoende om het stadje ruim twee keer mee te voeden. Robustiano, een misdienaar, had gezien dat de priester de deur opendeed en het geschenk broeiend aan Christus' voeten aantrof. Nog jarenlang zou Robustiano het gezicht van de priester beschrijven toen hij die bessen zwetend aantrof in de zon die door het gebrandschilderde glas naar binnen viel, drie manden zo breed als twee mannentorso's, waaruit een geur opsteeg waarvan God bedwelmd zou raken. Robustiano bleef de rest van die dag en de rest van zijn leven over deze gebeurtenis vertellen. 'Hij trok bleek weg, lijkbleek werd hij, en daarna rood en zijn ogen rolden in hun kassen, en – *páfate* – toen viel hij op de grond! Ik rende naar hem toe, schudde hem door elkaar, riep *Padre, Padre*, maar hij lag daar als een blok beton.' Jaren later zou hij eraan toevoegen: 'Het was de geur die hem te veel was geworden. Je weet wel. Als de geur van een vrouw die bevredigd is. *El pobre padre.* Al die nachten alleen – hij was er niet tegen bestand, die bessen, warm van de zon in zijn kerk, te veel voor een priester.'

Vrouwen, gaucho's en kinderen kwamen zich aan de bessen te goed doen. De kerkbanken waren niet gewend aan zo veel mensen. De bessen waren klein en vol, rijp en zuur, heel anders dan men in deze streken kende. Toen de inwoners die middag na het eten lagen te rusten, stapte een tachtigjarige vrouw het altaar op en vertelde het verhaal dat ze in haar jeugd had gehoord over de wonderen die Tacuarembó overkwamen op de eerste dag van elke eeuw. 'Ik zeg jullie,' zei ze, 'dit is ons wonder.' Haar bebaarde kin was overtuigend bevlekt met paars sap. Wonderen zijn wonderen, zei ze; ze dienen zich onaangekondigd en onverklaarbaar aan, zonder de belofte je te geven wat je wilt, en toch aanvaard je ze; het zijn de verborgen beenderen waaruit een alledaags leven is opgebouwd. Ze vertelde het verhaal over wat er honderd jaar eerder, in 1700, op nieuwjaarsdag was gebeurd, precies zoals het haar was verteld, en niemand had reden om eraan te twijfelen: op die dag hadden liederen in de oude taal van de Tupí-Guaraní door de lucht gespookt, van zonsopgang tot de volgende dag. Hoewel er bij de meeste *Tacuaremboenses* ook autochtoon bloed door de aderen stroomde, waren zelfs zij in die tijd de taal niet meer meester. Maar de geluiden waren onmiskenbaar: kelig gezongen flarden, met de cadans van een rivier waarin steentjes gegooid worden. Iedereen kon ze horen, maar niemand kon de zangers ontdekken; de muziek van onzichtbare stemmen werd op flarden wind voortgedreven.

Pajarita hoorde al die verhalen als klein meisje – over de bessen, de liederen, de vrouw met de paarsgevlekte huid. Ze had geen idee hoe Guaraní klonk. Het enige wat ze thuis hoorde was het Spaans van Tacuarembó, het zingende vuur, het staccatogeluid waarmee een ui werd gehakt, het zachte ruisen van de rok van haar tante Tita, de levendige klaagzang van de haveloze gitaar van haar broer, de kraaien buiten, de paardenhoeven, het gekakel van kippen, haar broer die op de kippen mopperde, het vouwen en wassen en roeren en snijden en vegen en gieten dat *tía* Tita voortdurend deed. Tía Tita zei niet veel, alleen als ze verhalen vertelde, en dan was ze onstuitbaar, uitputtend, en eiste ze onverdeelde aandacht. Ze vertelde de verhalen tijdens het koken. Ze tuimelden achter elkaar uit haar mond, stroomden overal heen en vulden hun eenkamerwoning met zwevende dode geesten.

'Je moet weten,' zei ze dan, 'waarom je broer Artigas werd genoemd,' en dat was voor Pajarita het teken om het vlees voor de stoofschotel te komen snijden. Ze kende de grote lijn van het verhaal net zoals ze de vorm al kende van het mes voordat ze het vastpakte. Ze kwam knikkend aanlopen en spitste haar oren zo goed dat het voelde alsof ze wijd open stonden.

'Hij is vernoemd naar je overgrootvader. Ik weet dat sommigen dat niet geloven, maar José Gervasio Artigas, de grote bevrijder van Uruguay, is mijn grootvader – echt waar. Ja, hij voerde de strijd voor onafhankelijkheid aan, met gaucho's en indianen en bevrijde slaven. Iedereen weet dat hij dat heeft gedaan, en de volgende keer zal ik daarover vertellen. Maar hij heeft ook zijn zaad gestort in de buik van een dochter van een gaucho, die haar had tot op haar knieën. Analidia. Zij maakte de beste bloedworst aan deze kant van de Río Negro. Ze was veertien. Niemand zal jullie geloven, maar dat mag je niet deren, je moet de geschiedenis ten koste van alles levend houden. *Mira*, Pajarita, snijd het vlees een beetje kleiner. Kijk, zo.'

Ze volgde Pajarita's handelingen totdat ze tevreden was, daarna boog ze zich naar de kookkuil en porde in de kolen. Het meisje met het ravenzwarte haar dat de bloedworstjes vasthield zweefde achter haar, doorzichtig, met grote ogen, met handen die zich openden en zich om het vlees sloten.

'*Pues*, die José Gervasio heeft in 1820 een nacht zwetend op verse huiden doorgebracht met Analidia, vlak voor hij door de Brazilianen werd verslagen. Hij vluchtte naar het Paraguese woud en daarna heeft men nooit meer iets van hem vernomen. Analidia bracht een prachtig dochtertje ter wereld. Esperanza. Mijn moeder. Herinner je je haar naam nog? Ze was sterker dan een op hol geslagen stier. Toen ze opgroeide, werd ze verliefd op El Facón, die gekke gaucho, je grootvader. Bij zijn geboorte heette hij Ricardo Torres, maar het duurde niet lang voordat hij zijn echte naam verdiende. Niemand kan het *facón*-mes zo hanteren als hij. Ik zou het de engelen graag zien proberen.'

Terwijl Pajarita daar stond te hakken en te hakken zag ze haar grootvader, El Facón, als jonge gaucho die zijn eigen facón met glinsterend lemmet waar het verse rode stierenbloed vanaf droop, omhoogstak naar de hemel.

'In die eerste jaren, voordat je vader en ik er waren, was El Facón beroemd om zijn vriendelijke stem, zijn lichtgeraaktheid en zijn dodelijke trefzekerheid. Hij zwierf vrijelijk door het land met zijn facón en zijn *bolas* en lasso, en hij joeg op koeien en nam hun vlees en huiden mee naar de havens in het zuiden. Hij bracht cadeautjes mee voor Esperanza, sieraden uit India en Rome, net aangekomen in exotische schepen, maar zij gaf er niet veel om. Ze legde ze op een hoopje in de hoek van hun hut. Meer dan wat ook wilde ze hém bij zich hebben, en dus was ze verdrietig. Toen ik ter wereld kwam was ze alleen. Ze maakte het zichzelf moeilijk door de *ombu*- en *ceibo*-bladeren in haar thee te lezen, die verschrikkelijke waarschuwingen te zien gaven. Duidelijke waarschuwingen. Overal zou oorlog zijn. Elk seizoen zou er een nieuwe tiran komen die een leger op de been bracht, een leger liet uitmoorden, macht verwierf, macht verloor. Jongemannen die elkaar afslachtten en de lichaamsdelen voor de honden gooiden. Zo veel bloedvergieten dat de aarde rood had moeten kleuren. Trek niet zo'n gezicht, Pajarita. Kijk, het water kookt.'

Pajarita hurkte neer bij het roodgloeiende vuur en schepte het vlees in de pan. Het was vlees van een koe, niet van jongemannen. De avondzon legde een laklaag over de vuile vloer, de tafel, de huiden die als dekens dienden; nog even en het was tijd om de lamp aan te steken.

'Dus daar leefden ze, El Facón en Esperanza, in een streek die verscheurd werd door strijd. En toen kwamen de gebroeders Saravia, Aparicio en Gumersindo – hij was verdoemd, die Gumersindo –, en die verzamelden hier in Tacuarembó hun leger. Ze wilden met alle geweld onafhankelijk worden van de laatste tiran, ze waren ervan overtuigd dat ze zouden winnen. Jullie *abuelo*, El Facón, geloofde alles wat ze zeiden. Hij volgde hen uit Uruguay naar Brazilië, naar het slagveld. Daar heeft hij dingen gezien waar hij nooit een woord over heeft gezegd, en hij heeft gezworen dat hij er zelfs in de hel nooit iets over zou zeggen. De duivel zou er niet tegen bestand zijn, zei hij. Dus we weten het niet. Maar we weten wel dat hij Gumersindo met zijn blote handen heeft begraven, daarna heeft gezien hoe de vijand hem opgroef, zijn hoofd afhakte en er overal mee paradeerde. En daarna, drie jaar later, ging El Facón bevend terug naar Esperanza. Ze bouwden deze *ranchito*, waar we op dit moment in staan, en je vader werd hier geboren, en ook je broer Artigas. En zo kwam Artigas aan zijn naam.'

Tía Tita roerde in de stoofpot en deed er het zwijgen toe. Terwijl Pajarita de kommen en messen afwaste, zag ze van alles voor zich (afgehouwen hoofden en lang, lang haar en exotische sieraden).

Pajarita's broer Artigas wist nog precies wanneer tía Tita bij hen was ingetrokken: het was in 1899, toen Pajarita voor de eerste keer werd geboren, vóór de boom, vóór het wonder.

Dat jaar was hij vier geworden en zijn moeder, La Roja, was in het kraambed gestorven. Ze liet slechts een zee van bloed en een baby met grote zwarte ogen na. De geboorte daarvoor was ook met de dood geëindigd, maar toen was het de baby die was gestorven, en mamá die nog een dag bleef koken en zingen. Dit keer bewoog ze niet meer. Het bloed doordrenkte de stapel huiden waar het gezin op sliep zodat die niet meer te gebruiken waren, en Artigas was bang toen hij zijn vader, Miguel, zijn gezicht er huilend tegenaan zag wrijven, waardoor zijn huid rood vlekte. De baby huilde. Miguel schonk haar geen aandacht. Er werd die nacht niet geslapen. De volgende ochtend kwam tía Tita en ze keek rond in de hut. Het krukje van La Roja, gemaakt van een koeienschedel, was bij de tafel vandaan gehaald. Miguel hield het met beide handen vast en zat doodstil met zijn gezicht naar de muur. Achter hem zat Artigas op huiden vol gestold bloed, met een spartelende baby in zijn armen. De kookkuil was koud en leeg. Tía Tita vulde hem met hout. Ze schrobde de bloedvlekken van de muren, maakte *tortas fritas*, haalde de onbruikbaar geworden huiden weg en waste de kleren. Vier heuvels verderop vond ze een jonge moeder die de naamloze baby kon voeden. *Esa bebita*, die baby, noemden ze haar bij de waterputten van Tacuarembó.

Tía Tita bleef bij hen, en Artigas was blij toe; zijn tante was net een ombuboom met een dikke stam, die stilte uitstraalde. Hij nestelde zich in haar schaduw. Hij sliep tegen de warme bast van haar lichaam. De seizoenen veranderden van koud in warm en weer in koud. Miguel werd hard, als vlees dat wordt gerookt. Hij raakte de baby niet aan. Op een avond – toen de winterse wind door de kieren in de muren waaide en buiten de boomtoppen heen en weer zwiepten tegen de heldere hemel waarin de maan groot genoeg leek om een kalf uit zijn buik te laten komen – huilde het kleine meisje in Tita's armen.

'Laat haar ophouden, Tita,' zei Miguel.

'Het komt door de wind. En ze krijgt tandjes.'

'Vermoord die kleine hoer dan!'

Artigas kroop weg in de schaduw. Zijn naamloze zusje keek haar vader met grote ogen aan.

Tita zei: 'Miguel.'

'Hou je kop.'

'Miguel. Kalmeer.'

'Ik ben kalm. Ik zei dat je haar moest vermoorden.'

Tía Tita hield de baby nog steviger vast en keek haar broer aan, die naar de baby keek, die niet wegkeek. Artigas voelde aandrang om zich te ontlasten; hij kon die uitdrukking op zijn vaders gezicht niet verdragen, een blik die een man in stukken had kunnen hakken. Het vuur brandde lager en knetterde en zijn vader draaide zich om en werkte zich langs het leren gordijn bij de deur. Artigas stelde zich voor dat hij buiten stond, alleen, onder een kom van sterren, en hoorde hem een paard bestijgen en wegrijden over de vlakke aarde.

De volgende ochtend was de baby verdwenen. Hoewel ze allemaal op dezelfde huiden sliepen, had de familie Torres niets gemerkt van haar vertrek. Een grondige zoektocht in het omringende land leverde helemaal niets op: geen kruipsporen, geen aanwijzingen, geen lijkje. Een week na haar verdwijning verspreidde zich in Tacuarembó het gerucht dat ze dood was – of, zoals de vrome doña Rosa het uitdrukte: door engelen ten hemel gedragen. Ze was gestorven van de honger. Ze was gestorven aan verwaarlozing. Ze was gestorven in de klauwen van een uil, zonder naam, ongewenst. Miguel zei hier niets op, hij beaamde het niet en sprak het niet tegen, hij huilde noch lachte.

Alleen tía Tita bleef naar de baby zoeken met de onvermoeibare tred van een merrie. Ze keek overal: in groene velden, lage heuvels, dichte struiken, hoge of diepe of schaduwrijke bomen, de zondoordrenkte berghelling die naar de stad leidde, het plein, de kerk, de drie stenen putten, en de huizen – *ranchitos* die hier en daar het landschap bespikkelden, kleine kubussen waarin ramen uitgehakt waren en waarin de vrouwen klaarstonden om met hun tong blijk te geven van hun afkeuring en 'nee' te gebaren. 's Avonds brouwde tía Tita thee van ombu- en ceibobladeren. Ze tuurde in hete, natte vormen naar een aanwijzing over de verblijfplaats van het meisje, of anders in elk geval een teken van haar dood. Er kwam niets. Het zoeken ging door.

Soms nam ze Artigas mee tijdens haar zoektochten. Eén daarvan veranderde hem voorgoed (en jaren later, als oud man die geweren meesjouwde door de jungle, vroeg hij zich af of hij zonder die dag op een rustige manier oud was geworden in Tacuarembó). Het gebeurde op een zondag die begon met een mis in de kerk, een plek die Artigas haatte omdat die hem herinnerde aan de laatste keer dat hij zijn moeder had gezien onder een zwarte lijkwade en veldbloemen. De priester sprak met een vurigheid waardoor het schuim op zijn lippen stond en Artigas pijn in zijn knieën kreeg. Op weg naar huis trok zijn tante aan de teugels en veranderde zonder waarschuwing of uitleg van richting. Artigas keek om zich heen naar het gras, de hoge eucalyptusbomen, de verre schapen. Geen spoor van zijn zusje. Ze reden in stilte, aan alle kanten omhuld door de gloeiendhete zon.

Een uur verstreek. Artigas werd onrustig. 'Tía,' zei hij, 'hoelang blijven we nog zoeken?'

Ze gaf geen antwoord en ging ook niet langzamer rijden. Haar rokken maakten zangerige *zwisj, zwoesj*-geluiden tegen de huid van het paard. De omweg was misschien bedoeld om een bijzondere loot te zoeken of een gebogen blad of een bittere wortel voor een van haar geneeskrachtige theeën of zalfjes. Ze was altijd bezig met verzamelen. In de stad was ze erom berucht dat ze haar rokken tot haar dijen ophees zodat ze grassen mee kon nemen die ze bij iemand uit de tuin had getrokken. De jongens van Gardel plaagden hem ermee: Ik heb de benen van je tía gezien, vol modder, die tía van jou is gek dat ze naar dode baby's zoekt. Artigas was met bloedende schaafwonden als overwinnaar thuisgekomen.

Toen tía Tita uiteindelijk halt hield, gleed ze van het paard en bleef ze staan. Hij sprong achter haar op de grond.

Ze stonden in een onbekend weiland. Er waren geen koeien, geen schapen of mensen, geen baby's die uit de hemel vielen, helemaal niets behalve gras en een stel ombu's. Leeg. Leeg. Zusjes vind je niet in leegte. Kleine meisjes overleven niet in de wildernis. Zelfs als ze haar vonden, zou er niet veel van haar over zijn, niet meer dan witte botten, het lichaam aangevreten als het karkas van een verdwaald schaap. Artigas ging zitten en staarde naar de rug van tía Tita, met die lange, donkere vlecht die als een naad over het midden liep. Ze bleef onwaarschijnlijk lang staan. Hij wachtte. Er gebeurde niets. De zon scheen meedogenloos. Hij had het warm en kreeg zin om ergens tegenaan te slaan. Dat kale, stomme veld. Die felle zon. Die vreemde, onbeweeglijke rug van Tita. Hij sprong overeind. 'Tía, wat doen we hier?'

'We luisteren. Naar vogels.'

Artigas deed zijn mond open om te protesteren tegen deze onzin, maar er kwam niets uit, omdat het voor zijn volgende ademhaling al gebeurd was, het was te laat, de geluiden van het weiland overspoelden zijn lichaam, vogels zongen in de lucht en in de bladeren, zijn botten barstten open, er zaten vogels in zijn botten, ze zongen, klein en luid en lieflijk, verborgen in vlees, verborgen in de bladeren zeiden ze het onzegbare in hun klaagzang, zachte melodietjes en kreten, bijna ondraaglijk; het weiland, die felle keeltjes, die open wereld, het ging zijn begrip te boven, de klank openbaarde zich en liet een geheime muziek horen die hem zou kunnen meevoeren en nooit meer terugbrengen. Hij werd vervuld van angst en iets anders en hij moest plassen of huilen, maar dat kon hij niet en dus verborg hij zijn gezicht in naar muskus geurend gras en luisterde naar vogels.

Ze vonden die dag geen baby. En op oudejaarsavond was het zelfs niet tía Tita en ook niet Artigas, maar de jonge Carlita Robles die met het nieuws naar het plein galoppeerde. Artigas zag haar

walnootbruine vlechten achter haar aan vliegen in precies dezelfde kleur en glans als haar paard, alsof ze in dezelfde verf gedoopt waren. Haar timing was perfect. De nieuwe eeuw was negen uur oud. De keien van het plein sisten onder de stralende ochtendzon. Een paar achterblijvers waren nog op de plek waar de feestelijkheden hadden plaatsgevonden: snurkende dronkaards, jonge verliefde stelletjes, zwerfhonden, Artigas met zijn aftandse gitaar (waarop hij, tegen elke logica in, had gezwoegd om de geheime schuilplaats van klanken te betreden). De vrome doña Rosa was nog steeds niet uit de kerk opgedoken. Ze zat er al vanaf middernacht. Vanaf kerst had ze gevast zodat God hun geen naargeestig wonder zou bereiden, zoals een bloedbad of cholera of een golf echtbreuken. (Hoewel niemand haar daden erg serieus nam, zoals drie jaar daarvoor, toen haar zoon was verdwenen met de rebellen van Aparicio Saravia en ze niets anders kon dan vasten en bidden, en als haar man haar niet kon vinden reed hij simpelweg naar de kerk, waar hij zijn vrouw altijd neergeknield aantrof en mee naar huis kon nemen om zijn eten te koken. Wat een geduldige man, zeiden de mensen. Geen lichtvaardig lot, om door God de hoorns opgezet te krijgen.)

'Ik heb het gevonden – het wonder!' riep Carlita. 'Er zit een baby in een boom!'

Artigas hield op met tokkelen, de stelletjes staakten hun kussen en Alfonso de winkelier hief zijn benevelde hoofd op van de bank waarop hij lag.

'Weet je dat zeker?'

'Natuurlijk.'

'We gaan kijken.'

Eerst gingen ze naar de kapel om het aan doña Rosa te vertellen. Gekleurd licht gleed over hun hoofd en boog af naar de kerkbanken, over het gangpad tot op de vrome rug van doña Rosa. Carlita doopte haar hand in het wijwater en sloeg haastig een kruisje. Artigas volgde haar voorbeeld om bij haar in een goed blaadje te

komen (ze was heel knap om te zien).

'Doña Rosa,' fluisterde Carlita. 'Het wonder. Er zit een baby in een ceibo!'

Doña Rosa keek op van haar rozenkrans. 'Een baby?'

'Ja.'

'Ach.' Ze fronste haar voorhoofd. 'Wat een zegen.'

Ze reden het modderpad over naar de oostkant van Tacuarembó. Artigas installeerde zich op de warme spierbundels van het paard onder hem. De slapeloze nacht had een waas van waakzame uitputting bij hem veroorzaakt en hij wilde niet rusten. Hij zou zijn paard naar de rand van het stadje sturen; hij zou zijn paard naar de rand van de wereld sturen; dit was een nieuwe eeuw, hij zou almaar door blijven rijden, en een baby... het kon waar zijn, nee, niet, onmogelijk, maar stel dat het wel zo was. Wat waren de kleuren om hem heen prachtig, het groen en goud van het zomerse gras, het warme blauw van de ochtendhemel, het donkerbruine hout van de ranchitos waar mensen uit kwamen om zich bij hen aan te sluiten. Vrouwen met hoofddoek rekten hun hals uit langs de gordijnen voor hun deur om het nieuws te kunnen horen, en lieten daarna de gloeiende sintels onder hun ketels achter. Mannen die in de zon maté zaten te drinken maakten hun paard los en tilden hun kinderen in het zadel.

De groep werd twee keer zo groot, en nog eens, hij zwol aan zoals legers die door steden trekken. Tegen de tijd dat ze bij de ceibo waren aangekomen, had de zon zijn hoogste punt al bereikt en begon aan zijn afdaling. De boom torende uit boven de oostelijke put, en helemaal bovenin, dertig meter boven de grond, zat een klein meisje dat zich vasthield aan een dunne tak.

Ze was nog geen jaar oud. Haar huid was twee tinten lichter dan chocolademelk en ze had geprononceerde jukbeenderen en warrig haar dat tot op haar naakte middel viel. Haar ogen waren rond en vochtig, als verjaardagstaartjes. Ze leek niet angstig, maar ook niet verlangend om naar beneden te komen.

Artigas wierp zijn hoofd in zijn nek. Hij wilde zielsgraag haar blik vangen. *Mírame*, dacht hij.

'Ze is een heks!' zei een vrouw.

'Een *bruja* heeft ons een *brujita* gezonden!'

'Doe niet zo belachelijk,' snauwde doña Rosa. 'Het is een engel. Ze is hier om Tacuarembó te zegenen.'

'Waarmee? Een regen van babypoep?'

'Dat is geen engel, het is gewoon een kind.'

'Een smerig kind.'

'Misschien een van de kinderen van Garibaldi. Die klimmen altijd in bomen.'

'Alleen de jóngens van Garibaldi klimmen in bomen.'

'En die klimmen alleen in ombu's.'

'Dat is waar. Hoe komt iemand langs die stam omhoog?'

Vijftig Tacuaremboenses keken reikhalzend naar boven. De boom leek onmogelijk te beklimmen. Als het een inheemse ombu was geweest, met lage, uitnodigende takken, zou er geen wonder of legende of negentig jaar voor nodig zijn geweest om het verhaal over te brengen. Maar hier stond de hoogste ceibo die Tacuarembó kende, waarvan de laagste tak meters boven de grond hing. Niemand kon zich voorstellen dat een volwassene daar met een baby in haar armen in kon klauteren, laat staan een baby alleen.

'Heel goed. Doña Rosa, hier heb je je wonder.'

'Ons wonder.'

'Wonderen zijn wonderen, wat kunnen we er verder over zeggen?'

'We kunnen alleen God danken.'

'Als jij het zegt.'

'Dat doe ik. Dat doe ik zeker.'

'Ik bedoelde het niet kwaad.'

'Hmm.'

'Luister allemaal, laten we geen ruzie maken.'

CAROLINA DE ROBERTIS

De onzichtbare berg

Vertaling Monique Eggermont

2009

DE BEZIGE BIJ

AMSTERDAM

'We moeten een manier vinden om haar naar beneden te krijgen.'

'Een ladder!'

'Laten we aan de boom schudden, dan valt ze eruit.'

'Er is geen ladder die lang genoeg is – ik kan het weten, ik heb ze allemaal gemaakt.'

'Ik zou de boom in kunnen klimmen…'

'Jij kunt nauwelijks op je paard klimmen, *hombre*!'

'We zouden moeten wachten op een teken…'

'En dan? Haar nog eens honderd jaar in de boom laten zitten?'

Het kleintje zat hoog en onbeweeglijk boven het geroezemoes, en verroerde zich nauwelijks. Artigas dacht: *mírame*. Ze draaide haar hoofd naar de ene kant, daarna naar de andere kant, en hun blikken ontmoetten elkaar. Jij. Jij. Hun blik kreeg betekenis, hun blik had kracht, hun blik was als een tak tussen hen in, onzichtbaar, onbreekbaar, althans zo leek het.

'Ik weet wie zij is,' schreeuwde hij. 'Het is mijn zusje.'

Vijftig hoofden draaiden zich om naar de jongen.

'Je zusje?'

'Welk zusje?'

'*Ay…* hij bedoelt…'

'Arm kind.'

'Luister, Artigas.' Carlita Robles knielde naast hem. 'Zij kan het niet zijn.'

'Waarom niet?'

'Ze is al te lang geleden verdwenen.'

'Ze kan het niet overleefd hebben.'

'Kleine meisjes overleven niet in hun eentje.'

'Maar zij wel,' zei Artigas.

Carlita en doña Rosa wisselden een blik.

'Bovendien,' vervolgde hij, 'als zij het niet is, waar komt dit meisje dan vandaan?'

Doña Rosa deed haar mond open en toen weer dicht. Niemand

zei iets. Artigas keek weer op naar het kind boven in de boom. Ze keek terug. Ze was ver weg, heel dicht bij de hemel, maar toch zou hij durven zweren dat hij de textuur van haar ogen zag: donkere poelen, wijd open, met rode adertjes in het wit. Hij stelde zich voor dat hij omhoogvloog, naar haar toe.

'Wacht op me,' riep hij tegen het gebladerte.

Hij klom op zijn paard en galoppeerde de heuvel af.

Hij trof tía Tita voor haar hut, waar ze een kip aan het plukken was. Hij sprong haastig van zijn paard en vertelde haar alles wat er die ochtend op het marktplein was gebeurd, over de mensen rond de ceibo, het kind hoog op de tak. Ze luisterde. Ze hief haar gezicht naar de zon. Haar lippen prevelden zonder dat ze geluid maakten. Ze veegde haar brede handen af aan haar schort en knoopte het los. 'Laten we gaan.'

Tegen de tijd dat ze bij de ceibo waren, stond het merendeel van de inwoners er in een kring omheen. Vrouwen hadden hun kinderen gehaald, kinderen hun overgrootouders, mannen hun echtgenotes, en de zwerfhonden van het plein elkaar. Paarden graasden. Doña Rosa had de voorkant van haar jurk opgeofferd om op de grond neer te knielen en innig te bidden met haar rozenkrans die zestien jaar eerder was ingezegend door de paus. De zoon van de winkelier zwaaide met een houten fluit. Honden blaften en jankten. Kalebassen met maté en manden met empanada's gingen van hand tot hand. Woordenwisselingen laaiden op en werden gesust en laaiden opnieuw op, over het meisje, over het gebak, over wie er de vorige avond hoeveel had gedronken en wie wat met wie had gedaan op het plein. Het kleine kind keek toe vanuit de hoge bladeren die haar vasthielden als de armen van een pleegouder.

Tía Tita en Artigas lieten zich uit het zadel glijden dat ze samen deelden. De menigte werd stil. Tía Tita was niet lang van stuk, maar op een bepaalde manier groot, met vierkante kaken, en ze dwong gezag af. 'Laat ons alleen,' zei ze tegen de menigte, waarbij ze haar blik op het kind gevestigd hield. Niemand wilde het verhaal missen, de plek waar het gebeurde verlaten, een ander het probleem laten oplossen. Maar tía Tita – vreemd, ondoorgrondelijk, onmisbaar voor het genezen van oudemannenkwalen en het schuim op soldatenlippen – liet niet met zich spotten. Langzaam en mopperend ging de menigte uiteen.

'Jij ook, Artigas.'

Hij deed wat ze zei. Het paardenlichaam bewoog dampend tussen zijn dijbenen. De lucht was warm en bedompt en zwaar. Hij sloot zich aan bij een groepje dat in de schaduw van een ombu was gaan staan, en draaide zich om zodat hij vanuit zijn zadel kon kijken naar Tita en het meisje dat zich daarboven als stipje, stil en donker, tegen een genadeloze hemel aftekende. Tita hief haar armen en leek te wachten, toen zwaaide de boomtop heen en weer en klonk het geruis van bladeren en plotseling was er een flits en haar armen sloten zich om iets dat met een plof tegen haar borst aan viel. Artigas zag dat zijn tante van de boom af liep, weg van de stad, om te voet naar huis terug te keren. Tegen de tijd dat de maan aan de hemel stond kende heel Tacuarembó het verhaal van de val die een vlucht werd, of de vlucht die een val werd.

Ze noemden haar Pajarita. Kleine vogel.

Niet bij iedereen begint het leven op die manier. Neem nou Ignazio Firielli. Hij verdween nooit en kwam ook nooit ineens weer terug, en in geen enkel dorp werd hij als een wonder betiteld. Hij beleefde wel een magische dag toen hij volwassen was, ver van huis, maar zelfs toen was het maar één dag die alleen tot doel had hem de liefde te leren kennen. Zo vertelde hij het in elk geval jaren later aan zijn kleinkinderen – met name aan Salomé, die luisterde, glimlachte, terwijl ze noodlottige geheimen verborgen hield. Hij zei altijd dat zijn handen door het zien van een bepaalde vrouw toverkunst hadden bedreven. Het was maar een optreden op de kermis, waarin hij in een opzichtig pak stumperige trucjes uithaalde. Maar het geheugen is iets heel gewiekts: het kan dingen er zo uit laten zien dat ze schitteren, en lompheid en pijn in het duister laten oplossen.

Voordat Ignazio ook maar íets van goochelen wist, of van Uruguay, of van vrouwen die in bomen werden geboren, had hij Venetië gekend. Venetië zat in zijn lichaam: de kanalen, talrijk als aders; zijn zangerige taal; de geuren van pekelwater, basilicum en versgehakt hout in zijn ouderlijk huis. Het meest wist hij van gondels. Zijn familie maakte gondels in alle soorten en maten. Stukken gebogen hout stonden naast het raam; hij kon hun vormen volgen met zijn handen en ogen, en dan wist hij waar hij thuishoorde. Je kon er iemand vervoeren, glijdend over het water, en die kon niet verdrinken, hij zou niet verdrinken, omringd door planken en voorstevens, gondels om mee uit vissen te gaan, om in te vrijen, om mee naar de markt te varen en bovenal gondels om de doden naar het eiland San Michele te vervoeren, waar het wemelde van de graven.

Gondels brachten Venetianen in contact met hun overledenen. Gondels brachten Ignazio in contact met zijn overledenen. Een geschiedenis van dood en gondels lag levend begraven in de hoeken van zijn huis. Toen Ignazio elf was, bracht zijn grootvader het verleden ter sprake toen ze samen in de werkplaats zaten. Nonno Umberto was meestal niet erg spraakzaam. Hij zat lange uren bij het raam, met zijn benige handen rustend in zijn schoot te deinen in zijn schommelstoel die hij als jongen uit hout had gesneden. Hij staarde naar buiten, waar de huizen in het water weerspiegeld werden, naar lakens aan waslijnen, kalm en stil, hoe hard er ook geschreeuwd werd in de keuken. Hij was doof. Hij deed alsof hij doof was. Ignazio wist nooit wat de waarheid was. Hij ging op een laag krukje aan nonno's voeten zitten op zoek naar rust, ook al was die niet echt, en op een dag kreeg hij een verhaal te horen dat ongeloofwaardig en geheimzinnig was, even steels en opgewonden als een biecht.

Lang geleden, vertelde nonno, verdiende de familie Firielli een bescheiden inkomen met het bouwen van eenvoudige gondels. Dat deed ze toen al eeuwen, en ze dacht dat ze het nog vele eeuwen zou blijven doen. Hij was erin geboren. Hij groeide op. Hij trouwde. Hij kreeg zeven kinderen, en ook zijn gezin woonde tussen ziltige platen hout die nog bewerkt moesten worden. Het was een slechte tijd voor Venetië. Er heerste volop cholera; niemand had genoeg te eten; het ene lijk na het andere vulde de begraafplaats van San Michele. 'De Oostenrijkers.' Nonno Umberto greep een vuistvol van de deken die over zijn benen lag. Als de deken geleefd had, dacht Ignazio, zou hij naar adem happen. 'Die hadden bloed aan hun handen. Ze roofden van ons en lieten ons verrekken.'

De zon wierp strepen op de muren en viel op de geraamtes van boten om hen heen. Nonno staarde uit het raam. Ignazio staarde ook naar buiten, en hij zag die Oostenrijkers van vroeger, grote mannen met monsterlijke koppen, met een kroon op hun hoofd, achteroverliggend in een gondel en lachend om bedelaars die op bruggen en oevers stonden. In de keuken bleven ze schreeuwen, zijn moeder, zijn vader, een klap, een val, nog meer geschreeuw.

Nonno ging verder: de revolutie was gekomen. Het was 1848. De Venetianen verjoegen de Oostenrijkers. Umberto en duizenden anderen dansten tot zonsopgang op de trappen van de kathedraal. De stad kolkte van de hoop. Ze waren vrij, ze waren onafhankelijk, Venetië zou weer opgebouwd worden. Dat ging een jaar goed, toen kwamen de Oostenrijkers terug. De cholera brak weer uit en woedde door de hele stad. Binnen een halfjaar waren zes van Umberto's zeven kinderen overleden aan cholera. Vier dochters en twee zonen. Alleen Diego overleefde het ('je vader, Ignazio; je vader was de enige'). Op de avond dat zijn laatste zusje stierf, viel de negenjarige Diego stil en bleef hij twee jaar en zevenendertig dagen zwijgen. Diezelfde avond ging Umberto naast zijn stilzwijgende zoon zitten, leeg als een lap die steeds opnieuw

28

is uitgewrongen. De begrafenisondernemer kwam, gehuld in het zwart, zijn gezicht verborgen in een kap met gaten die alleen de ogen vrijlieten. Door die gaten tuurde hij naar de jonge Diego.

'Kijk niet zo naar mijn zoon,' zei Umberto.

'Het zal hem geen kwaad doen.'

'Kijk niet naar hem.'

De begrafenisondernemer hief zijn handen. Umberto haalde naar hem uit en de man tolde naar achteren en Umberto haalde opnieuw uit totdat de kap plat en verkreukeld op zijn hoofd lag.

'Moge de ziekte je huis treffen,' schreeuwde de ondernemer. 'Mogen jullie allemaal wegteren.' Strompelend ging hij weg, zonder het lichaam van het meisje.

Later die nacht werd Umberto wakker van geritsel aan zijn voeteneind en daar zag hij een engel. ('Ik zweer het,' vertelde hij aan Ignazio, 'een engel, met vleugels en al!') Umberto was een minuut lang in de gloedvolle stilte blijven zitten. Toen vroeg hij de engel hoe zijn laatste zoon gespaard kon blijven. De engel zei *God hoort wat er over het water gaat.* Een vleugelpunt streek langs Umberto's hoofd en hij viel weer in slaap. De volgende ochtend kwam hij zijn werkplaats binnen en daar bleef hij drie dagen en drie nachten zonder te slapen, en hij bouwde een rouwgondel waarvan de schoonheid hem verbaasde. Vier zuilen steunden een baldakijn, bekleed met dik fluweel. Hij sneed zijn gebeden uit in het hout: versierde kruisbeelden op elke zuil, slingerende wijnranken en druiven en fleurs de lis, cherubijnen met trompetjes, een heks die haren uit haar hoofd trok, luchtgeesten tijdens een paringsdans, Hercules treurend op een berg, en aan het roer Orpheus met zijn gouden lier, klaar om de weg naar de Hades te bezingen. De dag waarop die gondel met het lichaam van hun laatste dochter over het water voer, trok hij de aandacht van een hertogin en zij gaf opdracht er een te maken voor haar man, die aan syfilis overleden was. Daarna vervoerden de gondels van Firielli de lijken van de edelste doden van Venetië.

Zo vertelde nonno Umberto het. Ignazio luisterde, omringd door houtsnippers, ervan overtuigd dat nonno loog. Hij kon niet geloven dat zijn grootvader in drie dagen een gondel had getimmerd, terwijl zijn reumatische handen nu nauwelijks een vork naar zijn mond konden brengen. Hij kon niet geloven dat ergens een engel zweefde. Evenmin kon hij zich zijn eigen vader, Diego, voorstellen als kleine jongen, stom van verdriet, terwijl hij nu verre van stil was, verre van klein. Alles aan hem leek altijd net iets te veel: te veel geluid, te veel haar, te veel wijnflessen die hij te snel leegdronk. Te veel lachen op het verkeerde moment (zijn lach had klauwen, hij klonk scherp). Hij overschaduwde iedereen – Ignazio zelf, zijn broers, zijn zusjes, zijn moeder met haar brede heupen en onstuitbare liefde, en nonno, met zijn schommelstoel, zijn raam, zijn rimpelige huid, zijn zwakkere greep op het leven waardoor hij genoopt was te stoppen met houtsnijwerk, met proberen dingen vorm te geven, en ze alleen nog in hun kanalen kon laten drijven of zinken.

Op een zomerse avond na het eten, toen het in huis benauwd was van de hitte, liet Ignazio met tegenzin zijn kinderjaren achter zich. Het was op een woensdag. Hij was twaalf. Uit de keuken klonk het rammelende waterlied van zijn zusjes die potten en pannen afwasten. Zijn vader stak zijn armen in de mouwen van zijn jas. Zijn wangen waren rood van de wijn. Ignazio's oudere broers volgden zijn voorbeeld en bleven met hun handen in hun zakken wachten. Diego Firielli draaide zich om naar zijn jongste zoon en kromde zijn vinger in een gebaar van 'meekomen'. De broers lachten. Ignazio bloosde en rende naar zijn jas.

Buiten lag hun gondel rustig op het water. Ignazio stapte als laatste in. De wind krulde zich over het water en in stilte gleden ze door het kanaal. Diego draaide zich naar Ignazio met een vreemde blik vol verwachting, spottend. Zijn dikke bos haar ontnam hem het zicht op de stad achter hem.

Het was laat, zelfs voor Venetië, maar het huis waar ze naartoe gingen was vol licht, lawaai en vrouwen. Roodfluwelen gordijnen hingen tot de grond; wijn vloeide rijkelijk; lome akkoorden werden aan een accordeon ontlokt; de vrouwen lachten en deinden en wreven hun lichaam tegen mannen aan. Ignazio stond in een hoek tussen een gordijn en een versierde olielamp en probeerde naar niemand te kijken. Hij wilde dat de lamp uitging, zodat hij in de muur kon oplossen. Hij deed nog een stap bij het licht vandaan, maar zijn vader kwam naar hem toe met aan elke arm een meisje. 'Hier,' zei hij, en hij duwde er een naar Ignazio toe.

Boven, op het muffe matras, trilde Ignazio's hand toen hij de knie van het meisje aanraakte. Die was koel en glad. Haar schouder was bezaaid met sproeten. Zwarte lokken vielen rond haar gezicht. Ze zat half achterovergeleund op het smalle bed. Hij was bang voor haar, onzeker, vernederd door zijn eigen angst. Ze trok zijn hand naar de zoom van haar rok en hij deed niets en zij sloeg haar blik ten hemel en reikte naar zijn broeksknoop. Twee minuten later, toen hij in haar drong, hoorde hij zijn vader door het gordijn links van hem ritmisch grommen, en hij besefte dat zijn vader hem ook kon horen. Stel dat hij een verkeerd geluid maakte? Hij kreunde op tijd, zijn geluiden werden overstemd door zijn vader, en het meisje bleef stil liggen. Ze voelde aan als een gekneusde perzik, zacht, vochtig, verontrustend. Zijn vader was klaar en Ignazio beet in de hals van het meisje om het hoogtepunt in volkomen stilte te laten plaatsvinden.

Het begon kort daarna. Alles werd anders. Toen Ignazio dertien werd, werd zijn stem lager en zijn vader brak zijn moeders ribben. Toen hij op zijn veertiende op een avond naar de keuken ging, zag hij iets waar hij de kriebels van kreeg: zijn vader zat aan de tafel te snikken. Hij maakte geen geluid. Zijn glas was leeg. Zijn kin droop van snot en tranen. Ignazio sloop weg en rende naar bed, waar hij wakker lag van nonno's gesnurk en niet kon wachten totdat de zon opkwam.

Vijftien: Ignazio zaagde en schuurde, kerfde en bouwde tot zijn handen er pijn van deden. Hij ging voor dag en dauw aan het werk en hield pas op als het avond werd. Op een avond zaagde hij, uitgeput als hij was, het topje van zijn ringvinger. Toch kreeg het bedrijf Firielli nog net geen slechte naam. Er werden bestellingen gedaan waar Diego niets aan deed, half afgemaakte gondels lagen er naakt en verlaten bij. Begrafenissen kwamen en gingen zonder dat de bestelde boten voltooid werden. Klanten werden het zat; de soep thuis werd dunner. Tegen de tijd dat Ignazio zestien werd, waren zijn broers en zussen getrouwd, was het aantal bestellingen teruggelopen tot de helft, en was het gevoel van honger even vertrouwd als het geklots van water onder hout.

Op een avond sloeg Diego in het bordeel een kroonluchter en twee houten stoelen aan diggelen. Hij werd eruit gegooid met de mededeling nooit meer terug te komen. De volgende avond legde Ignazio op aandringen van zijn vader hun gondel voor de trap van het bordeel.

'Kom mee.'

Ignazio schudde zijn hoofd.

Zijn vader stapte onvast en dronken de wal op. Hij sloeg met de koperen ring tegen de vergulde deur. Hij schreeuwde dat hij binnen zou komen. Drie bewakers kwamen naar buiten, sloegen hem neer en sleurden hem toen de trap af. Ze duwden hem in de gondel, die schommelde onder het gewicht.

Diego zei: 'Jullie kunnen niet...'

'Kop dicht,' snauwde een bewaker. Ignazio kon zijn gezicht niet zien; zijn enorme gestalte richtte zich tot Ignazio. 'Kun je je vader niet in toom houden? Om godswil. Om de naam van je familie te redden.'

Ignazio voelde heet slijm onder zijn huid kruipen. Hij wilde het liefst het donkere kanaal in springen en ver weg zwemmen en nooit meer terugkomen. Hij knikte en duwde de gondel het water op.

Zes maanden later, op een koude winternacht, gooide Diego

zijn vrouw met haar hoofd tegen de muur en liep naar buiten. Het kanaal gromde onder de wind. Door het raam van zijn kamer zag Ignazio de schaduw van zijn vader op de waterkant balanceren en toen viel hij, alsof hij er door een onzichtbare vuist af werd gegooid.

Ignazio bleef stil liggen totdat hij zijn schoonzus in de keuken hoorde gillen: *dood, dood, mama is dood*. Hij sloot zijn ogen. Zijn moeder zweefde door zijn gedachten: hoe ze hem in haar armen nam toen hij op zijn zesde zijn knie had geschaafd, waarbij haar zware borsten over zijn oren vielen, zodat het was alsof hij de binnenkant van een schelp hoorde; geneurie, laag als een tenor, terwijl ze in de keuken deeg kneedde voor gnocchi; hoe ze naar hem keek als hij zijn jas aantrok met zijn broers, de wallen onder haar ogen. Het brandde in zijn borst. Als zijn vader zich niet in het water had geworpen, had Ignazio hem met zijn blote handen kunnen vermoorden. Hij hoorde dat nonno rechtop ging zitten in het bed tegenover het zijne. 'Huh? Wat gebeurt er?'

Ignazio was de volgende vijf uur bezig met bloed wegwassen van de muren en het lichaam.

Twee dagen later spoelde Diego's lichaam aan voor de trap van een graaf wiens bestelde gondel nooit voltooid was. Het kwam net op tijd bovendrijven om tegelijk met zijn vrouw de tocht naar San Michele te kunnen maken.

De lijken staken het water over, omstuwd door de levenden. De hemel zag bleek van de schrik. Een stoet rouwenden – zonen, dochters, echtgenotes en echtgenoten, kinderen, oudtantes, ooms, ondergedompeld in het zwart – voer in hun gondels achter de kisten aan. San Michele doemde voor hen op, met zijn zee van graven, overspoeld door de gebeden en rouwklachten die over het water wegstroomden.

Ignazio roeide zonder iets te zeggen. De wereld was niet de wereld, maar slechts een afschildering daarvan, geïsoleerd, ondoordringbaar; alle rouwende mensen waren slechts verfstreken;

hij was daarvan het middelpunt, en deed alsof hij echt bestond, terwijl hij een leven leidde dat bedacht was door iemand anders. Alleen nonno Umberto leek nog echt te bestaan. Hij haalde zwoegend adem toen ze uit de boot stapten en was hoorbaar tijdens het opdreunen van weesgegroetjes. Hij leunde op Ignazio's arm. Hij rook naar zeep en azijn en een zweem bitter zweet.

Rijen graven, gemompel van priesters, tantes die huilden, platen leisteen die verschoven werden om kisten in de grond te laten zakken. Ignazio keek toe toen de stoffelijke overschotten van zijn ouders (man en vrouw, dacht hij, moordenaar en slachtoffer) langzaam samen de duisternis in zakten. De stenen plaat kreunde toen zijn broers hem weer op zijn plaats legden om de doden weg te sluiten.

'Ignazio,' zei zijn grootvader. 'Ga met me wandelen.'

Ze ontvluchtten de biddende menigte en liepen over het keienpad. De graven van de rijken doemden om hen heen op, bouwwerken twee keer zo groot als de keuken van de Firielli's, met beelden erop. Luchtgeesten, oude godheden en treurende engelen staarden hen aan. Ze liepen erlangs naar een rij eenvoudige graven, onversierde kisten, verzonken in de aarde. Nonno bleef bij een ervan staan. Ignazio las de namen die in het marmer gegraveerd stonden: PORZIA FIRIELLI. DONATO FIRIELLI. ARMINO FIRIELLI. ROSA FIRIELLI. ERACLA FIRIELLI. ISABELLA FIRIELLI. Hij herhaalde ze in gedachten stuk voor stuk, *Porzia, Donato, Armino, Rosa, Eracla, Isabella*, zijn tantes, zijn ooms, verstijfde kinderen, onbekende geesten.

'Je vader,' zei nonno. Hij tuurde naar de grond. 'Jij kunt niet zijn zoals hij.'

'Nee.'

'Maar je moet hem accepteren.'

'Hij is dood.'

'Precies.'

Ignazio schopte tegen een steentje. Hij knikte niet-begrijpend.

'Ga je weg?'

'Weg?'

'Je weet dat je hier niet kunt blijven.'

Ignazio voelde zich doorzichtig. Hij wist het. Of hij had het zich afgevraagd. Zijn moeder was dood; het familiebedrijf was ten einde; zijn oudere broers vochten als aasgieren om de restanten; zijn zussen waren getrouwd. Het huis was een omhulsel vol schimmen.

Nonno Umberto zag er ineens intens vermoeid uit. 'Je moet weggaan. Onze naam is vervloekt. En Italië zal binnenkort weer in oorlog zijn.' Hij boog zich dichter naar hem toe. Ignazio rook de doordringende geur van zijn witte haar. 'Luister. Ik heb wat geld onder de plankenvloer, ik stuur je naar de Nieuwe Wereld, als je tenminste zweert dat je daar iets gaat bouwen. Gondels misschien, of iets anders, iets wat ze daar goed kunnen gebruiken, iets wat de moeite waard is om te bouwen. Wat dan ook. Zweer het.'

Toen scheurde het doek dat over de wereld gespannen was, en Ignazio was niet meer verdoofd, uiteindelijk bevond hij zich niet meer in een schilderij, maar hij stond in een rauwe, onafgemaakte wereld, omringd door de doden, en legde een nieuwe laag levende huid bloot.

'Ik zweer het,' zei hij.

Toen ze teruggingen naar de begrafenis, keek Ignazio over het water naar Venetië. De stad strekte zich uit in al zijn opeengepakte, aangetaste schoonheid. Gondels doorkliefden het water met hun gang, met hun stilte, met hun voorsteven gericht naar verre landen, naar rivieren met lange oevers en zeeën met brede kusten die god weet waarnaartoe leidden, naar een nieuwe wereld.

Vier dagen later kocht Ignazio een kaartje voor een stoomschip. Het was 1 februari 1911. De boot voer naar Montevideo, een stad waarvan hij nooit had gehoord, maar hij popelde om aan boord te gaan, en in elk geval, hoe anoniemer hoe beter, dacht hij. Aan boord gekomen borg hij zijn schaarse bezittingen op, ging op zoek naar een matroos en vroeg hoe het in Montevideo was.

'De hoeren zijn goedkoop. Er zit veel vis. Het ligt aan de Río de la Plata.'

Ignazio knikte en probeerde te glimlachen.

Ze staken de weidse blauwe pracht van de Atlantische Oceaan over. De Italianen stonken en kokhalsden en verbogen hun hoopvolle woorden om Spaanser over te komen. Baby's krijsten en volwassen mannen huilden als baby's. Ignazio zou van eenzaamheid verwelkt zijn zonder Pietro, een Florentijnse schoenmaker, zo'n man die een standbeeld nog aan het dansen zou weten te krijgen. Toen ze kennismaakten, zag Ignazio hem een sjekkie draaien: hij rolde het papiertje om alsof het erop had gewacht zich naar zijn wil te kunnen voegen, en draaide toen de uiteinden om, zodat elke vluchtweg afgesloten was (geef je over, tabak, jou wacht geen ander lot dan gerookt te worden). Hij bracht de sigaret naar zijn lippen, terwijl de zon achter hem in de zee zakte alsof hij langzaam op zijn knieën viel. Ignazio klampte zich aan hem vast. Hij wilde zijn zoals hij, luchtig, zelfverzekerd, laatdunkend over gesprekken over het verleden, paraderend over het dek alsof de toekomst een naakte vrouw was die met gespreide benen wachtte.

Ze brachten lange middagen door aan de reling. Ze tuurden naar de oceaan. Ze rookten, tuurden, staken op en rookten weer, totdat de tabak op was en ze alleen maar tuurden en op andere dingen kauwden: visgraten, stukjes doek, verdwaalde takjes uit hun geboorteland. Pietro behandelde Ignazio als een vermakelijk broertje (hij was tien jaar ouder dan hij, ongeveer zevenentwintig), maar hij bond in toen Ignazio eenmaal met kaarten van hem had gewonnen. Als gevolg van de nachten in bordelen was Ignazio bedreven geworden in het gokken. Pietro lachte toen Ignazio hem voor de twaalfde keer zijn winnende kaarten liet zien.

'Niet slecht. Die vaardigheid heb je nodig in de Nieuwe Wereld.'

Nieuwe. Wereld. Het klonk fris en groots en angstaanjagend. Ignazio schudde de kaarten en wierp steels blikken op de horizon, die dun en blauw tegen de hemel aan drong.

Drie maanden later ging Ignazio – stinkend en opgetogen – van boord in de haven van Montevideo. Een vreemde, overtuigende stank drong in zijn neusgaten: een mengeling van koeienhuiden, zweet, pis en de opdringerige alkalische wind. In de haven wemelde het van de schepen met vlaggen van over de hele wereld: Engeland, Frankrijk, Italië, Spanje, de Verenigde Staten en tientallen onbekende. Zijn medepassagiers dromden als beduusde kinderen om hem heen. Hij had gedacht dat Pietro zich vlak achter hem bevond, maar waar hij nu ook keek, hij zag hem nergens. Het was er vochtig en benauwd. Stemmen ratelden en schreeuwden zangerige snoeren van Spaanse woorden. Overal waren mensen: zeelieden, straatverkoopsters, smerige kinderen die aan dode vissen stonden te peuteren. Een jongen keek naar hem op van de viskaar die hij stond te schrobben. De neus van de jongen liep aan weerskanten breed uit, en zwarte ogen keken vanuit een gezicht dat donkerder was dan hij ooit had gezien. Pietro had hem verzekerd dat Uruguay vol zat met Europeanen en hun afstammelingen. Een beschaafd land, had hij gezegd. Ignazio's blik ontmoette die van de jongen. Hij voelde een opwelling van – wat was het? Angst? Fascinatie? Schaamte? Toen drong het ineens tot hem door – het voor de hand liggende, ondenkbare feit dat hij in een onbekend land was, werelden en nog eens werelden en lange blauwe werelden van huis. Zijn ribben spanden zich in zijn lichaam. Hij verlangde naar zijn enige vriend. Hij ging op zoek, perste zich langs brede manden van vrouwen en harde grijnzen van zeelieden, totdat hij hem uiteindelijk vond, met een sigaret (waar had hij die vandaan?), nonchalant tegen een gepleisterde muur geleund. 'Maak je geen zorgen,' zei Pietro. 'Het went wel.' Hij lachte. 'Hier, neem een trek. Wat dacht je ervan op zoek te gaan naar iets eetbaars, naar een stel vrouwen? Morgenochtend kunnen we gaan nadenken over werk en kamers.'

Hij gaf Ignazio een klap op zijn schouder en ze begonnen zich een weg te banen door het opdringerige tumult van Montevideo.

Monte Vide. Eu. Ik zie een berg, zei een Portugese man, een van de eerste Europeanen die dit gebied vanaf de zee zagen liggen.

Monte. Vide. Eu. Maar Ignazio zag helemaal geen berg, alleen maar vlakke keienstraten.

Monte. Vide. Eu. Stad van zeelieden en arbeiders, van wol en vlees, van grijze stenen en lange nachten, bijtend koude winters en januarimaanden zo vochtig dat je door warme lucht kon zwemmen. Stad van zoekenden. Haven van honderd vlaggen. Hart en zoom van Uruguay.

Ze hadden het over El Cerro gehad. Die Portugezen. Ze hadden vanaf hun schip een glimp opgevangen van El Cerro en zitten broeden over de naam van de stad. *Monte*. Berg. Wat overdreven. Ignazio zag hem elke dag vanaf zijn werk in de haven: een ophoping in de vorm van een reusachtig gebakken ei, lang en laag uitgespreid over de andere kant van de baai. Het was absurd, nauwelijks een heuvel, zielig, en hij kon het weten omdat hij uit een land kwam met echte, majestueuze bergen, de Alpen, de Dolomieten, de Apennijnen, Vesuvius, Presanella, Cornizzolo, echte bergen die hij zelf nooit had gezien maar waarvan hij zeker wist dat ze bestonden, dat ze massa en hoogte en substantie hadden, niet zoals dit ding dat ze El Cerro noemden en waarop hij tijdens zijn werk heimelijk de hele dag blikken wierp vanuit een hoge, ijzeren kraan, denkend aan die eerste dwazen die Uruguay vanaf de zee hadden zien liggen.

Van boven uit de kraan zagen veel dingen er anders uit. Boten. Bergen. Het gladde water beneden. De lange, zware spanningsboog van een werkdag. Kranen waren nieuw voor Montevideo; de eerste waren in dezelfde week gearriveerd als Ignazio. Hij leerde snel hun taal, het hijsen van katrollen, het grommen van de hefboom, de voorzichtige slakkengang langs de grote stalen neus, blootstelling aan vochtige kou en de brandende zon, de metalen spierkracht van de moderne tijd, de spanning bij het omhoogtillen van de gigantische kratten.

Tegen de schemering liep Ignazio op straten die omzoomd werden door smeedijzeren balkonnetjes en versierde deuren naar Calle del Ejido, waar hij in de schaduw van kanonnen woonde die ooit La Ciudad Vieja hadden beschermd toen het niet alleen het oude centrum was maar heel de stad. Vreemd, dat de eerste kolonisten hier hun stadje hadden gebouwd met een versterkte muur eromheen. Ze hadden een haven aangelegd die toegang bood tot het water, maar gesloten was voor het land eromheen. Wat had er zich schuilgehouden in de aarde om hen heen? Wat lag er nu om hen heen? Vlak tegenover de muur, in het nieuwere deel van de stad, waren de wegen van aangestampte aarde, met aan weerszijden hutten als kleine houten kisten, omringd door een onontgonnen, onverwachte ruimte. Er waren vreemde dingen te bespeuren aan deze stad. Amethist werd gebruikt als deurvanger, leer voor van alles en nog wat, een stenen muur als grens tussen de oude en de nieuwe stad. Men was dol op de president, een man die Batlle y Ordóñez heette, die scholen had beloofd, en arbeidersrechten, en ziekenhuizen (seculaire, heel schandalig, zonder kruisen aan de muren). Alle arbeiders met wie Ignazio werkte – zelfs de immigranten, van wie er veel waren – spraken over Batlle zoals de Italianen over de paus. Deze mannen waren ook dol op maté: een brouwsel van gescheurde blaadjes in heet water, bereid in een uitgeholde kalebas, dat gedronken werd door een metalen rietje dat ze een *bombilla* noemden. Ze dronken het alsof hun leven ervan afhing, en misschien was dat ook wel zo, ze zogen op hun hoge stalen balken aan bombilla's en schonken water op terwijl ze op de volgende krat wachtten, en gaven de kalebas door van de ene verweerde hand in de andere. De eerste keer dat hij maté aangeboden kreeg, was Ignazio geschokt door de veronderstelling dat hij met anderen een kop zou delen. Hij was per slot van rekening achttien, een volwassen man. Hij dacht eraan te weigeren, maar hij wilde niet dat de anderen dachten dat hij bang was voor thee. De kalebas voelde warm in zijn hand. De natte groene massa erin glansde. De drank stroomde in zijn mond, helder en groen en bitter, de smaak, dacht hij, van Uruguay.

Het lukte hem iets van Italië te vinden: verse pasta, goede chianti, de geruststellende cadens van zijn taal. El Corriente, de bar onder zijn groezelige huurkamer, was vol zoete sterke *grappa miel* en muziek op een valse piano en het gezelschap van immigranten. Na zijn werk ging hij daar rechtstreeks naartoe. Soms, midden in de nacht, sloop hij naar beneden om harde, mompelende stemmen Italiaans te horen spreken. Hij had ze nodig. Ze schonken hem een voldoening die zelfs hoeren niet konden bieden.

Pietro werkte voor een briljante maar reumatische schoenmaker. Hij zag Ignazio een paar keer per week in El Corriente, totdat hij drie jaar na hun aankomst een Siciliaans meisje trouwde met een kalme blik en een stevige bouw. Ignazio stond naast hem bij het altaar toen het orgel speelde en de in zijde gehulde bruid kwam aanlopen. De priester mompelde wat, maakte gebaren in de lucht en gaf zijn zegen voor een kus. Buiten op de trap strooide Ignazio ongekookte rijst over hen heen en riep gelukwensen terwijl het echtpaar naar hun rijtuig rende. Ze reden weg zonder om te kijken.

Daarna zag hij Pietro niet meer zo vaak. Op sommige avonden legden eenzaamheid en uitputting langzaam een lus rond Ignazio's nek. Op zijn dunne matras lag hij uur na uur in het donker te staren en dwong zichzelf niet aan kanalen te denken. Hij had eten, geld, werk, een kamer, alles wat hij nodig had om te overleven, en toch voelden zijn dagen als schelpen waar de weekdieren uit geschraapt waren – leeg, nutteloos, klaar voor de afvalbak.

Hiervoor had zijn grootvader hem niet weggestuurd. Hij probeerde zich het gezicht van zijn grootvader voor de geest te halen, hij schilderde het op het zwarte doek van het plafond. De details waren wazig geworden, maar hij kon het niet laten vervagen. In zijn geest reconstrueerde hij het tot iets wat zweefde, enorm groot, jong en hoekig, soms zelfs met littekens. Het gezicht veranderde met de seizoenen, met de textuur van de avonden, en Ignazio viel in slaap terwijl hij ernaar keek, zoals een man onder water naar licht op de zeespiegel kijkt.

Op een avond in november, toen de zonnestralen van zijn vierde lente in Uruguay de kilte uit de lucht jaagden, ontmoette Ignazio een groep mannen in El Corriente. Ze waren luidruchtig aan het pokeren toen hij binnenkwam. Hij werd onmiddellijk getroffen door hun kleurige kleding en aparte verschijning: een forse reus met een krulsnor, een man met gouden oorringen en een rode bandana, een potige, blonde identieke tweeling, een behaarde Spanjaard met opvallende sieraden, en een dwerg met haaienogen die op een stoel stond om bij het tafelblad te kunnen. De arbeiders aan andere tafeltjes deden net alsof ze hen niet zagen. De dwerg keek op en ving Ignazio's blik.

'Zin in een gokje?'

Ignazio trok een stoel bij. De reus deelde de kaarten met verfijnde precisie. Ignazio voelde de donkere ogen van de Spanjaard op hem rusten, de man keek naar hem zoals iemand de flanken van een dier op de veemarkt beoordeelt. Hij deed het subtiel, maar Ignazio merkte het toch. Hij had geleerd om tijdens het gokken overal op te letten: een veranderde blik; een daling van de temperatuur rond de tafel als de kaarten erop werden gegooid; gespannenheid in spieren en in de ademhaling van medespelers. Het waren zijn geheime wapens, het maakte het opwindend. Hij legde zijn kaarten op de tafel. De reus, die het meest had verloren, liet een nors gebrom horen. De anderen lachten.

'Kom,' zei Oorring. 'We spelen nog eens.'

Dit keer deelde de Spanjaard. Ignazio won weer. Daarna nog eens. Hij voelde de verandering om hem heen: de temperatuur die opliep, de sfeer die zo gespannen werd als een veer. Minder lachen, meer blikken, meer slokken. Ignazio gaf een rondje van zijn winst. De spanning nam af. Spieren ontspanden. Hij won opnieuw.

De dwerg keek even naar Oorring. De Spanjaard keek Ignazio nog indringender aan. Ze pasten allemaal, behalve Oorring. Ignazio verhoogde de inzet; Oorring ging mee. Ignazio legde zijn kaarten op tafel en keek zijn tegenstander recht in zijn ogen. Ze waren donkergroen, met lachrimpeltjes eromheen; de man deed Ignazio denken aan een piraat, hoewel hij er nog nooit een had gezien. Oorring legde zijn kaarten neer: royal flush. Alle ogen waren op Ignazio gericht.

Een moment als dit kon plotseling overgaan in een gevecht. Hij had het zien gebeuren. Hij boog voor de winnaar en schoof het geld naar hem toe. 'Gefeliciteerd.'

Oorring betastte zijn nieuwe munten. 'Hoe heet je?'

'Ignazio. En jij?'

'El Mago. El Mago Milagroso,' voegde hij er theatraal aan toe. 'Maar mensen noemen me ook wel Cacho. Jij Italiaan?'

'Venetiaan. Waar de gondels vandaan komen.'

Cacho wisselde een nietszeggende blik met de reus. Ignazio wilde zijn mond opendoen om het uit te leggen, maar de Spanjaard boog zich dichter naar hem toe. '*Che*. Jij. Gondola.'

Ignazio draaide zich naar hem toe. Hij rook de doordringende geur van zijn baard.

'Wat dacht je ervan om voor mij te komen werken?'

'Als wat?'

'Als staljongen. Deze mannen' – hij wees rond de tafel – 'maken deel uit van mijn *carnaval*. We vertrekken volgende week voor onze zomertoer.'

'Onze staljongen is gisteravond bij een duel doodgeschoten,' zei de dwerg smalend. 'Een duel om liefde.'

De Spanjaard glimlachte en onthulde daarbij drie gouden tanden. 'Ik betaal goed.' Hij spreidde de kaarten waaiervormig uit op de tafel. 'Nou?'

Ignazio staarde naar de kaarten met hun rode en witte achterkant. Hij voelde de behoefte er een om te keren en erin te kruipen, op zoek naar zichzelf in de stelen van schoppen of de hoeken van ruiten. Hij was inhalig, hij wilde ze allemaal, harten en klaveren en boeren en azen, maar zo gaat het niet in het leven en bij poker. Je moet de weg volgen die je bent ingeslagen. Je stapt op de boot en Venetië vervaagt en de oceaan is overal, je kunt niet terug. Je geeft de hoop op een flush op en houdt je mond als je de juiste kaart een ronde te laat toegespeeld krijgt. Je weegt je leven in de stad af tegen een schitterend leven buiten, in den vreemde, onbeproefd, een avontuur in de handen van volslagen vreemden. Het was een gok. Het was altijd een gok.

'*Bueno*,' zei hij.

De Spanjaard bevestigde hun afspraak met een knikje.

Zes dagen later vertrok Ignazio in oostelijke richting met Carnaval Calaquita, een gezelschap van twaalf mannen, een stel echtgenotes en kinderen, en een aantal door paarden getrokken wagens stampvol zeildoeken, palen, circusachtige tenten, houten planken, luifels, inklapbare podiums, glanzende speeltafels, weegschalen, lachspiegels, opzichtige maskers, bloem, rijst, trompetten, gerookt vlees, duivenhokken, kippenhokken, konijnenhokken, en de ene hutkoffer met kostuums op de andere gestapeld. De weg was verstikkend van het stof dat elk paard liet opstuiven, zodat ze door lage bruine wolken heen draafden. Wat een weg. Ignazio had zijn hele leven in de stad gewoond en niet geweten dat stenen plaats konden maken voor zo'n weids landschap. Hij had wel geweten dat het bestond, maar was niet voorbereid op de overvloedige stilte ervan, de onmetelijkheid, de opwinding die zich tijdens de rit van hem meester maakte. Ze reden en reden, en het land ontrolde zich in al zijn overvloed, zonder bescheidenheid, naakt, geurig, oneindig groen, met hier en daar wat hutten, een en al hitte en doornen en dierengeluiden.

Bij hun eerste stopplaats, Pando – een paar huizen rond een plein – werden ze met al het enthousiasme van de vroege kerstdrukte ontvangen. De ploeg zette snel een wereld in elkaar van spel, mystiek en spektakel. Ignazio zweette en ruimde paardenvijgen op, en daarna stond hij in een blauw pak met lovertjes toe te kijken hoe de *carnavaleros* hun vak beoefenden. In dat wereldje konden ze alles. Een heilige laten trillen van opwinding en een zondaar de lasten van morgen laten vergeten. Zich door volwassen mannen aan de zijkant van eenvoudige wagens laten smeken niet in te pakken, niet te vertrekken, niet te verdwijnen over de brede, hete weg.

De ene stad na de andere heette hen welkom. Ze reisden het hele platteland over – in westelijke richting naar Paysandú, in oostelijke richting langs Rocha naar het Braziliaanse Chuy, in noordelijke richting naar Artigas. Ignazio hield van de manier waarop hij dacht in andermans ogen over te komen: onbesuisd, vrij, een beetje gevaarlijk. Zo voelde hij zich als hij steden achterliet en verrukt naar kinderen met hun pientere blik keek, naar mannen die over velden reden, naar stevig gebouwde vrouwen die emmers water naar hun huis sjouwden. Hij vroeg zich af wat zijn thuis was. Hij zocht het die zomer op de rug van een paard, in het schudden van de wagen, het kakofonische sterrenlicht, in maté en sterkedrank bij het kampvuur. Hij sloot vriendschap met Cacho Cassella, de goochelaar die geen piraat was, met zijn kleurige bandana's en zijn hartelijke lach. Cacho stamde af van gaucho's in het oosten, die Braziliaanse *baurús* aten en het hybride grensdialect *portuñol* spraken. Hij en Ignazio bleven allebei 's nachts graag lang bij het licht van een vuur zitten. In de oranje gloed van brandend hout zong Cacho gaucholiederen en leerde hij Ignazio trucjes die de indruk gaven dat hij over bovennatuurlijke krachten beschikte. Hij leerde Ignazio ook gokken op de oude Uruguyaanse manier, met behulp van ruggenwervels van een koe, witte stukjes bot die op donkere aarde werden geworpen. Soms vielen ze *con suerte*, gelukkig. Soms vielen ze *pa'l culo*, ongelukkig. Soms zaten de twee mannen in stilte terwijl ze elkaar de kalebas met maté aangaven, het vuur opporden, en toekeken hoe de hemel van zwart in fluweelblauw veranderde, omzoomd door een roze lint van de dageraad.

'Dit zijn echte gauchonachten,' verzekerde Cacho hem.

Voor Ignazio had het iets magisch dat je een cultuur kon aantrekken als een kledingstuk dat je kon dichtknopen alsof het voor je geknipt was, alsof niemand de vermomming zou opmerken.

In de derde maand van hun rondreis werd Cacho 's middags wakker met zo'n zware kater dat hij niet rechtop kon blijven, laat staan de goochelact van El Mago Milagroso opvoeren. Het was hun eerste avond in Tacuarembó. Tientallen stadsbewoners stonden op een kluitje bij de ingang van de tent te wachten.

'Wat een klootzak!' vloekte de Spanjaard achter het toneelgordijn. 'Als we het moeten afzeggen zal ik hem…'

'Je gaat niets afzeggen,' zei Consuelo, Cacho's vrouw, stellig. De roze lovertjes op haar maillot blikkerden toen ze dat zei. 'Gondola kan zijn plaats innemen.'

Ignazio staarde haar aan. 'Wat weet ik nou van goochelen?'

'Wat weet Cacho ervan? Wie weet er eigenlijk wat van? Je hebt de show vaak genoeg gezien. En zijn kleren zullen je wel passen.' Aangezien zij de naaister van het gezelschap was, was deze bewering onweerlegbaar. In de tenten noemden ze haar Meesteres der Vermommingen. Ze boog haar hoofd op een charmante manier. 'Ik fluister je instructies toe vanuit de kist terwijl jij me doormidden zaagt.'

'Ze heeft gelijk,' zei de Spanjaard. 'Jij kunt hem het best vervangen. Trek dat kostuum aan. Schiet op.'

Twintig minuten later schoof Ignazio met trillende vingers het fluwelen gordijn open. Handen klapten; trompetten schalden.

Het was loeiheet op het podium, en de geur van zweet en pinda's werd hem bijna te veel. De menigte werd een waas van kleuren. Hij werkte zich snel door het openingspraatje heen, waarbij hij zijn best deed om de grapjes en zwierige gebaren na te doen die hij Cacho avond aan avond had zien maken. Tot zijn verrassing steeg er gelach en geschreeuw op uit het publiek. Consuelo kwam bij hem op het podium staan en knipoogde hem bemoedigend toe.

Hij was halverwege de tweede truc toen hij de menigte scherp in beeld kreeg (hij was nu kalmer, het zou allemaal goed komen), en vanuit die kleurige massa doemde zij op – een jonge vrouw met hoge jukbeenderen, een vaste blik en lange zwarte vlechten met groene strikken onderin. Ze zag eruit alsof ze vanaf een vreemde, betere planeet net op aarde was geland. Ze keek alert, oplettend, ernstig. Toen hij de andere kant op keek, zweefde het beeld van haar gezicht als een geest voor zijn ogen.

Zijn aspirantenoptreden begon te haperen. Hij stotterde. Drie jongens op de eerste rij zaten te gniffelen. Het was tijd om een vrijwilliger uit het publiek op het podium te vragen. 'Wie kan me helpen?' Velen staken hun hand omhoog, ook jongens op de eerste rij, maar hij wees naar het meisje achterin. 'Graag *esa morochita* die daar in de hoek zit.'

Ze kwam het podium op. Jaren later herinnerde hij zich niet meer het verbaasde gemompel, armen die van teleurstelling over elkaar geslagen werden, de pindadoppen die tegen zijn kuiten schoten, maar alleen het feit dat zij het toneel op kwam. Hij legde een gele zijden sjaal in haar hand. De truc was eenvoudig. Hij zou indruk op haar maken. De sjaal zou verdwijnen en hij zou hem uit haar oor tevoorschijn halen, en daarna uit zijn mouw. Hij zwaaide met zijn arm en de sjaal verdween. De menigte slaakte waarderende kreten; de jonge vrouw keek op een stille, verwarrende manier toe. Ze stond zo dichtbij. Ignazio boog zich naar haar toe (o, haar geur), en trok de sjaal van achter haar oor tevoorschijn. De menigte klapte. De jonge vrouw glimlachte – een klein beetje, ze trok even met haar lippen, maar het was een glimlach. De sjaal verdween opnieuw. Hij maakte zich lang en zei: 'Waar denk je dat hij is?' Zijn vrijwilligster hield haar hoofd schuin. Hij grinnikte triomfantelijk en stak zijn hand in zijn mouw. Niets. Hij stak zijn hand er opnieuw in en zocht. Niets. De andere gele sjaal, verstopt in de voering, was weg.

Hij hoorde gegiechel, gemompel, hij zag dat mensen zich vol verwachting naar voren bogen. Hij keek in paniek naar de jonge vrouw. Hij deed zijn mond open maar kon niets zeggen. Ze kwam naar hem toe en stak haar hand in zijn mouw met vingers die zijn huid schroeiden en er veel te snel uit verdwenen, en ertussen een gele sjaal als een krachteloze prooi.

De zaal barstte los. De menigte lachte hem uit en prees het meisje, riep haar naam: Pajarita. De naam vloog uit hun mond zijn lege mouw in, en raakte hem midden in zijn holle borst. Pajarita. Daar bleef hij de rest van het optreden, tijdens het zagen en het konijn en de duiven die uit hun kist opvlogen. Daar fladderde hij rond terwijl de menigte eindelijk weg kuierde. Hij rolde zich klapwiekend op tussen zijn ribben toen hij onder de sterren lag en met wijd open ogen probeerde de slaap te vatten. Pajarita.

Toen hij insluimerde, droomde Ignazio dat hij bij een kanaal lag terwijl hij sjaals onder een vrouwenrok uit trok, steeds meer sjaals, totdat ze hem inwikkelden en hij aldoor heen en weer rolde en alleen nog maar gele zijde zag.

De volgende ochtend trilden zijn lippen toen hij zijn brood en maté naar binnen werkte. Hij liep verstrooid rond in het kamp. Hij verzorgde paarden die haar zinnelijke charme bij hem in herinnering brachten. Hij hees touwen die hem aan gladde zwarte vlechten deden denken. Hij duwde palen in diepe sleuven in de aarde – hij moest haar vinden.

Dat was niet moeilijk; het was een heel klein stadje. Die middag klopte Ignazio met zijn hoed in de hand aan bij de primitieve ingang van de Torres-hut, in de hoop dat hij er rustig en respectabel uitzag. Een vrouw met een verweerd gezicht en hangborsten liep op hem toe.

'Goedemiddag,' zei hij.

Ze gebaarde dat hij verder kon komen, langs het lederen gordijn haar huis in. Ze gebaarde opnieuw dat hij aan de tafel kon gaan zitten. Toen hij dat wilde doen, zag hij dat alle krukken rond de tafel helemaal geen krukken waren, maar dierenschedels met harde, bleke gezichten en zwarte gaten als ogen. Vlammen verlichtten een kuil in de lemen vloer; de schedels loerden naar hem in het flakkerende licht. Hij ging niet zitten. Hij probeerde niet te beven. De vrouw nam hem op en hurkte toen neer bij het kookvuur.

De stilte tussen hen werd intenser. De vrouw verbrak haar als eerste. 'Je bent hier voor Pajarita.'

'Ja.'

'Ze is naar de markt.'

Ignazio schuurde zijn nagels tegen de rand van zijn hoed. 'Is… uw man op een bepaalde tijd thuis? Ik zou graag met hem over uw dochter spreken.'

'Haar vader komt later.' Ze gooide wat gehakte peterselie in kokend water. 'Je wilt met haar trouwen.'

'Ja.'

'Waarom?'

'Ze is de mooiste vrouw die ik ooit heb gezien.'

De vrouw keek hem in zijn ogen alsof het wastobben met vuile lakens waren die ze droog kon wringen. 'Wat nog meer?'

'Ik weet het niet.' Een wolk gele zijde kwam hem voor ogen. 'Ik – ik wil een vrouw. Luister, señora, ik ben een goed mens. Ik kom uit een goede familie, uit Venetië. We maakten gond… boten, we waren botenbouwers.'

Haar blik week niet van zijn gezicht. 'Pajarita komt thuis als het donker is. Je kunt hier wachten.'

Hij ging buiten voor het huis op een blok hout zitten en keek hoe het licht over het landschap langzaam afnam. Overal kippen die verschrikkelijk kakelden en zo'n beetje in zijn richting in de lucht pikten. Een uur. Twee. Of was het langer? Hij schoof heen en weer, stond op, liep een paar stappen en kwam weer terug. Stof verguldde zijn enige paar lederen schoenen. Hij was belachelijk, een man die jongens met pindadoppen durfden bekogelen. Een bedrieger. Een droevige, eenzame man. Het was stom om hier te wachten, hij zou opstappen, hij zou zo meteen opstappen.

Hij bleef.

Ze kwam.

Aan de flanken van haar paard hingen gevlochten manden. De groene strikken waren uit haar vlechten verdwenen en haar jurk zag eruit alsof hij voor een vrouw was die twee keer haar omvang had. Ze zwom erin. Ze zwom in de lucht. Ze was perfect.

Ignazio stond op en nam zijn hoed af. Alle briljante opmerkingen die hij had willen maken, waren verdwenen. Ze kwam nu dichterbij. Pijn joeg door zijn lichaam toen hij haar zag afstappen. Hij wilde naar haar toe rennen en haar hard tegen zijn heupen drukken, maar in plaats daarvan maakte hij een buiging en zei: 'Goedenavond, señorita.'

Pajarita stond daar terwijl de schemering om haar heen plooide als een rok die almaar donkerder werd. Ze keek naar de vrouw die in de deuropening was verschenen. 'Tía Tita, wat doet deze man hier?'

Tía Tita, dacht Ignazio, moest al zijn geboren voordat mensen met hun ogen leerden knipperen. Ze veegde haar handen af aan haar schort. 'Je was hem te slim af bij het goochelen, en nu wil hij met je trouwen. Misschien moet je hem hier laten eten.'

Ignazio zat aan de gammele keukentafel nadat hij zijn zitvlak uiteindelijk had toevertrouwd aan een schedel. Tía Tita en Pajarita hakten en wasten en roerden. Hij vouwde zijn handen in elkaar, bracht ze naar de tafel en legde ze plat neer, vouwde ze opnieuw en liet ze op zijn schoot vallen. Moest hij een gesprek beginnen? Stilte leek voor deze vrouwen zoiets natuurlijks en vertrouwds. Ze droegen haar als een mantel. Hij hief een hand, tikte op de tafel en hield ermee op. Pajarita wierp hem een blik toe. Hij glimlachte. Ze keek snel weg.

De vader kwam vlak voor het eten, ging op zijn schedel zitten en keek naar de vreemdeling in zijn huis.

'Goedenavond, señor, mijn naam is Ignazio Firielli.'

De man knikte. 'Miguel.'

Ignazio wachtte tot hij verderging, maar hij zei niets.

Het eten kwam op tafel. Ignazio had een luidruchtig boerengezin verwacht, met drukke kinderen bij wie hij in de gunst zou komen door kaarttrucs. Die waren er niet. Het viertal at, en hun stilzwijgen werd geaccentueerd door vragen van tía Tita – hoe is Montevideo? Hoe ver is Italië? Wat bedoel je daar in vredesnaam mee, water in plaats van straten? Ignazio hield zijn antwoord eerst eenvoudig, daarna werd hij uitvoeriger en hij was bezig met een beschrijving van de ongeëvenaarde pragmatische gratie van gondels, om daarmee de aandacht van de vader te trekken die daardoor zijn gast in een nieuw licht zou zien, althans zo dacht hij, toen de vader opstond en vertrok.

Ignazio zweeg halverwege een zin. Hij hoorde Miguels paard snuiven en wegrennen. De vrouwen zeiden niets. Hij had het liefst tegen de muur gestompt, maar die zag eruit alsof die dan zou instorten, en hoe moest het dan met zijn huwelijksaanzoek? Hij had de kans voorbij laten gaan om met de vader te spreken, en toch begon hij te vermoeden dat de regels van deze familie niet beantwoordden aan de normen die hij zich had voorgesteld, of aan wat voor normen hij ooit maar had kunnen bedenken.

Het vuur in de kuil smeulde nog slechts wat na. Het was tijd om te vertrekken. Hij stond op met zijn hoed in de hand.

'Hartelijk bedankt voor het eten.'

Tía Tita knikte.

'Mag ik morgen langskomen?'

Tía Tita keek naar Pajarita, die haar hoofd schuin hield en hem aanstaarde. Hij voelde zich naakt onder haar blik. Ze knikte.

Hij vertrok en liep door het gras naar de plek waar de kermis zijn kamp had opgeslagen. Hij draaide zich om voor een laatste blik op de ranchito en ving een glimp op – hij wist het zeker – van een gezicht in de deuropening, een prachtig gezicht, voordat het snel achter de muren verdween.

Dit is niet de wereld, dacht Pajarita. Het is thuis: daar is de tafel en hier, naast mij, ademen slapende familieleden. Daar, door het raam, de vage sikkel van de maan. Daar schijnt hij, zilverachtig op de grond. Dit is thuis. En het is goed. Maar het is niet de wereld.

Die gedachte verraste haar. Zij smaakte nieuw, als een onbekend kruid tegen het gehemelte van haar gedachtewereld. Er waren veel dingen in de wereld die niet Tacuarembó waren, en Pajarita wist dit: dat Tacuarembó slechts een deel was van Uruguay; Uruguay slechts een flintertje van het continent; het continent een van vele die te vinden waren aan de overkant van de wateren die De Zeeën werden genoemd – en ze had altijd van De Zeeën geweten omdat haar abuelo, El Facón, naar hun kusten was geweest en exotische voorwerpen had geruild die uit andere landen afkomstig waren. Ze had een armband, ingelegd met jade, die hij voor haar abuela had meegebracht. Ze wist, ze had gehoord, dat Tacuarembó een vergeten gat was dat niet eens in aanmerking kwam voor een stipje op de wereldkaart.

En toch was het in het ritme der dagen niet vaak nodig om zich dit voor te houden. De wereld kende op een normale dag dezelfde paden door dezelfde velden en geuren en zoem- en knispergeluiden, elk seizoen opnieuw als bij de overgang van de seizoenen daarvoor, en dat was haar wereld, zoals zij die kende, de enige kaart die ze nodig had.

Maar vandaag was geen normale dag. Die man was naar haar

huis gekomen. Ze kon niet slapen. Het moest door de maan komen, die haar met zijn felle licht wakker hield. Wat een vreemd gevoel: duizelingwekkend, opwindend – als de keren toen ze als kind steeds ronddraaide totdat ze bleef staan en de wereld voor haar ogen tolde. Alles danste, niets stond stil. In de woorden van de man klonk een ander land. Zijn Spaans kwam in vreemde vormen en klanken uit zijn mond. Hij kende verre plaatsen, zoals die stad vol rivieren in plaats van straten – wie kon dat geloven? En zijn rozerode huid was nog roder geworden toen tía Tita haar vragen op hem afvuurde. Maar hij had geantwoord. *Voor mij.*

Er hadden al eerder mannen naar haar gekeken. Natuurlijk. Op het plein en op de markt, net als naar de vlezige kippen. Jongens die met elkaar wedijverden in mannelijkheid wilden haar mand dragen. Maar op haar zestiende had ze nog geen serieuze huwelijkskandidaten. Zij was het wonderkind, dat als baby sterk genoeg was geweest om in de heuvels of in de bomen zonder familie te overleven. Wat zou dit betekenen voor een echtgenoot? Niemand had geprobeerd daarachter te komen. De maan wierp een nog witter schijnsel. Het zag eruit als een plas melk. Naast Pajarita bewoog tía Tita zich in haar slaap. Haar brede rug was naar Pajarita gekeerd, haar gezicht naar Pajarita's vader. Zij sliep altijd tussen hen in, als een muur van vlees. Tía Tita was niet getrouwd en ze kon twee grote emmers vol water dragen. Ze kon een stier villen met drie snelle houwen. Ze kon thee of balsem maken tegen allerlei kwalen, en leerde dat al doende aan Pajarita. Het huwelijk was niet van levensbelang. Het kon zelfs iemand kwaad doen. Zoals bij Carlita Robles, afgeleefd door de wreedheden van haar echtgenoot, te geschonden om nog naar de markt te komen. Zoals haar eigen moeder, gestorven tijdens de bevalling (*van mij, van mij*). Het huwelijk kon de dood betekenen, of kinderen, nieuwe plaatsen, de fysieke nabijheid van een man. Deze vreemdeling zou haar niet naar een paleis leiden, niet naar straten van water, niet naar verre landen. Maar misschien kon hij haar ergens anders mee naartoe nemen, naar een ander stukje van de wereld.

Nee. Ze zou een deken over de genadeloze maan willen gooien. Dit was haar thuis. Ze kende alles hier, en men kende haar. Het leven was vertrouwd, zoals de vorm van haar tanden tegen haar tong. Ze had tanden nodig. Ze had haar thuis nodig. Ze wilde niet weg. Dat was een leugen: iets in haar hunkerde ernaar, stimuleerde haar om naar de horizon te turen en zich af te vragen wat er zou gebeuren als ze naar de rand van haar kleine wereldje zou draven en zou blijven rijden zonder ooit terug te keren, almaar door te rijden, over weilanden en heuvels en rivieren die haar rokken doorweekten, en de diepdonkere nacht te ervaren die schitterde van de sterren, zoals Artigas, die hufter, had gedaan, die ze zo vreselijk miste. Hij was altijd een kracht geweest die haar met beide benen op de grond had gehouden. Zijn gezelschap vormde een wereld, een onopgesmukte, duidelijke, gonzende plek die hen en al hun verborgen gedachten omvatte, zodat ze voordat hij het zei al had geweten dat hij van plan was om weg te gaan. Hij hield van zijn muziek en hij was rusteloos en het platteland veranderde, er kwamen steeds meer *estancias* met hun rijke eigenaren en hun lange stukken land, omwikkeld in prikkeldraad. Het was elke dag moeilijker om een gaucho te blijven. Een toekomst hier betekende werken onder een *patrón* op afgebakend land, een afgebakend leven, een nachtmerrie voor haar broer. En ze wisten allebei, hoewel ze het nooit zeiden, dat hij nog erger in zijn vrijheid beknot zou worden door de mistroostigheid van hun vader. Ze kon het hem niet kwalijk nemen. Ze accepteerde het dat ze hem kwijtraakte, op de manier zoals ze accepteerde dat de putten droogvielen in tijden van droogte.

'Ik weet waar je naartoe gaat,' had ze gezegd, terwijl ze hem achter het huis hout aanreikte.

Artigas zwaaide met zijn bijl en spleet een blok hout doormidden.

'Brazilië.'

'*Por Dios*,' zei hij. 'Geen geheim blijft verborgen voor jou.'

Pajarita's vlechten hingen als loden touwen over haar borst. 'Ik kan zeker niet met je mee?'

'Ha! Het is gevaarlijk op de weg. Bandieten, jaguars, oerwouden.'

'Juist daarom heb je mij nodig, om je te beschermen.'

'Ik denk dat de bandieten' – hij hief zijn bijl – 'beschermd moeten worden' – hij haalde uit – 'tegen jou.'

'Zul je brieven schrijven?'

'Natuurlijk.'

'Artí, beloof het, anders kom ik je zoeken in het oerwoud.'

Hij haalde een splinter uit zijn hand. Achter hem strekte het land zich groen en glooiend uit naar de horizon. 'Pajarita,' zei hij, en daar was hij, hun eigen wereld, waarin woorden gonsden zonder dat ze gezegd werden, waarin ze even in het diepst van hun eigen ziel keken. 'Ik beloof je dat er brieven komen.'

Ze kwamen nooit. Twee jaren verstreken. Hij kon niet dood zijn. Elk moment kon er nu een brief komen met een onbekend stempel, waarin goed nieuws stond. Of Artí zou zelf voor de deur staan, stoffig, stralend, vol verhalen over steden vol muziek. Of hij kwam niet en zij zou hier nacht na nacht helemaal alleen wakker liggen op de oude huiden. Tenzij ze wegging – waarnaartoe? Naar Montevideo? Naar het huis van de vreemdeling? Montevideo had verharde wegen en schepen in de haven die overal vandaan kwamen. Een stad aan de overkant van de Río Negro, die ze nog nooit was overgestoken; er gingen verhalen over reizigers die met paard en al verdronken waren toen ze probeerden door het water te waden. Zelfs nu er een brug overheen lag, hadden maar heel weinig Tacuaremboenses zich daarover gewaagd. Maar deze man, deze vreemdeling, deze klunzige goochelaar, had het gedaan.

Hij had naar haar gekeken alsof haar lichaam de zon in zich droeg. Alsof hij onder haar huid had willen kruipen om die te voelen.

Tía Tita ademde rustig, rustig, diep in slaap. Pajarita schoof haar hand onder haar nachthemd. Ze liet haar vingers dwarrelen over haar buik, haar dijen, de zijdezachte haartjes ertussen. De warmte daaronder.

De maan goot melkwit licht naar binnen, overvloedig, vertrouwd, en ze dacht aan alle kamers en landen en lichamen die door hetzelfde licht werden overspoeld.

Ignazio liep haastig, met grote stappen, door het gras. De hete toppen van de halmen streken langs zijn knieën. Het was zijn tweede bezoek, en morgen moest hij Tacuarembó verlaten. Mijn laatste kans, dacht hij, en hij rolde zijn mouwen op, tot hij zich zijn goede manieren herinnerde en ze weer afrolde. Hij kwam bij de ranchito, klopte en stapte langs het lederen gordijn. Tía Tita en Pajarita zaten gehurkt bij het kookvuur. Hij nam zijn hoed af.

'Pajarita,' zei tía Tita, 'we hebben meer brandhout nodig. Wijs onze gast de houtstapel.'

Hij volgde haar over een uitgesleten paadje door de lucht die nog zinderde van de warmte. Ze bleef staan bij een stapel gehakt hout die tot haar middel reikte. Niet aan haar middel denken, dacht hij, hou op met beven. Hij stak zijn armen uit. Ze gaf hem een blok aan. Ze gaf hem takken. Nog meer takken. Twijgen. Het was een gok. Het was altijd een gok.

'Pajarita.'

Ze keek naar hem op. Een duister licht scheen in haar ogen. 'Qué?'

'Wil je, je weet wel, met me trouwen?' Hij wilde dat hij kon knielen, maar hij had zijn armen vol en hij was bang dat de stukjes hout alle kanten op zouden vallen. 'Je bent zo knap en perfect en ik ben het zat om, nou ja, ik wil je bij me hebben, in Montevideo. Ga met me mee. Word mijn vrouw.'

Hij kon haar blik niet doorgronden; ze bleef hem recht aankijken. Om hen heen steeg de muskusachtige geur van zomers gras op.

'Ik weet niet.'

'Hou je van een ander?'

'Nee.'

'Hou je van mij?'

'Ik ken je niet.'

'Ik hou van jou, Pajarita. Geloof je me?'

Ze zweeg zo lang dat hij dacht dat ze nooit zou antwoorden. 'Ja.'

'Ja – wat ja?'

'Ja, ik geloof je.'

'O.' Hij aarzelde. 'We vertrekken morgen. Ik kan wat geld sparen en je in de herfst bezoeken. Misschien kun je me dan antwoord geven?'

'Misschien.'

Hij zocht wanhopig naar andere woorden – iets galants, iets boeiends – maar ze liep alweer terug, het pad af. Hij volgde en liet een paar twijgen vallen. De maaltijd vloog voorbij en veel te vroeg was het tijd om te gaan.

Ignazio sliep die nacht slecht en werd misselijk wakker. Hij kon niets naar binnen krijgen, zelfs geen maté.

'*Ay.*' Cacho gaf de kalebas door aan Bajo, de dwerg. 'Geen maté. Ik zie dat het menens is.'

Ze braken de tenten op, de stalletjes, de podia. Ze maakten vaart; het waren tenslotte lichte, opklapbare onderdelen.

De Spanjaard gaf hem een vriendschappelijke klap op zijn schouder. 'Maak je geen zorgen, Gondola. Er zijn nog genoeg andere vrouwen.'

Ignazio zei niets.

'Kijk,' riep Consuelo vanaf haar wagen, en ze wees naar de heuvels in het westen.

Ignazio draaide zich om en zag twee paarden op een groene

heuveltop, met op de een tía Tita, en op de ander Pajarita, hoog in het zadel tussen tassen, en ze zag eruit als een wilde engel. Ze kwamen naar Ignazio gereden. Pajarita keek vanaf haar zadel omlaag. Haar ogen waren donkere poelen waarin hij zou kunnen verdrinken. 'De priester is in de kerk,' zei ze. 'Als we nu gaan, kan hij ons in een uur tijd trouwen.'

Ignazio keek even naar de Spanjaard, die instemmend knikte. Hij klom op het paard, zijn dijbenen kwamen tegen haar heupen. Samen reden ze de stad in, gevolgd door tía Tita, Cacho, Consuelo en Bajo. Tegen de tijd dat ze op het plein kwamen, hadden zo'n dertig Tacuaremboenses zich bij de stoet aangesloten. In de kerk spatte de aandacht van de banken toen Ignazio en Pajarita het jawoord uitspraken. In voor- en tegenspoed, reciteerde de priester bijna zangerig. In ziekte en gezondheid. Ja, zeiden ze. Ja, nog eens. Een zucht golfde door de banken. Cacho veegde zijn tranen af met een touw van leer. Een klein kind naast Cacho slaakte een kreet van vreugde (ze had diepe tandafdrukken in een bijbel achtergelaten). De priester verklaarde hen tot man en vrouw.

Ze reden terug naar het kamp, waar de blonde tweeling op hun trompet blies en tumult teweegbracht onder de paarden.

'Señora Firielli,' zei de Spanjaard plechtig en hij maakte, meegesleept door het moment, een buiging. 'Welkom bij Carnaval Calaquita. We begeleiden je naar je nieuwe leven.' Hij reikte naar haar tassen. 'We hebben ruimte gemaakt voor je spullen.'

Ze duwde zijn hand weg. 'Deze blijft bij mij.'

'Natuurlijk,' zei hij onzeker en hij pakte de resterende tassen.

Ignazio keek over het hoofd van zijn bruid stralend naar tía Tita. 'Doña Tita, maak u geen zorgen. Ik zal uw nichtje behandelen als een koningin.'

'Doe dat. Dat moet.' Tita stak haar arm uit en drukte Pajarita's hand. Ze raakte de tas aan die haar nichtje bij zich had gehouden. Ignazio voelde dat zijn kersverse vrouw diep inademde en hij sloot zijn armen dichter om haar heen. Tía Tita leek Pajarita met haar ogen in te drinken. Daarna trok ze aan de teugels, ze reed het pad op en verdween uit het zicht.

Het gezelschap reed die dag vele uren, helemaal naar de vredige oever van de Río Negro. Die avond, voordat ze overstaken naar de zuidelijke helft van Uruguay, sloeg Carnaval Calaquita haar kamp op aan de rand van de rivier. Consuelo, de vrouw van de goochelaar, Meesteres der Vermommingen, vond een afgelegen plek tussen de bomen en maakte daar een huwelijksbed van koeienhuiden, veldbloemen en de lap van blauw fluweel die voor het podium had gehangen op de avond dat het paar elkaar had ontmoet.

Ignazio ging naast Pajarita liggen onder het volle licht van de maan. Hij kuste haar schouders. Hij maakte haar vlechten los, en daarna stroomde haar haar in zijn handen, donker, vol, glad en gevaarlijk als water. Ze stak haar armen naar hem uit. Hij wilde haar langzaam en eerbiedig aanraken, maar gedreven door lust drong hij in haar en ze was open en zuchtte gewillig. Daarna sliepen ze als rozen.

Hij werd wakker. Ze lag in zijn armen. Het was nog nacht. Hij luisterde naar het zachte ruisen van de rivier en snoof de geuren rondom hem op: seks, gras, eucalyptus, leer en vooral háár. Zijn gedachten dwaalden af naar de tas die ze bij zich had gehouden. Hij lag een paar passen van hun bed, bol van wie-weet-wat. Hij kroop onder de huiden uit en maakte de tas voorzichtig open. Er vielen armenvol blaadjes uit van de ceibo, de ombu, de eucalyptus, planten die hij niet kende. Ruwe bast. Zwarte wortels. Scherpe kleine pitten. Hun bittere geur prikkelde zijn neus en zijn verbeelding. Hij voelde een opwelling van afschuw – hij was getrouwd met een vreemde; zijn leven was vervlochten met dat van een vreemde. Die gedachte trof hem als een slag, hard en opwindend tegelijk, als het moment waarop hij het Italiaanse land achter zich had gelaten. Toen hij eindelijk in slaap viel, droomde Ignazio van gondels vol ceibobladeren, die over de Río Negro gleden, het donkere water in hun kielzog verstorend.

2

Vreemde draden en gestolen heiligdommen

Montevideo was ruwe wol, vol onstuimige golven, grijze doolhoven, rauwe belofte.

Monte. Vide. Eu. Ik zie een berg, had een van de eerste Europeanen die dit land in zicht kregen gezegd. Pajarita had nog nooit een berg gezien, maar zelfs zij kon zeggen dat die hier niet waren. Deze stad kende geen hoogten. Nee, dat was niet waar; de bodem was vlak, maar overal rezen gebouwen op die tot in de hemel reikten. Kon ze behalve in naam maar echt een vogel zijn, dan zou ze boven de stad zweven en – wat zou ze dan zien? Een wirwar van keienstraten en muren, waar het wemelde van de mensen, dicht tegen de zee aan. Nee, niet tegen de zee: het was een rivier, die lange strook glad water, omzoomd door rotsen. Argentinië lag ergens aan de andere kant. Misschien zou ze er tijdens haar zweefvlucht hoog in de lucht iets van kunnen zien.

Hier, in deze stad, kon je aan vliegen denken. Hier vergat je gemakkelijk de grond. Zoals in hun nieuwe woning in Ciudad Vieja, waar alles duizelingwekkend hoog leek: de trappen naar de deur, het koperen bed waardoor het matras op lucht zweefde, stoelen twee keer zo groot als stierenschedels, met een rechte houten rug, een fornuis waarvoor je staand kon koken in plaats van gehurkt. En het raam van waaruit ze de stenige lucht van Calle Sarandí inademde; de mannen met schone zwarte hoeden en de vrouwen met hun manden; het getrappel van paardenhoeven en de zacht ruisende bomen; de zoete klank van een accordeon in de verte en de schelle stem van de kruidenier die haar had verteld dat de wereld in oorlog was.

Tijdens die eerste herfst van 1915 zat Pajarita lange uren vanuit haar raam naar de straat te kijken, terwijl Ignazio in de haven werkte. 's Avonds ontdekte ze hem elke keer opnieuw, als grond waarop de begroeiing en de windrichtingen steeds veranderen. Ignazio. Onverzadigbaar. Hij vond alles lekker wat ze hem voorzette. Elke avond gaf hij zich over aan zijn lusten. Hij kwam thuis als het donker was, zout van de zeelucht, moe, precies op tijd om te eten, te vrijen en te slapen. Dat gebeurde steeds in dezelfde volgorde. Er ontwikkelde zich een ritme bij hen: het duister viel, Ignazio kwam thuis, Pajarita in de keuken, *milanesa*'s die luidruchtig in de pan lagen te bakken, hun huis vervuld van olieachtige geuren. Ze kwamen samen aan een kleine vierkante tafel. Het avondmaal zong zijn lied met veel geknapper en gerammel. Ignazio, weer op krachten gekomen door rundvlees en wijn, werd vervuld door zijn andere honger. Hij draaide de olielamp lager en staarde haar aan; zij liet zich bekijken; hij reikte over de tafel heen om haar aan te raken. Ze hoorde haar vork op de grond vallen. Hij droeg haar halfnaakt naar het bed en daar kronkelde en trilde en huilde ze alsof de wereld opengebroken was, alsof messen met een fel licht de wereld doorboorden.

Daarna, voor de dag aanbrak, glipte ze uit zijn armen en maakte de tafel vrij voor het ontbijt. Hij vertrok naar zijn werk voordat het licht was. Wat vreemd, dacht Pajarita, om zo intiem te zijn met een man en hem zelden in de zon te zien. Het daglicht deelden ze alleen op zondag, wanneer ze na de mis – of in plaats daarvan – vaak langs de rivier kuierden, man en vrouw, hand in hand, waarbij hun schoenen in het zand wegzakten. Hier werd het drukkende gevoel van Montevideo iets lichter, het verspreidde zich langzaam over zachte golven. Ronde kiezels en scherpe schelpen lagen langs de kant. Vissersboten vingen lange zonnestralen.

Hier was het het gemakkelijkst om je voor te stellen dat je kon vliegen: opgetild door een zilte bries, boven de kust in de weidse hemel zweefde ze naar de blauwe kroon van de wereld.

Half in de lucht, half naast Ignazio luisterde ze naar hem. Hij sprak over werk. Over dromen. Over Venetië, maar niet over zijn familie: Ignazio zei nooit een woord over zijn moeder of zijn vader of enig ander familielid. Het hele scala aan herinneringen aan Venetië leek verstoken van menselijke aanwezigheid. Uit zijn verhalen leek het alsof Venetië alleen maar bestond uit gondels, sierlijke gondels, zonder mensen. Deze kalme, gekerfde creaties, waterwezens van hout, zwermden door de stad. Hij sprak erover alsof hij erdoor bezeten was.

'Ik zal niet altijd in de haven werken, *mi amor*.' Hij pakte een platte, bleke kiezel van de grond. 'Gondels zullen ons rijk maken. Dat voel ik. Ik zal ze bouwen en wij zullen erin varen, daar, op de Río de la Plata.'

Hij tuurde over het water van de rivier alsof hij het met zijn ogen taxeerde. Hij wierp de kiezel; die stuiterde over het water en zonk. 'Een peso per tochtje. Dat zullen mensen heerlijk vinden, denk je niet?' Hij greep Pajarita's hand. 'Ik zie het nu al voor me, onze kleine vloot die over het water glijdt. Onze vloot. Ons water.'

Pajarita voelde zijn verlangen aan de manier waarop hij haar vingers drukte, en gaf hem een kneepje terug. Ze voelde het litteken op de vinger waarvan het topje afgesneden was, ergens, ooit, een verhaal dat ze niet kende. Een vissersboot met afgebladderde rode verf gleed vlak langs de oever. Een visser die erop stond sleepte een net het dek op. Andere keren had ze netten omhoog zien komen die glinsterden van een massa zilverkleurige vissen. Niemand kende het ritme van de diepte. Op een slechte dag konden honderd rode boten leeg blijven.

Ignazio sloeg zijn arm om haar schouder. Ze voelde zijn eeltige hand in haar nek.

'Maar voor het zover is,' zei hij, 'bouw ik een huis voor je.'

En dat deed hij. Hij leende geld van zijn vriend Pietro, die nu een schoenenzaak had in een dichtbebouwd straatje vlak bij het Plaza de Zabala. Van dit geld kocht Ignazio wat hij nodig had: planken, stenen, zaag, spijkers, hamers, deurknoppen, glasplaten, raadselachtige nieuwe dingen die elektrische draden werden genoemd, een klein lapje grond aan de rand van de stad in een landelijk gebied, Punta Carretas dat Pajarita deed denken aan Tacuarembó, met zijn ruimte, vlakke aarde, lage gras en kleine ranchitos. Alleen waaide hier natuurlijk vanaf het water een zilte bries door haar haar als ze over de zandpaden wandelde. Een vuurtoren vlakbij draaide de hele nacht traag, traag rond.

'Met die *farol*,' zei Ignazio, 'zullen we nooit in het donker verdwalen.'

Plank na plank kreeg hun huis gestalte. Steen na steen werd het sterker. Ignazio timmerde, mat, metselde, sjouwde. Pajarita naaide en keek naar hem. Ze lette op of hij iets nodig had uit haar mand – hete maté, een spinazie-*buñuelo*, een empanada die ze de avond ervoor had gevuld met ham en kaas, een zakdoek om zijn voorhoofd mee af te vegen, extra liefkozingen, extra spijkers. Hij was er maanden mee bezig. Elke spijker joeg een pijl van hoop door hout. Elke vreemde elektrische draad leidde gebeden door de muren. Elk hoekje kwam tot stand door hun wil, door hun zweet. Nooit eerder was er leven doorgedrongen in deze ruimtes: ze konden het verleden buiten laten en hun eigen verhaal beginnen, een uitgebreide vertelling tussen vier nieuwe muren, met onbekende hoofdstukken en generaties en wendingen waarvan het idee alleen al haar haar nek deed uitrekken naar de duistere hoekjes van de toekomst.

'Dit is ons paleis, *mi reina*,' riep hij vanaf het dak. 'Ik kan alles zien!'

Pajarita, die beneden op de grond stond, riep terug: 'Pas op dat je niet valt!'

'Die mannen,' zei een stem achter haar. 'Altijd klimmen ze net iets te ver.'

Pajarita draaide zich om. Op een paar meter afstand stond een vrouw met een grote mand in haar handen. Bloedvlekken zaten op haar schort. Ze kwam dichterbij.

'Ik ben Coco Descalzo,' zei ze, 'van de slagerswinkel.' Ze wees over het pad naar een huis met een handbeschilderd bord. 'Hoe heet jij?'

'Pajarita.'

'Waar kom je vandaan?'

'Uit Tacuarembó.'

'Echt waar! Zo ver noordelijk!' Coco keek met samengeknepen ogen naar Ignazio die weer aan het werk was. 'Je man ook?'

'Nee. Hij is een Italiaan.'

'Aha.' Coco verplaatste haar mand van haar ene brede heup naar de andere. 'Als je huis klaar is, kom je maar een lekkere *churrasco* in de winkel halen. Als welkomstgeschenk.'

Pajarita en Ignazio schilderden hun huis zandkleurig en richtten het in met een bed, drie stoelen, een tafel en behang in de kleur van munt-met-citroen. Ze maakten hun appartement in La Ciudad Vieja schoon en verlieten het voorgoed. Ze aten milanesa's met rijst in hun nieuwe keuken bij het pulserende licht van de vuurtoren. In bed vertraagden ze hun ritme tot dat van de lichtbundel die over hen heen gleed: licht, terugtrekken, licht.

De volgende ochtend maakte Pajarita ontbijt voor haar man, zwaaide hem uit en liep over het pad naar carnicería Descalzo. De slagerswinkel had lage plafonds en een scherpe, doordringende geur. Twee vrouwen stonden bij de toonbank te praten. Coco zwaaide de scepter erachter. Pajarita treuzelde bij de deur en bekeek het rundvlees. Het was mooi vlees, rood en mager en vers. De vrouwen hadden het over de oorlog. De Engelsen waren blijkbaar aan de winnende hand: de vrouw die de vorm had van een voetbal had dit gehoord. De dame met de enorme hoed had een zoon die de oorlog een goede zaak vond omdat soldaten uniforms nodig hadden, en Uruguay had wol.

'*Por favor!*' zei Coco. 'Is hij daardoor goed? Weet je hoeveel jongens er al zijn omgekomen?'

'Dat zal best,' zei de Grote Hoed. 'In Europa. Maar hier doen we goede zaken.'

'Tsss,' deed Coco. 'Dat hebben we te danken aan *batllismo*, goede scholen, hoge lonen, niet aan de oorlog.' Ze kneep haar lippen op elkaar. 'Pajarita. Kom binnen!'

Pajarita liep naar de grote toonbank.

'Dit is onze nieuwe buurvrouw. Ik heb haar een *churrasquito* beloofd.' Ze boog naar voren om een van de dunne, magere lapjes vlees uit te zoeken.

'Ik ben Sarita,' zei de dikke vrouw, en ze bekeek Pajarita met openlijke nieuwsgierigheid.

Grote Hoed keek tussen haar oogharen door naar Pajarita. 'Nou? Wat vind jij ervan?'

Ze keek onzeker naar de vrouw. Haar ogen waren klein en muisachtig. 'Waarvan?'

'Van de wereldoorlog? Is dat een goede zaak of wat?'

Ze aarzelde. Deze vrouwen spraken over dingen die zo vreselijk ver weg plaatsvonden alsof ze over grote afstanden heen konden kijken en gewend waren hun visie te geven op het wereldgebeuren. Ze dacht aan Europa, een nevelig gebied dat ze zich niet kon voorstellen. Ze dacht aan soldaten, zoals die zich in de tijd van haar grootvader bij de rebellen hadden aangesloten, en terugkeerden naar Tacuarembó met ontbrekende ledematen, nachtmerries waarin ze het uitgilden en zenuwachtig trekkende lippen.

'Het zal wel "wat" zijn.'

Sarita lachte. De vrouw met de hoed keek spottend, pakte haar vlees en vertrok.

'Maak je geen zorgen over haar.' Sarita stond er een beetje triomfantelijk bij. Ze rook naar vanilleparfum. 'Ze houdt van klagen.'

Coco overhandigde Pajarita een keurig pakje. 'Welkom in Punta Carretas.'

Pajarita kwam de volgende dag terug, en de dag daarna, en binnen een week ging ze op de koffie boven de carnicería bij Coco thuis, tijdens de siësta als de slagerij dicht was. Coco's man Gregorio bleef beneden in de winkel, waar hij vlees hakte en sneed en ophing. Hun baby, Begonia, kroop over de grond. Op dagen waarop het werk voor zonsopgang begon en tot ver in de avond doorging, was dit uur bij Coco een toevlucht, een reddingsvlot, een gestolen heiligdom voor degenen die er kwamen. De woonkamer van de Descalzo's stond vol snuisterijen, kleurige meubels en een authentiek Engels theeservies dat het pronkstuk van de schoorsteenmantel was. Coco was bijzonder trots op haar Engelse kop-en-schotels, die stof verzamelden terwijl haar kalebas met maté dagelijks rondging. Boven het theeservies hing een foto van José Batlle y Ordóñez, de laatste president die, zo begreep Pajarita uit de gesprekken, Uruguay met zijn ideeën en wetten en woorden had veranderd in een modern, democratisch land. De foto, in een zilveren lijstje, toonde een grote man met zware kaken die met een ernstige blik recht in de camera tuurde. Er stond altijd een grote schaal *bizcochos*, zoet gebak in laagjes die smolten in de mond van de vrouwen van Punta Carretas. Deze vrouwen, zoals Sarita Alfonti, met haar vanillegeur waar geen ontsnappen aan was, en haar lach als twee koperen potten die tegen elkaar botsten, haar handen die de lucht doorkliefden als ze sprak. En La Viuda, die al zo lang weduwe was dat men haar echte naam was vergeten. Zij zat in de hoek, op de schommelstoel, en met één handgebaar placht ze opmerkingen goed te keuren of de grond in te boren. En María Chamoun, wier grootouders naar Uruguay waren gekomen met de specerijen uit hun geboorteland Libanon. Soms rook ze daar nog naar, heel vaag, een rijk geschakeerd aroma dat Pajarita deed denken aan zomerse schaduwen. María had haren als een prijshengst, weelderig en donker. Ze had het maken van *alfajores al nieve* tot een kunst verheven. De twee koekjes waren glad en dun, *dulce de leche* plakte ze karamelzoet op elkaar, en poedersuiker hechtte zich aan de ronde vormen. María Chamoun keek met de trots van een ongeëvenaarde kampioen toe hoe ze opgegeten werden. Clarabel Ortiz, *La Divorciada*, zat altijd tegen zachte kussens op de bank, de eerste vrouw in Punta Carretas die gebruikmaakte van het recht om te scheiden. In Coco's woonkamer leverde haar dit algemene bekendheid op en een ondefinieerbare mystiek. Haar gezicht was bleek, haar lippen waren roze geverfd. Haar lichaam had de vorm van een hekpaal. Clarabel hield nu en dan een seance in haar inmiddels lege huis. Sommige vrouwen vergezelden haar daarbij. Anderen dreven er de spot mee.

'Tsss! Ga je de kopjes vanavond laten trillen?'

'Ze trillen niet altijd, Sarita, en dat weet je best.'

'Maar toch. Ik zou mijn overledenen liever met rust laten. Ook al zouden ze tot leven gebracht kunnen worden, wat niet kan, waarom zou ik mezelf nog meer hoofdpijn bezorgen?'

'Espera. Pero no.' La Viuda stak haar hand op. 'Seance of geen seance, de overledenen kunnen andere dingen dan hoofdpijn bezorgen.'

Er hing een stilte in de kamer. Coco pakte de maté uit Pajarita's hand. Ze schonk water op en gaf het aan María Chamoun.

'Hebben jullie het gehoord?' vroeg María. 'Gloria's kleindochter is aangetroffen bij de vuurtoren, op de rotsen, onder een jongen.' Ze dempte haar stem. 'Haar bloesje stond open.'

'Esa chica!'

'Die zorgt al vanaf haar geboorte voor problemen.'

'Ik heb gehoord dat ze een flink pak rammel heeft gekregen van haar vader.'

'Ze zal die jongen nooit meer zien.'

'Dat is allemaal een tikje *exagerado*. Ze heeft een vriendje, en wat dan nog?'

'Clarabel! Jij houdt er de raarste ideeën op na.'

Clarabel vond dat vrouwen stemrecht moesten hebben, en geloofde dat ze het binnenkort zouden krijgen ook. Ze liet haar vriendinnen oefenen door hen te laten stemmen op geparfumeerde roze velletjes papier die ze in een mand verzamelde en naar het stadhuis stuurde. Ze discussieerden nog steeds over de laatste verkiezing van president Viera.

'Ik zou zijn naam niet eens kunnen opschrijven.'

'Hadden we een andere keuze?'

'Toegegeven, hij is niet zo goed als Batlle, maar dat is niemand.'

'Pff. Hij heeft geprobeerd de wet voor een achturige werkdag tegen te werken. Gelukkig was hij te laat.'

'Nou, die is er nu in elk geval – dankzij Batlle.'

'En onderwijs. En pensioen.'

'En echtscheiding.'

'En vrede.' De hand van La Viuda vloog als een schriel vogeltje omhoog. 'Bevrijd van staatsgrepen en bloedvergieten. De afgelopen eeuw was verschrikkelijk. Ik weet het nog.'

Ze vonden Pajarita fascinerend om haar huid die donkerder was dan die van de meesten van hen, om haar *campo*-achtergrond, om haar naam van een dier. Ze wilden verhalen horen over haar gauchofamilie, en hoe ze had geleefd in Tacuarembó, alsof het allemaal heel bijzonder en romantisch en slechts een tikje onfatsoenlijk was. Pajarita voelde zich een beetje als het Engelse theeservies, apart gezet en tentoongesteld, maar dan niet vanwege de schittering van het breekbare porselein maar vanwege de leerachtige muskusgeur van het campo-leven. Ze dronk hun aanwezigheid in als een manier om iets van de stad te ervaren, en langzaam drong het tot haar door dat zij via haar misschien iets van het buitenleven wilden ervaren. Zo gaat het, dacht ze; we dragen werelden in ons mee en verlangen ernaar de wereld van anderen te ervaren, we staren en prikken en proeven ervan en kunnen er niet in wonen. Soms voelde hun belangstelling als minachting – O, kijk, die

Pajarita, wat is ze bruin, ze kan niet lezen, is dat niet bijzonder? Coco was niet zo. Ze kwam dichtbij, brutaal als de beul. Soms, na de siësta, bleef Pajarita alleen bij haar rondhangen en hielp ze haar opruimen, terwijl ze naar haar gebabbel en bekentenissen luisterde. Ze gaf Coco kruiden ter verlichting van haar maandelijkse cyclus, haar zenuwen, haar geheime ongeduld met man en dochter. Ze waren gemakkelijk te bereiden uit de voorraad die ze had meegebracht uit Tacuarembó en van de wilde bomen en het onkruid in de buurt. In ruil hiervoor hielp Coco haar brieven naar huis te schrijven.

'*Lieve tía Tita,*' dicteerde ze, terwijl Coco schreef en voor de laatste keer water bij de maté schonk. '*Hoe is het thuis? Ik mis je. De winter in Montevideo is dit keer kouder dan vorig jaar. Het is hier nooit zo warm als in Tacuarembó. Met Ignazio gaat het goed. Hij heeft opslag gekregen in de haven. Hij zegt dat de zaken tegenwoordig goed gaan, er is veel export, vanwege de...*'

'Oorlog in Europa? Nee, schrijf dat maar niet. Dat is geen prettig nieuws. Wat dacht je van "vanwege zijn harde werken?"'

'Ta. "*Hoe gaat het met papa? Hoe gaat het met iedereen? Met de stad? De familie? De kippen? Doe iedereen de groeten van me. Bedankt voor de wol. En laat het me alsjeblieft weten als je iets van Artigas hoort.* Con cariño, *Pajarita.*"'

De late middagzon piepte door het raam naar binnen, schoorvoetend en goudkleurig, hij nam er de tijd voor. De kamer rook naar mottenballen en verse worst en zeep. Coco schreef de brief af en liet toen, zonder speciale reden, haar lach horen die klonk als een warme koperen klok.

'*Mi reina,*' vroeg Ignazio in bed, 'ben je eenzaam als je de hele dag zonder me bent?'

Pajarita kroelde met haar vingers door zijn borsthaar. 'Nee.'

'Waarom niet? Hou je niet van me?'

'Doe niet zo gek. Ik vind het in deze buurt gewoon fijn. Ik heb vrienden gemaakt.'

'Mannen?'

'Nee.'

Grimmiger nu: 'Mannen.'

'Toe nou, Ignazio – nee.'

De vuurtoren zwaaide zijn licht door de stilte. Hij zwaaide opnieuw. Ignazio ging ineens rechtop zitten. Zijn brede silhouet blokkeerde het raam. 'Ik zou willen dat je zwanger werd.'

Pajarita ging ook zitten. Ze deed de lamp naast haar aan en wachtte tot het elektrische licht niet langer pijn deed aan hun ogen. Ze had het uitgesteld, het juiste moment afgewacht, niet wetend hoe ze het nieuws moest brengen. 'Dat ben ik.'

Ignazio keek wezenloos, daarna verzachtte zijn blik, daarna keek hij (heel even maar) gepijnigd, en daarna kuste hij haar mond, haar wangen, haar lichaam. Het licht ging met een klik uit.

Zwanger zijn voelde alsof ze in een sinaasappel veranderde: haar huid werd strak en rond en ze barstte bijna van energie. Elke dag werd ze rijper. Het ding in haar binnenste maakte haar misselijk totdat het haar een gevoel van euforie bezorgde, vol tranen en gewicht en beweging: het onbekende wezen in haar draaide en trapte en roffelde midden in de nacht, en zorgde ervoor dat ze met verlangen uitzag naar de toekomst.

De geboorte vond plaats op de dag dat mannen aan de andere kant van de zeeën een papier tekenden om een einde aan de oorlog te maken. Op 11 november 1918, toen de straten van Montevideo zich vulden met trommels en confetti en overdadig zweet, lag Pajarita thuis in barensnood. Ze overleefde de geboorte zonder problemen, behalve dan dat ze een standje kreeg van de dokter omdat ze de baby eruit had geperst toen hij even de kamer uit was. Hij was even weggegaan om met Ignazio in de keuken te overleggen, toen ze een kreet hoorden en naar de slaapkamer renden waar ze Pajarita met een rood hoofd, zwaar hijgend aantroffen, met een drijfnat blauw aangelopen kind huilend tussen haar dijen.

Ze noemden hem Bruno. Vrienden vulden het huis, onder wie Cacho en zijn vrouw Consuelo, die babykleertjes had genaaid, versierd met lovertjes; Coco en Gregorio Descalzo, met Begonia en hun pasgeboren dochtertje, en de ribben van een hele koe; de vrouwen van Punta Carretas met hun manden met warm eten; de Spanjaard en Bajo de dwerg, die pokerfiches bij zich had; en Pietro (lang en druk) met zijn vrouw en hun baby. Hun kleine huis stond bol van rumoer en gelach. Cacho deed goocheltrucs waardoor Sarita's mond openviel en Clarabel joelde als een bootwerker. De Spanjaard vleide La Viuda als een frisse jonge aanbidder, en liet de oude vrouw voor het eerst in twintig jaar blozen. María zong voor baby Bruno een Arabisch wiegeliedje terwijl hij tegen haar enorme borsten wegdommelde. Bajo won tot zijn vreugde een paar keer met kaarten van Pietro.

Nadat de laatste persoon was vertrokken, voelde Pajarita nog de luidruchtige, zachte bries die de gasten hadden achtergelaten. Hij wikkelde zich om haar heen toen ze in bed lag en Bruno in haar armen hield en luisterde naar haar man die in de keuken het licht uitdeed, de kamer binnen kwam en zich naast haar liet vallen. Hij bleef doodstil liggen. Ze raakte zijn schouder aan.

'Waar denk je aan?'

'Dat ik vader ben.'

Ze streelde zijn kin. 'Ben je gelukkig?'

Hij gaf geen antwoord. Hij draaide zich om. Ze staarde naar de omtrek van zijn rug.

'Ignazio?'

Geen reactie.

Ze bleef een minuut lang stilliggen, toen nog een. Bruno spartelde en begon zacht te jammeren. Ze trok haar nachthemd omhoog en legde hem aan haar borst. Ze lag stilletjes in het donker terwijl hij dronk.

Die nacht droomde Ignazio dat hij onder water zwom in een ka-naal in Venetië, op zoek naar het lichaam van een vrouw. Zijn vaders lijk, blauw en gezwollen, dreef naar hem toe. Rottende ar-men reikten naar voren om zijn lichaam in te sluiten. Hij wilde schreeuwen, hij wilde zich verweren, maar toen hij zijn mond opendeed vulde die zich met rottend water.

Een gevangenis verrees in Punta Carretas. Recht tegenover car-nicería Descalzo werd hij door zwengelende en hijsende vreemde machines de grond uit gestampt. Een grote muur rees op, met een poort in het midden, en achter de poort verscheen een enorm gebouw in de vorm van een doos. Het was indrukwekkend als een kasteel, het meest verheven bouwwerk dat Punta Carretas ooit had gekend.

'Het is in elk geval fraai,' zei Sarita, terwijl ze tegen de vitrine met worst leunde.

'Maar het is een gevangenis,' zei Coco. 'Hij blokkeert ons zicht op de vuurtoren. En wat voor buren krijgen we?'

'Het is niet tegen te houden.' La Viuda spreidde haar handen in een gebaar van wanhoop. 'De hele *barrio* verandert. Punta Car-retas is nu alleen maar stad.'

Dat was waar. Het stenen, dichtbebouwde centrum kroop Punta Carretas in. De stad had de barrio opgeëist. De deur van Pajarita's huis kwam niet langer uit op een onduidelijk zandpad, maar op een hardstenen stoep. Tegen de tijd dat ze Marco ter we-reld bracht (een ernstige baby, vergeleken bij Bruno's levendige gespartel), was Punta Carretas onherkenbaar veranderd. Huizen verdrongen zich aan weerskanten van hen, de ene muur tegen de andere; keien vulden een straat voor hun deur; een kerk verscheen naast de gevangenis. Het werd er benauwder. De vuurtoren wierp niet langer zijn trage licht in haar huis. En dit alles was volgens de burgemeester, volgens de president, vooruitgang; de stad werd groter, moderner, ontwikkeld, Montevideo was een hoofdstad die dit volk waard was, het Zwitserland van Zuid-Amerika, vol hoop en beloften.

Verbazingwekkend, dacht Pajarita, hoe de wereld kon veranderen. Hoe ze gewend kon raken aan elektriciteit, een hoog fornuis, hoge stoelen, een hoog bed. Hoe land kon verdwijnen onder huizen en keihard plaveisel, en hoe mannen in echtgenoten konden veranderen die weer veranderden in – wat? Wat werd Ignazio? Een ander dan degene die ze jaren geleden als *jóven* had leren kennen; een man die ze soms nauwelijks herkende. Het begon bij de geboorte van hun eerste zoon, en het werd erger na de tweede. Iets in hem – bleek en gepijnigd – was gezwollen tot een omvang waar niets mee te beginnen was. Het bolde op. Het liet nooit zijn ware gezicht zien. Het zonk weg in de zee van sterkedrank die hij tot zich nam. Het hield haar op grote afstand: in een tijd van achturige werkdagen kwam Ignazio steeds later thuis, dronken, zijn trekken gespannen als de teugels van een onvoorspelbaar paard – of, op andere avonden, met veel geschreeuw, uitzinnig, onbeheerst. Ik verdien jou niet. Je houdt niet van me. Hoe zou je kunnen. Waarom zou je niet. Heb je, heb je, ja, dat heb je. Ze probeerde antwoord te geven maar er waren niet genoeg woorden en hij stelde nooit echt een vraag. Hij raakte geobsedeerd door het idee dat ze een minnaar had. Ze maakten ruzie over zijn waanidee. Er waren avonden waarop ze ruziemaakten totdat ze tegen elkaar aan vielen, en alleen in die uren zag ze weer wie ze was en wie hij graag wilde zijn en kon ze maken dat ze voor elkaar openstonden, moeite doen om hen te laten samensmelten in warmte. Andere nachten werd ze wakker als Ignazio naast haar kroop en zo sterk naar drank en vrouwen rook dat ze hem naar de woonkamer stuurde zodat zij alleen kon liggen, zonder zijn geuren, en zonder zijn lichaam.

Ze beviel van een derde zoon. Tomás. Die zo op haar broer Artigas leek, dat het haar pijn deed om naar hem te kijken. Diezelfde magere botten en heldere ogen. Ze ging naar seances bij Clarabel thuis en stelde vragen over haar broer. Er kwam geen reactie. Hij kon niet dood zijn, kon niet dood zijn, kon niet meer leven zonder te hebben geschreven.

De stapel peso's die Ignazio elke week mee naar huis bracht werd kleiner. Het was te weinig, nauwelijks genoeg om de jongens van te voeden. Op een zondagochtend aan de keukentafel confronteerde ze hem daarmee.

'Ignazio. Je brengt niet je hele loon mee naar huis. Je hebt drie zoons, *querido*. Je moet ophouden.'

Ze had gedacht, ze had kunnen zweren, dat hij ruzie zou maken; dat hij zijn kaken zou spannen, zijn stem zou verheffen, zijn vuist op de tafel zou laten neerkomen. Maar hij keek alleen naar haar, daarna uit het raam, naar de vuurtoren die schuilging achter de bijna voltooide gevangenis. Hij zei niets. Ze wachtte. Zijn profiel tekende zich scherp af tegen het gestreepte behang.

'Weet je nog,' zei hij, 'toen we die eerste keer naar de stad kwamen? Dat we langs de oever van de rivier wandelden? Alsof er geen eind aan kwam. Alsof we almaar door konden lopen en alleen maar meer golven, meer zand, meer water zouden tegenkomen. Ik wilde altijd gondels in dat water leggen. Ik ga het doen ook. Een peso per tochtje. Dan verdienen we meer dan genoeg voor ons allemaal.'

Pajarita liet haar handen op haar schoot liggen. Ze klemde ze in elkaar. 'Hoeveel zou het kosten om die te bouwen?'

Ignazio haalde zijn schouders op. 'Een flinke som.'

'En waar zou dat vandaan moeten komen?'

'Laat dat maar aan mij over.'

Die avond in bed was hij gulzig, helemaal toen ze haar nagels in zijn rug drukte en zijn huid openkrabde.

Drie dagen later werd de gevangenis aan de overkant met veel ophef geopend. Inwoners van Montevideo kwamen uit alle delen van de stad kijken. El Penal de Punta Carretas, werd hij genoemd.

De burgemeester verscheen op de trap en schraapte zijn keel.

'Medestadsbewoners, we zijn hier vandaag om de vooruitgang te vieren, om dit geweldige nieuwe gebouw te vieren, maar vooral om deze stad te vieren.' Hij veegde zijn voorhoofd af dat bedekt was met zweet, en trok zijn wollen pak recht. 'Montevideo is een van de mooiste en modernste steden op dit continent. Ons klimaat, onze stranden, onze literatuur – alle zijn ongeëvenaard, en in de afgelopen vijfentwintig jaar zijn we een wereldstad geworden. Immigranten uit Italië, Spanje, Frankrijk en andere landen hebben hier een thuis gevonden. We hebben een democratie gevestigd die geïnspireerd is op de hoogste humanitaire idealen – de idealen van battlismo, de idealen in het hart van Uruguay.' De menigte klapte en de burgemeester zweeg even en zette een hoge borst op, als een pauw. 'Ja ja, we hebben dit volbracht – terwijl onze reuzenburen, Argentinië en Brazilië, alleen maar kunnen dromen van een dergelijke stabiliteit. Wij mogen dan klein zijn, maar we zijn een exemplarisch volk; we eisen onze plaats in de wereld op!' Hij hief zijn wijsvinger krachtig naar de hemel en hield hem daar terwijl het applaus over hem heen spoelde. 'En dus, mijn beste *Montevideanos*, laten we op deze bijzondere dag, nu we hier in Punta Carretas dit ultramoderne gebouw openen, ook naar de toekomst kijken. En denk eens, na wat we deze eeuw tot nu toe hebben bereikt, aan wat ons in de rest ervan nog wacht. Onze kinderen en de kinderen van onze kinderen zullen op de fundamenten die we voor hen hebben gelegd staan en ons naar onze bestemming brengen. We zijn een stad van de toekomst. De toekomst is van Montevideo!'

Hij knipte het rode lint door dat over de poort hing terwijl hij droop van het zweet, en straalde onder het klaterende applaus. Sarita Alfonti stond achter Pajarita te schreeuwen. Ze voelde de opwinding van de menigte, hun gretigheid en trots. Champagnekurken knalden. Een accordeon stiet klanken uit. De crèmekleurige muren van El Penal rezen hoog, fris, roerloos op.

Die nacht kwam Ignazio niet thuis. Pajarita werd om vier uur wakker in een bed dat nog steeds leeg was. Ze tuurde naar het plafond tot het ochtendlicht bleek naar binnen scheen. Toen stond ze op en maakte ontbijt klaar voor de kinderen: geroosterd brood met warme melk en wat er nog aan boter was. Vandaag was Ignazio's betaaldag. Als hij thuiskwam, zou er meer boter komen.

Maar die dag kwam hij niet. Noch die avond. Noch de volgende dag. Uien – ze had uien; ze kon ze braden voor het avondeten en ze op brood doen. Nog meer brood met mayonaise tussen de middag.

Hij kwam thuis op de avond van de zesde dag. Hij zag er grauw en afgepeigerd uit, en hij ontweek haar blik. Hij rook alsof hij zojuist uit een oorlogsgebied verdreven was. Zonder een woord zeeg hij neer aan de keukentafel. Het kostte Pajarita twee uur maté schenken om hem ertoe te bewegen te vertellen wat hij had gedaan.

Na zijn laatste nacht thuis had Ignazio zijn baas om een voorschot gevraagd, het loon voor de volgende twee maanden. Hij was een trouwe werknemer, dus werd zijn verzoek ingewilligd. De lening vormde een derde van wat hij nodig had voor een aantal gondels. Hij ging er regelrecht mee naar El Corriente, om het te verdrievoudigen aan de pokertafel. Hij verdrievoudigde het niet. Hij verloor alles.

Hoe glad was de houten tafel tussen hen. Massief, leek hij – en toch kon één slag met een bijl hem op elk moment splijten. Twee halve stukken laten wankelen. Pajarita greep de rand van de tafel vast alsof ze hem daardoor op zijn plaats kon houden. Weg. Twee maanden loon. En dagen die als muilen voor hen opengesperd lagen.

'Wat moeten we nu?'

Geen reactie.

'Ignazio…'

'Hou je kop, vrouw!' Ignazio stond zo plotseling op dat de tafel uit haar handen werd gestoten en omviel. 'Hou verdomme je rotkop.'

Pajarita ging ook staan. 'Schreeuw niet tegen me.'

Ignazio deinsde naar achter, spande zijn lichaam als een boog, met al zijn kracht haalde hij uit en raakte haar vol in haar gezicht, zodat ze tegen de muur viel en op de grond; ze sloeg haar armen om haar hoofd dat leek te branden – de wereld tolde en tolde, vol geschreeuw, vol sterren, vol stilte. Stilte. De pijn nam iets af. Ze was alleen. Nee, niet helemaal; ze hoorde hem in de woonkamer. Ze moest naar hem toe. Ze ging niet. Ze zou hier blijven, in elkaar gedoken op de grond, terwijl hij huilde. Maar ze bloedde. Ze stond op en zocht een doek om haar gezicht af te vegen. De smaak van ijzer prikte op haar tong. Ze maakte de doek nat en veegde nogmaals. Godzijdank, godzijdank sliepen de kinderen. Ze zette de tafel op zijn plaats, weer op vier poten, en veegde het bloed van de vloer. Duizelingen. Ze luisterde of ze gesnik hoorde in de woonkamer. Niets. Ze ging kijken. Daar lag hij, haar echtgenoot, met sporen van tranen op zijn wangen, dronken, diep in slaap in de schommelstoel. Ze liep langs hem naar haar kamer, naar bed, om te slapen.

Toen ze de volgende ochtend wakker werd, was de schommelstoel leeg. Geen Ignazio. Ze gebruikte het laatste beetje meel om die dag een brood te bakken. Crackers. Er waren nog crackers. De dag verstreek. Geen Ignazio. De crackers raakten op. Er was alleen nog een kwart pot mayonaise. Haar handen (tijdens het schrobben, vouwen, het kammen van Bruno's haar, het openmaken van haar blouse voor de hongerige Tomás) trilden.

Coco redde haar met gratis vlees, en een idee.

'Allereerst,' zei Coco, terwijl ze Pajarita een stevig pakketje in haar handen duwde, 'neem je dit vlees aan. Het kan me niet schelen wat je zegt. Ik weet dat je man weg is – de *desgraciado*.' Ze zette zich met haar brede lichaam aan Pajarita's tafel. Pajarita tuurde naar het geschenk.

'Ik weet niet hoe ik je moet bedanken.'

Coco vervolgde alsof ze haar niet had gehoord: 'Ten tweede: je planten. Daar kun je iets mee doen. Die moet je verkopen.'

'Verkopen?'

'Aan vrouwen in de barrio. Je kunt beginnen in de winkel, bij mij achter de toonbank. Luister, als het gerucht zich eenmaal heeft verspreid over je geneeskrachtige kruiden, die beter zijn dan een dokter, en goedkoper ook, zul je zien dat je de buikjes van die jongens kunt vullen.'

Het was nooit bij haar opgekomen, maar ze kon geen reden bedenken waarom ze het niet zou proberen. Ze ging met haar kinderen en een mand bladeren, wortelen en bast naar de slagerswinkel. De jongens speelden een spel, gaucho's-in-het-kamp, waarbij ze op denkbeeldige paarden reden langs de lappen vlees die aan het plafond hingen. In een hoek, tussen het snijblok en de vleeshaken, zette Pajarita twee kleine houten krukken neer en ging op één ervan zitten. Ignazio, dacht ze, ik wil je vermoorden, ik wil je kussen, ik wil je snijden als een lap vlees; let maar eens op hoe ik ga leven zonder jou aan mij zijde.

Coco was een wandelende reclame. Vrouwen klopten aan. Sommigen van hen wilden alleen een luisterend oor; ze vertelden uitgebreide, warrige verhalen over dood in de familie, wrede schoonmoeders, financiële problemen, tegendraadse echtgenoten, gewelddadige echtgenoten, vervelende echtgenoten, eenzaamheid, geloofscrises, visioenen van Maria, visioenen van de duivel, frigiditeit, verleiding, terugkerende dromen, fantasieën waar zadels of rijzwepen of hete kolen in voorkwamen. Ze verstrekte thee als troost, om geluk af te dwingen of ter bescherming. Andere klanten kwamen met lichamelijke klachten – pijn in hun botten, steken in hun zij, gevoelloosheid in hun heupen, suizende oren, vergeetachtigheid, zere knieën, zere ruggen, zere harten, zere voeten, sneeën in vingers, trillende vingers, dwalende vingers, brandwonden, hoofdpijn, indigestie, overmatig bloedverlies bij menstruatie, onvermogen om zwanger te worden, een zwangerschap die afgebroken moest worden, gebroken botten, kapotte huid, uitslag waar geen dokter raad mee wist, pijnen die geen dokter kon genezen. Er kwamen huisvrouwen, werksters, naaisters met zere handen, overspelige vrouwen met klamme handen, overgrootmoeders die met hun stok zwaaiden, jonge meisjes die zwijmelden van verliefdheid. Pajarita hoorde hen allemaal aan. Ze zat daarbij zo stil als een uil. Dan gaf ze hun een klein pakje en legde uit wat ze met de inhoud ervan moesten doen. Het ging van mond tot mond. Vrouwen kwamen uit alle hoeken van het land naar haar toe. Ze kon de voorraad maar nauwelijks op peil houden uit kieren in de stoep, nabijgelegen parken en de potten in haar eigen huis. Tot Coco's vreugde kochten de hulpzoekenden tegelijk met hun geneesmiddelen vaak ook hun dagelijkse vlees. Pajarita vroeg geen prijs. Sommigen gaven haar peso's, anderen fruit, een mand met brood of een paar bollen met de hand gesponnen wol. Anonieme giften verschenen op de drempel van de familie Firielli – manden met appelen, potten *yerba mate*, zelfgemaakte kleren voor de kinderen. Ze hadden genoeg.

Ze had een eigenaardig soort roem ontwikkeld. Haar naam werd gefluisterd in de keukens en groentekramen in Montevideo. Pajarita, die heeft me beter gemaakt, jij zou haar ook moeten bezoeken. En toen ik bijna… Je hebt me toen gezien. Als zij er niet was geweest. Vreemd, dacht ze, dat dit alles groeit uit zoiets gewoons als planten, zulke alledaagse dingen, die nieuwe werelden openen door de zielen en verhalen van deze stad naar haar deur te brengen, iets schokkends binnen in haar onthullen: een bereik, een draagwijdte, ongekende avonturen, doordringend tot in het innerlijk van onbekenden waar zij door het duister tastte op zoek naar iets dat tegenstribbelde, opflitste en verdween, ongrijpbaar, ontwijkend, ontembaar.

Op een bloedhete middag, toen een gebochelde vrouw die naar knoflook rook haar bekende dat ze verliefd was op de nieuwe priester, voelde Pajarita dat er iets in haar lichaam bewoog. Ze tastte met haar geest af wat het was. Ze was zwanger. Een meisje. Ze herinnerde zich de bevruchting van die laatste nacht, het klauwen, Ignazio's opengereten, gulzige huid. En hij was verdwenen. Van bedroefdheid klapte ze bijna in elkaar.

Ze liet de knoflookvrouw haar verhaal afmaken en betuigde haar medeleven, gaf haar een pakje en instructies. Ze liep door het gordijn.

'Coco.'

'*Sí.*'

'Ik houd het vandaag voor gezien. Ik neem de kinderen mee naar boven voor de siësta.'

'Goed, Rita. Ik kom ook zo.'

Ze ging terug naar de kinderen. Bruno kroop achter het snijblok rond, een soldaat in gevechtstenue met een koeienbot als geweer dat hij op zijn broertje Marco richtte.

'Paf! Je bent dood!'

Marco liet zijn bot op de grond vallen. 'Jij speelt vals,' mopperde hij. Tomás kwam aan gewaggeld en pakte de ene kant van het bot op. Het viel met een lichte klap op de vloer. Hij kraaide het uit van plezier.

In de hoek, ver van het spel, tekende Andrés Descalzo een stakerig poppetje en een vierkant blok als huis. Overal waren groene, oranje en paarse strepen te zien. Eindelijk een zoon, had Coco geroepen toen hij twee jaar daarvoor was geboren. Mensen noemden hem El Carnicerito, De Kleine Slager, geboren om het familiebedrijf voort te zetten en het te behoeden voor een lot van schoonzonen. Hij zag er zelfs uit als een miniatuurmannetje, met zijn ernstige gezicht, alsof hij altijd bezig was een belangrijke code te kraken.

'Tijd voor een middagslaapje. Leg die botten weg.'

Onder veel rumoer deden ze wat hun werd gevraagd. Andrés legde zijn kleurpotloden terug in de doos. Pajarita greep een appel en een mes uit haar mand en sneed er stukjes af. Ze gaf de stukjes aan haar zoons. Andrés stond klaar met een uitgestrekte hand, de enige zoon, net zoals het kind dat zij nu droeg de enige dochter zou zijn, en één moment, toen zijn hand de hare raakte en het fruit pakte, kwam er een ander verhaal in haar op, een oud verhaal, over een appel en een vrouw en een tuin.

Eva, dacht ze, toen ze de kinderen volgde op de uitgesleten traptreden. Dat is jouw naam, en daar kan niemand iets aan veranderen – wat je ook wilt kiezen, de naam kiest het kind.

Het jaar waarin Eva Dolores Firielli Torres ter wereld kwam, werd er begonnen met de bouw van de Rambla aan de oever van El Río de la Plata. Het harde gegrom van machines vulde de stad. Ze legden een wandelpromenade aan langs het strand, een bochtig pad met roomwitte en kastanjebruine tegels waar *Uruguayos* langs de kant konden lopen, de grens tussen water en stad.

Eva was een bijzonder nieuwsgierige baby. Ze had een lichte huid, net als haar afwezige vader en Marco, en als de vrouwen uit de stad, maar haar haar was even zwart als dat van haar moeder, een volle bos vanaf de dag dat ze ter wereld kwam. Ze hield van alles wat glom of schitterde, zoals Pajarita's jaden armbanden, felle zonnestralen op water, de lichtbundel die de vuurtoren 's avonds over de rotsen liet glijden.

Toen Eva bijna twee jaar was en druk brabbelde, kreeg Pajarita een brief van Ignazio. Ze rende onmiddellijk naar Coco om hem door haar te laten voorlezen.

"'Mi Reina,'" las Coco. 'Tss. Die durft! *"Ik hoop vurig dat je het goed maakt. Ik ben ervan overtuigd dat de familie beter af is zonder mij. Tot drie weken geleden heb ik in een onderwereld geleefd die niet geschikt is voor de ogen van een vrouw. Noch voor die van onze zoons. Hier is wat geld. Ik stuur meer zodra ik kan.*

Ik denk dat je me nooit zult vergeven, en me ook niet zult geloven wanneer ik zeg dat het zo beter voor jullie is. Als mijn kwade geesten me verlaten hebben, kom ik naar huis. Ik hou van je. Ignazio.'''

De eerstvolgende paar jaar bleven zijn brieven met tussenpozen komen: vage, amoureuze brieven, met klamme peso's zorgvuldig erin gevouwen.

De onweersbui kwam uit het oosten. Regen roffelde op het dak. Het geluid van de donder maakte Eva wakker en bang, ze rende haar bed uit naar de keuken, waar ze haar moeder aantrof die pannen aan het afwassen was.

'Mamá! Mag ik bij jou zitten?'

'*Bueno.*'

'Vertel je een verhaaltje?'

'Er was eens een heel aardige donderwolk...'

'Dat geloof ik niet.'

'Waarom niet?'

'Donderwolken zijn gemeen.'

'Sommige zijn aardig.'

'Niet!'

'Waarom niet?'

'Ze brengen donkerte en lawaai, en een heleboel regen.'

'Regen kan ook goed zijn.'

Eva keek twijfelend.

'De planten gaan ervan groeien.'

Eva schokschouderde. 'Nou en?'

'*Cómo que*, nou en? Zodat...'

Er werd op de deur geklopt. De regen raasde. Weer werd er geklopt.

Ze keken elkaar aan.

'Denk je dat het een donderwolk is?' vroeg Eva.

'Dat gaan we uitzoeken.'

Hand in hand liepen ze naar de deur.

'*Quién es?*' riep Pajarita.

'Ignazio.'

Dat kan niet. Dat kan niet. De deur trilde als een groot houten beest dat hijgde op het ritme van de regen. Ze deed hem open en daar stond hij, met een paraplu in de ene, een bos rozen in de andere hand. Gele. Ivoorwitte. Rode.

Ze liet hem binnen. Onzeker bleef hij op de drempel van de woonkamer staan. '*Querida.*' Druppels vielen van de rand van zijn hoed.

'Wie is dat, mamá?'

Ignazio tuurde naar beneden.

'Eva,' zei Pajarita, 'dit is je papá.'

Ignazio's ogen werden groot. Eva kneep haar ogen halfdicht. Hij hurkte naast haar neer en bekeek haar gezichtje, haar vastberaden kaak, het dikke zwarte haar in vlechten.

'Je ziet er niet uit als mijn papá.'

'Hoe ziet jouw papá er dan uit?'

'Dat weet ik niet.'

'Misschien lijkt hij op mij.'

'Waarom heb je die bloemen bij je?'

'Ik dacht... dat jullie ze mooi zouden vinden.'

'Waarom was je buiten in de regen?'

'Ik... *este...*'

'Eva,' zei Pajarita, 'ga terug naar bed. Het is heel laat.'

Ignazio bleef in de deuropening staan terwijl Pajarita de dekens over Eva heen trok en zachtjes een slaapliedje zong. *Arrorró mi nena, arrorró mi sol.* Ze voelde dat hij naar hen keek en naar het andere bed, waarin Tomás sliep. *Arrorró pedazos, de mi corazón.* De regen roffelde nog steeds boven hun hoofd maar het donderde niet meer. Eva's spieren ontspanden zich.

Op hun tenen liepen ze terug naar de woonkamer.

Ignazio stak haar de bloemen toe. Schaapachtig.

Pajarita nam de rozen van hem aan. Het vloeipapier waarin ze zaten kreukte in haar hand. Ze stelde zich voor dat ze de rozen er steel voor steel uit pakte en naar de man gooide die nu druipend op haar tapijt stond. Ze stelde zich voor dat ze ze strak om zijn nek heen wond. Ze stelde zich voor dat ze ze boven in haar jurk liet glijden, tegen haar aan drukte, met doornen en al. In plaats daarvan haalde ze een vaas water uit de keuken en zette de bloemen op de salontafel. Ze gingen op twee stoelen zitten, met het boeket tussen hen in, twee mensen tijdens een gewoon onweer.

'Je hebt het huis heel mooi onderhouden.'

Echtgenoot, dacht Pajarita. Dit is mijn echtgenoot. 'Waar heb je gezeten?'

'In het oude gedeelte van de stad. In een woning vlak bij Calle Sarandí. Ik leefde… nee, ik leefde niet.' Hij zweeg even. Hij bestudeerde de armleuning van haar stoel. 'Op een avond vond Cacho me in een steeg. Ik was bewusteloos en bloedde uit een steekwond. Hij heeft me gered. Hij nam me mee naar zijn huis, waste me, vond werk voor me en zorgde ervoor dat ik het aannam. Pietro heeft me ook geholpen. Ik ben je gaan schrijven. Elke dag droomde ik ervan thuis te komen.'

'Maar dat deed je niet.'

'Ik kon het niet. Ik was een monster.'

'Wat ben je nu?'

'Een man. Een echtgenoot.'

'Heb je enig idee hoe het is om je kinderen honger te zien lijden?'

'Ze zullen geen honger meer hebben.'

'Nee, inderdaad – of je nu blijft of niet. Ik werk. We hebben genoeg.'

Ignazio keek verbaasd en ze kon die uitdrukking wel van zijn gezicht slaan. Ze voelde zich sterk, ze straalde triomf uit. O, Ignazio, trieste man, trieste klootzak, je hebt een vrouw verlaten, maar je kwam thuis bij een andere, en je weet niet wie ik ben geworden: ik kneus kilo's bladeren, mijn thee heeft de stad verwarmd, de

stad heeft appels naar mijn deur gebracht. Ze voelde haar groots-
heid, haar essentie, meer dan de afmetingen van haar lichaam. Ze
ging rechtop in haar stoel zitten, als een koningin op haar troon
die naar de smekeling voor haar tuurde.

'Ik wil blijven,' zei hij.

'Dan zul je moeten veranderen.'

'Dat doe ik.'

'Dat zal tijd kosten.'

'Ik wacht wel. Ik slaap op de vloer.'

'Ja. Reken maar.'

Hij zweeg. Ze zaten in het schaarse licht van de lamp. De wereld
kon heel nat en zwaar zijn. Hij kon een gewone avond overspoelen
met genadeloze regen; hij kon een man met zijn stromen mee-
sleuren en hem weer uitspugen op lang verlaten stranden; hij kon
doorsijpelen tot in je geheime aarde, zelfs als je wenste en wenste
en wenste dat je droog kon blijven. De rozen hadden de kamer
gevuld met een geur waar je dronken van kon worden. Bloem-
blaadjes stonden fier rechtop alsof ze vergeten waren dat ze morgen of overmorgen of de dag erna zwart konden worden. Ignazio
boog zich naar voren. Hij had die blik in zijn ogen waaruit hoop
sprak – alsof zijn ogen oplichtten. Zijn hand raakte de hare aan
en hij was warm en hij had haar zoons bij hun geboorte gestreeld,
trillend in haar lichaam gevoeld, het dak boven hun hoofd gebouwd, de regen buiten gehouden; ze miste de eeltige contouren
van deze hand die (ooit) een vuist maakte en (meer dan eens)
naar de drank greep. Een hand die zoveel kon doen. Een hand om
vast te houden.

'Pajarita.'

Ze wilde zich tegen hem aan vlijen, ze wilde hem de deur uit
gooien, de regen in. Ze stond op, liep weg en kwam terug met
twee dekens en een kussen. 'Neem die maar.'

Hij keek gekwetst. 'Dank je.'

'Welterusten, Ignazio.'

'Pajarita.'

Ze draaide zich om en zonder naar hem te kijken verliet ze de kamer.

Hij sliep een maand op de vloer. Elke ochtend werd ze wakker met de gedachte dat hij vertrokken was, dat hij vertrokken kon zijn, dat ze als ze ging kijken alleen een omgewoelde deken zou zien. Maar elke ochtend was hij er nog, slapend in het bleke ochtendlicht. Ze maakte extra veel lawaai met de pannen als ze het ontbijt klaarmaakte, zodat hij wakker werd. Ze dacht dat ze de dekens zelf zou moeten opvouwen, maar hij ruimde ze op zodra hij was opgestaan. De kinderen kregen nooit iets te zien van het provisorische bed. De jongens waren dolblij dat ze hun vader terug hadden, ze klauterden over hem heen en lachten om al zijn grapjes, ze vochten om zijn aandacht, alsof hij net terug was van een lange maar volkomen verklaarbare reis. Eva bleef aanvankelijk aan haar moeders rokken hangen en bekeek hem met een onzekere blik. Maar binnen twee weken had hij haar voor zich gewonnen met zijn samenzweerderige lach en zijn oude Italiaanse liedjes. Hij zette haar op zijn schoot, *Mijn lieve, mijn enige prinsesje*, en Eva kraaide van plezier om haar nieuwe koninklijke status. Zijn tederheid was voelbaar. Het maakte Pajarita woedend. Ze raakte hem niet aan. Overdag ging hij werken in de haven en zij ging naar de slagerij. 's Avonds speelde hij met de kinderen terwijl zij de vaat deed. Hij wachtte tot ze drie uur lagen te slapen voordat hij zijn beddengoed op de vloer spreidde. Sommige avonden sloot ze zich op in haar slaapkamer en liet hem die uren alleen. Andere avonden wist hij haar over te halen bij hem te blijven zitten.

'Vertel eens over je werk.'

'Dat heb ik al gedaan.'

'Vertel er wat meer over.'

Hij wist zijn verbazing niet te verbergen over de slagerswinkel, de pakketjes, de vrouwen die voor haar in de rij stonden. Hij luisterde gretig, alsof er iets in de verhalen school wat hij was ver-

loren. Hijzelf leek verloren. Hij was een schip zonder anker in onbekende wateren, niet wetend hoe hij zijn massa en gewicht moest
sturen.

'Wanneer mag ik terugkomen?'

'Je bent er al.'

'Je weet wat ik bedoel.'

'Welterusten, Ignazio.'

Ze wist geen antwoord op zijn vraag. Het had veel langer kunnen duren als er niet nog iemand was teruggekomen. Jaren daarna, toen ze een grijze vrouw was die probeerde haar kleindochter
Salomé te begrijpen terwijl ze haar magere hand vasthield in een
rammelende bus na vijftien jaar angst om haar leven, zou Pajarita terugdenken aan dit jaar, 1930, het jaar van de thuiskomsten,
en tot de conclusie komen dat er een magneet moest zijn geweest,
een kosmische, onzichtbare magneet die – in plaats van pannen
en spijkers – mannen aantrok die ze weer thuis wilde hebben,
net zoals Salomé nu thuiskwam, als een miraculeus, vermagerd
wisselkind. Zulke dingen gebeuren; er liggen allerlei soorten erts
in levens begraven, en mensen kunnen al die krachten die hen
voortduwen, aan hen trekken, op hun plaats houden, natuurlijk
niet zien. Soms roep je die krachten zelf op, zonder te weten dat
je dat hebt gedaan. In het jaar van de thuiskomsten, in 1930, was
Pajarita twee weken voor Ignazio naar huis kwam neergeknield
om namens Coco voor een keramisch beeld van de heilige Antonius te bidden. *Heilige Antonius, patroonheilige van zoekgeraakte
voorwerpen, breng alstublieft Coco's doek terug. Die rode die haar
abuelita heeft gemaakt.* Ze had een kaars aangestoken en een paar
munten in de bak laten vallen. *En laat ook alstublieft alles wat
ik kwijt ben terugkomen. Wees gegroet Maria en amen.* Antonius
beweegt zijn heilige pols. Een magneet komt in actie. En als ze
daarin kon geloven, in de pols, de munten, de magneet, dan kon
ze ook geloven dat wat er voor haar deur belandde nog steeds van
haar was.

Op een avond werd er laat op de deur geklopt. Ignazio was inmiddels een maand thuis en ze zaten in de woonkamer naar de winterse buien te luisteren.

'Verwacht je iemand?'

Ze schudde haar hoofd. Weer werd er geklopt.

Ignazio stond met een behoedzame blik op. 'Wie is daar?'

'Pajarita?'

De stem bracht haar in beweging, deed haar opstaan en de deurknop pakken en hem omdraaien en de deur opentrekken en daar stond hij. Artigas. Doorweekt te bibberen onder een te kleine paraplu. Lange haren plakten tegen zijn hoofd. Hij hield de hand vast van een klein meisje van een jaar of vijf, een *mulata* met de lichtbruine ogen van Artigas. Ook zij was doorweekt. Ze staarde omhoog naar Pajarita.

Artigas zei: 'Laat je ons nog binnen?'

Ze gebaarde dat ze verder moesten komen. Haar broer stond druipend op het kleed. Ze ervoer de groene vlakten van Tacuarembó, de hete droge wind, de geur van stoofpot in de kookkuil, het hout dat spleet onder de bijl van Artigas, zijn geur, zijn stem, zijn schaduw in het donker.

'*Hermana.*'

Ze viel in zijn armen en hij doorweekte haar. Ignazio stond rechtop en keek naar de knappe man, naar het kind, naar zijn vrouw. Ik droom, dacht Pajarita. Ik kan elk moment gaan vliegen of wakker worden of in een koekenpan veranderen. 'Artigas, dit is mijn man. Ignazio, dit is mijn broer...'

'En dit is Xhana. Mijn dochter.' Artigas kneep even in de hand van het meisje. Xhana drukte haar wang tegen zijn broekspijp.

'*Hola, querida,*' zei Pajarita. 'Je zult het wel koud hebben.'

Xhana knikte.

'We gaan jullie afdrogen. Allebei. Jullie blijven logeren.'

'Vind je het niet erg?' zei Artigas. 'Heb je ruimte?'

Pajarita dacht snel na waar ze hen kon leggen. Vijf bedden,

waarvan vier voor kinderen. Xhana kon bij Eva in bed: een plus een was een. Artigas kon op de vloer van de woonkamer slapen (de zesde slaapplaats), alleen werd die plek al ingenomen door haar echtgenoot. En wat zou haar broer denken als hij haar man op de grond zag liggen?

'Natuurlijk heb ik ruimte. Als je het niet erg vindt om op de vloer te slapen.'

'Ik slaap graag op de vloer.'

'Ignazio, wil jij de dekens pakken?'

Even daarna bakte Pajarita milanesa's, maakte ze warme chocolademelk en zocht ze droge kleren voor haar gasten, terwijl Ignazio een slaapplaats in de woonkamer klaarmaakte. Artigas legde zijn dochter in bed bij Eva.

'Ze is diep in slaap,' zei hij toen hij terugkwam.

Het drietal stond wat te dralen in de woonkamer.

'Ignazio,' zei ze. 'Ik weet dat je moe bent. Misschien wil jij al naar bed.'

Ignazio aarzelde. '*Este...* naar bed?'

Ze knikte, alsof het de gewoonste zaak van de wereld was.

'Artigas. Wil je me excuseren?'

'Natuurlijk. Slaap lekker.'

Ze keek haar man na toen hij achter de deur van de slaapkamer verdween. 'Nog wat warme chocola, *hermano*?'

Ze gingen aan de keukentafel zitten. Artigas droeg een trui van Ignazio, die hem te ruim zat in de schouders en muf rook na vijf jaar in een la te hebben gelegen.

Hij keek toe terwijl ze nog wat chocolademelk in zijn beker schonk. 'Ben je boos?'

Ze legde de gietlepel neer. Kijken naar Artigas was hetzelfde als in een put naar het verleden turen. Je kunt de bodem niet zien, je krijgt niet meer dan een echo, maar je kijkt toch. Je jaagt schimmen na. Je wacht tot verloren munten het licht vangen. 'Je hebt beloofd dat je zou schrijven.'

'Ik weet het. Het spijt me.'

Hij meende het. Als ze wilde, kon ze gesloten als een pot blijven en de knopen in haar maag houden. Maar wat was het een noodweer, wat was het laat, wat dampte de chocolademelk in haar handen. Tijd om zich te bevrijden, zich te ontvouwen, zich open te stellen voor deze keuken met zijn kruiden in potten, het wonder van kinderen die veilig liggen te slapen, de man met zijn goochelhanden die haar zo lang geleden op het podium had geroepen, die verscheurd en als herboren met stille vragen in haar bed lag, Artigas, terug van de doden, kijkend met dezelfde ogen waarmee hij, aldus het verhaal, een verwilderde baby uit een boom had weten te krijgen. Ze legde haar hand op de zijne en zei: 'Ik heb je gemist.'

'God, ik heb jou ook gemist. Ik dacht steeds: ik schrijf binnenkort, binnenkort, als ik klaar ben om terug te komen. In elk geval voor een bezoek. Maar zo ging het niet.'

'O. Hoe ging het dan?'

Artigas begon te vertellen.

Die eerste tocht tegen de wind deed iets met hem. Alle ketenen die hem aan Tacuarembó hadden gekluisterd knapten open met de hoefslagen van zijn paard over onbekende aarde. De omgeving betoverde hem – kijk daar, een eucalyptus die hij nooit eerder had gezien, een hut omringd door onbekende kippen, een vrouw bij een put die nooit eerder zijn gezicht had gezien! De warme blauwe lucht strekte zich boven zijn hoofd uit. En die geluiden. Sinds zijn zevende had hij zulke muziek niet meer gehoord. De wind raasde en kreunde en ruiste hees door de boomtoppen. Zijn paard stampte, mussen jammerden en raven gaven krassend antwoord. Krekels lieten de hele nacht tsjirpend hun verrukking horen. Het lied van de weg stroomde in zijn oren, bedwelmend, vervuld van alle chaos en de voortdurende polyfonie van de wereld. Het maakte dat zijn hart pijn deed, als een spier die meer dan ooit bewogen werd. Muziek. Hij gaf zich eraan over, baadde zich erin, beloofde zich te wijden aan het mysterie van klanken.

De weg voerde hem naar het noorden en oosten, in de richting van Brazilië, aan de andere kant van Tacuarembó, en Rivera in. Onderweg trof hij mensen die hem een kom warme *puchero* aanboden, waarvan uit de bouillon de geur van langzaam gebakken uien opkringelde, of verse maté, of een stukje vloer om op te slapen. In ruil daarvoor zong hij voor hen. Hij zong bekende volksliederen, en families zongen mee met hun tandeloze mond wijd open; hij schreef ook liedjes voor de mensen die hij tegenkwam, waarin hij hun verzonnen avonturen verwerkte en waarbij hij eenvoudige akkoorden op zijn gitaar tokkelde. Eén familie leerde het lied uit het hoofd – ieder familielid twee regels – zodat ze het met z'n twaalven konden onthouden. In een andere stad begon een geharde weduwe te huilen en bood hem drie broden en de hand van haar dochter aan (de dochter bloosde; Artigas glimlachte beleefd). Hij bleef nooit langer dan een nacht op één plek. Als het ontbijt was afgelopen kwamen er te veel vragen over zijn familie, hoe hij hen had kunnen verlaten, wanneer hij hen weer zou zien. Hij gaf vage antwoorden en besteeg snel zijn paard, waarna hij het welluidende landschap in reed.

Vlak voor de grens ontmoette hij Bicho en Bronco, broers uit de stad Treinta y Tres. Hun familie had hen om duistere redenen verstoten, en Artigas wachtte zich er wel voor hen uit te horen. Ze reden met hem mee. Ze waren allebei mager, hadden een snelle glimlach en waren gefascineerd door Artigas' naam, die beelden bij hen opriep van de helden die de eerste Artigas waren gevolgd in de onafhankelijkheidsoorlog.

'Wij zijn net als die rebellen uit vroeger tijden,' zei Bronco. 'Ha. Leid ons de oorlog in!'

'Leid jij ons naar de oorlog?' Bicho bekeek Artigas van onder de rand van zijn hoed. 'Of alleen naar Brazilië?'

'Ik leid jullie nergens heen,' zei Artigas. 'We gaan gewoon dezelfde kant op.'

Aan de andere kant van de grens kwamen ze in een steeds wilder gebied. Ze trokken langs de rand van het regenwoud, zo dichtbegroeid en vochtig en vruchtbaar dat Artigas het idee had dat hij van ademhalen alleen al groen zou worden. Op hun achtste ochtend in Brazilië werd Artigas alleen wakker. De broers waren verdwenen. Ze hadden zijn paard meegenomen, zijn gitaar, zijn luttele peso's en een bundel kleren, zelfs de facón die hij in zijn laars had gedragen. Hij zou die jongens doodmaken. Hij zou sterven van angst. Hij had niets en kende de omgeving niet, hij zou worden aangevallen door een slang of verstrikt raken in lianen, hij zou verdrinken en sterven en wegrotten in de helder groene, agressieve begroeiing van het woud.

Hij maakte voort.

Hij reisde te voet. Om zijn verstand niet kwijt te raken zong hij. Hij zong elk lied dat hij kende, het ene na het andere, alsof hij daarmee de dood, roofdieren en de verslindende honger van zich kon afhouden. Hij zong zacht om alert te zijn op geluiden om hem heen, het zoemen van dieren die behoedzaam tussen bomen kropen. Op de derde dag bleef hij uiteindelijk staan om te luisteren naar het woud. Alles wat hij hoorde klonk vochtig. Vol. Barstend van groen, genadeloos leven, krijsende vogels en trillende lianen, een lied met de gratie van een jaguar.

Hij dronk uit kabbelende beekjes. Hij at bladeren en algauw de aarde zelf, waaruit hij handenvol wormen naar zijn mond bracht. De eerste keer uit walging niet meer dan een handje; de tweede keer gaf hij zich over aan het bos, hij knielde in de modder en schepte hele kluiten op, likte zijn vingers af, voedde zich met dezelfde aarde als de bomen. Hij bad dat hij niets giftigs at. Hij bad om leven. Hij wist niet tot wie of wat hij bad, en dat kon hem ook niet schelen. Dagen later vond hij redding in een open vlakte: twee ijzeren rails die naast elkaar het landschap doorsneden.

Treinrails. Artigas wist wat treinen waren, hij had in Uruguay de aanleg van spoorbanen gezien voor treinen, vreemde nieuwe dingen, sneller dan galopperende paarden. Hij boog zich voorover om het glanzende metaal te kussen, ging er toen naast liggen en sloot zijn ogen. De tijd verstreek. Hij spitste zijn oren. Er naderde een trein: een geraas uit het zuidwesten dat in de richting van Rio ging. Het geratel en gegrom zwol aan en het lange ijzeren ding kwam brullend op hem af, reusachtig en snel, net een worm, zijn bruine muil braakte een golf stoom uit en ineens schoten de wagons van de trein als een vage vlek langs hem heen, hoge wielen knarsten met verblindende snelheid en hij dacht: nee, ik kan het niet maar ik moet. Hij hield zijn adem in en sprong.

Wind en het geluid van ijzer vulden zijn oren. Hij klampte zich vast aan de zijkant van een goederenwagon, en zijn voeten vonden een reling. Hij keek omlaag en wenste dat hij dat niet had gedaan – de grond raasde onder hem door. Ongeveer een meter van hem vandaan was een zwarte schuifdeur die op een kier stond. Hij liep er al slingerend voorzichtig naar toe en hield zijn adem in toen hij de sprong waagde.

Een doordringende stank omringde hem, de stank van stront. In de wagon stonden kisten vol mest, drie meter hoog opgestapeld. Door de zomerse hitte gaven ze een lucht af die in de kleinste porie kon doordringen. Hij dacht eraan weg te rennen, maar hij kon geen stap zetten bij de herinnering aan de voorbijsnellende grond. Strontlucht drong door in elke vezel, zowel in zijn huid als eronder. Hij verkende de nauwe doorgang tussen de kisten, maar bij elke stap stonk het, er was geen ontsnappen aan; hij sloeg vol walging op de zijkant van een kist. Achter de kist klonk een kreet.

Hij vermande zich. Hij verlangde naar zijn facón, maar als het moest zou hij zich zonder de dolk verdedigen. Met opgeheven vuisten liep hij om de kist heen.

Een gezin zat in elkaar gedoken tussen de kisten: twee kinderen, een stevige, jonge man, een vrouw met een baby in haar armen en een oude man met zilvergrijs haar. Aan hun gezichten te zien, vervuld van angst, waren het *indios*. Hij liet zijn vuisten zakken. De jongen sloot zijn ogen. Het meisje keek naar hem op met ogen als schoteltjes. De vrouw keek hem kwaad aan.

De jonge man kwam overeind met zijn handen omhoog, en smeekte Artigas in hakkelend Portugees. 'Ik doe jullie geen kwaad,' zei Artigas. 'Nee, geen kwaad.' Hij bleef dit zinnetje herhalen tegen de man, die het nog steeds met nadrukkelijke gebaren aan zijn familie probeerde uit te leggen. Ten slotte zei Artigas: '*No soy del tren. Yo*,' hij wees op zijn borst, '*no*', hij schudde met zijn vinger, '*tren*', en hij gebaarde om zich heen.

Opluchting gleed over het gezicht van de man. Hij begon snel te ratelen, onbekende klanken. De vrouw kuste het hoofdje van haar baby, het jongetje kreunde en de oude man glimlachte, waarbij hij een tandeloze mond liet zien.

De man richtte zich weer tot Artigas. '*Quem são você, então?*'

'Artigas. Jij?'

'Galtero.'

Ze communiceerden in een gekunstelde mengeling van Spaans en Portugees. Galtero en zijn familie, begreep Artigas, waren Guaraní uit het zuiden van Brazilië, die generaties lang op grond van indianen hadden gewoond, tot afgelopen maand, toen mannen in vreemde pakken gekomen waren van iets wat Zaffari Supermarket Company heette; zij beweerden dat het hun land was. Ze hadden geen wettige papieren en geen bewijs, maar de regering hield hen niet tegen. De mannen van Zaffari braken huizen af, vernietigden de ene akker met cassave en maïs na de andere, en lieten honderden gezinnen achter zonder huis of oogst, uiteengedreven in de vier windrichtingen.

De vrouw haalde een kalebas voor maté tevoorschijn. Ze vulde hem met lauw water en bood hem Artigas aan. De gedachte hier iets te drinken vervulde hem met weerzin – maar de maté die hem werd aangereikt was het oude vriendschapsgebaar. Zijn hart brak bijna door haar gulle gebaar. Hij nam de kalebas aan, bracht de bombilla naar zijn lippen en dronk. Het smaakte naar mest, uitgesmeerd over gras.

Die avond lag Artigas op de rammelende vloer naast het kleine meisje. In haar slaap kroop ze in de kromming van zijn arm. Haar dikke zwarte vlechten deden hem aan Pajarita denken. Waar was zijn zusje nu? Eenzaamheid bekroop hem en sloeg hem terneer tot hij in slaap viel. Hij droomde van grote groene weiden die openbarstten en volliepen met stromen stront.

De volgende dag kletterde voorbij op het ratelende en zingende metaal. Galtero's verhaal draaide in Artigas' hoofd rond als een ijzeren wiel. De wreedheid ervan verpletterde zijn gedachten. Hij vertelde het aan Galtero.

'Maar dat is niets nieuws,' zei Galtero. 'Hoe gaat het in jouw land?'

'Wij hebben dat soort problemen niet.'

'Echt niet? Wordt het land van de indianen gerespecteerd?'

'Nee... Alleen...' Hij wilde zeggen *wij hebben geen indianen in Uruguay*, maar hij voelde plotseling schaamte. 'Wij denken er gewoon niet aan.'

'Verbazingwekkend,' zei Galtero, 'dat jullie stam er niet aan hoeft te denken.'

Artigas wilde zijn mond opendoen om de man te corrigeren, maar deed hem verward weer dicht. Thuis was hij geen *indio*; niemand was dat. Galtero had het mis – of niet? Waren er geen echo's van zijn eigen huid en haar en neus en schouders te zien in deze man? Echo's konden vaag zijn en nagalmen, zoals ze nu deden, en iets in hem wakker maken, iets in zijn geest laten rammelen, een verhaal naar boven brengen, dat verhaal over het wonder van 1700, precies tweehonderd jaar voordat zijn zusje in een boom verscheen, toen Guaraní-liederen de lucht op nieuwjaarsdag hadden gevuld met vergeten klanken die hij nooit eerder had gehoord, zoals hij ook nooit het verhaal had gehoord over hoe dat soort muziek verloren was gegaan, en tegen welke prijs. Het gerammel drong door tot in zijn bloed en stroomde door hem heen, luid en rood en tintelend, waar het iets in zijn lichaam openduwde.

Toen de trein in Rio de Janeiro aankwam, omhelsden Artigas en Galtero elkaar snel en stevig, stapten uit de goederenwagon en gingen ieder een andere kant op, Galtero met zijn familie, Artigas alleen.

De straten waren steil en rumoerig. Hij dwaalde rond en keek met open mond naar zijn eerste grote stad, die wemelde van de mensen, omringd door tal van groene bergen. Onder de herrie en het gepraat en geroep hoorde hij muziek, getrommel en zang die hem deden trillen en diep in hem doordrongen. Hij rende ernaartoe, de helling af, een hoek om, en het werd harder, de ritmes sloten naadloos op elkaar aan, van vele trommels tegelijk, dramatisch, schokkend, een volgende hoek om, niet de goede, hij draaide weer om en daar waren ze, daar moest hij heen, een groepje muzikanten die oefenden voor carnaval, die de lucht lieten trillen met hun muziek, terwijl ze zonnestralen vingen in hun met lovers bestikte kostuums, hun mond geopend in zang die voort moest komen uit goddelijke stemmen uit het vreemde, steile land zelf, en hij liep met open armen naar hen toe, verlangend om mee te zingen.

De menigte week snel uiteen. Dansers en trommelaars deinsden vol afkeer achteruit. Hij stond ineens alleen op een open plek.

'Je stinkt,' zei een slungelige man.

'O.' Hij kreeg het warm van schaamte. 'Sorry.'

'Ga weg! Ga je wassen!'

De man wees en Artigas zag onder aan de heuvel het drukke strand, en daarachter de zee. Hij rende weg.

De oceaan was weidser en blauwer en prachtiger dan alles wat hij ooit had gezien. Hij keek ernaar met open mond. Hij lonkte ernaar. Hij liet zich vlak voor een witte golf op zijn knieën vallen. Het water stuwde rond zijn knieën en likte aan zijn kuiten en tenen, daarna trok het terug alsof het hem mee wilde sleuren. Er zaten massa's mensen op het zand in groepjes bij elkaar, halfnaakt in vreemde kleren, ze lachten hem uit, maar hij schonk geen aandacht aan hen. Ergens op het strand roffelde nog meer getrommel, dwingend, steeds weer riepen ze: *Sí, sí*. Hij kroop het water in, het zout sproeide op zijn tong. Schoon, hemelsblauw water sloot zich om zijn lichaam. Hij liet zich helemaal onderdompelen en de golven raasden schrapend en klagend in zijn oren. Hij werd verzwolgen, opgenomen, als een zeedier met een brok zout op zijn lippen. De stront spoelde uit zijn huid en kleren, uit zijn lijf, verdriet stroomde uit zijn hart en loste op in het zilte water terwijl de onmetelijke, golvende oceaan hem in zijn weidse, natte greep hield. Hij dreef naar de oppervlakte en liet zich door het water dragen, zich koesterend in de zon, terwijl golfjes zijn lichaam likten, en hoewel hij geen slaapplaats had, geen geld, geen vrienden in de buurt, geen eigendommen, noch op zijn rug noch in zijn portefeuille, spoelde er een woord door zijn hoofd dat daar postvatte. Thuis.

Hij had twee doelen: overleven, en leren drummen. Het getrommel beheerste hem nog, het klonk na in zijn hoofd, het bracht hem in beweging op de luidruchtige straten en in stilte. Zijn gitaar was hij kwijtgeraakt in het oerwoud. Terugkeren was niet mogelijk, en zijn oude muziek kon hij ook niet naar de rijke polyritmiek van deze stad brengen. Hij wilde de instrumenten van dit land strelen, hij wilde ze tegen zijn handen voelen pulseren.

Om het eerste doel te bereiken vond hij een baantje als afwasser en een van ratten vergeven kamer. Het tweede doel bracht hem naar João, een lange man met handen die fladderden als kolibries. João's hut stond op de helling van een welig begroeide heuvel. Vanuit de deuropening zag Artigas hoe de stad zich onder hem uitstrekte, van de onverwachte top van Pão de Açucar tot de witte bocht van Copacabana. Tweemaal per week beklom hij het steile pad naar de eenkamerwoning van zijn leraar om plaats te nemen in een kleine kring mannen onder fonkelende sterren, en probeerde hij ingewikkelde metrums, klanken als lichte, vlugge vissen die zijn vingers wilden vangen. Hij was stil terwijl de mannen en vrouwen van de heuvel elkaar de kleurrijke verhalen over hun dag vertelden. Hier was hij anders dan de anderen: geen *negro*, geen Braziliaan, slechts iemand die Portugees leerde en de taal van de samba. Hij was een indringer, en toch was er elke keer dat hij kwam wel ergens een houten krat waar hij op kon zitten. En een trommel. En Ana Clara.

Ana Clara was de enige dochter van João. De eerste keer dat Artigas haar zag, kwam ze uit haar hut met een machete in haar hand. Haar hoofd was gewikkeld in een sjaal in de kleur van de schemering. Ze bewoog zich met de gratie van een tapir naar een stengel suikerriet die tegen de zijkant van het huis aan stond. De machete ging de lucht in. Beng. De harde stengel ging doormidden. Ze legde de stukken op de grond. Beng. De dikke schil bezweek nogmaals en onthulde de bleke vezels aan de binnenkant, die lagen te wachten tot er sap van geperst werd. Artigas roffelde met zijn handen op geitenvel en raakte uit de maat. Ana Clara verdween in het huis.

Maanden verstreken. Artigas werkte en studeerde. Hij sloot geleidelijk vriendschap voor het leven met João en zijn buren, en probeerde Ana Clara's liefde te winnen. Deze poging kostte hem vier jaar, aangezien Ana Clara er de tijd voor nam. Ze was een vrouw die meende wat ze zei en die zei wat ze meende, ook als dat helemaal niets te betekenen had. Haar glimlach kon het opnemen tegen het licht van twintig kaarsen, maar ze glimlachte alleen wanneer ze echt gelukkig was, iets wat Artigas tegen elke prijs wilde bewerkstelligen. Hij bracht bloemen en verse ananassen mee, ballades en riet om het dak van haar vader te repareren. Hij luisterde naar haar woorden en naar haar stilzwijgen. 'Er zijn dingen,' zei ze op een keer, 'die ik alleen aan de zee vertel. Ga naar huis, ga hier weg, voordat ik ze aan jou vertel.' Hij gehoorzaamde en liep de heuvel af naar het stinkende kamertje dat hij zijn thuis noemde. Hij ging in het donker liggen en probeerde niet te denken aan zijn andere thuis, de familie in Tacuarembó, zijn stuurse, verslagen vader, tía Tita's veilige armen, zijn zusje Pajarita, die zonder hem op de koeienhuiden sliep, misschien dromend over de brief die haar eigenzinnige broer nooit stuurde. Hij hoopte dat ze kwaad op hem was vanwege zijn stilzwijgen, en niet gekwetst of bedroefd, mogelijkheden die hem beschaamd maakten. Hij had in de buurt gezocht naar mensen die brieven konden schrijven en had iemand gevonden die hij Spaans kon dicteren, maar Artigas ging nooit naar hem toe en maakte zichzelf wijs dat hij er nog geen geld voor had, maar hoe kon dat, als hij wel geld had voor ananassen en riet? Het ging niet om geld; het was iets anders, een onvermogen om de juiste woorden in de juiste volgorde te zetten om een zus die hij niet kon zien, niet kon ruiken en niet kon horen te laten weten hoe hij het maakte. Hij had nog nooit een brief gedicteerd, maar het leek hem iets vreselijk formeels, elk woord dat onuitwisbaar op de bladzij werd vastgelegd en daarna werd vervoerd per trein of paard, zonder dat je er nog iets aan kon veranderen. Hoe meer tijd er verstreek, hoe uitvoeriger en perfecter de brief leek te moeten worden. En als hij eenmaal schreef, zou hij ook moeten vertellen dat hij langs zou komen, zoals hij altijd had gedacht dat hij zou doen, maar nu hij hier in de stad was, met zijn scherpe randen waaraan je je kon snijden en die tegelijkertijd glansden in de zon, kon hij zich niet voorstellen dat hij naar huis zou gaan. Hij zou schrijven, natuurlijk zou hij schrijven, hij had alleen meer tijd nodig, hield hij zich avond na avond, jaar na jaar voor.

Binnen vier jaar had Artigas zich verzekerd van João's zegen en liet Ana Clara zich zijn hofmakerij welgevallen. Hoe meer tijd ze samen doorbrachten – hand in hand over het strand, naast elkaar papaja's betastend op hun rijpheid – hoe duidelijker Artigas het lied van haar naam hoorde, Ana Clara, Ana Clara, een gracieuze melodie met eindeloze variaties. Ze trouwden. Artigas bouwde een tweede kamer aan de hut van João, waar hij en Ana Clara op een geweven mat de liefde bedreven en sliepen. Ze bedreven zachtjes de liefde, aangezien haar vader vlak achter de muur lag, zodat Artigas zich kon afstemmen op andere tekenen van genot van zijn vrouw: haar trillende dijen, haar nagels die krabden, de uitdrukking op haar gezicht alsof ze achter haar gesloten oogleden God en alle demonen bij elkaar zag. 's Nachts kwam hij tot leven in zijn zoektocht naar haar genot, hun genot, een genot dat hun hele omgeving in lichterlaaie had kunnen zetten. Toen ze zwanger raakte, werd hun seksleven mild als de zee, volgens Ana Clara als de aanraking van Iemanjá, de Afrikaanse moedergodin van de zee. Ze beviel tijdens een lange, warme nacht waarop Artigas naar de kamer van zijn schoonvader was verbannen, waar hij luisterde naar de kreten van zijn vrouw, en de tantes en nichten die om haar heen stonden. Hij lag roerloos in paniek wakker totdat hij de baby hoorde. Ze noemden haar Xhana, en in de jaren daarna leerde Artigas dat liefde – voor een vrouw, voor een kind – een diepe, bodemloze put was, een open ruimte waar je jezelf in wierp, voortdurend bereid om je leven te geven, maar je gaat niet dood omdat er geen bodem is om op neer te vallen, geen grens, en dus val je en val je en val je alleen maar.

Hij had zoveel in die jaren: zijn nieuwe gezin, de trommels, genoeg werk voor ten minste één maaltijd per dag, de zee die hij Iemanjá was gaan noemen. De geruchten staken in het vroege voorjaar van 1930 de kop op. In het zuiden werd een leger op de been gebracht. De man die de leiding had heette Getúlio Vargas. Hij was van plan de huidige regering omver te werpen. Binnenkort zouden zijn soldaten het noorden onder de voet lopen.

'De waanzin van de politiek,' zei João, terwijl hij vlees van een geitenvel schraapte. 'Twee rijke blanke mannen die met elkaar overhoop liggen.'

'Maar de president is corrupt.' Ana Clara sneed het geitenvlees in dobbelsteentjes. Haar buik was weer gezwollen. 'Kijk wat er gebeurd is met de verkiezingen.'

João haalde zijn schouders op. 'Ze hebben vals gespeeld.'

'Natuurlijk hebben ze vals gespeeld. Misschien zou Vargas hebben gewonnen.'

'Wat maakt het uit? Geen van ons mocht stemmen.'

'Het zou niet zo mogen zijn.'

'Maar het is wel zo.'

'Dingen kunnen veranderen, *Pai*. Vargas zou het beter gemaakt hebben.'

'Hoe weet je dat?'

'Hij wil het volk helpen.'

'Pff! Dat zegt hij omdat hij de steun van het volk nodig heeft.'

Artigas, die bezig was plakken vlees van het bot af te snijden, hield zijn mond. Hij wist niets van de politiek van Brazilië, maar hij voelde dat hij een troebel, smerig stuk geschiedenis aanhoorde. De toon waarop Ana Clara sprak bleef in zijn hoofd hangen; er waren maar weinig dingen waarover ze met een dergelijk fanatisme sprak. Hij keek naar het verse vlees in zijn handen, gesneden ter gelegenheid van João's verjaardag; ze hadden in geen maanden geit gegeten. Als een president de lonen verhoogde, zouden ze misschien vaker vlees kunnen eten. Hij dacht aan Galtero en het bedrijf dat de huizen en de oogsten van zijn stam had vernietigd met volledige instemming van de regering. Misschien zou een nieuwe leider families als die van Galtero beschermen, het arbeidsloon verhogen, en een school stichten waar Xhana kon leren lezen. Als dat bedoeld werd met de opstand waar Ana Clara op hoopte, moest het iets goeds zijn, en dat zou hij steunen, alleen vervulde de gedachte aan soldaten in hun midden, bij zijn dochter en zwangere vrouw, hem met vrees.

Drie dagen later reden bureaucraten met een officiële mededeling de heuvel op. Artigas en Ana Clara stonden te midden van hun buren te staren naar de mannen in hun barokke zadels. Een van hen rolde een perkamentrol uit en las: 'Vargas en zijn leger zijn tot vlak bij Rio gekomen. Ze hebben dreigementen geuit aan het adres van de huidige regering van Brazilië. Alle burgers worden verordend de wapens op te nemen voor hun land. Na vier uur moeten ze verslag uitbrengen aan de militaire basis.'

De man rolde het papier op. De menigte aan de voet van zijn paard was stil. Hij kuchte, trok de teugels aan en leidde de kleine stoet over het pad, uit het zicht.

Stemmen verhieven zich, een stroom van woede.

'Ik ga niet voor hen vechten.'

'Ik ook niet.'

'Waarom zouden we onze nek uitsteken?'

'Als we het niet doen, zou het ons ons leven kunnen kosten.'

'Als we het wel doen, kost het ons zeker ons leven.'

'Als we al moeten vechten, moeten we dat aan de kant van Vargas doen.'

Plotseling klonk er nog meer tumult. Artigas sloeg zijn armen steviger om zijn vrouw heen.

Een jongen rende de heuvel op. 'Kijk! Kijk!' Hij wees omlaag naar de stad. 'De stad keert zich tegen de president!'

Alle ogen richtten zich op Rio: het wemelde er van de mensen, zo dicht opeengepakt dat het er van een afstand uitzag als één stroom. De groep vloog in een waas van rennende gestalten naar beneden om zich bij hen te voegen. Ana Clara liep weg. 'Ik ga.'

'Je gaat? Waarheen?'

'De straat op.'

Artigas greep haar arm. 'Niet doen.'

'Probeer me niet tegen te houden. Dit is mijn stad. Ik ga.' Ze liep bij hem vandaan, omlaag door trillend gras. In de laatste bocht waarin ze nog te zien was, keek ze omhoog naar haar man en hij dronk haar in, de eigenzinnige Ana Clara met haar dikke buik in haar rood-witte jurk die ruiste in de wind, en ze zwaaide naar hem, met een kolkende stad op de achtergrond. 'Pas goed op Xhana,' riep ze. Daarna liep ze achter een rotswand en was ze verdwenen.

Dat waren de laatste woorden die ze tegen hem zei. Honderdduizenden vulden die dag de straten. De politie opende het vuur; de mensen raakten in paniek; ze drongen en duwden en liepen elkaar van angst onder de voet. Ana Clara kwam ten val en werd in de wilde paniek over het hoofd gezien totdat João's achterneefje haar vertrapt aantrof. Het was te laat.

Ana Clara, Ana Clara, Ana Clara.

Het verdriet sneed als een mes door Artigas. Het benam hem de wil om te leven. Hij sloop zijn slaapkamer in en bleef daar zes dagen zonder te eten of te drinken of te slapen of te praten. Op de avond van de zevende dag, een uur voor zonsondergang, verscheen Ana Clara in haar rood-witte jurk op de rand van de slaapmat. Ze was niet zwanger. Ze glimlachte niet.

'Artigas.'

'Mijn god. Ben jij het?'

'Je hebt het beloofd. Je hebt beloofd dat je voor Xhana zou zorgen.'

Hij stak zijn armen naar haar uit. 'Maar Ana...'

Ze vervaagde alweer in een rood-wit waas. 'Je hebt het beloofd...'

Artigas wreef in zijn ogen. Hij was alleen. Hij kroop zijn kamer uit en trof zijn vijfjarige dochter slapend op de mat van haar grootvader, opgekruld in zijn armen. Hij knielde op de grond om haar voorhoofd te kussen. Haar hoofdhuid rook naar gesmolten cacaoboter. Haar neus was klein, gebeeldhouwd, onschuldig, en stootte kleine ademstootjes uit op het ritme van haar dromen, stelde hij zich voor. Hij ging op de grond liggen en nam haar handen in de zijne. Hij keek toe hoe ze ademde tot het eerste bleke licht in de kamer viel.

Het duurde twee weken voordat de troepen uit het zuiden de

regering omverwierpen. Het rebellenleger zwermde uit over Rio; Vargas kwam aanrijden op een reusachtig donker paard, en zijn uniform schitterde van de medailles. Weer stroomden de straten vol mensen, deze keer om feest te vieren. EEN NIEUW BRAZILIË! stond er op het ene spandoek. WELKOM VARGAS, WELKOM VRIJHEID stond er op een ander.

João en Artigas bleven binnen. João frommelde aan Xhana's haar en Artigas keek naar zijn handen, die kundige handen waarmee hij vlocht en losmaakte en opnieuw vlocht, in een poging de vaardigheden die zijn dochter met zich mee de dood in had genomen onder de knie te krijgen. Het beeld beheerste zijn gedachten zoals soldaten het marktplein beheersten, zoals angst nu de straten van Rio beheerste. Tegenwoordig waren overal geweren te zien, tegelijk met alles wat hem herinnerde aan wat hij verloren had. Ana Clara in de sikkelvormige bochten van stranden, verlangend naar de zee. Ana Clara op het steile bergpad naar de stad en weer naar huis. Ana Clara in de smaak van mango's en het geluid van een machete die suikerriet kapte. Al dat vertrouwde was ondraaglijk. Hij vroeg zich af wat Ana Clara had gezocht in die straten voordat ze viel, wat voor visioen ze voor ogen had gehad, hoeveel daarvan met haar was gestorven, wat er voor de rest ervan nodig was om te overleven. 's Nachts droomde hij van vuren die op het hele continent brandden terwijl hij rondrende om ze met zijn blote handen te doven. Hij droomde dat hij wegging. Hij hunkerde naar de open weg, een schone lei, een bestemming zonder de last van herinneringen en gewapende jongemannen.

Op een nacht werd hij wakker van het geluid van een spookachtige lokroep. *Tú. Túuuu.* Hij stond op en liep naar buiten. *Tú. Túuuu.* Hij zocht bij het zwakke licht van de maan naar de plek waar het vandaan kwam. 'Waar ben je?' Door een lach werd zijn aandacht naar een boomtop getrokken. Daar zat een kind op een tak: zijn zusje, Pajarita, zoals ze lang geleden had gezeten.

'Kom je niet?'

'Waarheen?'

Ze koerde haar antwoord alsof het woord een eigen melodie had: 'Mon-te-vi-de-o.'

Vragen brandden in hem, maar voordat hij iets kon zeggen, was het meisje verdwenen en zat er in haar plaats een uil in de kleur van smetteloos zand. *Tú*, kraste hij. *Túuuu*. Artigas staarde in zijn enorme, ondoorgrondelijke ogen. Toen hij weer in bed lag, sliep hij dieper dan hij had gedaan sinds de dood van zijn vrouw.

Een week later stapten Artigas en Xhana met João's onwillige zegen in een trein naar Uruguay. Ze zaten op houten banken in een wagon waarin het, ondanks alle kippen en zweet, hemels rook vergeleken bij zijn vorige rit. Xhana duwde haar neus tegen het raam en staarde naar de rijke begroeiing van het regenwoud dat langs raasde, zonder last te hebben van de verpletterende hitte en het gekakel van het pluimvee dat aan slapeloosheid leed. Artigas keek naar haar met evenveel verwondering als waarmee zij naar de wereld keek. Daar zat ze. Zijn licht in de duisternis, zijn dochter. Het onverwachte doel van zijn lange zoektocht.

In Montevideo ging hij de stad in op zoek naar zijn zusje.

Pajarita schonk het laatste beetje chocolademelk in de beker van haar broer. 'Ik ben blij dat je me hebt gevonden.'

'Het was niet moeilijk. Mensen in kruidenierswinkels in alle wijken kennen je. Je wordt gerespecteerd – zelfs een beetje gevreesd.'

Pajarita keek naar de planten en potten met kruiden die de keuken vulden. Ze spraken haar toe in fluistertaal, boodschappen die uit stille modder omhoogkwamen.

'Kijk jou eens. Toen ik vertrok, was je nog een klein meisje.' Hij kwam dichterbij. 'Vertel eens hoe je hier bent gekomen.'

'Een andere keer. De zon is al bijna op.' Ze gebaarde naar het raam, een grijs vierkant van motregen.

'Goed. Morgenavond?'

Pajarita knikte. 'Hoelang blijf je?'

'Dat hangt ervan af.'

'Waarvan?'

'Nou, bijvoorbeeld… hoelang kunnen we hier blijven?'

'Artí. Beledig me niet.'

'Dank je.' Hij pakte haar hand. Zijn handpalm was stevig van het jarenlange trommelen. 'Als je man het goed vindt.'

Pajarita dacht aan Ignazio, een donkere gestalte in haar bed. 'Laat hem maar aan mij over.'

Toen ze had gezien dat Artigas zich had geïnstalleerd op de grond van de woonkamer, liep Pajarita op haar tenen naar haar slaapkamer. Ze trok zonder licht te maken haar nachthemd aan. Ze hoorde Ignazio's diepe ademtochten in het donker.

'Ignazio.'

Het ademen hield op. De lakens bewogen. '*Sí.*'

De vloer was koud onder haar voeten. 'Artigas blijft hier totdat hij een huis heeft gevonden.'

Een ruisende zwarte schaduw toen hij rechtop ging zitten. 'Pajarita.'

'Ja.'

'Ga je – kom je in bed?'

Ze aarzelde even. Haar linnen nachthemd streelde langs haar benen en ze waren sterk, haar benen, ze kon er nog steeds op staan, ze kon jarenlang op haar benen blijven staan als het moest. Maar ze verlangde naar rust. 'Ja.'

Ze hoorde het ritselen van lakens die opengeslagen werden. Ze glipte in bed. Ze waren warm, zijn armen, groot en stevig sloeg hij ze om haar heen. Vanavond waren deze armen in elk geval stevig. Ze voelde zijn hartslag, daarna zijn hand, daarna het wegsmelten van haar lichaam tegen het zijne toen ze samen in de donkere, peilloze diepten van de slaap gleden.

'Xhana?'

'*Sí*?'

'Slaap je?'

'Nee.'

'Ben je bang voor onweer?'

'Soms.'

'Ik ook. Ik heb altijd een zusje gewild.'

'Ik ook.'

'Kunnen we zusjes worden?'

'Zeker.'

'Jij mag hier altijd slapen, in mijn bed.'

'Goed.'

'En dan zijn we zusjes.'

'*Sí*.'

'Voor altijd en eeuwig.'

'*Sí*.'

Hij was daar. Weer. Artigas staarde naar het veld rondom hem – een voetbalveld in de vorm van Zuid-Amerika, een enorme met gras begroeide kaart, waarvan de grenzen tussen de landen aangegeven waren met kalkstrepen. Vuren laaiden op over het hele continent, uitbarstingen van fel licht. Snel snel rende hij heen en weer over het veld, hij doofde ze met zijn blote handen. Hij doofde er een in Peru, rende naar het westen om Guyana te redden, daarna omlaag naar Chili, en weer terug naar Brazilië. Steeds sneller laaiden de vlammen op. Hij was zo klein, hij was uitgeput, hij hield het niet langer vol. Hij bleef staan, verslagen, met overal om zich heen vlammen. Hij keek naar het noorden. Een verblindend vuur doemde op en hulde de horizon in een rode gloed: een enorme brand waarvan de vonken naar het zuiden schoten en op de graskaart vielen en hem lieten verbranden...

Badend in het zweet werd hij wakker, met het beeld van de felle brand nog op zijn netvlies. *Xhana!* Hij tastte naast zich op de grond en wist weer waar hij was. Xhana was veilig, ze sliep in de andere kamer bij haar nichtje. Eva. Haar naam was Eva.

Hij sloop naar de kamer waar ze sliepen, deed de deur open en tuurde naar hen. Ze lagen met hun gezicht naar elkaar en met hun armen om elkaars smalle schouders. Het eerste zonlicht scheen op hun huid. Ze herinnerden hem eraan hoe hij vroeger naast Pajarita had geslapen – met hun armen om elkaar, warm gehouden door ledematen en koeienhuiden, ieder met zijn eigen dromen onder één deken. Te oordelen naar de manier waarop deze meisjes nu lagen, leken ze rustig en mooi te dromen.

'Slaap wel, *mijitas*, jullie hebben nog heel veel voor de boeg,' fluisterde hij, terwijl hij de deur dichtdeed.

EVA

3

Stemmen, gezichten, wijnglas, tafel, woorden

Toen Eva heel klein was, was haar wereld nog zorgeloos en onge-
schonden, en ze liep graag langs de gevangenis van Punta Carretas.
Ze was er bang voor, met het vage, heilige ontzag van een kind, en
toch vertraagde ze haar pas als ze er op weg naar de kerk met haar
ouders langs liep. Die hoge, bleke muren; die ingang, waarvan
het hoge gewelf werd afgesloten door ijzeren hekken; achter die
hekken een plein, waar je een glimp kon zien van de dikke muren
van het gebouw zelf. Het was zo groot. En ook mooi, met zijn
kantelenpatroon aan de bovenkant, dezelfde op-en-neervorm die
haar broertjes in een zandkasteel maakten. Als ze erlangs liep en
naar binnen tuurde, dacht Eva aan de mensen die daarbinnen
opgesloten zaten. Het was een mannengevangenis, maar zoals dat
gaat met fantasie, de bron van opstandigheid, stelde zij zich er altijd vrouwen in voor. Slechte vrouwen die slechte dingen hadden
gedaan. In haar gedachten waren ze beeldschoon, met kersenrode
lipstick op wrede lippen. Natuurlijk hoorden ze alles wat er op
straat gebeurde – de baby die huilde bij de kerkdeur, de vrouwen
die bij de *carnicería* stonden te praten, de imposante, opzichtige
automobielen, de ritmische klank van de paardenhoeven. Eva's
eigen kindervoeten. Soms had ze het idee dat ze de vrouwen kon
horen lachen. Er kwamen nooit geluiden uit El Penal, maar zij
voelde dat ze lachten, een krijsende klank in de lucht. Ze kon zich
niet voorstellen waarom iemand in de gevangenis zou lachen,

tenzij het was om de mensen erbuiten. Ze zag hen even gedetailleerd als in een droom: die roekeloze vrouwen die, allemaal in dezelfde kleren, met hun hoofd in hun nek een keihard geluid voortbrachten. (Veertig jaar later zou Eva zich erover verbazen dat ze ooit, toen ze naar de gevangenis had gekeken, dat had gezien, dat had gehoord, terwijl ze nu alleen haar eigen dochter kon zien, heen en weer rennend, waarbij ze verse tomatensaus op het fornuis liet aanbranden.)

Ze liepen erlangs op weg naar de kerk, en als papá na de dienst in een goed humeur was en de zon scheen, gingen ze een wandelingetje maken over La Rambla. Ze kuierden door een menigte kuierende mensen, over een roomwit-met-kastanjebruine boulevard, en bewonderden de zee. Het water was elke keer anders. Bruin, groen, kalm, onstuimig. Zo ver dat het de hemel raakte. Eva tuurde of ze Argentinië aan de andere kant van de rivier kon zien liggen, maar het enige wat ze zag was een oneindig lange streep, met de hemel aan de ene, en het water aan de andere kant. Toch wist ze dat Argentinië daar lag, omdat ze dat op school had geleerd. Ze had ook geleerd dat El Río de la Plata zo heette omdat de eerste Europeanen dachten dat die hun zilver en goud zou opleveren. Ze waren erg teleurgesteld, legde señorita Petrillo uit, terwijl haar ogen met een arendsblik de klas rond dwaalden en een paar haartjes uit haar knot sprongen. Al was de naam blijven bestaan, het was niet waar gebleken: *no fue cierto. Cierto. Cierto.* Eva liet het woord in haar mond rondgaan. Iets aan het sensuele *ssss* tegen haar gehemelte, gevolgd door de uitstoot van *ier*, en ten slotte het sterke, gedecideerde *to* verleidde haar hiertoe, alsof alleen dit gevoel het al de moeite waard maakte om het woord te zeggen. Ze zou op zondagen over deze Rambla wandelen en het woord zachtjes in zichzelf zeggen, terwijl ze naar de golven keek die op het zand rolden. De Zilveren Rivier had iets in het vooruitzicht gesteld wat niet waar gebleken was, geen *cierto*, net als *cierre, cielo, cerrado, siempre*: slot, lucht, opgesloten, altijd. Op het ritme

van de golven mompelde ze: *Cierre. Cielo. Cerrado. Siempre.* Slot,
Lucht. Opgesloten. Altijd.

Het waren malle woordspelletjes, en dat wist ze. Ze zei er niets
over tegen haar ouders. Vooral papá zei dat ze woorden te serieus
nam. 'Het leven is meer dan woorden,' zei hij, en hij kon het
weten, want hij had het huis waarin ze woonden met zijn eigen
handen gebouwd. Maar Eva hield van woorden vanwege de manier
waarop ze in haar gedachten golfden en dansten, alsof haar
gedachten en woorden samen een tango konden dansen, de gedachten
warm en zweterig, de woorden kleurig en gracieus, met
een ritme ertussenin gedrukt. Alleen tío Artigas zou haar geheime
spelletje begrijpen. Hij was de fles en de muziek was de wijn
– tango's, volksmuziek, *candombe*, alles. Ze was graag bij hem
wanneer die vloeide. Op een keer verzonnen ze een melodie, *De
spin is gaan vissen, de vogel vliegt naar huis, ik ben groter dan een
olifant, maar kleiner dan een muis,* en steeds opnieuw speelde hij
dat voor haar op zijn gitaar. Soms, als de dag aanbrak nadat Artí
de hele nacht had opgetreden, kwam hij stilletjes naar Eva's bed
en schudde hij haar wakker, ruikend naar sigaretten en de zoete
geur van *grappa miel.* Als ze dan haar ogen opende en haar ooms
verweerde gezicht zag, hoorde ze hem fluisteren: '*Che! Quieres ir
a pescar?'* Ze zei altijd ja – ik wil mee gaan vissen. Ik wil de zon
krachtiger zien worden boven water dat huivert van de slaap, ik
wil stilzitten met een hengel in mijn hand, en het kan me niet
schelen of ze bijten, ik wil met jou op een rots zitten terwijl de
hemel steeds lichter wordt.

Op een keer ving Eva op die rotsen echt een vis, en Xhana
maakte hem ter plekke schoon. Ze sneed de buik open en trok
de ingewanden er met glibberige, snelle vingers uit. Ze vilde
hem alsof het vlees onder de schubben erop had gewacht dat zij
het zou bevrijden. Zo was ze, haar nichtje; ze wist hoe ze met
een mes moest omgaan, ze was niet bang voor wat er verborgen
lag in het lichaam van een vis. Ze wist zoveel van messen en

liedjes en de volwassen dingen waar musici over spraken. Xhana had op haar zevende *Het Kapitaal* van Marx gelezen. Eva probeerde het haar na te doen, maar ze vond het boek niet om door te komen, grote woorden die op vreemde manieren met elkaar verbonden waren. Toch vermoedde ze dat het iets te maken had met vrijheid, en misschien met muziek, en dat iedereen in de hele wereld die twee dingen had. Artí en Xhana leken ze te hebben. Ze woonden in Barrio Sur, dichter bij het centrum, in een straat met oude, barokke houten deuren die splinterden aan de randen, waar de gebouwen als dikke vrienden dicht tegen elkaar aan gedrukt stonden. Soms verdwenen ze zonder waarschuwing een maand of twee naar Brazilië of Paraguay of de Andes. Ze kwamen terug vol verhalen, muskietenbeten, gaten in hun kleren, een foto van Xhana met haar abuelo João, beschilderde trommels en *quena*-fluiten en instructies over hoe je die moest bespelen.

Een dergelijke manier van leven kon niet de algemene goedkeuring wegdragen. Coco Descalzo, de vrouw van de slager, klakte elke keer met haar tong als ze nieuws over Artigas' vertrek hoorde. 'Daar gaat hij,' zei ze en ze gaf een klap op een stapel worstjes. 'Dolend over gevaarlijke wegen met dat arme meisje. Ze heeft een fatsoenlijk thuis nodig, een stabiel thuis. *Qué barbaridad!*'

'*Sí*, Coco.' Mamá's zwarte vlechten schommelden vlak naast het vlees. 'Maar hij zal niet veranderen.'

'Waarom zou hij?' Clarabel Ortiz, La Divorciada, stond in de deuropening met haar hoed in haar hand. De hoed was versierd met een slinger van verkreukelde papieren bloemen. Zelfs Eva wist dat Clarabel een onbeantwoorde hartstocht voor Artigas koesterde. 'Denk aan de avonturen die ze zullen beleven. Xhana heeft geluk dat ze de wereld kan zien!'

'Ja, ja,' zei Coco. 'Jij ook *buenos días*. We weten allemaal hoe jij erover denkt en hoe graag' – met een stralend gezicht keek ze even naar Pajarita, daarna naar Eva die in de hoek aandachtig zat te luisteren – 'este' – zucht – 'jij zou reizen. Worstje? Hij is zo vers als maar kan.'

'Nee, dank je.' Clarabel plukte een nepblaadje van haar hoed. 'Ik kom hier om Pajarita te raadplegen.'

Mamá en Clarabel liepen langs het leren gordijn achter de toonbank. Eva volgde. Zij was het ermee eens: Xhana had geluk. Wat gaf het dat hun woning klein was? Dat twee van de ramen kapot waren? Onderweg kon de hele wereld hun thuis zijn, de wereld met al zijn stof en fluiten en geheimen. Eva wilde ook de wereld zien, en dus speelde ze piraatje met Andrés Descalzo. Hij was ouder dan zij, drie volle jaren, maar sinds ze zich kon heugen speelden ze al met elkaar achter in de slagerij. Hij had een snel, scherp verstand en samen voeren ze de zeeën over. Lange ribstukken die aan vleeshaken hingen dienden als de zeilen van hun schip. Ze gingen op speurtocht en zwaaiden met hun zwaard en vonden schatten in kuilen die ze met denkbeeldige scheppen in de vloer groeven. Hun vriendschap had zich ontwikkeld uit kleine verboden: Andrés was niet welkom in de verfijnde wereld met poppen en theekopjes van zijn oudere zusjes, en Eva mocht niet meedoen met voetbalpartijtjes waarbij haar broers hun knieën schaafden. Uit ergernis hierover bracht Andrés niets terecht van voetbal en verveelde Eva zich bij het ronddelen van lege kopjes thee. Het was veel leuker om aan boord van een schip de wilde oceanen met hun ongebreidelde gevaren te verkennen samen met Andrés, de kapitein, die een ooglapje droeg van bruin pakpapier dat hij met een potlood zwart had gemaakt ('je krijgt nog hoofdpijn van dat ding,' zei zijn moeder, maar elke keer als ze het verscheurde maakte hij weer een nieuwe). Eva, de tweede stuurman, had een fantastische neus, waarvan op alle zeeën bekend was dat hij boven de geur van koeienvlees uit het aroma van goud en robijnen kon ruiken. Andrés bestuurde het schip. Terwijl Eva haar neus op edelmetalen richtte, speurde hij met zijn onbedekte oog naar gevaar. Er waren gevaren genoeg: krokodillen, draken, huizenhoge golven, kwaadaardige schepen vol gemene mannen met lange messen, scherpe rotsen, wilde zeemeerminnen, tovenaars met rotte tanden. Andrés stuurde het schip langs al die dingen naar de landen waar schatten lagen te wachten om opgegraven en aan het licht blootgesteld te worden. Dat was het fijnste onderdeel: het zoeken, het vinden, de verbazing over juwelen met bijzondere krachten: een saffieren ring waardoor je kon vliegen; halssnoeren die de gefluisterde geheimen van je hart hoorden; armbanden van heerlijk kleurig snoep waaraan je aldoor kon blijven likken zonder dat het smolt of kleiner werd, omdat het gemaakt was van *Oro Dulce*, Zoet Goud, de beloning voor onbevreesde piraten.

Eva keek toe terwijl haar moeder en Clarabel zich op hun kruk installeerden. Clarabel huilde al. Eva keek omhoog naar de rode lendenstukken die aan het plafond hingen, het bebloede hakblok, de gereedliggende messen. Als zij groot was, werd ze piraat. Ze zou op zoek gaan naar onbekende, fantastische landen, schatten opgraven en die helemaal naar huis, naar Punta Carretas brengen. Mami zou met meer goud worden overladen dan ze kon dragen. En iedereen in Montevideo zou op het plein samendrommen en zeggen: Kijk! Kijk eens wat Eva Firielli heeft meegebracht! En er zou een groot feest volgen met heildronken en serpentines, en tío Artigas zou spelen en mamá en papá zouden dansen en zij zou de hele avond een enorme magnolia achter haar oor dragen.

Of misschien zou papá niet dansen. Papá was per slot van rekening onvoorspelbaar. Hij was net een planeet met een geheel eigen atmosfeer en zwaartekracht. Eva had alles over planeten en zwaartekracht en atmosfeer geleerd van señorita Petrillo. Zij wist dat elke planeet een eigen soort lucht om zich heen heeft, en dat elke planeet op zijn eigen manier dingen naar zich toe trekt. Haar broers leken dit ook te begrijpen; zij draaiden om haar vader heen als drie krachtige manen, Bruno, Marco en Tomás, die zich in de humeurige sfeer rond haar vader in een wolk van jongensachtig kabaal hulden totdat ze in elkaar overgingen: Brunomarcotomás. Haar mamá riep hen op die manier altijd binnen. *Brunomarcotomás!* Hun aanwezigheid was een natuurlijk gegeven, constant, als ademhalen. Ze waren er altijd en toch was hun clubje voor haar ontoegankelijk, evenals de gecodeerde manieren die daarbij hoorden: het sprinten achter een voetbal aan, het zweetspoor dat ze achterlieten, een sfeer van luidruchtig welbehagen rond de planeet van haar vader. Het weer op die planeet veranderde vaak. De ene dag glansde hij vochtig, van de rum; de volgende dag kon je huid er barsten van droogte. Op droge dagen kon je hem het best laten zitten, hem niet storen in zijn schommelstoel die krakend heen en weer ging. Op de natte dagen was er scherts, het vrolijke waas van sigarenrook, goocheltrucs waar Eva hard en krachtig voor klapte, pokerspelletjes met Brunomarcotomás, gespeeld met zeeschelpen als inzet (geen gegok met geld in huis – die regel had mamá met ijzeren wil afgedwongen), of een ander spel waarbij stenen naar de wervelkolommen van koeien werden gegooid, een echt gauchospel omdat, zo had Cacho de goochelaar eens uitgeroepen, 'je papí een echte *Uruguayo* is'. Het echte Uruguayo-spel vulde de woonkamer op die gezellige avonden met bulderend gelach. Het gelach schalde tot in de keuken, waar mamá borden waste en Eva droogde en stapelde. In alle hoeken van de keuken gaven planten hun zoete aroma af dat zich mengde met de sfeer en de rust en het bulderende gelach. We groeien, mompelden ze op hun manier. We gedijen in deze keukensfeer.

Mamá had zo haar eigen manier om papá's planeet te besturen. Toen Eva negen jaar was, begon papá Brunomarcotomás mee te nemen naar een plaats die El Corriente heette. Mamá haalde al haar wapens tevoorschijn. Eerst probeerde ze het met gezond verstand. '*Por Dios*, het zijn nog kinderen! Wat voor voorbeeld geef je ze daarmee?' Daarna kwam het geheugen. 'Ben je het vergeten? Nou?' Ten slotte, en dat was de hardste manier, was er het stilzwijgen. Eva zag hoe haar moeder haar vader veranderde in de Miraculeus Verdwijnende Echtgenoot. Zo is hij er nog, dan ineens is hij weg. Nu is er geen heer des huizes. En daar – ta da! – zit een Broodetende Geest in de Ochtend. Mamá kookte water voor maté voor de ochtendgeesten, en zette de kalebas op een tafel waaraan niemand zat.

'*Querida*,' zei niemand.

Mamá zei niets, aangezien er niets te antwoorden viel.

'*Por favor…*' Er was hier geen man die woorden zei die oplosten in samenspannende lucht.

Na negentien dagen stortte de 'Man die er niet is' in en snikte het uit in zijn kalebas. Dit maakte hem weer een mens van vlees en bloed. Papá keerde terug aan de tafel, ondoorzichtig en compleet, en van toen af aan bleven Brunomarcotomás – tot hun ongenoegen – thuis.

Op een avond in de zomer kwam papá niet thuis. Eva zat in de keuken en maakte breuksommen, terwijl mamá elk werkvlak boende en planten verplaatste tot het nacht werd. Zevenenveertig minuten na middernacht had Eva geen breuken meer op te lossen en tekende ze getallen, steeds weer, en deed net alsof ze ze optelde, vermenigvuldigde, om ze meer te laten lijken dan ze waren. De volgende dag kwam Eva uitgeput van school thuis en liet zich op haar bed vallen. Toen ze wakker werd, was het donker in de kamer. Er was geen maan. Er zat iemand op het bed naast haar.

'Pss, Eva.'

'Xhana?'

'*Prima*, ik dacht dat je nooit wakker werd!'

Eva probeerde de slaap van zich af te schudden. 'Is papá thuis?'

'Hij is geweest. Hij is weer weg. Mijn papá en jouw mamá zijn in de keuken aan het praten.'

'O.'

'Heb je het gehoord?'

'Wat?'

'Dat je vader zijn baan kwijt is.'

Eva ging rechtop in de kussens zitten. De vochtige lucht gaf haar een benauwd gevoel. 'Nee.'

'Daarom is hij zo van streek.'

Eva's ogen raakten een beetje gewend aan het donker. Ze zag maar net de omtrekken van Xhana's gezicht – haarlijn, ogen, de welving van haar neus.

'Weet jij waarom dat is gebeurd?'

'Er is een probleem met onze economie.'

'O.'

'We hebben een exporteconomie.'

Eva had het woord 'export' eerder gehoord in een beschrijving van het bedrijf waar haar vader werkte. Ze had altijd gedacht dat het Extra Grote Krat betekende. 'Wat is dat?'

Xhana deed de lamp aan. Eva knipperde met haar ogen tegen het licht. 'Het gaat erom,' zei Xhana, 'dat we een heleboel schapen en koeien hebben. Uruguay, bedoel ik. *Ta?*'

'*Ta.*'

'En dat mensen exporteren – dat betekent dat ze ver weg dingen verkopen. Aan landen die rijker zijn en die onze wol willen. En rundvlees. En leer.'

Eva knikte. Xhana had twee blauwe linten in haar haar. Ze pasten bij haar bloesje. Ze zagen er mooi uit.

'Maar die rijke landen waren op een dag ineens niet meer zo rijk. Ze zeiden: laten we geen spullen meer van die Uruguayos kopen. En toen, daarna, hadden de Uruguayos geen geld meer. En daarom zeggen ze tegen mensen dat ze niet naar hun werk moeten gaan.'

'Aha,' zei Eva langzaam, hoewel ze er niets van begreep. Ze zag alleen, omhuld door een wolk van slaap waarin ze het liefst wilde verdwijnen, het gezicht van haar papá, bedroefd en dor. 'Slaap je hier?'

'Ik weet het niet.'

'Wil je het?'

'Ja.'

Eva tilde het laken op. Haar nichtje schopte haar schoenen uit en kroop in bed, met bloes en linten en al. De slaap daalde over hen beiden neer als één donkere mantel.

De herfstmaanden waren koud. Maart. April. Mei. Het regende hard. Een nieuw soort stilte vulde Eva's huis, en het was geen fijne of mooie stilte, geen stilte zoals 's ochtends bij het vissen; deze stilte was onaangenaam en pijnlijk en nestelde zich diep tussen de vezels van de vloerkleden, in de hoeken van het huis, als een dun, doorzichtig laagje over stoelen en vorken en servetten. Zij was overal, stilte die je handen kon besmeuren en achter in je nek kon prikken. Zij liet zich niet verdrijven door lawaai. Elk woord of lachje of liedje legde er slechts even een laagje overheen, bleef in de lucht zweven, en viel vervolgens in spikkels uiteen in de grote stilte. Het leven speelde zich erop en erom en erbinnen af: papá's afwezigheid en zijn gespannen thuiskomsten; zijn gortdroge gepieker en gemompelde grapjes; Brunomarcotomás, door het slechte weer verbannen van het voetbalveld, opgesplitst in Bruno (als een idioot aan het gokken met schelpen), Marco (verdiept in boeken) en Tomás (gokkend om schelpen en zijn vaders vergeten schoenen poetsend); mamá, die gestaag voortploeterde en met haar vuist broodkruimels in het vlees stampte, elke ochtend met strakke, donkere vlechten. Mamá bleef elke dag haar mand vullen met vers geknipte blaadjes en wortels voor in de carnicería. Vrouwen bleven om advies komen, hoewel ze daarvoor minder te geven hadden dan eerst. Eva zag dit vanaf haar piratenschip, met haar hand geklemd in die van kapitein Andrés met het Onoverwinnelijke Ooglapje. Ze zag vanaf de zeeën vrouwen op die kruk zitten, met gespannen gezichten, lege handen, hun lichaam gebogen in de vorm van een vraagteken.

In de winter, tijdens de zware augustusregens, ontdekte Eva een truc, een manier om aan het huis te ontkomen zonder dat ze het huis hoefde te verlaten, door te ontsnappen in woorden. Elk ding had tenslotte een naam; en elke naam was een woord dat kon worden afgedrukt in het luchtledige en groter worden dan het ding zelf. De letters rezen één voor één op, hun aanwezigheid vulde de kamer van plafond tot vloer. Het kon door allerlei oorzaken beginnen, zoals het slaan van de voordeur en haar vader die slingerend binnenkwam met een natte hoed van de regen en een druipnatte wollen trui.

Mamá opzij van de gang. 'Waar ben je geweest?'

'Weg.'

Eva ging op het vloerkleed zitten, vlak naast de schommelstoel. Stoel, SILLA. De letters waren heel groot en sierlijk. S – kronkelend als een slang, een enorme gekrulde blauwe boa (de S is blauw, altijd blauw).

'Dat heb ik gemerkt. Je bent drie dagen niet thuis geweest.'

De druppels uit papá's mouwen lieten twee donkere plekken achter op het kleed. 'Laat me met rust.'

(De I, een hoge stenen toren, zo een waar betoverde meisjes in liggen te kwijnen. Waarin piratenschatten liggen.)

'Je bent dronken,' zei mamá.

Papá zei, harder nu: 'Laat me met rust.'

(Twee L's, twee hoge bruine muren met een schuilplaats ertussen. Veilig en donker maar lastig om uit te klimmen.)

Mamá deed een stap naar voren met een rechte rug en haar armen over elkaar. Ze was veel kleiner dan papá. 'Hoe kon je? Hoe kon je? We hebben niet eens geld genoeg voor de kinderen.'

'Geld!'(De A is heel sterk, een klasse apart. A, een berg waarvan de top voor de helft schuilgaat onder sneeuw.) 'Dat is het enige wat jou interesseert, dat er geen geld is.'

'Nee.' Mamá haalde haar armen van elkaar. (Kijk naar die schuine zijden van de A, zo steil. Die waren niet te beklimmen. Wie is er wel eens op geweest?) 'Dat jij er niet bent.'

In de stilte die volgde (onaangenaam en pijnlijk) en zelfs toen haar vader eenmaal de kamer uit gestormd was, keek Eva steeds weer naar die vormen die de kamer vulden – slang en toren, muren en berg:

S-I-LL-A.

Ze glinsterden met het raadselachtige van woorden die zijn teruggebracht tot hun essentie, tot hun onderdelen, zonder welke er geen namen of verhalen konden bestaan. Ze kroop in de letters, klom naar boven, probeerde hun middelpunt te vinden, de verborgen kern die hun betekenis gaf. Die kern vond ze nooit, maar ze bleef toch letters voor haar ogen toveren; steeds weer rezen ze voor haar op. Er waren per slot van rekening duizenden dingen die een naam hadden – zoals Eva die winter ontdekte, toen de namen van dingen (*boek* en *basilicum, deken* en *deur,* koeien*bot* en olie*lamp* en kriebelige wollen *sok*) kamervullend tot leven kwamen.

In het voorjaar ving Eva haar naam op achter de deur van de slaapkamer van haar ouders. Ze liep de gang door om te gaan plassen. Het was halfdrie in de nacht. Ze hoorde eerst haar moeder.

'Eva?' Mami's stem was luid en Eva bleef staan alsof ze geroepen was.

'Ssst, Pajarita – *sí.* Het is voor Eva.'

'Ignazio…'

'Wacht even, *mi amor.* Luister nu maar gewoon. Je hebt me gevraagd om uit te kijken, en dat heb ik gedaan. Ga alsjeblieft zitten.'

Stilte. Geschuifel. In de gang klauwden Eva's blote tenen zich in het vloerkleed, kleine krammetjes die haar op haar plaats hielden. Ze leunde tegen de muur terwijl ze, niet voor de eerste keer, dacht: MUUR.

'*Bueno,*' zei mamá. 'Ik luister.'

'Pietro heeft het me allemaal uitgelegd. De baan die hij te bieden heeft is geschikt voor een jong iemand. Het is voorjaar: ze hebben me misschien binnenkort weer nodig in de haven. Zijn winkel gedijt goed, dus hij kan een extra paar handen gebruiken en hij kan ons betalen. Hij weet hoe hard we het nodig hebben.'

Eva's tenen waren koud. Ze moest plassen. Haar nachthemd (gemaakt door mamá) mocht geen enkel geluid laten horen.

'Maar waarom Eva? Ze is pas tien.'

'Dan kunnen de jongens misschien op school blijven.'

'Eva zit ook op school.'

'Ja. *Pero mi amor.* Marco zou arts kunnen worden. Eva kan trouwen. Denk na. Hiermee zou ze ervaring kunnen opdoen.'

Stilte. Eva's kuiten waren koud. Haar armen ook. Haar roze nachthemd was niet warm genoeg voor deze nacht, in deze gang, waar ze niet hoorde te staan.

'Pajarita,' zei papi, 'begin nou niet zo. Denk aan wat dit voor het gezin kan betekenen.'

'Ze doet het vast niet.'

'Jawel.'

'Je kunt haar niet dwingen, Ignazio. Dat vind ik niet goed.'

Weer stilte.

'Laat me dan in elk geval met haar praten.'

Ritsel, ritsel, geen gedempte woorden meer. De beddenveren piepten. Eva hoefde niet meer te plassen; ze liep stilletjes op haar blote voeten terug naar bed en staarde naar het plafond dat in het donker niet te zien was.

De volgende middag, toen Brunomarcotomás buiten in een waterig zonnetje aan het voetballen waren en toen mamá naar de carnicería was vertrokken en Eva aan de keukentafel breuken zat te delen, hoorde ze papi haar naam roepen.

'*Sí, papá?*'

'Kom hier.'

In de woonkamer viel het licht glanzend op de boekenplank, de ingelijste foto op de vensterbank, haar vaders haar, alsof God de voorwerpen in de kamer had opgepakt en één voor één in een pot zonneschijn had ondergedompeld. Toen ze op de bank naast papi ging zitten, zag ze hem in gedachten ondersteboven bungelend in de greep van Gods enorme vingers, de bovenkant van zijn hoofd ondergedompeld in vloeibaar licht.

'Je weet natuurlijk hoeveel we van je houden.' Hij glimlachte. De glimlach was oprecht, maar een beetje bedroefd. 'Ja toch?'

'*Sí, papá.*'

'Toen ik zo oud was als jij, kon ik een gondel bouwen. Tafels maakte ik met mijn ogen dicht.' Hij keek even uit het raam. 'Met mijn ogen dicht.'

Eva wachtte.

'Mijn vriend Pietro heeft je een baan aangeboden. In zijn schoenenwinkel. Het is een geweldige… hoe zeg je dat, kans, die je in Montevideo nooit zomaar zou krijgen. Je moeder denkt dat je het niet zult doen – maar ik denk van wel. Weet je waarom?'

Eva schudde haar hoofd. Papá boog zich dichter naar haar toe. Ze rook zijn lichtzoete reukwater.

'Omdat jij een slim meisje bent. En dat je dus weet dat je op heel veel plaatsen kennis kunt opdoen. Niet alleen op school. Denk je eens in wat je zou kunnen leren als je een baan hebt.' Hij legde zijn hand over die van Eva. 'Maar dat is niet de belangrijkste reden. Weet je wat de belangrijkste reden is?'

Eva schudde haar hoofd. Ze wist het niet.

'Je houdt van je familie. En je wilt je familie helpen. Ja toch?'

'*Sí.*'

'Natuurlijk! Dat willen we allemaal. En nu krijg je de kans.' Zweetdruppeltjes parelden op zijn voorhoofd. 'Maar natuurlijk is de beslissing aan jou.'

Eva keek naar de ingelijste foto op de vensterbank. Haar ouders – jong, pasgetrouwd, net verhuisd naar de stad – stonden naast elkaar voor een effen achtergrond. Haar vader had een scheve glimlach; haar moeders gezicht was fris en ernstig. Toen die foto werd genomen, waren zelfs haar broers nog niet geboren. Mamá zette de foto daar neer toen Eva vijf was en haar papi net was thuisgekomen (ze herinnerde zich nog vaag die eerste ontmoeting, een druipnatte man met bloemen, die zich naar haar toe boog en zichzelf papi noemde). Jarenlang had Eva die foto gehaat; hij deed haar denken aan het vreemde feit dat ze er ooit niet was geweest.

'Moet ik dan van school?'

Papá knikte. Eva staarde naar de foto. Ze wilde hem kapotsmijten; ze wilde hem verbranden; ze wilde hem in zijde wikkelen en wegtoveren in een hoge stenen toren, waar er niets mee kon gebeuren. Haar vader – niet de vader op de foto maar de echte – haalde een hand door zijn grijzende haar. Het licht was minder fel geworden. De zon liet zijn hoofd niet langer glanzen.

Ze zei: 'Ik zal…'

'Eva, dat is…'

'Als je belooft dat je niet meer drinkt.'

'Wat?'

'Alleen als je niet meer drinkt.'

Hij keek de kamer rond alsof hij die voor het eerst zag. 'Maar weet je wel wat je vraagt?'

'Weet jíj het?'

Hierop opende haar vader zijn mond en zijn ogen. Zijn lippen vormden de woorden die hij niet uitsprak. Hij sloot zijn mond. Hij deed hem open. Hij snoof verontwaardigd. '*Carajo*, je bent precies je moeder.' Hij schudde zijn hoofd. '*La puta madre*.'

Ze zwegen minuten lang, die aanvoelden als uren. Papá keek uit het raam. Ten slotte draaide hij zich weer om en stak hij zijn hand naar haar uit en zij kromp in elkaar, maar het enige wat hij deed was haar haar strelen, met een hand die warm en ruw was van jarenlang sjouwen in de haven. Eva boog naar hem toe en kwam tegen hem aan liggen.

'Goed,' zei hij.

'Beloofd?'

Door huid en kleren heen voelde ze hoe zijn bloed door zijn lichaam gepompt en geduwd werd. 'Ja.'

Toen Eva later op de avond in bed lag, bleven haar gedachten malen. Ze zag haar moeder boven dampende pannen, veinzend dat ze niet op haar echtgenoot wachtte. Ze zag señorita Petrillo, met haar scherpe trekken en slappe knot, op de dag dat ze met haar klas een tochtje naar de oever van de rivier had gemaakt, waarbij het leek alsof het water een bruine jurk met ruches droeg. De volgende maand was er weer een uitstapje, Eva zou er niet bij zijn. *Cierre. Cielo. Cerrado. Siempre.* Slot. Lucht. Opgesloten. Altijd.

Ze stond op, zachtjes, om haar broer Tomás niet wakker te maken. Ze nam een stompje kaars weg uit de woonkamer, sloop ermee de badkamer in, deed de deur dicht, stak een lucifer aan en trok de laden van haar hart open. Ze tastte erin rond. *Morgen,* schreef ze, *is de school afgelopen.* Woorden vloeiden uit haar pen, het ene na het andere, voordat ze ze kon bedenken, voordat ze ze kon beseffen, voordat ze kon voelen waar ze vandaan kwamen. *Ik wil het leven helemaal ervaren.* De pen schreef door, sneller en sneller. Haar hand moest haast maken om hem bij te houden. *Hou vast. Hou vast.* Het was gebeurd. Vol verwondering streelde ze het papier. Het voelde glad en vol, als een glas dat tot de rand toe gevuld was met water. Ze had het er zelf in geschonken. Ze voelde zich een beetje opgelucht; het zou allemaal goed komen – ze had dit... gedicht? Kon ze het zo noemen? – een snoer van woorden, in elk geval, dat je over je tong kon rollen, verpakt in haar geest, weggestopt in laden die ze verborgen zou leren houden.

Ze liep naar La Ciudad Vieja, langs fiere oude gebouwen, Spaanse balkons, bewerkte stenen met een rijke geschiedenis. Ze bleef staan voor Cabáns sigarenwinkel en ademde de oude stad in met zijn geur van auto's en frituurvet. Op straat was het een luidruchtig gekrioel; elektrische trams reden kreunend langs over hoge banen; mannen riepen elkaar toe en tikten tegen hun hoed terwijl ze met grote stappen op hun doel af liepen; brede gebouwen stonden als bejaarde schildwachten rustig de wacht te houden over de hoofdaders van de binnenstad.

De schoenenwinkel lag aan een nauwe straat bij La Plaza de Zabala, op de benedenetage van een gebouw met vier verdiepingen. Op het dak wemelde het van de stenen engelen. Ze duwde aarzelend de deur open en stapte een ruimte binnen die propvol stond met schoenenrekken. Het leer – zwart, rood, bruin, crème, beige – straalde een warme geur uit. Op een bordje naast de kassa stond: ALLEEN HET MOOISTE URUGUYAANSE LEER, IN DE MOOISTE ITALIAANSE STIJL. Tangomuziek speelde krassend op een onzichtbare grammofoon.

Pietro verscheen achter de rekken met twee paar laarzen in zijn hand. 'Eva. Welkom.' Hij gaf haar een snelle kus ter begroeting (hij rook naar pepermunt). 'Ik ruim net de schoenen op van de laatste klant. Maak het je gemakkelijk.'

Ze ging op een pluchen stoel bij het raam zitten en wachtte terwijl Pietro laarzen oppakte en in dozen stopte. Hij was een lange man met een snelle glimlach. Hij floot vals de tangomuziek mee. Ze ontspande een beetje. Ze had slechts een vage herinnering aan hem, maar ze wist dat hij een vrouw had, drie dochters, en dat haar vader altijd loyaal aan hem zou zijn ('Dat is een goed mens,' had hij de vorige avond tijdens het eten gezegd, 'bueno, pero bueno'); hij was haar vaders oudste vriend, de vriend van de Italiaanse stoomboot. Ze koesterde een beeld van papá en Pietro, lachend aan het roer van een schip, met hun handen op de reling en gehuld in lange capes die wapperden in de wind terwijl ze met grote snelheid over de Atlantische Oceaan voeren, als superhelden uit de yanqui strips die haar broers altijd lazen.

'*Bueno.*' Pietro kwam naar haar toe. 'Ik zal je even rondleiden.'

Die middag maakte Eva kennis met de belangrijkste dingen in de winkel: de schoenrekken, die oplettend als keurige soldaten in het gelid stonden (laarzen, schoenen met gesp, nette schoenen met veters, gestroomlijnde pumps); de zachte stoelen waarop klanten schoenen pasten (elegante zomen tegen Eva's voorhoofd als ze zich bukte om schoenen aan voeten te schuiven); het magazijn, verlicht door twee kale peertjes, met zijn smalle looppad met aan weerskanten planken en nog eens planken vol dozen. Er was genoeg te doen. Er moesten schoenen aan voeten gepast worden, en vragen beantwoord van mensen van wie die voeten waren. Dozen moesten gerangschikt worden en teruggezet in het magazijn op een ladder (heel hoog, alsof je op een tafel stond, wat thuis niet mocht). Aan het eind van de dag moesten vloeren geveegd worden, terwijl Pietro in de achterkamer het geld telde aan zijn bureau, waar hij de bonnen naast de zacht spelende grammofoon uitspreidde en zijn avondmaté dronk. 'Hoe beviel je eerste dag?'

'Goed, señor, dank u.'

'Zeg maar Pietro. We zullen het samen wel rooien, denk ik. Je lijkt me een heel bijzonder meisje.' Hij wees met zijn hoofd in de richting van de grammofoon. 'Hou je van tangomuziek?'

Ze knikte.

'Kun je erop dansen?'

Ze schudde haar hoofd.

'Ik kan het je leren. Morgen na sluitingstijd. Zou je dat leuk vinden?

Eva knikte terwijl ze doorging met vegen en haar blik op de onderkant van de bezem gericht hield.

Tijdens het eten die avond (hoe was het op je werk? – goed, mamá) en het ontbijt de volgende ochtend (vergeet je vest niet – nee, mamá) dacht Eva steeds aan de tango met zijn felle, dwingende gratie. Toen ze door het Rodópark, bij Avenida San Salvador, naar haar werk liep, bleef ze staan luisteren naar muziek. De stem van Carlos Gardel, de koning van de tango, kweelde een melodie als één lange streling, een klank die ze op haar huid voelde. Het kwam uit een bloedrode deur. Op een koperen bordje aan de stenen muur stond LA DIABLITA. Eva ging met haar vingers over de gegraveerde letters. Ze had tío Artigas wel eens over deze club gehoord. Het was een modern café waar kunstenaars en de elite kwamen om te ontspannen, te lachen en gevatte opmerkingen te maken, om te genieten van pasta en poëzie en wijn, zich te koesteren in muziek en in wolken scherpe sigarettenrook. *Je lijkt me een heel bijzonder meisje.* Gardels stem verhief zich tot een jammerklacht. De lucht om haar heen voelde koel en fris. Ze wilde dat ze zich onzichtbaar kon maken en in het café, de rook, het melancholieke lied kon wegglippen.

Pietro hield zich die avond aan zijn belofte. Hij zette de muziek harder en danste door de gang met zijn armen om een vrouw van lucht. 'Klaar?' zei hij, en hij greep haar hand. Ze gleden de kamer rond en haar voeten volgden zijn snelle passen en instructies: BA *pa pa pa*; golven muziek drongen hem dichter tegen haar aan, een hand greep haar van achteren vast, niet als een klein meisje maar als een dame, volwassen en verrukkelijk, energiek, vol geleende gratie. Het nummer was afgelopen. Ze bleven buiten adem staan. Pietro's overhemd was donker van het zweet. Ze maakte zich los.

'Je bent een natuurtalent,' zei Pietro.

Ze wist niet wat ze moest zeggen. De lucht was benauwd en glinsterde vreemd.

'Je ouders. Zouden die het wel goedvinden?'

Ze schudde haar hoofd.

'Maar jij vindt het fijn?'

Ze keek omlaag naar haar zware schoenen, schoenen van een schoolmeisje, niet van een dame. 'Ja.'

Hij zweeg en zij dacht aan de problemen die ze zou krijgen, hoe papá zijn voorhoofd zou fronsen terwijl Pietro zijn schouders ophaalde, hoe mamá zou meeluisteren en haar hoofd schudden, en geen tango meer, geen golven, geen glinstering.

'Wees maar niet bang, ik zal het ze niet vertellen.'

En dat deed hij ook niet. Een paar keer per week gaf hij haar tangoles. Er waren lastige ingewikkelde pasjes te leren, draaien, buigingen naar achteren, zo diep dat ze de kamer ondersteboven achter zich zag. Pietro gaf met zijn lichaam aan wanneer er gedraaid moest worden, wanneer gebogen, wanneer hij haar naar links, naar voren, naar achteren wilde laten gaan. Wanneer Eva danste, werd ze groter dan ze was, buiten proportie, als de vrouwen op de affiches van bioscopen die in de armen van een held lagen. Het maakte een verlangen in haar wakker naar iets wat ze niet kon beschrijven – een alles vervullend, diep, gloeiend verlangen – waardoor ze uit haar lichaam wilde breken. Het was opwindend. Het was verschrikkelijk. Ze voelde zich meer verwant met de dames die ze in de winkel hielp, die hun voeten in soepele pumps staken, die zich ontspannen naar de spiegel keerden, wier enkels zo mooi werden in schoenen met hoge hakken, en die geen uren gebogen over het aanrecht of op een kale kruk in een slagerswinkel leken door te brengen.

'Wat heb je vandaag op je werk gedaan, Eva?'

'O, hetzelfde als altijd. Een plank ingeruimd. Laarzen verkocht. Geveegd.'

Mami zweeg even, ze had nog meer vragen, maar hield ze binnen. Papá knipoogde vanaf de andere kant van de tafel naar haar. Alleen water vulde zijn glas. Eva keek omlaag naar haar bord en stak haar mes in het vlees.

December brak aan. Zomerse sandalen lagen overal in de gangpaden en Eva werd elf. Op haar verjaardag waren er taart en kaarsjes, liedjes en wensen, een nieuwe, groene jurk, gemaakt door mamá. Op de dag na haar verjaardag bood Pietro haar een sigaret aan.

'Ga me niet vertellen dat je die nooit eens hebt willen proberen.'
Een brandend rokertje hing tussen zijn lippen, en hij zag eruit als

een zeeman, een zeeman op leeftijd, gehard door de zeven zeeën. Hij trok zijn wenkbrauwen op.

Aarzelend reikte ze naar het dunne witte stokje in zijn hand. Ze stak het in haar mond; hij boog zich over zijn bureau heen, streek een lucifer af en bracht het vuurtje naar het uiteinde.

'Inhaleer.'

Ze inhaleerde. Rook, dik en bitter, vulde haar longen. Ze hoestte.

'Te veel?'

Ze schudde haar hoofd.

'Je bent nu een echte jongedame,' zei Pietro. 'Of niet soms?'

Ze bleven even samen staan roken, terwijl rook van twee oranje puntjes opkringelde en een vaag patroon vormde in de lucht. Dit ben ik, dacht ze, ik doe dit. Ik kan roken. Een nieuw lied op de grammofoon begon: 'Caminito', vol lange, hartstochtelijke akkoorden. Pietro zette het harder, drukte zijn sigaret uit, pakte de hare en drukte die ook uit. *Caminito que el tiempo ha borrado/ Que juntos un día nos viste pasar* – hij greep haar polsen in één hand, haar middel met de andere, en ze gleden de kamer door. Hij trok haar dicht tegen zich aan en stuurde haar door de smalle kamer – *una sombra ya pronto serás* – het was warm in de kamer, met al die dozen die om haar heen tolden – *una sombra lo mismo que yo* – de dans was nu groots, grootser dan zij, nu ze meegesleept werd door een zachte stem en ritmische golven en doordringend reukwater en zweet, zijn zweet, bitter en vochtig, en het ritme van het lied werd steeds dwingender, en bereikte een hoogtepunt toen zijn vingers in haar groeven en hij bleef staan, zij bleven staan, en zijn handen trokken haar naar zich toe – *yo a tu lado quisiera caer* – tegen iets hards – *y que el tiempo nos mate a los dos* – het lied was afgelopen; zijn greep was sterk; ze probeerde zich los te wringen en hij kreunde op een vreemde manier, drukte haar nog dichter tegen zich aan, en nog eens, en nog eens, en liet haar toen los. Ze stapte naar achteren. Ze keek hem niet aan. Zijn ademhaling ging onregelmatig. Een tango begon en overstemde hem. Ze hoorde hem naar zijn bureau lopen en een sigaret aansteken.

'Je bent een geweldige danseres geworden.'

Schoenen. Ze tuurde naar haar schoenen.

'Ga naar huis.'

Eva liep langs de dozen, door de deur, de zwoele zomerlucht in. De schemering, die van alles de omtrekken vervaagde, was net ingevallen. Een elektrische tram rammelde ergens in een straat die ze niet kon zien. Een jongen raasde langs op een fiets, hij raakte haar bijna. Ze rook de geur van een *asado* die langzaam werd geroosterd op een balkon boven haar hoofd, de krachtige geur van rood vlees. Ze was misselijk. Voordat ze de hoek om ging keek ze om naar de buitenkant van de schoenenwinkel met zijn blinkende roodkoperen bel; daarna keek ze naar de bovenkant, waar stenen engelen met hun trompetten tussen duiven wuifden. Sommige engelen grijnsden; andere sloegen hun ogen in een smeekbede op naar de hemel. Eén engel jammerde zijn stenen wanhoop. Ze zag zichzelf naar hem toe zweven, en verder, uit het zicht.

'Kinderen,' verzuchtte Artigas, 'worden altijd groot. Wie kan het tegenhouden?'

Eva pakte zijn hand en zwaaide hem heen en weer op de maat van hun voetstappen. Haar schoenen zongen een liedje op de warme straatstenen van La Rambla. Ze werd geflankeerd door familieleden, Artigas aan de ene kant, Xhana aan de andere, en de rest – mami, papi, Brunomarcotomás en Bruno's nieuwe vriendinnetje – op enkele meters voor haar uit. Links van hen lag de Río de la Plata er stil en weids bij. Duizend lichtvonkjes knipoogden op het water alsof de rivier zich ter gelegenheid van nieuwjaarsdag in een gewaad vol lovertjes had gehuld.

'Maar hij ziet er wel gelukkig uit,' vervolgde Artigas.

Hij had het over Bruno. Daar liep hij, met zijn arm om Mirna, een meisje met een honingkleurige huid en een enorme bos wijduitstaand haar. Ze bogen hun hoofden naar elkaar alsof ze naar een elfje (of een vlo) tussen hen in luisterden. Bruno was geslaagd voor zijn eindexamen. Hij had nu officieel verkering. Hij was een man. Naast hem sloeg papá zijn arm om mamá heen. Zij leunde ontspannen tegen hem aan. Voor hen uit liepen Marco en Tomás met de stappen van twee mensen die kibbelen over voetbal: kordaat, krachtig, resoluut. Marco goot water voor maté uit een thermosfles en liet de kalebas met een onverschillig knikje rondgaan. Andere gezinnen zwermden om hen heen: een groepje kinderen rende over een geasfalteerde trap naar het zand; een weduwe hing tegen haar zoon aan terwijl ze aandachtig naar het geroddel van een andere vrouw stond te luisteren; een stelletje op een bank pakte onder de stralende zon empanada's uit. Montevideo had de bevolking uit bed geschud en naar de oever gelokt, en het zag ernaar uit dat de bevolking het zich had laten welgevallen.

Artigas was in een van zijn mededeelzame, nadenkende buien. 'Het nieuwe jaar herinnert me aan je moeder. Ze was een wonderkind, weet je.'

Xhana sloeg namens Eva haar ogen ten hemel.

'Dank je, *mija*, voor je respect als dochter.'

Xhana, op heterdaad betrapt, giechelde.

'Zoals ik zei...'

Eva en haar nichtje knepen even in elkaars hand, maar Eva was blij met tío's verhaal (La Roja was onze moeder, het begon met haar dood), waarvan het ritme even vertrouwd klonk als dat van de langzame, gestaag aanrollende golven. Ze was tijdens deze wandeling rustiger dan ze zich in weken had gevoeld. De tangolessen waren na haar verjaardag opgehouden. Wanneer ze aan die laatste dans dacht, stroomde er hete, zwarte teer door haar heen, van haar hielen tot aan haar nek (daarna verdween ze in het midden van de nacht). Vlak voor haar draaide papi zijn hoofd om iets te zeggen, en mami lachte. Ze boog haar rug naar achteren als ze lachte, waarbij haar vlechten de onderkant van haar heupen raakten. Die twee maakten deze wandeling al sinds die vreemde, enerverende tijd voordat Eva zelf geboren was. De stad was sindsdien veranderd. De Rambla was aangelegd op puntige rotsen, en gebouwen waren omhooggeschoten aan de noordkant van de weg. Zij had de oever nooit zonder straatstenen en huizen gekend. Maar het water – dat was natuurlijk hetzelfde oude water gebleven, kalm en constant, in staat om dingen schoon te spoelen, zelfs dingen te doden, zoals het jaar dat zojuist voorbij was, verdronken in de rivierstroom van de tijd; ze zag het oude jaar als een karkas op het water (sommigen zeggen dat ze vloog, sommigen zeggen dat ze viel); de tijd zelf werd gereinigd door al die golven, ondergedompeld, schoongespoeld, afgesleten, en misschien zouden de krachtige wateren haar zonden wel als lijken ontbinden, verteren en laten verdwijnen.

In januari probeerde ze de perfecte medewerkster te zijn. Elke schoen op zijn plaats zetten in het houten rek. Iedere klant in de watten leggen. Tegen sluitingstijd kookte het water precies op het moment dat Pietro zijn maté wilde. Geen gedans. Een tijdlang leek het goed te gaan. Pietro zette de tangomuziek niet meer hard, hij verkocht schoenen, hij glimlachte, hij neuriede terwijl hij achter zijn bureau sigaretten rolde. Februari kwam. De straten werden gevuld met de klanken van carnaval: *murgas*, met hun clowneske schmink en kleurige kleren, die volksliederen brulden om de politici van het land te bejubelen en te bespotten; *comparsas* sloegen tegelijk op zestig trommels; *tangueros* bewezen Carlos Gardel de eer in de eerste zomer na zijn dood, om uitdrukking te geven aan hun buitensporige verdriet. De muziek liet de stad op zijn grondvesten trillen.

'Eva.' Pietro stond achter haar bij de etalage. 'Vind je deze mooi?'

Hij had een paar rode schoentjes in zijn hand. Ze waren hoog, gestroomlijnd, het duurste paar van de winkel. De vorige week had een dame drie paar gekocht: twee voor haarzelf, een voor haar dochter.

'Ja.'

Hij stak ze haar toe.

'O, nee…'

'Neem ze. Voor je harde werk.'

Ze schudde haar hoofd.

Hij zuchtte als een geduldig man die het zwaar te stellen heeft met de domheid van anderen. 'Je kunt die meisjesschoenen niet blijven dragen. Dat is slecht voor de zaak. Je moet onze artikelen dragen.' Hij glimlachte. 'Je wilt je werk toch goed doen?'

Ze knikte. Hij stak haar de rode schoenen toe. Langzaam pakte ze ze aan.

'Dat is beter.' Hij keek oprecht blij, als een kind dat een prijs heeft gewonnen. 'Trek ze nu eens aan.'

Ze trok ze aan.

'Loop eens rond.'

Ze liep heen en weer, wankelend op die onbekende hoogte. De pumps voelden steil en soepel aan. Buiten hoorde ze een groepje mannen een treurige *murga* aanheffen.

Pietro leunde achterover in zijn stoel en stak een sigaret op. Zijn blik werd hard en fel en gleed naar haar enkels. 'Blijf lopen.'

Eva liep. Ze trilde op haar benen maar ze viel niet.

'Mooi.' Hij zei het zachtjes. 'Mooi. Oefen elke dag. Binnen de kortste keren loop je als een echte dame.'

Weken gingen voorbij. Eva's voeten deden pijn. Er was nog iets dat pijn deed, iets dat vaag en naamloos was, wanneer Pietro naar haar keek en ook lang daarna, als ze alleen in bed lag, te onrustig om te slapen en met zijn blik nog aan haar klevend. Warmte en angst en honger en walging. Ze begreep het niet en het maakte dat ze weg wilde, verdwijnen, wegduiken in een paar Mooie Schoenen en niet meer terugkomen. Dat was het, wegduiken, in elkaar kruipen op een zool waar niemand haar kon vinden. Hoge schoenen waren het veiligst, het soort waarin de enkel of kuit schuilging in leren schachten, sterk en dik en niet kapot te krijgen. Maanden gingen voorbij. Ze werkte. Ze dook weg, uit het zicht. Ze volgde de zolen van klanten in het donkere omhulsel van schoenen die ze aanpasten, ze kroop in donkere leren holtes – neem me mee de schoen in, trap me diep in de hak waar ik niet gezien kan worden, onzichtbaar, onvindbaar, het magisch krimpende meisje, in elkaar gekropen op de plek waar zweet in het leer trekt.

Hoe was het vandaag op je werk, Eva? – Goed, mamá.

In mei kwamen de winterlaarzen – lange schachten als neergeschoten vogels op de vloer van het magazijn. Eva knielde neer en sorteerde ze op stijl. Pietro kwam binnen en streek met zijn hand langs haar nek. Eva had zich ingebeeld dat ze zich verschanst had in een bruine dameslaars.

'Kom hier.'

'Wacht. Ik moet naar de wc.'

'Jammer dan,' zei hij, en de stem was die van een vreemde, van een hardvochtige man die ze nog nooit had ontmoet. Hij duwde haar op de stapel laarzen, zijn hand aan de zoom van haar rok en eronder kroop klam omhoog langs haar dij; ze verweerde zich en hij duwde haar neer, hield haar vast aan haar haar terwijl zijn andere hand langs haar onderbroek in haar lichaam schoof – scherp en brandend scheurde het in vele puntige flarden – 'Kop dicht, *puta*,' de stem van de vreemde man die een hand op haar mond legde, en leren schachten scheurden open en zij viel en viel.

Ze probeerde zich los te wringen en toen hij zich even oprichtte wist ze zich onder hem uit te werken, ze vloog overeind en rende naar de deur van het magazijn, erdoorheen, weg van de stem die haar terugriep, naar buiten, de straat op zoals meisjes nooit zouden moeten rennen, ze schopte de hakken uit en liep op blote voeten verder, langs paarden en glanzende auto's en verontruste blikken over eindeloos veel keien totdat ze de deur van haar huis in vloog en daar ademloos en op blote voeten en met een brandend gevoel tussen haar benen neerzakte voor mamá, die geschrokken haar wenkbrauwen en haar baklepel hief en op haar toe liep. Ze liet zich tegen het lichaam van haar moeder aan vallen en verliet dat van haarzelf.

Ze lag in bed. Ze voelde dat haar moeders handen haar haar vlochten. Vanaf haar middel naar beneden voelde ze niets meer. Haar vader stond in de deuropening met een vreemde blik, wel en niet aanwezig, alsof hij aan onzichtbare touwtjes werd vastgehouden en verwachtte dat een windvlaag hem elk moment weg kon blazen. Hij keek naar Eva. Hij zag lijkbleek. 'Wat heb je gedaan?'

Ze wilde iets zeggen, ze deed haar mond open maar er kwam niets uit.

'Ignazio,' zei mami, 'geef ons wat tijd.'

Hij aarzelde.

'Even, Ignazio. Alleen wij.'

Hij vertrok.

'*Mijta.*' Mamá zag er uitgeput uit. Eva zocht in haar gezicht naar boosheid en vond die niet. 'Vertel me wat er gebeurd is.'

'Heb je – heb je met Pietro gesproken?'

'Je vader wel.'

'Wat heeft hij gezegd?'

'Dat je met zijn klanten hebt geflirt en een paar schoenen hebt gestolen.'

'Dat is niet waar!'

'*Bueno.* Wat is er gebeurd?'

Eva staarde naar haar moeders gezicht: slank, stevig, omlijst door twee dikke vlechten. Ze zag alleen de bovenkant ervan, maar ze wist dat ze er waren, donker en lang op haar rug. Van alle dingen op de wereld was Eva nergens zo zeker van als van die twee zwarte vlechten. Ze kon niet het risico lopen die te verliezen. Ze wilde het liefst de waarheid vertellen, maar dat was onmogelijk. De waarheid was erger dan Pietro's versie: het waren tango's, gedanst rond sluitingstijd, vol intieme, verboden bewegingen; een sigaret, aangenomen, gerookt; de manier waarop ze zich tegen hem aan had laten drukken en had laten kreunen; twee rode pumps, aangenomen, elke dag gedragen in de winkel; de afschuwwekkende hitte in haar eigen lichaam. Ze stelde zich voor dat ze die dingen hardop zou zeggen. Een verschrikkelijk verhaal had zich in haar leven afgespeeld en zij was daarin de boosdoener, het vermomde, weerzinwekkende meisje, haar misdaad kende geen grenzen, pure kwaadaardigheid, en erover zwijgen was de enige mogelijkheid om haar moeder bij zich te houden met haar vlechten en haar gezicht en haar gloed. Mami verliezen zou erger zijn dan God verliezen.

Ze zweeg.

'Eva?'

'Niets.'

'*Hija…*'

'Mami, ik heb geen gevoel in mijn benen. Ik kan ze niet bewegen – wat is er met me aan de hand?'

Haar benen waren verdwenen – of liever gezegd, zij was uit haar benen verdwenen. Ze waren leeg, onbewoond, onbereikbaar, als de gletsjers op de bodem van het continent. Toen mami er zachtjes in prikte, terwijl de zon aan een verre hemel onderging en de avond haar kamertje in duisternis hulde, zond Eva de voelsprieten van haar geest omlaag langs haar buik en voelde niets. Geen pijn, geen warmte, niets dat op beweging duidde. Ze viel in slaap en droomde van een bovenlichaam met een hoofd en armen, dat van haarzelf, dat zich op de ellebogen voortsleepte door een gang.

Dokter Zeballos kwam de volgende dag. Zijn buikje en joviale stem hadden haar altijd aan de kerstman doen denken. 'Er is niets mis met haar, voor zover ik kan beoordelen. Onverklaarbare verlamming. De Fransen noemen het een symptoom van opstandigheid.'

Er was kennelijk niets tegen haar toestand te doen. Ze bleef in bed. Mamá bracht maaltijden, verwisselde haar beddenpan en hield papá op afstand. Op de derde dag kwam Pietro haar bezoeken. Toen Eva hem zag, met een brede grijns achter een boeket roze anjers, vulde de helft van haar lichaam waar ze nog gevoel in had zich met een felle schreeuw.

'Evita. Ik heb me zorgen om je gemaakt. Kijk, ik heb anjers gekocht – dat zijn toch je lievelingsbloemen?' Hij wachtte even op een reactie. Die kwam niet. 'Ik wil je nog een kans geven.'

'Je bent te goed voor ons, Pietro,' zei haar vader, die zo stram als een soldaat tegen de muur aan stond.

'*Por favor*, Gondola, hoe lang zijn we nu al vrienden? Dacht je dat ik dat zou vergeten?' Kleine haartjes spikkelden zijn kaak, meer grijs dan zwart, zag Eva. 'Je dochter is jong; ze kan nog veel leren. Ik wacht wel.' Pietro keek even de kamer rond en nam de zelfgemaakte quilts, de gerafelde lampenkap, de bezorgde moeder in de deuropening, het meisje in zich op. 'O, ik heb je schoenen bij me. Maak je maar geen zorgen over dat paar dat je hebt gestolen.' Hij glimlachte vriendelijk, waarbij zijn lichtgele tanden zichtbaar werden. 'Ik heb er nog genoeg.'

Was het maar mogelijk, dacht ze die nacht toen ze wakker lag in het donker. Was het maar mogelijk dat de tijd, die woest kolkende rivier, gekeerd kon worden naar waar hij vandaan kwam. Konden dingen maar ongedaan gemaakt worden. Ze keek naar de maan waarvan het licht op haar vensterbank viel. Het schijnsel werd steeds witter. Het zag eruit als een plas melk. Het had niet het recht om daar te zijn, in deze kamer waar anjers waren binnengedrongen waarvan de blaadjes scherp getande schaduwen wierpen op de muur, als krokodillen, als de krokodillen waartegen zij en kapitein Andrés hadden gevochten, duizend jaar geleden, toen ze nog geloofde in stomme dingen als Zoet Goud, lang voordat Andrés het zo druk kreeg met school en zij met haar werk dat ze elkaar nauwelijks meer zagen en dat zij, als dat gebeurde, snel wegliep, omdat ze niet wist wat ze moest zeggen en niet zijn vragen wilde horen over haar leven, haar werk, waar heb je gezeten, hoe breng je je dagen door – voordat dit alles plaatsvond, een gevallen maan, schaduwen van bloemen, slechte meisjes, het brandende gevoel (jouwschuldjouwschuld) in haar binnenste. En het gemis. Het gemis van benen. Het gemis van licht. Het gemis van woorden in haar keel. Het gemis was als stroop; zij liet het steeds verder kruipen en alles verzwelgen.

Mamá bond de strijd aan tegen het gemis. Elke ochtend, elke middag om drie uur, en elke avond tijdens de afwas maakte ze een bitter brouwsel waarmee zelfs doden aan het lopen gebracht konden worden. Het genas Eva vanbinnen, langzaam, met geweld. Mamá ging zitten en keek en lette erop dat elke druppel naar binnen ging en zei: Waar denk je aan? Waar denk je op dit moment aan? Zeg het, Eva, maar zelfs toen het gemis wankelde was het onmogelijk om het jouwschuldjouwschuld daaronder te verslaan. Het stoomde en stolde en dreigde haar wereld onder te laten lopen. Ze kon er niets van prijsgeven, niet één moment. Ze vluchtte in schoenen op de vloer bij de kast. Ze kroop erin weg terwijl haar moeder erop toezag dat ze dronk. Daarin kroop ze weg wanneer haar vader zijn hoofd even om de deur stak, alsof ze een ziekte had die weer de kop zou opsteken als hij geen afstand bewaarde. Daarin kroop ze weg wanneer haar broers haar de les lazen – Bruno over hoe ze zich tegenover mannen moest gedragen, Tomás over hoe ze papá tevreden moest stellen en Marco over hoe slecht stelen was. Niemand kon haar aanraken, niemand zou haar vinden, haar afwezigheid beschermde haar tegen hen allen. Maar niet helemaal. Mami's brouwsels (en strenge gezicht en zachte massages) wonnen het van Eva's benen. Na twee weken kon Eva haar tenen weer bewegen. Na drie weken kon ze staan. Na vier weken liep ze en kon ze niet langer gevoelloosheid aanwenden als excuus om niet naar haar werk te gaan.

Op de eerste dag dat ze terug was, begroette Pietro haar door met zijn hand naar het magazijn te wijzen. Na sluitingstijd verzette ze zich niet tegen hem.

Dagen verstreken. Weken. Eva leerde de binnenzolen van duizend schoenen kennen. Ze leerde zichzelf weg te sleuren van het moment, als een slak die zijn huis verlaat, waarbij ze haar zachte delen vanbinnen in leer verstopte, en de rest een langzame dood liet sterven. Dit was op sommige momenten gemakkelijker dan op andere. 's Nachts droomde ze dat ze in het duister viel, dat openspleet door de eindeloos lange naaldhak van een enorme schoen. Elke week weer doemde dreigend de zondag op, met zijn gevreesde bezoek aan de biechtstoel. Nu ze weer kon lopen, moest ze knielen en kleine zondes verzinnen, alsof ze een normaal meisje met een normale ziel en normale problemen was. Het was een zonde, vast en zeker een doodzonde, om dit geheim te houden en toch het lichaam van Christus tot je te nemen, maar de penitentie die padre Robles haar had opgelegd voor dagdromen in de klas was al zwaar geweest en had meer van haar gevraagd dan haar lief was, en dus kon ze zich niet voorstellen wat hij nu als boetedoening zou opleggen. Maar La Vidua had ooit in de carnicería gezegd dat God toch alles ziet. Als er iemand is die de waarheid aankan, is het God.

God zou zeker helpen omdat Hij van haar moeder hield, nietwaar, en Hij zou vast niet willen dat mamá er zo bleef uitzien als ze nu deed, zo streng en bedroefd en met die vorsende blik, alsof ze door louter dat uitputtende staren de muren van haar dochter één voor één kon slechten en de rottigheid daarachter aan het licht kon brengen. God stond, zij het niet achter Eva, dan toch vast wel achter mamá, en mamá was nog steeds in gevecht, nietwaar, en zou het niet beter zijn als Eva, voordat haar moeder de strijd won en Eva het opgaf en alles zou vertellen, boete deed en iets puurder, iets reiner werd, althans in de ogen van God, waar en wat zijn ogen ook waren?

Het duurde twee maanden voordat ze om vergiffenis vroeg. Ze koos een dinsdag, zodat ze de kerk voor zichzelf zou hebben. Het was een duizelingwekkende middag. De tegels van de biechtstoel waren koud onder haar knieën.

'Zegen mij, vader, want ik heb gezondigd.'

'Lof zij God,' zei padre Robles automatisch door het rooster. 'Vertel me je zonden, kind.'

'Het gaat om de man voor wie ik werk. Hij… doet dingen. Ik geloof dat ik het heb uitgelokt.'

'Wat voor dingen?'

'Hij raakt me aan. Hij laat zich door mij aanraken.'

Stilte sijpelde door het roostertje heen. 'Dit is heel ernstig. Je moet alles vertellen. God moet elk detail weten.'

Eva kneep haar mond dicht. Ze wrikte hem open. Haar verhalen stroomden naar buiten, woord voor woord, aanraking na aanraking, op de ene aansporing van de priester na de andere. Beelden gleden als slakken door haar herinnering. Een gezichtspunt vanaf taillehoogte. Een hard bureaublad onder haar gezicht onder haar greep. Twee knieën, die van haarzelf, te ver uit elkaar. Toen zweeg ze, wat hoorde ze daar, nee, het was niet mogelijk, aan de kant van de priester, door het rooster, zijn ademhaling, kort, hijgend, hard, als die van Pietro. Ze bleef stokstijf zitten. Gal stuwde in haar keel omhoog.

'Ga door, mijn kind…' maar ze was al uit de biechtstoel weggestrompeld en vergat zelfs een kruis te slaan voordat ze Jezus die boven het altaar vastgespijkerd hing de rug toekeerde. Buiten spreidde de hemel zijn slappe grijze deken uit boven Punta Carretas. Achter de gevangenispoort krabde een bewaker in zijn kruis en keek met samengeknepen ogen naar de alom afwezige zon.

Cierre. Cielo. Cerrado. Siempre. Slot. Lucht. Opgesloten. Altijd.

In de dagen, de maanden, het jaar daarna, en in het jaar dat daarop volgde kroop Eva steeds dieper weg in de donkere holtes van schoenen die ze sorteerde en opruimde en waar ze haar geest steeds opnieuw naartoe stuurde om zich er in allerijl krimpend in op te krullen.

Iets in haar knapte toen ze het bloed zag. Ze stond in de kleine wc op haar werk en tuurde naar het kruis van haar onderbroek. Pietro had haar daar minstens een week niet aangeraakt, en toch was hij er: een vlek in de vorm van een gekartelde bloem. Ze had erover horen praten door de vrouwen in de slagerij. Het had iets te maken met vrouw-zijn. De week ervoor was Eva dertien geworden, met taart, en kaarsjes en een nieuwe blauwe trui. Bruno's vrouw Mirna had de taart gebakken; mamá had de wol gesponnen en geverfd en het geschenk gebreid met haar handen die geen ogenblik rustten. Het was buiten koud, de regen kwam met bakken naar beneden en de trui had ze op dit moment aan. Hij voelde zacht en tegelijk kriebelig, en daar was zij, dertien, twee jaar nog voor ze officieel tot vrouw werd verklaard, twee jaar nadat ze klein meisje was geweest. Ze tuurde naar de vlek. De oorzaak van deze bloeding was niemand dan zijzelf – of wat voor mysterieuze kracht dan ook die de knop in haar binnenste had gevonden, had geweten hoe hij die moest aanzetten. (La Viuda had het de vloek van God genoemd. Maar Clarabel, La Divorciada, had spottend gezegd: Waarom zou je naar priesters luisteren die iets over *tú sabes qué* van vrouwen zeggen? Wat weten zij daarvan, had ze opgemerkt, en gelijk had ze.)

Voorzichtig raakte Eva de bloedvlek aan. Hij was warm – ze trok snel haar hand terug. Ze keek naar haar spiegelbeeld. Ze kon zich niet herinneren wanneer ze zichzelf voor het laatst echt had bekeken. Een gezicht keek terug, met hoge jukbeenderen, een gladde huid, donkere ogen die haar recht aanstaarden. Ze werd volwassen. Ze had een vlam van bloed gemaakt. Ze dacht aan bloed en vlammen en dingen in haar lichaam waar ze niets van wist, dingen die misschien bestonden en die geen pijn deden. Het was bijna sluitingstijd; ze moest opschieten. Terwijl ze toiletpapier in haar broek stopte, ging ze in gedachten na hoe het die dag met zijn humeur gesteld was. Sluitingstijd was een gevaarlijk moment, helemaal wanneer er niet veel verkocht was.

Toen ze tevoorschijn kwam keek hij kwaad. 'Waar zat je? Het water kookte – ik heb het zelf moeten opschenken.'

'Het spijt me.'

'Hmm.' Hij kwam dichterbij. Hij had gedronken. 'Je ziet er verhit uit.'

Ze keek recht voor zich naar het midden van zijn borstkas.

'Wat deed je daar?'

'Niets.'

'Lieg niet.' Hij duwde haar. Ze deinsde naar achteren, één stap, twee stappen, totdat ze met haar achterste het bureau raakte en hij zijn harde geslacht tegen haar middel drukte. Hij draaide haar om zodat ze met haar gezicht naar het bureau keek.

'Buig voorover.'

Ze dacht aan de rode vlek, die rare prop toiletpapier. Ze bleef staan.

'Ik zei buig voorover.'

'Nee.'

'Wat?'

'Nee.'

'Vuile *puta*,' zei hij, en hij greep haar haar en trok eraan zodat haar nek naar achteren boog en ze vertrouwde barsten in het plafond zag. 'Je doet wat ik je zeg.' Hij verslapte zijn greep en legde zijn hand geopend op haar schedel. 'Zo. Buig voorover.'

Op dat moment zag Eva een wapen, een geheim wapen, vlak voor haar. Langzaam, met haar armen naar voren, boog ze voorover. Pietro's hand ontspande nu ze deed wat hij zei. Ze was vlak bij het bureau, en terwijl hij zijn broek losknoopte sloot ze haar hand om de thermosfles, draaide hem open en zag hoe het kokendhete water over Pietro vloog en hij schreeuwde en het beeld – Pietro verbrand en krimpend van pijn – zette zich vast op haar netvlies voordat ze wegrende, naar buiten, de natte straat op, zonder haar naaldhakken uit te doen, door het ene regengordijn na het andere rende ze totdat haar longen brandden, niet naar huis deze keer, maar over Avenida San Salvador naar die bloedrode deur, over straten zwart van de regen, drijfnat kwam ze bij de deur aan, ze trok hem open en liep naar binnen.

Het was etenstijd in La Diablita. Een mengeling van heerlijke geuren dreef haar tegemoet. Tafelzilver tikte gretig op borden, een ritmische begeleiding voor het melodieuze geheel van stemmen. Een foxtrot vloog met puntige vleugels uit een piano. De gasten droegen fraai gestreken kleren en leunden achterover in wolken sigarettenrook. Weelderige jonge dienstertjes gleden langs gelambriseerde wanden. Eva liet zich onopvallend in een rode stoel vallen. Daar bleef ze een paar minuten zitten om op adem te komen, en intussen keek ze rond of ze dichters zag, tot een serveerster haar met lichte nieuwsgierigheid benaderde.

'Wil je iets bestellen?' Haar gezicht was zwaar opgemaakt, en haar haar viel in zorgvuldig gekrulde lokken langs haar gezicht.

'O, nee,' hakkelde Eva. 'Maar hebben jullie misschien personeel nodig?'

'Misschien.' De serveerster nam haar geïnteresseerder op. 'Ik vertrek morgen naar Buenos Aires.' Ze straalde. 'Ik word actrice. Wil je de eigenaar spreken?'

Eva knikte. De serveerster ging haar voor door de zaal langs de bar, door een deuropening met een kralengordijn, waarachter de eigenaar met een viertal dronken vrienden zat te borrelen.

'*Che*, Pato. Dit meisje wil hier komen werken.'

Pato keek op. Hij was een dikke, kalende man. Hij heeft altijd alles gegeten wat hij wilde, dacht Eva. Vrouwen. Voedsel. De maan. Hij nam Eva onderzoekend op. Ze voelde zich belachelijk in haar zelfgebreide trui, doorweekt van de regen, en ze was blij dat ze haar naaldhakken aanhad.

'Heb je al eerder gewerkt?'

'Ja, señor. Drie jaar.'

'Waar?'

'In een *zapatería*.'

'Hoe oud ben je?'

'Zestien,' loog ze.

'En waarom wil je hier komen werken?'

Het werd stil aan de tafel. Een vrouw in het zwart stak een dunne sigaret op. Ze staarden haar aan. Ze voelde zich te klein om te reageren, maar dat mocht ze niet laten merken, ze zouden alleen haar masker zien. Ze maakte zich groter. 'Ik geloof in poëzie. In schoonheid. Ik wil werken op een plek waar mensen mooi en vrij zijn.' Ze zorgde dat ze een onschuldige glimlach liet zien. 'Zo'n soort plek is het hier toch?'

De in zwarte zijde gehulde vrouw lachte. 'Nou, Pato? Is dat zo?'

Pato keek naar het glas van de vrouw, haar schouders, het weelderige decolleté van haar jurk. Hij keek naar Eva. 'Hoe heet je?'

'Eva Firielli Torres.'

'Eva, kom zaterdag om vijf uur terug. Dan zoeken we een bezigheid voor je.' Hij wendde zich tot zijn vrienden. De sollicitatie was voorbij.

Eva liep dezelfde weg terug naar Avenida San Salvador, waar met het vallen van de avond iets van magie hing. Ze liep naar haar huis. De regen vormde een vlekkerige krans op haar hoofd. Ze had al bijna zeven huizenblokken achter zich toen ze door angst werd overvallen. Ze vertraagde haar pas totdat ze stilstond. Haar moeder was niet thuis – ze speelde canasta bij Coco, of bij La Viuda, of misschien bij Clarabel. Waar kon ze nog meer heen? Ze kon omdraaien en naar Parque Rodó gaan, bij de fontein met knuffelende stelletjes gaan zitten. Ze kon teruggaan naar La Diablita en borden wassen in ruil voor een cola. Ze kon naar La Rambla gaan en die op en neer lopen, op en neer langs het water. Dat zou haar een uur bezighouden, misschien een nacht, maar niet de rest van haar leven. En het papier tussen haar benen was doorweekt, ze bloedde, ze was moe en ze was drijfnat. Ze moest bedenken wat ze tegen haar vader kon zeggen.

Tegen de tijd dat ze thuiskwam, had ze tien verhalen in haar hoofd waaruit ze kon kiezen. Ze maakte de deur open en ging naar binnen. Papá sprong van de bank. Dreigend kwam hij op haar af. Een lege fles grappa loerde vanaf de tafel, de zoete geur ervan vulde de kamer. Ze keken elkaar aan. Papá's handen balden zich tot vuisten.

'Ik heb Pietro gesproken.'

'Het is niet wat je denkt.'

'Slet.'

'Hij is een leugenaar.'

'Hij is een goed mens.'

'Dat is hij niet.'

'Je breekt mijn hart.'

'Papá...'

'Hoer...'

Ze spreidde haar armen.

Een vuist vloog tegen haar gezicht. Ze tolde naar achteren met de smaak van metaal op haar tong. Hij haalde nogmaals uit, ze viel tegen de muur en zette zich schrap voor nog meer klappen, en toen die kwamen was ze er klaar voor, ingedekt, gevoelloos, ver weg van de man die zoveel te zeggen had met zijn lichaam. Toen hij ophield, wachtte ze om er zeker van te zijn dat het echt afgelopen was. Stilte. Ze keek. Hij staarde naar zijn hand, hij keek hoe hij openging, dichtging, weer openging. Hij keek haar aan met half dichtgeknepen ogen. Het leek alsof hij iets kon gaan zeggen, maar ze had metaal in haar mond, vonken in haar hoofd, een ruimte tussen hen die steeds gapender werd, een diepe zwarte afgrond waar ze niet in wilde vallen.

'Ik praat nooit meer met je,' zei ze.

Ze stond trillend op en liep naar de gang. Ze hoorde hem roepen, maar het leek geen Spaans, en Italiaans had ze nooit geleerd. Op de wc verwisselde ze het met bloed doordrenkte papier en bekeek zichzelf vluchtig in de spiegel. Een snee in haar lip, iets donkerder van kleur, geen tanden kwijt.

Ze ging in bed liggen en vocht tegen het spook van de verlamming. Het gevoel in haar benen werd minder, maar nee, deze keer konden ze niet verdwijnen; waar zou haar nieuwe baan blijven als haar benen het lieten afweten? Niet gaan, niet vallen, niet doodgaan, je moet blijven. Papá was niet alles, en ook al werd ze verscheurd als ze aan hem dacht, er waren ook afleidende gedachten, zoals de fijne herinnering aan Pietro's pijnlijk verbrande huid, en aan La Diablita met zijn heerlijke warme geuren, zijn geroezemoes, zijn knisperende sfeer die de knop tot leven bracht waarvan ze had gedacht dat hij nooit tot bloei zou komen maar die onderhuids (vol, bijna barstend) wachtte.

De kleuren van het café deden zich aan haar voor als in dromen: bruine houten muren, bruin haar dat glansde in kaarslicht, een bruine piano waar liedjes uit stroomden, zwarte jurkjes, zwarte gladde toetsen die de hele nacht trilden, zwarte kohl die vrouwenogen groter maakte, bleke sigarettenrook, bleke parels rond bleke nekken, rode stoelen, rode tafels, rode lipstick, helderrood gelach, donkerrode wijn.

Elk sprankje licht en glamour wilde ze in zich opnemen. Ze eigende zich flarden gesprekken toe die ze van gasten pikte. Ze had een verholen manier van afluisteren, net dichtbij genoeg om tegelijk met vuile borden woorden mee te nemen. Een vrouw met een chic kapsel prijst een dichter met halfgemompelde woorden. Speeksel ligt op de lippen van een student als hij uitweidt over de Russische Revolutie. Verliefde stelletjes kissebissen over de toekomst van het theater, op hartstochtelijke toon, hun handen onder het tafeltje in elkaar geklemd. Eva zoog alles op. Ze nam vreemde bestellingen op: 'Dante Alighieri' naast 'martini'; 'existentialisme' naast 'Chianti chileno – nog een rondje'; een lange lijst pastagerechten, bestrooid met namen van boeken. Wanneer het eten en de wijn waren opgediend, stopte ze papiertjes in haar beha, om later te gebruiken voor haar eigen vraatzucht in de bibliotheek in het centrum. De papiertjes vol vlekken van olijfolie en drank plakten met een scala aan mogelijkheden tussen haar borsten. Het waren schatkaarten. Ze gebruikte ze om haar de weg te wijzen door het bolwerk van boeken, waar elke tekst een rijk thuis was; elke tekst had kamers vol opsmuk die ze kon aanraken, betasten, proeven, verbrijzelen, strelen, kneden, wrijven, waarnaast ze in slaap kon vallen en waar ze over kon dromen. Met liefde brak ze ze open om erbinnen te treden, een geheime indringer van de bladzijde.

Hij wilde haar geheimen weten, die man die haar vader was. Waar ze werkte. Wat ze deed. Wat er in haar hoofd omging. Op de eerste avond had hij aangeklopt – 'Eva? Evita?' – zes keer kwam hij naar haar slaapkamerdeur, elk heel uur tot het ochtend werd, en ze dacht aldoor dat hij binnen zou komen – er zat immers geen slot op – maar hij deed de deur niet open en zij ook niet. De tweede avond bracht hij twee keer een bezoekje waarbij hij alleen aanklopte. Op de derde avond vond ze toen ze om drie uur 's nacht van haar werk kwam een briefje op haar bed, in dat handschrift van hem dat eruitzag als een rij piepkleine ballonnetjes: *Ik blijf wakker. Dit is je laatste kans.* Ze scheurde het in stukjes en spoelde die door de wc.

Trots nam bezit van papá, als een cape die door het vele dragen stugger werd. Ze gleden langs elkaar alsof ze voorwendden een geest te negeren. Ze spraken tegen iedereen in de kamer, behalve tegen elkaar.

'Marco, geef me even de *salsa golf*.'

'Vraag het aan papi – het staat vlak voor zijn neus.'

Ze keek haar broer kwaad aan. 'Marco.'

'Dit is belachelijk! Papá, je dochter wil de *salsa golf*.'

'Ik heb geen dochter.' Ignazio prikte een gekookte aardappel aan zijn vork. 'Ik heb geen dochter die een *puta* is.'

Het kon haar niet schelen. Niets. Hij mocht denken wat hij wilde; zij was vrij.

Ze vertelde haar moeder dat ze een baan had als serveerster en dus niet als een *mujer de la calle*, ondanks de make-up, de nachtelijke werkuren, een nieuwe bloes die lager uitgesneden was dan ze ooit had gehad.

'Het is een restaurant in La Ciuidad Vieja. Ik word goed betaald.' Eva waaierde een bundeltje peso's op het aanrecht uit, alsof ze tijdens het pokeren haar winnende kaart liet zien. 'Hier, pak aan.'

Pajarita bleef het aanrecht in de keuken vegen. Ze keek niet naar het geld. 'Wat is er voorgevallen tussen jou en je vader?'

'Niets.'

Mamá keek haar aan met die speciale blik die Eva altijd het idee gaf dat ze door haar heen kon kijken. '*Hija*. Je hoeft dit niet te doen. Er zijn meer mogelijkheden.'

Ze nam haar moeders trekken op, haar geur, haar handen op het werkblad. Ze zag voor het eerst dat ze grijs werd, een paar lokjes maar, die haar lange sluike haar binnendrongen. Woede vlamde in haar op. Het druiste tegen alle normen in dat er iets aan die vlechten kon veranderen, dat een van die gitzwarte haren kon vervagen, dat haar moeder – iedere vrouw – grijs kon worden zonder ook maar één keer in haar leven een zijden jurk te hebben gedragen.

'Zoals?'

'Je zou naar de carnicería kunnen komen. Ik zou je dingen kunnen leren.'

De ochtendzon scheen overal even genadeloos: hij wierp zijn licht op de peso's en de vaatdoekjes, op de bladeren van de rozemarijn en salie en de geschilferde randen van hun potten. Buiten liet de melkman zijn bel klinken en zijn paard halt houden. Eva hoorde het berustende gehinnik. Ze wist dat er een ander Uruguay bestond, buiten deze stad en eronder en zelfs in haar huis: een Uruguay waar vrouwen opgroeiden die op koeienhuiden sliepen en schedels als kruk hadden en waar ze nooit leerden lezen maar in plaats daarvan leerden bittere thee te maken voor haveloos geklede vrouwen die in slagerijen stonden te roddelen. Maar Eva kon wel lezen – en ze had dat verhaal gelezen over het meisje dat in een konijnenhol was gevallen en daar schitterende dingen ontdekte; zij zou dat meisje kunnen zijn, zij had die plek gevonden in een oud stenen gebouw vol kaarsen, robijnen, dichters, geïmporteerde sigaretten, rode wijn. Het paard van de melkman kloste weg over de keien. En het was ook weer niet zo dat mami haar echt nodig had. Ze had nu Mirna, en als Marco met dat stomme, zoetsappige meisje uit La Blanqueada trouwde, waren er meer dan genoeg dochters om haar heen, dochters die veel liever en fatsoenlijker waren dan zij.

'Nee, ik houd deze baan.'

'Waar is dat restaurant?'

'Dat kan ik niet zeggen.'

Haar moeder keek haar onderzoekend aan. 'Ben je daar wel veilig?'

'Heel veilig. De serveersters zijn aardig. Ze leren me van alles.'

Eva's collegaatjes leerden haar de mysterieuze kunsten van het inschenken van sterkedrank, rouge aanbrengen, en roken als middel van verleiding. '*Mira*,' lispelde Graciela. 'Je knijpt je lippen op deze manier op elkaar.' Rook walmde uit haar rode mond: gracieus, wit, golvend. 'Probeer eens.' Eva probeerde het. Haar rook kwam in willekeurige stoten naar buiten, en Graciela moest lachen. Ze zou het wel onder de knie krijgen. Dat wist ze. Hoe kon het anders met deze *chicas* als grote zussen, en zijzelf met haar hang naar het verdorvene. Ze luisterde naar hun vrolijke analyses van de bezoekers van La Diablita. Die voortreffelijke schrijver op de hoek van de tafel loog tegen al zijn vriendinnetjes. Die rijke beschermheren die chardonnay dronken, zagen zichzelf graag als mecenas maar beknibbelden op hun fooi. De bohemienachtige studenten die over Batlle, Bolívar en Marx discussieerden, zouden ieder hun rechterarm willen geven voor een afspraakje met Eva. 'Let maar eens op hoe ze je nakijken, *nena*. Het is zonneklaar.' Maar Eva voelde zich het meest aangetrokken tot een groepje dichters dat elk weekend bij elkaar kwam in de achterkamer, achter het kralengordijn. Vanavond waren er acht, allemaal jong, behalve de Beroemde Dichter, die als voorzitter optrad en langzaam sprak zodat de jóven met het blauwe opschrijfboekje kon noteren wat hij zei. Dit waren dichters – echte dichters van vlees en bloed. Ze zag het aan de lyrische manier waarop ze met hun sigaret zwaaiden. Ze liep naar hun tafeltje en zette de glazen voor hen neer, één voor één, terwijl ze probeerde flarden gesprekken op te vangen die ze op haar geheime papiertjes kon noteren.

Een slungelachtige man was aan het woord. 'Kon Hitler jouw "Ode aan de strijd" maar horen.' Die stem. Ze tuurde naar het magere gezicht, hij was het, Andrés Descalzo, die met dichters sprak alsof het de gewoonste zaak van de wereld was. Hij leek te voelen dat ze naar hem keek, en voordat ze zijn naam kon zeggen keek hij weg. 'Vooral die zin over het wassen van de voeten van de vijand. Wat een vlijmscherpe beeldspraak.'

Eva schonk een glas wijn in. Ze begreep het. In deze ruimte was hij niet de Kleine Slager – dat was hij nooit geweest. Zijn gestreken ivoorwitte overhemd was lelijk vergeleken bij de kleren van zijn kameraden, maar stijlvoller dan alles wat zijn familie droeg. Ze glipte weer door het kralengordijn.

Ze keek met nieuwe moed naar de dichterstafel. Andrés had tot hun kring weten door te dringen en dat gaf haar hoop dat zij daar ook haar weg in zou vinden. Ze deed alsof ze hem niet kende. Ze glimlachte vrolijk terwijl ze de wijn serveerde. De Beroemde Dichter begon terug te lachen.

'Een dans, alsjeblieft.'

'*Perdón?*' zei ze, in de veronderstelling dat ze door het geroezemoes de naam van een drankje niet goed had verstaan.

'Ik zou graag een dans bestellen. Of misschien moet ik "nederig om een dans smeken" zeggen?'

Ze keken allemaal naar haar. Hij was niet aantrekkelijk, niet voor haar, met dat grijzende haar, die bulderende lach, die grove handen die zo op die van Pietro leken. Maar zijn ogen keken vriendelijk.

'Ja.'

Zijn blik lichtte tevreden op.

'"Nederig smeken" is veel beter.'

De Dichter bloosde. Hij schonk geen aandacht aan het gegniffel. 'Nou dan, laat ik je dan smeken.'

Er was geen dansvloer. Ze liepen naar de hoek waar de piano stond. Eva had niet meer gedanst sinds de lessen in het magazijn. De muziek zwol aan; ze hield haar adem in; ze drukte haar wang tegen die van de Dichter. Haar lichaam voegde zich naar de hoekige klanken van de tango, het was er nog, het ritme was er nog. Jaimecito, de pianist, liet zich meeslepen en hief een jammerklacht aan: *Como ríe la vida – Si tus ojos negros me quieren mirar* – ze wist nog welke kant ze op moest, ze kon precies op de maat draaien en omlaaggaan en naar achteren buigen. De Beroemde Dichter leidde onhandig, maar dat gaf niet; het gracieuze zat in het grondritme, in het bloed, in het lied dat vurig – *y un rayo misterioso* – en dwingend werd – *hará nido en tu pelo* – en op tijd begonnen er handen te klappen, en lippen te fluiten, en de Beroemde Dichter raakte eindelijk op dreef; hun lichamen zeiden tegelijkertijd 'draaien', en daarna 'omlaag,' en Jaimecito streefde naar een climax die hoger lag dan zijn stembereik: *florecerá la vida, No existirá el dolor*. Het lied eindigde met een onstuimige pianoriedel en applaus. Het duizelde haar. Ze was verlegen. Graciela riep vanuit de keuken. De Dichter straalde. *'Qué cosa!* Kom je bij ons zitten?'

'Ik moet werken…'

'Je kunt toch wel heel even komen zitten?'

'Ik heb dienst tot middernacht.'

'Aha! Kom daarna bij ons zitten. Ik sta erop.'

Om middernacht liep Eva door het kralengordijn, niet om te serveren, maar om er te zitten. De Beroemde Dichter stelde haar voor aan de anderen: Joaquín, de leergierige student die altijd een opschrijfboekje bij zich had, Pepe, die literatuur studeerde, met een geplooide kraag (die vast en zeker door zijn hulpje gestreken werd), Carlos, een vriendelijke jonge advocaat met enorme oren; Andrés, en Beatriz, een stralende *muchacha* met onwaarschijnlijk rood haar.

'We hadden het net over het nieuwe boek van Moradetti,' zei de Beroemde Dichter. 'Heb je wel eens iets van hem gelezen?'

'*Por favor.*' Pepe trok zijn manchetten recht. 'Je moet onze arme serveerster niet zo martelen. Ze wordt betaald om te serveren, niet om stromingen in de poëzie te analyseren.'

'Nou ja…'

'Nee, hij heeft gelijk.' Eva balde onder tafel een vuist. 'Dichters betalen me niet om hun werk te lezen. Dat is niet nodig. Ik lees Moradetti helemaal gratis en voor niets.' Ze glimlachte. 'Hoezo? Heeft hij jou ervoor betaald?'

Pepe kuchte. 'Dat bedoelde ik niet.'

'Natuurlijk niet,' zei Eva.

De volgende drie uur leken een waas van goud. De dichters praatten; ze redetwistten; ze schertsten en dronken en praatten nog meer. Van Moradetti kwam het gesprek op Mussolini, van Mussolini op het doel van de kunst, van het doel van de kunst op het modernisme (controversieel) en daarna op de aanlokkelijkheid van Franse desserts. Glazen raakten leeg. Asbakken raakten vol. Eva boog naar voren om te luisteren, en naar achteren om na te denken. Ze was klaarwakker, energiek, vol ideeën – als loten die in een broeikas dik en vol tegen het glas aan groeien.

Op weg naar huis zag ze Andrés niet aan de overkant, maar ze voelde dat hij daar liep. In het donker stak hij over. Ze zeiden niets. Ze liepen La Ciudad Vieja uit, door de met huizen omzoomde straten van Parque Rodó. Een oude, tanige vrouw rookte een sigaar op een gele veranda. Door groene gordijnen zag Eva het silhouet van een stelletje dat langzaam op grammofoonmuziek danste. Het lied klonk gedempt en droevig. De voetstappen van Eva en Andrés klonken hard op de stoep, haar scherpe hakjes en zijn zware schoenen.

'Waar denken ze dat je woont?' vroeg ze.

'In Pocitos.'

'Aha.'

Ze gingen een hoek om.

'Hebben ze je naar je familie gevraagd?'

'Mijn vader importeert sieraden uit Frankrijk. Mijn grootmoeder is een bemoeizieke lastpak. Op die manier voorkom ik dat er bij mij thuis leesavonden worden gehouden.'

'Juist. En poëzie?'

'*Qué?*'

'Schrijf je poëzie?'

Andrés ging langzamer lopen en ze voelde dat hij nadacht, de lucht tussen hen in knetterde en zoemde. 'Ik weet niet of ik poëzie schrijf, of dat de poëzie mij schrijft. Soms heb ik het gevoel dat alles – de wereld, mijn lichaam, elke beweging die ik maak – in een gedicht verandert. Het is een kwelling. Ik kan pas ademen als ik schrijf.' Zijn hoofd was naar de grond gebogen, donkere krullen vielen langs zijn gezicht. 'Het moet idioot klinken.'

'Nee. Dat doet het niet.'

'Is het voor jou ook zo?'

Hij raakte haar schouder aan. Zijn hand straalde een warmte uit die haar lichaam in brand zette. Ze dacht terug aan het enige wat zij had geschreven, voordat, voordat alles. 'Misschien.'

Ze liepen door. De huizen werden lelijker: dozen met platte daken die tegen elkaar aan geprop stonden. 'Weet je nog,' zei ze, 'toen we klein waren?'

'Natuurlijk.'

'We waren piraten...'

'Ja...'

'Die schatten vonden in de vloer!'

Andrés lachte nerveus. 'Schatten in een slagerswinkel. Dat is nog eens een staaltje verbeeldingskracht.'

In het zilveren schijnsel van de maan leek hij etherisch, onwerelds, een man (een jongen) die het gevoel had dat de wereld veranderde in gedichten, een slagerszoon, geboren om hakmessen te erven, bebloede schorten, vleeshaken en hun vlees. Ze luisterde naar het geluid van hun gecombineerde voetstappen.

Een paar huizen voor dat van Eva gaf Andrés haar een kus op haar wang. Zijn huid voelde als schoon linnen. 'Welterusten. Blijf komen. Laat je niet door die verwaande Pepe afschrikken.'

Eva sloop door het slapende huis naar haar kamer, waar ze pen en papier uit haar sokkenla haalde, terwijl ze erop lette dat ze Tomás niet wakker maakte die ernaast sliep. Ze ging ermee naar de badkamer en bekeek zichzelf in de spiegel. Ze was vergeten haar make-up te verwijderen voordat ze naar huis ging: ze zag eruit als een vrouw, volwassen; ze had gedanst in een zaal vol onbekenden, ze had wijn gedronken aan de dichterstafel, ze kon misschien, heel misschien haar leven openstellen voor poëzie, wat dat ook was – ze hoopte iets puurs, iets ondoorgrondelijks, een kracht waar haar wereld en lichaam in konden oplossen, een kracht die misschien haar zou schrijven zoals zij schreef en die haar nooit ofte nimmer kon kwetsen of vervormen. Haar wang tintelde nog van Andrés' kus. 'Ik ben een dichter,' fluisterde ze tegen haar spiegelbeeld. Ze ging op de wc zitten, pakte haar pen en begon te schrijven.

Maanden en jaren volgden elkaar op, en steeds hunkerde ze naar deze avonden; rokerig, sidderend, vochtrijk, onbenoembaar; het gevoel van de rode tafel onder haar hand (afgeschilferd en glimmend, plakkerig aan de onderkant) terwijl de dichters droomden en schertsten en pochten; de manier waarop de lucht zich na haar tweede glas wijn verspreidde en flakkerde; de gesprekken waarin ze via oorlog en pas verschenen essays uitkwamen bij de diepe betekenis van het leven. Op die avonden was er een licht dat Eva niet kon omschrijven, dat verdween als ze ernaar zocht, dat alles waarop het scheen – stemmen, gezichten, wijnglas, tafel, woorden – in een goddelijk goud hulde. Ze leerde erop te vertrouwen dat het alles wat weg moest blijven op afstand kon houden: saaiheid, verveling, nachtmerries, de woede thuis, de verschrikking in schoenenwinkels en van nazi's in verre landen. Binnen die onzichtbare kring was ze vrij en kreeg het leven meer mogelijkheden. De andere dichters voelden het waarschijnlijk ook: Joaquín, met zijn minutieuze verzen, zijn gerimpelde voorhoofd, en zijn arsenaal van pas geslepen potloden; Carlos, die naar schoensmeer rook en in gestolen momenten op het juristenkantoor van zijn vader odes op dossiers krabbelde; de Beroemde Dichter, met zijn hartelijke lach en zijn ongekamde grijze haar; Pepe, met zijn puntkin en zijn snelle martini's; Andrés, met zijn heldere stem, spitsvondige gedachten, zijn abrupte glimlach; en Beatriz, het soort meisje met een lach als stroop, wier gedichten wemelden van de huilerige, huwbare herderinnetjes die snakten naar hun dolende gaucho's. Eva had haar gedichten kunnen verdragen als ze niet ook nog zo dicht naast Andrés had gezeten.

'We veranderen de wereld, nietwaar, Andrés?' vroeg Beatriz, terwijl ze langzaam een lok rond haar vinger draaide.

'Poëzie alleen zal de wereld niet veranderen,' zei Andrés. 'Maar waar zouden we zijn zonder poëzie? Zonder mysterie, passie, alles wat ons ertoe aanzet wakker te blijven ondanks de rottigheid en de levenspijn. In een wereld vol oorlog hebben we het meer dan ooit nodig.'

Joaquín en Carlos mompelden instemmend. De Beroemde Dichter knikte achter zijn sigarettenwalm. Andrés' woorden vermengden zich met de rook, die rond de tafel kronkelde en door de adem van alle dichters werd geabsorbeerd. In een wereld vol oorlog. Eva voelde de rook en de kolossale omvang van de Admiraal Graf Spee in die woorden. Het was pas een maand geleden dat het Duitse oorlogsschip met zijn zware kapotte romp de haven in was gesleept, op zoek naar bescherming, met een spoor van vuur en rook en de giftige stank van oorlog achter zich aan. Uruguay was neutraal. Uruguay lag ver van Europa. Uruguay was niet binnengevallen zoals Polen afgelopen voorjaar. Maar de Graf Spee kwam toch, evenals de Britse schepen die het in brand hadden gestoken. De tentakels van de oorlog waren lang, ze reikten helemaal over de Atlantische Oceaan heen en schudden haar stad door elkaar zoals de kille vingers van een geest door een raam je in je eigen bed wakker schudden. Zo was het toen Eva wakker werd en papá in de gang aan Tomás hoorde vertellen over de Graf Spee: *de rook was zo dik als – tja – als een grote zwarte deken, over de hele haven, en tot boven in de kraan stonden we ons gek te hoesten, en ik zag de nazi's op het dek staan, stram, alsof het verdomme tandenstokers waren, alsof alles prima in orde was, alsof ze verdomme lucht van de Alpen inademden.* Toen de Duitse kapitein het had opgegeven en zijn oorlogsschip op de bodem van de rivier tot zinken had gebracht, droomde Eva van dode natte nazi's die haar ramen ingooiden en koud en druipend bij haar in bed kropen, en haar verwondden met glasscherven en brokstukken van het schip en hun vingernagels.

Andrés had een sonnet geschreven getiteld 'De geest van Graf Spee' en ze kreeg het idee dat hij het misschien begreep. Ze tikte met haar voet tegen de zijne. Hij glimlachte zonder naar haar te kijken.

'De dingen die jij zegt,' zei ze later toen ze naar huis liepen. 'De manier waarop je ze zegt. Iedereen luistert.'

'Het is maar wat gepraat.'

De kern van de dingen, die raak je wanneer je spreekt; op de een of andere manier schud en verplaats je de materie waar de realiteit uit bestaat. 'Het is meer dan dat.'

Ze liepen elke avond samen naar huis, maar nooit helemaal tot aan haar voordeur. Ze wilden niet ontdekt worden. Eva begon bang te worden om vlees te kopen, vanwege de manier waarop Coco's droefgeestige blik haar doorboorde. 'Wat is er met die zoon van me gebeurd? Eva, vertel jij het me! Hij woont hier zelfs bijna niet meer.'

Andrés schreef: *Er wordt ons verteld dat de wereld gemaakt is van jute:/ Grofmazig, duurzaam – terwijl het in werkelijkheid gaas is,/ Laag op laag, fijn, frêle, oneindig,/ Waar we in het licht onze vingers doorheen kunnen zien.* En hijzelf was een licht, een baken, maar niet zoals de vuurtoren van Punta Carretas, niet die trage, voorspelbare stralenbundel. Hij was rusteloos en grillig. Zijn licht was als een glanzend mes; zijn woorden en gedachten konden de nacht opensnijden. Zij wilde er dichterbij komen, erdoor doorboord worden, bij de kern in zijn binnenste komen die verborgen was voor de wereld, die natuurlijk ontstaan was uit pijn, die geheimen in zich droeg die even duister en delicaat waren (dacht ze) als de hare. Hij gaf haar moed. Om vijf uur 's ochtends in de wc ontsteeg ze aan zichzelf, waagde ze de sprong, schreef ze regel na regel woorden die ontsprongen aan een bron die tegelijkertijd onbekend en intiem was. Woorden over vrijheid; razernij; haar vele hunkeringen; woorden die met hun tanden knarsten en in elkaar beten op papier.

Een tweede jaar verstreek. Poëzie sijpelde op haar notitieblokje, de huid van haar arm, stukjes papier die ze later in haar sokken vond. Dat voorjaar trouwde haar broer Marco met het meisje uit La Blanqueada dat, moest Eva toegeven, oprecht lief was en een zus voor Eva wilde zijn, een initiatief dat ze snel de grond in boorde door niet te reageren op telefoontjes. *Je zult me toch nooit begrijpen*, had Eva kunnen zeggen, maar dat zei ze niet. Het jaar daarop las ze eindelijk een gedicht voor. Ze stond in Pepe's woonkamer, die weelderig was ingericht met geïmporteerde tapijten en verse lelies. Ze had nooit naar die lelies moeten kijken. Ze verloor de moed en ze verloor haar stem.

'Ga door, Eva,' drong Carlos aan, en hij leunde naar voren om haar aan te moedigen. Hij had een vlek van tomatensaus op zijn kraag, en die gaf haar moed. Toch kon ze niet meer uitbrengen dan een hees gefluister; de dichters zagen het abusievelijk aan voor een dramatische noot en reageerden met welgemeend applaus.

'Niet slecht,' zei Pepe met tegenzin. Hij draaide zich om en sprak tegen de toehoorders in plaats van tegen haar. 'De vuurtoren als metafoor voor vrijheid tijdens de oorlog. En een spitsvondige toespeling op Woolf, die *inglesa*.'

Eva had niet aan de oorlog gedacht toen ze dat gedicht schreef (al had dat wel gekund – de Verenigde Staten hadden zich bij de strijd aangesloten, Joden in Europa droegen een gele ster, massa's en nog eens massa's mensen kwamen om) en Virginia Woolf was ze helemaal vergeten. 'Ja, dank je.'

'Dit zou geweldig zijn voor het volgende nummer van *Expresión*,' zei Joaquín. Hij fronste zijn voorhoofd; Joaquín was onlangs communist geworden, wat goed bij hem paste, dacht Eva, gezien alle jaren waarin hij plichtsgetrouw notuleerde. Naar ze had begrepen, schreven communisten een heleboel verklaringen, lazen ze een heleboel boeken en praatten ze bij glazen koud bier over het wereldproletariaat. 'Je moet het insturen.'

Toen haar gedicht in *Expresión* verscheen, een tijdschrift dat gedrukt werd in de kelder van een dichter, knipte Eva er twee uit: een voor onder haar kussen, en een voor het donkere plekje tussen haar borsten. Het werd elke dag vochtig van het zweet. Toen het winter werd, was het papier voddig en versleten. Toch bleef ze het dragen, weggeborgen als een klein wapen.

In Eva's vijfde jaar bij La Diablita werd haar jongste broer een man door te trouwen met de dochter van María Chamoun, Carlota met het felrode haar. Tomás stond bij het altaar, zijn eigen stijve pak maakte dat hij er kleiner uitzag, en hij keek met grote ogen naar de wolk van tule en zijde die op hem af kwam. In de banken zaten Eva en Bruno, Marco en mamá. De bruid kwam aan bij het altaar. Padre Robles sloeg het kruisteken (hij had nog steeds van die dikke vingers) en begon fluks aan zijn draaiboek. Carlota straalde door haar sluier heen. Tomás grijnsde als een figuur uit een stripverhaal. De houten bank was hard, Eva sloeg haar benen steeds weer over elkaar en zag zichzelf in gedachten op het gigantische kruis achter het altaar spugen.

Tijdens de receptie – de halve buurt stond op een kluitje in de huiskamer van de familie Chamoun – ging Eva rond met schalen, samen met haar schoonzus Mirna.

'En, wanneer gaan we dit voor jou doen, Eva?' Mirna keek haar met een schalkse blik aan.

Ze reageerde er niet op. Ze keek rond naar iets wat haar respijt kon geven. Aan de andere kant van de kamer stond Xhana met haar hoofd gebogen naar de jongen die haar het hof maakte. César. Ze hadden elkaar ontmoet op de school waar ze allebei voor leraar werden opgeleid. César had ogen die je bij een engel zou verwachten: helder, groot, inktzwart, en ze lichtten nu op door iets wat Xhana zei. Eva had nog geen kennis met hem gemaakt; onwillekeurig vermeed ze familiebijeenkomsten om lastige momenten met papá te voorkomen. Ze miste haar nichtje. Ze waren bijna vreemden voor elkaar. Misschien kon ze naar haar toe lopen, glimlachen, en haar groeten als een normaal meisje.

Haar vaders stem verhief zich achter haar. 'En, Pietro – hoe gaat het met de winkel?'

'Fantastisch. Fantastisch.'

Mirna gaf Eva een schaal aan. Ze liet hem bijna vallen.

'Werkt je dochter daar?'

'*Sí.*'

'Ik hoop dat ze niet zo lastig is als die van mij.'

Pietro lachte hartelijk. '*Ay*, Gondola,' zei hij. Eva greep het mes van de platte schaal met *pascualina*. Het was lang en er zaten spinazievlekken op – ze kon het nu heffen en hun allebei de keel doorsnijden, dan zouden ze wel ophouden met lachen. Ze kreeg het warm bij de gedachte. Ze tikte met het mes tegen het bord, een, twee, drie keer, en bij de derde keer gleed het weg en viel de rest van de taart op de grond.

Mirna keek haar aan.

'Ik moet frisse lucht hebben,' zei Eva terwijl ze naar buiten liep.

Die nacht droomde ze dat ze een bruid was die het kerkpad af liep. *Ik had nooit gedacht dat dit me zou gebeuren.* Ze hield tientallen anjers vast. Ze moest haar nek uitrekken om te zien waar ze heen liep. *Wie is de bruidegom?* De schemersfeer dreunde van de orgelmuziek. Toen ze dichter bij het altaar kwam, hoorde ze een verschrikkelijke kakelende lach die steeds harder werd. Ze liet de bloemen vallen. Vlak voor haar stond een enorm stuk pascualinataart op cocktailprikkerpootjes, met een vlinderdas die op de deegkorst was gegooid. Hij lachte. Hij rook naar rotte eieren. Ze gilde, en hij begon harder te lachen. Ze gilde en gilde en werd zwetend wakker. Het ochtendlicht sijpelde door de gordijnen. Ze ging zitten en trok ze open. De hemel was asgrauw. Ze wilde het raam uit vliegen, een vogel worden, een roetvlokje, alles wat weg kon zweven en verdwijnen in de nacht. Het kleine huis voelde als een val, krap, donker, onontkoombaar, vol ongezegde woorden. Evenals haar lichaam. Ze was achttien. Haar moeder was op die leeftijd al twee jaar getrouwd, en niet dat ze haar moeders leven zou willen leiden of dat het haar ook maar iets kon schelen, maar wie zou er met haar willen trouwen? En met wie zou zij zo intiem willen leven in één hoekje van de wrede wereld? Slechts met één man. Ze verdiende hem niet, dat zou ze nooit doen, maar misschien moest ze het proberen.

Ze wachtte te lang. Een week later probeerde ze nog steeds moed te verzamelen, naar de juiste woorden te zoeken, toen ze de keuken van La Diablita uit liep om het zweet van tafeltjes te vegen en Andrés en Beatriz zag die elkaar tegen de muur bij de piano kusten. Twee monden op elkaar. Handen in elkaars haar.

Ze wilde haar dienblad niet laten vallen, met alle vuile borden erop, hoewel het zwaar was, te zwaar, een onmogelijke last. Ze rende naar de keuken en verdween achter de deur.

Eva werd negentien zonder dat er iets was wat op een naderend huwelijk wees. Ze zag Andrés en Beatriz dicht bij elkaar zitten, en haar maag draaide zich om als ze het bezitterige gebaar zag waarmee ze zijn nek streelde. Ze probeerde hen niet te zien, maar ze stonden op haar netvlies gebrand alsof ze in de zon had gekeken.

Tijdens haar laatste jaar bij La Diablita werkte Eva zo veel mogelijk en legde ze extra geld onder haar matras, voor het geval de wereld ooit een ontsnapping bood en ze haar eigen reddingsvlot in elkaar moest zetten.

De wereldoorlog was afgelopen, met als gevolg een vervroegd carnaval in Montevideo. Eva werd wakker van tromgeroffel, gezang en geschreeuw op straat. De radio van de buren schalde vol geestdrift door de muur: 'Eindelijk vrede – Duitsland gecapituleerd – geen oorlog meer…' Ze kleedde zich snel aan en rende naar de keuken, waar haar moeder roerloos als een havik, met een natte doek slap in haar hand, naar de muur staarde alsof ze die doorboorde om een verborgen spleet te onthullen. Eva voelde ondanks zichzelf de verwelkomende, grillige greep van de hoop. De wereld zou kunnen veranderen. Hij veranderde al: deze keuken was niet gewoon een keuken, maar een ruimte aan de rand van een stroom mensen die langs hun deur liep en de vrede vierde. Ze liep naar haar moeder en sloeg van achteren haar armen om haar heen.

'Mamá.'

Pajarita liet zich tegen haar dochter aan vallen. Een spoor van vocht liep over haar wang, alsof er een slak of een traan over had gekropen. Het was geen vocht dat Eva wilde zien, geen omhelzing waar ze tegen bestand was. Ze liep weg, naar de deur. Mamá keek naar haar op een manier die haar vlucht bekrachtigde.

'Ik ga naar buiten.'

Op straat stelde Eva haar aderen en beenderen en zintuigen open voor de luidruchtige, frisse vrede die om haar heen wervelde, de menigte deed aanzwellen en haar langs de zonverlichte muren van de gevangenis en langs de kerktrappen bracht, helemaal naar de brede hoofdader van Avenida 18 de Julio. Mensen zwermden en juichten en joelden en dansten om haar heen. Mannen in glanzende *murga*-kostuums brulden de liedjes van het afgelopen seizoen; een jongetje, hoog op zijn vaders schouders, sabbelde op een stukje Uruguayaanse vlag; een jong stel danste vurig een tango en botste tegen anderen aan; champagneflessen knalden schuimend open bij elke draai; overal klonken flarden muziek op, nu eens candombe-trommels, dan weer accordeons, gezang en geklap, klanken waarop ze kon bewegen, op kon dansen, meegesleept door haar uitzinnige stad. Vrede! schreeuwde iemand. Vrede! schreeuwde ze terug, tegen mensen aan dringend die dicht om haar heen stonden. Een onbekende hand reikte haar een beker champagne aan. Ze tooste met de hemel – op een nieuwe wereld – en dronk. Nog meer mensen dromden samen, lichamen en nog eens lichamen, warm en riekend, enthousiast en opeengepakt, en ze duwde vrolijk terug totdat één lichaam zich te hard tegen haar achterste perste. Ze verstarde. Pietro (zijn handen, zijn adem, zijn duwen) schoot als een bliksemschicht door haar gedachten. De erectie van de onbekende man boorde zich in haar. Pietro met wellustige blikken – ze rook hem weer, ze hoorde zijn stem, ze moest schreeuwen of wegrennen, ze verstarde terwijl de handen van de man haar lichaam betastten. Toen hij haar rok optilde voelde ze de misselijkheid toeslaan.

'*Che!*' schreeuwde de man die voor haar stond.

Ze staarde wazig naar het braaksel op zijn jas, zijn van walging vervulde gezicht. Handen en penis verdwenen en lieten een lege plek achter in de massa achter haar. Ze rende weg van de man die ze had bevuild, weg van de plaats van de misdaad, ver weg ver weg van de plaats van haar misdaad. Ze rende. Ze perste zich tussen de juichende mensen door naar legere straten, totdat een stekende pijn in haar zij haar dwong langzamer te lopen. Waar ging ze heen? De roes van die dag had nu de smaak van pure gal. Ze strompelde een onbekende steeg in, een vochtige, smalle tunnel met aan weerszijden stenen muren. Ze hoorde thuis in de hak van een schoen. Ze hoorde nergens thuis, ze moest worden weggespoeld in de goot, afgevoerd door de grond tot ze verdwenen was. Wie zou haar missen? Ze was een risee, bijna twintig, bijna onhuwbaar, serveerster en derderangs dichteres die door haar eigen vader een hoer werd genoemd en door landgenoten op bevrijdingsdag in haar jurk gegraaid kon worden. Het braaksel had een zure smaak achtergelaten. Ze moest haar mond spoelen. Ze was vlak bij de fontein op Parque Rodó. Ze ging de hoek om en liep naar het park, naar het plein in het centrum, en wandelde doelbewust naar de fontein. Het kon haar niets schelen (*níets*) dat er mensen op hun bankje naar haar keken toen ze water over haar jurk goot.

'Eva?'

Ze draaide zich om. Andrés Descalzo stond voor haar, keek naar haar natte borst, en toen de andere kant op.

'Ik… ik heb champagne gemorst.'

'O. *Estás bien?*'

'*Claro. Claro.* Prima.'

'Ben je blij met de capitulatie?'

'Wat?'

'Je weet wel. Van Duitsland.'

'O, ja, Duitsland.' Eva tuurde naar haar voeten. Op de tegels eronder krioelde het van de draken, geschilderde vissen, een granaatappel, wijd open, met zaadjes. 'Geweldig. Natuurlijk. Kon niet beter.'

'Er gaan nu dingen veranderen.'

'*Sí.*'

'Weet je zeker dat alles goed is?'

'*Sí, sí.*'

'Je doet vreemd.'

'Ik ben moe.'

'Waarvan?'

'Van – overal van – van mijn familie, van stomme dichters, van Montevideo en van alle kerels in dit rotland!'

Andrés schoot in de lach. De zon weerkaatste op zijn tanden toen hij lachte. 'Ik ook.'

Ze gingen samen aan de rand van de fontein zitten. Blauwe tegels, koel tegen haar rok.

'Hoe gaat het met Beatriz?'

'Ze heeft het uitgemaakt.'

'O.'

'Ze gaat nu met Pepe.'

'Wat rot voor je.'

Andrés haalde zijn schouders op. 'Het ging niet meer.' Hij keek haar met een open blik aan en het bloed steeg naar haar gezicht. 'Ze is niet zoals jij, Eva. Niet iemand met wie ik echt kan praten.'

Eva keek weg. Hij was zo dichtbij. De lucht die ze inademde had in zijn lichaam gezeten.

'Ik moet je iets vertellen.'

Ze hield haar adem in.

'Ik ga weg.'

'Wat?'

Andrés knikte. Eva greep een vuistvol stof van haar rok en kneep.

'Ik moet weg uit Uruguay.' Hij staarde naar roerloze bomen. 'Mijn vader wil stoppen met werken. Als ik hier blijf, moet ik de carnicería overnemen. Wie heeft ooit gehoord van een dichter die naar koeienbloed rook? De oorlog is afgelopen. Het is een teken. De tijd is rijp.'

'Waar naartoe?'

'Naar Buenos Aires.'

In Eva's gedachten was Buenos Aires een danseres met flitsende bewegingen en een aanstootgevende geur onder haar kleren, die danste op een manier zoals Montevideo – haar kleine, saaiere zusje – nooit zou doen.

'Buenos Aires,' herhaalde ze.

'Het gaat daar goed met de sociale revolutie.' Hij vouwde zijn handen en haalde ze weer uit elkaar. 'Er zijn nog meer redenen.'

'Zoals?'

Andrés keek haar onderzoekend aan. Rechts van haar, voorbij de bomen, hoorde Eva een baby huilen. Andrés haalde zijn schouders op. 'Nou ja, voor schrijvers is het na Parijs het beste wat er is, *no?* Parijs vóór de bommen.'

Eva zei niets. Natuurlijk was het op Parijs na het beste. 'Hoe kom je daar?'

'Ik heb net genoeg geld voor de veerboot en om het de eerste week uit te zingen. Ik vind wel werk. In het begin pak ik alles aan.'

'Wanneer ga je weg?'

'Morgenochtend.'

'Nee.' Eva greep zijn pols. Hij was glad onder haar vingers; misschien liet ze er sporen op achter. 'Dat kun je niet doen.'

Zijn arm ontspande in haar greep, een slappe prooi.

'Ik zal je missen.'

'Ik jou ook. Je bent mijn beste vriendin.' Hij staarde naar de grond; naar de tegels; naar de fantasierijke afbeeldingen op die tegels. 'Ik hou van je, *chiquilina*. Maar maak je geen zorgen, ik schrijf je. Ik stuur je mijn adres.'

Die avond paneerde Eva milanesa's, zwijgend naast haar moeder. Ze dekte de tafel, vork voor vork, elke keer een minuscuul loslaten. Tijdens de maaltijd at ze langzaam, ze zweefde ver weg van het enthousiasme van haar broers over de Duitse capitulatie, van de kreten van hun vrouwen, van haar vader die voortdurend naar de fles greep. Later in bed dacht ze en voelde ze, ze voelde en dacht, waarbij ze zich Buenos Aires voorstelde en zich Montevideo voorstelde zonder Andrés, terwijl ze dacht aan zijn woorden, *chiquilina*, ik hou van je. Ze sliep niet. Voordat de dageraad het duister in haar kamer kon verjagen haalde ze onder het matras haar stapeltje peso's tevoorschijn. Ze stopte het in een tas van dikke stof, samen met kleren, sieraden, blocnotes, boeken. Ze kleedde zich aan. Ze schreef een briefje aan haar moeder. Het was 4.55 uur.

Ze sloop naar de keuken en legde het briefje op het aanrecht, waar mamá het als eerste zou vinden. Ze voelde bijna haar moeders aanwezigheid in deze keuken, met zijn rommelige, vrolijke groen, zijn potten donkere gedroogde planten waarvan Eva nooit had geleerd waarvoor ze dienden. Het zou vele jaren duren voordat ze weer in deze keuken zou staan, en nog meer jaren voordat de avond kwam waarop ze hier in het donker zou staan en met wanhopige gebaren aangebrande tomatensaus in de vuilnisbak zou schrapen, niet in staat de pan in haar handen te voelen, niet in staat de zwarte resten te ruiken, niet in staat om iets anders te denken dan *Nee, Salomé, nee, nee*. Op dit moment, nu ze zich voorbereidde om te ontsnappen naar de overkant van de rivier, dacht ze alleen maar aan mamá. Misschien kon ze, als ze diep genoeg inademde, haar longen vullen met het wezen van haar moeder en dat met haar meenemen. Ze probeerde het, maar haar longen zaten dicht en ze voelde niets, dus glipte ze de keuken uit, de nacht in.

Buiten was het donker en de gevangenismuren wierpen brede schaduwen op de straat. Ze kon nauwelijks het kantelenpatroon in de stenen bovenaan onderscheiden, de vorm die haar als kind zo had geboeid. Ze liep over de keien langs de gevangenis, en kwam bij de trappen van de kerk. Ze voelden koel en glad tegen haar benen toen ze ging zitten, met haar rug naar de kerk, uitkijkend op carnicería Descalzo. Ze zou wachten.

Het was doodstil op straat. De enige beweging kwam van haar adem. Licht sijpelde over de huizen aan de oostkant van de straat. Nu kon het elk moment gebeuren. Ze zag de deur van de slagerij elke minuut duidelijker, een donkergroene rechthoek in de muur. Ze kon hem niet missen – tenzij hij al weg was. Ze werd zenuwachtig van ongerustheid; dat zou haar in elk geval wakker houden. Ze hoopte dat haar moeder niet uit bed gegaan was om te plassen. Zwak licht kroop omhoog de hemel in. De huizen van Punta Carretas drongen tegen elkaar, het ene naast het andere, kleine dozen op een rij. Nu konden haar ouders elk moment wakker worden en ontdekken dat ze weg was. Ze stelde zich voor dat ze in hun nachtkleding op haar af kwamen. Ze ging een tree lager zitten.

De deur van Descalzo ging open en een lange gestalte stapte naar buiten. Ze vloog eropaf.

'Psst. Andrés.'

Zijn rug spande zich. 'Eva, wat doe jij…'

'Ik ga met je mee. Je moet me meenemen.' Ze hoopte dat ze vastbesloten en overtuigend overkwam.

'Dat kan niet.'

'Waarom niet? Ik wil hier weg, net als jij.'

Hij schudde zijn hoofd, maar hij luisterde wel.

'Ik heb mijn eigen geld. Ik zal je helpen. Ik wil naar Buenos Aires, ik wil dichteres worden, en ik wil bij jou zijn. Hou je niet van me? Dat heb je toch gezegd?'

De stilte tussen hen werd geladener. Ze probeerde een andere tactiek. 'Luister, ik wil in elk geval hetzelfde als jij.'

Hij beet op zijn lip. 'En dat is?'

'Piraatje spelen.'

Hij stootte een lachje uit; het was bijna een blaf. Toen werd hij ernstig. Hij keek haar recht aan. 'God.' Hij keek weg, in de richting van de gevangenis. 'Heb je je spullen gepakt?'

'Het hoognodige.'

'Weet je dit zeker?'

'Volkomen.'

Hij staarde haar aan alsof ze een brief was die hij nu pas begreep. 'De boot vertrekt al gauw. We moeten maar meteen naar de haven gaan.'

Vlak voordat ze de hoek om gingen, keek Eva voor de laatste keer naar de straat van haar jeugd: de boog boven de kerkdeur, de lange gevangenismuur, de weg met ingelegde stenen, de eiken die uit het trottoir oprezen, het zandkleurige huis waarin haar familie sliep. Het was meer dan ze met haar vermoeide brein kon bevatten. Ze draaide zich om en liep weg, in de richting van de rivier.

4

De kunst jezelf opnieuw uit te vinden

Deze stad. Buenos Aires. Hij schitterde als een landschap met glanzende reuzen. Hij brulde en strekte zich uit en schoot uit de grond omhoog in stenen vlakken. Eva stond langs de Avenida Nueve de Julio te turen. De breedste straat ter wereld, had haar nieuwe huisbazin gepocht. Ze had haar onderkin in de lucht gestoken toen ze dat zei. En er was geen reden om aan te nemen dat er op de wereld een bredere weg was dan deze, met zijn lawaai van automobielen en de haastige stappen van duizend schoenen. Een indrukwekkende late-herfsthemel overspande het geheel. De obelisk die in het midden van de straat torende, doorboorde het hart van de stad als een lange witte vinger die naar de hemel wees, hoog, strak, met een uitstraling van gezag en belofte. De mensen waren in haar ogen net zo: glad en strak als steen. Slanke vrouwen met schitterende tassen, mannen in strakke Parijse kostuums. Overal een niet-aflatende stroom mensen. Eva sloeg Avenida Corrientes in. Bij de kiosk op de hoek prees een man met een verweerd gezicht mompelend zijn waren aan: Perón verdedigt nieuw arbeidsplan! Sigaretten! Tijdschriften! Kauwgum! – waarbij hij tussendoor trekjes nam van zijn sigaar. Eerder op de dag had hij misschien hard geroepen, maar het was nu drie uur in de ochtend, en een klein stukje van het territorium, een klein stukje maar, moest worden prijsgegeven aan de nacht. Zonder haar pas te vertragen liep ze langs hem, langs het stelletje dat bij een lantaarnpaal stond te zoenen; de mannen die net een bar uit rolden, met gepommadeerd haar en een geur van sterkedrank en reukwater; de deuren van de danszaal die trilden op de maat van de tango; het drukke café waar een vrouw alleen aan een tafeltje treurig zat te pennen op dun roze papier. De stad was te veel, hij duwde tegen haar aan. Eva bleef staan en leunde tegen de etalage van een dichte boetiek. Ze stond stil totdat ze het lage en on-ophoudelijke gezoem onder de oppervlakte van de stad voelde. Ze voelde het in haar botten – het liet haar gloeien, maakte haar ner-veus, wees haar de weg, vulde elk lovertje, elke lamp en steeg, van het gedrang in de binnenstad tot aan haar vervallen woning in San Telmo, waar verf helder kan zijn als hij bladdert, waar *tangueros* in cafés met gebarsten muren werden gedanst, waar nooduitgangen balkons waren waar je kon deinen op gestolen muziek, om even te vluchten uit kleine vochtige kamers. Zelfs in haar eigen slaapkamer ervoer Eva nog het gezoem, en ze voelde het wanneer ze doodstil zat. De kakkerlakken die over de vloer kropen, de vlekken op de beddenlakens, het feit dat ze haar adem moest inhouden om de stank in de wc verderop in de gang niet te ruiken – het deerde haar allemaal niet. Net zomin als de papierdunne wanden waardoor ze de prostituee bezig hoorde, dag en nacht, de ene man na de andere met een eigen ritme, gestoot en stemgeluiden; de gezinnen van vijf, zes, negen man in eenpersoonskamers; de messengevechten in de steeg om de hoek. Daar was ze evengoed thuis, in de gloed van de stad, en bovendien had ze haar bed tegen de andere muur gezet, die grensde aan de kamer van Andrés.

Eva tikte drie keer met haar vingertoppen tegen de ruit van de boetiek en liep verder. Ze had het gedaan. Het was niet zo slecht gegaan. Haar elfde sollicitatiegesprek; ze moest blij zijn. Hij zou goed betalen, die don Rufino, met zijn linnen tafelkleden en zijn glimmende zilveren messen. Zijn vragen waren gemakkelijk te be-antwoorden geweest, het enige wat een beetje vervelend was, was de manier waarop hij met zijn ene goede oog naar haar borsten keek terwijl zijn glazen oog in de richting van de muur dwaalde.

'De kneepjes van het vak leer je wel van de andere meisjes,' zei hij. 'Je zult het prima doen.'

En dat zou ze ook. Reken maar. Intussen was ze bij Librería Libertad aangekomen, waar Andrés op de afdeling poëzie op haar wachtte. Toen ze naar binnen liep, begonnen haar vingers te kriebelen. Alle boeken die ooit geschreven waren in Latijns-Amerika (en in Frankrijk en Spanje) waren hier te vinden, op deze torenhoge planken. De stad verzuimde slaap om er doorheen te dwalen. Ze liep langs de uitgestalde nieuwste literatuur, via de lange gang met filosofieboeken helemaal naar achteren, waar Andrés op een krukje over een boek gebogen zat. Ze keek naar zijn lippen die zich samenpersten en ontspanden, samenpersten en ontspanden terwijl hij las.

'Andrés.'

Hij keek op.

'Ik heb de baan gekregen.'

'Ah. Geweldig.'

'Hoe was de voorstelling vanavond?'

'Goed. Werk. Binnenkort kan ik een hiervan misschien kopen.'

'Wat heb je gevonden?'

'Nou. Bijvoorbeeld…' Andrés wenkte haar dichterbij. 'Deze *boliviano* hier: meesterlijke liefdesverzen.'

'Echt?' Toen ze zich over het boek boog stonden ze zo dicht bij elkaar dat haar haar zijn schouder schampte. De bliksem kon bij minder contact toeslaan.

'Hier.' Hij ging met zijn vinger langs een regel. Het papier was grof en crèmekleurig, zijn vinger lang en slank. 'Deze regel. "Jou te drinken in duizend kleine slokjes." Wat vind je daarvan?'

'Ja.'

'Wat?'

'Ja – ik vind het mooi.'

'Ik ook.' Hij schudde zijn hoofd. 'Er zijn oorlogsgedichten – wacht, hier was…' Hij bladerde.

'Het geeft niet als je het niet vindt.'

'Je hebt gelijk. Er is hier zoveel te lezen.'

Ze installeerde zich op de grond aan zijn voeten en dook weg.

Lieve mamá,

Zoals beloofd schrijf ik je. Ik ben in Buenos Aires – mijn adres staat hieronder. Ik maak het heel goed. Ik werk in een chic restaurant. Ik woon in een gebouw dat mooi groen geschilderd is. Het is een prachtige stad. Ik heb een paar nieuwe gedichten geschreven, die ik heb bijgesloten. Ik hoop dat je ze mooi vindt. Laat ze alsjeblieft aan niemand anders lezen (behalve natuurlijk aan Coco, zodat zij ze aan je kan voorlezen). Ik hou van je. Wees alsjeblieft niet boos. Maak je alsjeblieft geen zorgen. Ik schrijf binnenkort weer.

Liefs, Eva.

Drie weken later ontving ze een pakje. Erin zaten een in jute verpakt bundeltje en een brief:

Lieve Eva,

Dank voor je brief. Ik ben blij om te horen dat het goed met je gaat. Maar je hebt niet het recht om me te zeggen dat ik me geen zorgen moet maken. Als je dat nog eens zegt, word ik boos. Pas als je zelf moeder bent, kun je dat begrijpen.

Coco is hier en schrijft deze brief voor me. Ze zegt dat ik blij moet zijn dat ik weet dat mijn kind in leven is. Ze zegt dat ik je moet vertellen dat Andrés dezelfde nacht als jij is verdwenen en je kunt je niet voorstellen hoe ze eronder lijdt. Mocht je hier iets van weten, dan smeek ik je me te vertellen waar hij is. Ik spreek nu namens mezelf, Coco.

Pajarita weer. Maak thee van wat ik heb meegestuurd. Tweemaal

daags. Je kunt het ook in je maté doen. Ik stuur volgende maand nog
meer.
   Schrijf alsjeblieft weer.
   Mami

Eva wikkelde het bundeltje los. Het zat vol gedroogde blaadjes en zwarte wortels. De geur was rokerig en zuur. Mamá – slanke vingers rond een pot, goudgeel in de keukenzon. Ze wikkelde de lap er weer omheen en stopte het bundeltje tussen haar matras en de muur, waarachter ze gekreun hoorde en daarna laag gegrom, dat was vast een man op leeftijd.

Ze had dit soort bundeltjes niet nodig, niet meer. Ze woonde in een van de grootste wereldsteden. Ze ging naar poëzievoordrachten waar niemand, niemand wist dat ze serveerster was, dochter van een havenarbeider, een meisje dat ooit van angst wegkroop in een stapel leren laarzen en het gevoel in haar benen kwijtraakte en vreemde brouwsels dronk om het weer terug te krijgen. Ze kon zichzelf opnieuw uitvinden, net als die radioactrice – die dezelfde naam had als zij en die de minnares was geworden van de man die vice-president was en minister van Oorlog. Eva Duarte. Ze had haar foto uit de krant geknipt. Ze bewaarde hem in een la onder haar beha's. Ze bekeek het knipsel alsof het een blauwdruk was: het glanzende blonde haar, de juwelen om haar hals, het arbeidersmeisje met de triomfantelijke glimlach. Ze droeg diamanten, maar ze nam het op voor de armen. Achter de muur kwam de oude man tot een hoogtepunt en viel stil. Toen begon het geritsel van broek, riem, geld. Eva dacht aan de foto, de manier waarop de inkt afgaf op haar huid. Ze zou haar eigen donkere haar opsteken. Ze zou haar wenkbrauwen epileren en bijtekenen. Ze zou zichzelf goed bekijken in de spiegel, en zich verwonderen over de kunst jezelf opnieuw uit te vinden.

Het had ook een bepaalde magie om wakker te worden in de kamer van Andrés. Niet de eerste fase van het wakker worden, waarin ze uit bed stapte – dat deed ze alleen. In de kamer van Andrés beleefde ze de volgende fase, de trage weg naar een wakkere toestand die zich ontwikkelt na een paar koppen maté. Ze zaten naast elkaar op Andrés' bed, zijn haar verward, zijn oogleden dik van de slaap. Flauw licht kroop door een stoffig raam naar binnen. Ze schonk in aangename stilte water op.

'Nog wat, Andrés?'

'Natuurlijk.'

Ze reikte hem de kalebas aan. 'De *yerba* is hier zo bitter.'

'Ik vind het lekker.'

'Ga je vanavond naar de voordracht bij Libertad?'

'Ik moet werken.'

'O.'

'Ga jij maar, Eva. Wacht niet op mij.'

Eva knikte. Ze zou niet gaan. De laatste keer dat ze alleen naar een voordracht ging, had een man met een krulsnor (een schilder, beweerde hij) haar lastiggevallen met zijn praatjes. *Ik wil je gedichten horen.* Ze had heel even gestraald. *Ik wil je naakt schilderen.* Voor de eerste keer had ze die avond La Diablita gemist. Zelfs de herinnering aan Pepe's verwaande houding maakte enige warme gevoelens bij haar los.

'Misschien de volgende keer.'

Andrés bracht de bombilla naar zijn lippen. 'De volgende keer.'

De punt van het metalen rietje verdween in zijn mond. Ze wilde er achteraan gaan. Ze wilde dat zijn handen zich om haar polsen sloten en haar tegen de muur drukten, over haar lichaam dwaalden en haar kleren uitrukten, zich vouwden in een smeekbede om met hem naar bed te gaan, haar smeekte om haar benen en alles daarboven en ertussen. Ze zou zien hoezeer hij haar nodig had. En dan zou ze zich voor hem openen, voor hem opengaan zoals de zee zich opende voor Mozes, weids, energiek, wonderbaarlijk.

Dat zouden ze voor elkaar zijn, zee en smekeling, zondaar en verlossing. Daarna zouden ze samen zijn. Hij zou bij haar willen zijn, zijn verlangen zou duidelijk zijn. Nu was het nog vaag; hij was beleefd, een heer. Hij respecteerde haar. Zij zou meer lef aan de dag moeten leggen. Maar nog niet, dacht ze, week na week, terwijl de winter zijn nattigheid over de straten verspreidde. Niet totdat ze vastere grond onder de voeten hadden.

Op een middag in oktober vroeg ze: 'Heb je eraan gedacht naar huis te schrijven?'

De regen roffelde tegen het raam. Druppels vielen vanaf het plafond in een emmer. 'Nee,' zei Andrés.

'Waarom niet?'

Wat er in zijn gezicht gebeurde verbaasde haar. Het betrok; er gleed iets vanaf; ze zag een glimp van het ruwe donker dat eronder schuilging. Hij keek omlaag naar zijn handen. Bruine druppels vielen van het plafond.

Eva dacht aan de brieven in haar la, vol zinnetjes van Coco. 'Je moeder is ongerust.'

Andrés draaide zich om. Eva staarde naar de achterkant van zijn hoofd, de donkere golfjes die zich aan de schedel vasthielden, de kakkerlak die als een dronkaard zigzaggend over de muur achter hem kroop. Niet weggaan, schreeuwde ze in gedachten tegen hem.

Toen hij zich naar haar omdraaide was het voorbij, hij was terug, het onderwerp Coco was verdwenen alsof ze het nooit had aangesneden.

'Niet te geloven, dat Perón gearresteerd is.'

Ook Eva liet het onderwerp rusten. Ze wilde alles doen om de sfeer tussen hen ontspannen te houden. Omdat ze niet alleen kon zijn in deze grote stad; omdat zij eigenlijk wel kon geloven dat Perón in de gevangenis zat, dat de vakbonden waar hij het voor opnam razend waren, dat Eva Duarte op de radio eiste dat het volk in opstand kwam ('Perón houdt van jullie, arbeiders; hoe kan hij

177

anders van mij houden?'); en omdat, toen de massa's marcheerden en een grote deken van mensen over de boulevards uitspreidden, een opgezweepte menigte met overal spandoeken, die *Vrijheid voor de arbeider, vrijheid voor Perón* scandeerde, Eva uit haar raam mee schreeuwde, maar niet naar beneden durfde te gaan, niet die straten in dwaalde, niet alleen kon zijn in een zee van onbekenden, Andrés nodig had om te weten dat ze veilig was, geen hoer, in een stad waar in zijn doolhoven een hoekje van thuis was.

Perón werd vrijgelaten. De lente daalde neer over de stad met wijde, vochtige armen. Klanten verzamelden zich rond de tafeltjes van don Rufino, schudden de winterse kou van zich af, verlangend naar chianti en warme *churrasco*. Eva werkte 's nachts steeds langer, en in de achterkamer nam ze af en toe een slok gin om don Rufino weg te spoelen. Dat deden alle andere serveersters ook. Ze lachten om zijn grapjes, glimlachten wanneer hij in de keuken naar hen graaide, meisjes van het platteland die zich in het stadse leven staande moesten houden. Ze kon hem wel aan. Ze had de kunst onder de knie gekregen om snel en op prettige wijze langs hem heen te lopen, alsof ze het veel te druk had om stil te blijven staan voor zijn handen. Maar toch. Hij leek ongeduldig te worden en ze wist niet precies hoeveel langer ze het nog volhield . En hoeveel langer ze het wilde volhouden. Dat vroeg ze zich af terwijl ze onder een hoge stapel textiel stond en een zakflacon gin leegdronk. Vier maanden woonde ze in Buenos Aires, en nog geen gedicht gepubliceerd, geen woord van liefde uitgesproken. Waarvoor was ze hierheen gekomen? Om huur bijeen te schrapen en zich opnieuw een baas van het lijf te slaan, terwijl de man die ze wilde god weet wat deed in een club waar vrouwen – niet zomaar vrouwen maar vrouwen uit Buenos Aires, *porteñas*, prachtig, opvallend – van zijn intelligentie, zijn gezicht en zijn lichaam genoten? Terwijl zij, stomme meid die ze was, wachtte totdat hij een stap deed, alsof ze een witte lelie of zoiets was, alsof ze dacht dat ze deel uitmaakte van een boeket. Ze schreef nauwelijks meer. Ze greep de ginfles van de plank en vulde haar flacon opnieuw. De platte stemmen van de koks klonken in de gang. Nog een laatste slok, en weer aan de arbeid, vanavond zou ze niet langer wachten.

De maan was al onder toen ze in San Telmo aankwam. De lantaarns gaven helder licht. Ze liep zigzaggend langs de prostituees met hun blote hals, de mannen die op brandtrappen rondhingen, de accordeonspeler die zijn instrument induwde met zijn handen vol littekens. De traptreden kraakten toen ze naar boven liep. Er kroop licht onder Andrés' deur door. Toen hij opendeed, rook ze de restanten van de nacht, vaag parfum en sigaretten en zweet.

'Kan ik binnenkomen?'

'Maar natuurlijk. Neem plaats op de chaise longue.' Hij gebaarde naar zijn roestige bed. Hij zag er moe uit. 'Hoe was je werk?'

'Lang. En jij?'

'Ongeveer hetzelfde.'

'Veeleisende klanten, die *Argentinos*.'

'Inderdaad.'

'En veeleisende werkgevers.'

Hij knikte. Hij pakte twee zwarte schoenen en begon ze op te wrijven met een lap. Zijn vingers gingen behendig langs de rondingen, en ze wist zeker dat ze warm waren.

'Heb je nog aardige *porteñas* gevonden?'

'Die denken dat de wereld van hen is. De rijken. Andere zijn aardig.'

'Nee. Wat ik bedoel is, heb je iemand?'

'Ik? Nee. Jij?'

'Nee.'

'Geen aardige porteña, maar misschien een aardige *porteño* dan?'

Ze lachte. Andrés haalde zijn doek langs twee hielen.

'Ik weet wat je bedoelt, *bandido*! Maar nee, er is geen *argentino* die mijn hart heeft gestolen.' Ze boog zich naar voren. 'Kom op. Je weet dat het al lang aan iemand toebehoort.'

'O ja?'

'Ja. Een zekere *Uruguayo.*'

Hij hield zijn blik op de schoenen gericht terwijl hij ze neerzette en ging naast haar op het bed zitten. Hij keek haar onderzoekend aan, hij keek bijna door haar heen om een antwoord te vinden op wie weet wat voor vraag, en ze was nu dichterbij, op weg naar zijn donkere plek, dichtbij genoeg om te zien waar de kern was, puur, verschroeid, gevoelig. Ze legde haar hand om de zijne. Zijn gezicht verkrampte alsof hij ging huilen. Ze bracht zijn vingers naar haar gezicht, liet ze erover glijden, waarbij ze een spoor van warmte en schoenpoets op haar huid achterlieten.

'Eva,' fluisterde hij. 'Je bent waanzinnig mooi.'

Hun lippen schampten elkaar, duwden, gingen open. Zijn mond was vochtig en muskusachtig, langzaam pulseerde zijn tong tegen de hare. Zijn hand groef zich in haar haar. Haar handen lagen op zijn knopen, gleden onder zijn overhemd, zijn huid was strak en warm en zacht en ze hunkerde ernaar.

'Eva.'

'Andrés.'

'Wacht.'

Zijn vingers verlieten haar hoofdhuid. Hij maakte haar handen van hem los en hield ze vast als gewonde vogeltjes. 'Ik...' zei hij, en hij zweeg. 'Laten we niet iets doen waar we spijt van krijgen.'

'Ik krijg hier geen spijt van.'

Hij staarde naar hun handen. 'Wat gebeurt, kan niet ongedaan worden gemaakt.'

'Nou en? Ik heb het al gedaan.' Ze besefte hoe dit klonk en voelde het schaamrood naar haar wangen stijgen. 'Met mijn hart, bedoel ik.' Andrés verroerde zich niet. Ze trok haar handen terug. 'Wil je niet?'

'Nee, dat bedoelde ik niet...'

'Maar waarom...'

'Kom hier.'

Hij trok haar in zijn armen, tegen zijn hart, zodat ze het tegen haar oor voelde pompen. Ze verstarde terwijl ze zich afvroeg wat hij bedoelde en wat er gaande was, maar toen liet ze zich meeslepen door de pure omhelzing, ze wilde zich verzetten maar haar lichaam loste op in het zijne, in zijn verraderlijke lichaam, verlangend naar deze plek, zich gretig overgevend aan deze plek; en ze zag haar vaders gezicht; zijn handen, eeltig en open, die zich om haar heen sloten, een klein meisje dat zojuist ja had gezegd tegen een schoenenwinkel; iets kroop tegen haar wil in omhoog, brak los in haar keel, deed haar schokken met een kracht die ze niet kon stoppen of ombuigen, die ze er niet van kon weerhouden over te gaan in snikken die steeds heftiger werden toen ze tot haar afschuw besefte dat ze snotsporen op Andrés' borst achterliet.

'Toe maar,' zei Andrés. '*Ya, ya.*'

Ze huilde totdat ze geen tranen meer had. Ze leunde tegen zijn bezwete huid en gaf zich over aan de slaap.

Ze werd wakker in haar eigen bed van het geluid van het paar beneden dat gilde, vocht, en een lamp of een stoel of een kind tegen een muur aan smeet. Pijn boorde zich in haar hoofd. Ze kwam slaapdronken overeind. Achter de muur rechts van haar klonk ook geluid, een klant die kraste als een kraai. Maté, ze moest maté hebben voor deze kater. Misschien had Andrés al heet water; Andrés; de vorige avond kwam in haar gedachten.

Ze stond op. Er lag een envelop voor de drempel van haar deur. Ze maakte hem open en vond daarin zestig peso's en een briefje.

Querida *Eva,*
Je bent de beste vriendin die ik ooit heb gehad. Hier is wat geld om je op weg te helpen. Het spijt me dat dit zo plotseling is. Ik bied je mijn verontschuldigingen aan voor het geval ik je pijn heb gedaan.

Pas goed op jezelf, chiquilina.

Je Andrés

De woorden bonkten en bonkten zonder resultaat op de deur van haar geest. Ze rende haar kamer uit naar die van Andrés, en bleef staan, een lege vrouw in een lege kamer, niets, ze sleurde de lakens van het bed, niets, ze rukte de la open, niets, nog een la, leeg, ze sloeg hem zo hard dicht dat de hele kast tegen de muur knalde. Ze schrok van de klap. Ze staarde naar de ladekast, van de geschilferde bovenkant tot de plompe poten. Een koperkleurige huls stak eronderuit. Een lipstick. Ze raapte hem op. Ze wist dat mannen vrouwen hadden – haar vader had ze, en trouwens ook Andrés' vader – maar toch, zo bedrogen te worden. Verlaten te worden. Ze draaide de lipstick open. Hij was bloedrood. Ze liet hem op de grond vallen en keek hoe hij neerkletterde en wegrolde. Het was kil in haar, broos en kil, broos genoeg om te breken.

Alles kon wegrollen: warme maté op natte ochtenden; vergeten lipsticks, haar enige vriend; het meisje dat zichzelf voor een lelie hield; de breekbare lijn die iemand op deze wereld houdt.

Sola. Alleen.

Ze liet zich op de grond zakken.

Ze zou zich gewoon laten zakken, zakken, wegrollen, ver van de pijnlijke kou en deze stad die aan alle kanten tegen haar aan duwde. Wegzakken is gemakkelijk wanneer je niets hebt, niets bent. Steeds dieper in die donkere leren schacht, waar vochtige wanden je omhullen, waar alles kan worden opgeslokt. Het was er nog. Ze wist precies wat ze moest doen. Zich gewoon opkrullen op de zool, haar blik op de gezichten die rond haar opdoemden, gloeiend van een trage koorts: eerst dat van haar vader, met gezwollen aderen alsof hij schreeuwde, hoewel er geen geluid uit zijn mond kwam; daarna Pietro, die ook wellustig naar haar keek, zijn wellustige grijns versmolt met het gezicht van haar vader en daarna dreven ze weer uit elkaar, drijven, versmelten, wellustig verder zweven.

De snaar van de tijd werd uitgerekt tot hij onherkenbaar was.

Pietro, papá, Pietro – ze gingen over in elkaar, ze gingen over in Andrés, die haar met knokkels zo groot als haar hoofd in de hak van haar schoen duwde, steeds opnieuw. Beatriz lachte ver weg, ze lachte in de warmte van La Diablita; Eva hoorde de stemmen van de dichters in één grote kluwen van geluid, kibbelend, zingend, brullend van het lachen, brullend zonder haar, brullend zonder ophouden, totdat hun gebrul langzaam overging in angst toen nazibommen op hen neer vielen, waarbij hun stemmen vervaagden in een tumult van lachen en kreten, diep wegkruipen diep wegkruipen in de teen van deze ruimte, omdat de geluiden een wilde rivier waren die haar kon verscheuren en haar in stukken kon meevoeren.

Een stem sneed door het duister.

'Señorita. Hoort u mij? Dit is niet uw kamer.'

Ze kwam overeind. De nacht was allang gevallen. Ze kneep haar ogen halfdicht om ze te laten wennen en zag haar hospita, een verwrongen massa gepoederde rimpels en arendsogen.

'Het spijt me.' Twee kakkerlakken liepen kriebelend over haar armen.

'O ja? Nou, sommigen van ons moeten werken. Ga hier weg, voordat ik je uit je eigen kamer gooi.'

Eva hees zich van de grond. Ze strompelde naar haar kamer. Haar hoofd bonsde. Ze keek naar haar wekker: het was bijna middernacht. Ze was vier uur te laat voor haar werk. Ze trok zo snel mogelijk een andere bloes aan en rende naar buiten.

Don Rufino begroette haar met een wolk sigarenrook.

'Als dat prinses Eva niet is.'

'Señor, het spijt me heel erg...'

'Spijt? Dat je me op onze drukste avond hebt laten zitten?'

'Het was een noodgeval. Het zal niet meer gebeuren.'

'Inderdaad. Je bent ontslagen.' Don Rufino boog zich dichter naar haar toe. Zijn glazen oog was op de vloer gericht. De pupil ervan was rood, omdat hij een halve duivel was, zei hij altijd. Zijn dikke buik duwde tegen haar aan. 'Natuurlijk is er wel een manier om het goed te maken.'

Eva hield haar adem in om hem niet te hoeven ruiken. '*Sí?*'

'Luister. Kom morgenmiddag terug. Dan ben ik in het magazijn.' Hij raakte haar aan zoals een klant in een winkel artikelen pakt waarop hij wil afdingen. 'Dan zullen we kijken wat we voor je kunnen doen.'

Thuisgekomen ging Eva op haar bed zitten. Het was stil in de kamers aan weerskanten. Ze wilde niet denken, ze wilde de dag van morgen niet in haar gedachten toelaten. Ze ging liggen en liet zich door slaap overmannen.

Toen ze wakker werd, was het ochtend. Ze probeerde rechtop te gaan zitten, maar ze kon alleen haar bovenlichaam op haar ellebogen steunen. Ze prikte in haar dijbeen. Niets. Haar benen waren verstijfd. Ze kon ze niet voelen: ze waren leeg, onbewoond, onbereikbaar. Vandaag geen magazijn, geen rood glazen oog, geen witlinnen tafellakens of geld in haar hand. Ze zou niet opstaan. De woelige wereld kon blijven waar hij was, vlak boven haar hoofd, wachtend totdat zij omhoogkwam en zich eraan vastkoppelde. Ze zou niet opstaan. Ze was verlamd, ze kon zich niet bewegen, het was al besloten. Het was gemakkelijk: ze zou het zo gemakkelijk laten, ze zou zich gewoon afsluiten, zich laten meenemen, diep weggestopt in de zwarte laars, en het lawaai van Buenos Aires, de reeks mislukkingen, de lege kamer naast haar, het rode glazen oog buitensluiten; aldus verlamd kon ze gewoon liggen wachten, ze zou simpelweg wachten tot ze doodging.

De tijd slingerde, vervormde, kroop en snelde vooruit en kroop weer.

De zon die schuin door het raam naar binnen scheen, werd sterker en ging onder voor de nacht.

De nacht bleef tot het ochtendgloren koortsachtig en geladen.

Het ochtendgloren bracht licht dat langzaam zijn armen strekte en langzaam, langzaam wegzonk in de nacht.

Eva gleed weg uit haar lichaam. Ze was geen jonge vrouw in een roestig bed, maar een zacht, diffuus waas in de lucht. Ze steeg doorschijnend op, kou noch vuur deerde haar – alleen dit, het heerlijke vergeten, de buitengewone lichtheid eindelijk niets te zijn. Hoger nu. Door het plafond, de hemel in, omhooggestuwd door lucht. Overal drong lucht doorheen, bleke, kolkende lucht, donkere, stille lucht, die schemerend een streepje licht liet zien waar ze in kon duiken om tegen te komen wat zich daar ook maar mocht bevinden – misschien God; het kon haar niet schelen – ze dook.

'Eva.'

Geschud, geruis, daar was een boom: boven in de boom zat Pajarita, met donkere vlechten en donkere ogen. 'Waarom ben je hier?'

Ze voelde dat ze, maar niet met woorden, zei: *Ik ga dood, mami. Ik ben er bijna.*

'Waarom?'

Te. Veel.

'*Mija.*' Pajarita's gezicht zweefde voor haar, boven de takken uit. 'Doe niet zo stom. Ik laat je niet binnen.'

Kan niet. Doe het. Alleen.

'Alleen?' Haar moeder lachte. 'Jij houdt er heel vreemde ideeën op na.'

Geruis, geschud, en het gezicht van Pajarita vervaagt. Een boom lost op. Een streepje licht verdwijnt. Dan valt er lucht; er wordt door lucht heen gevallen; niets en alles valt naar elkaar toe en wordt weer iets dat pompt.

Ze deed haar ogen open. Het rustige ochtendlicht scheen op de muren. Ineens werd ze zich weer iets gewaar: zere nek en armen, gortdroge keel, honger, een hoofd dat woog als lood. Ze schudde haar hoofd en vingers om zich ervan te vergewissen dat ze dat nog

kon. Vanaf haar middel naar beneden voelde ze nog steeds niets –
maar erboven voelde ze pijn, ze had honger, ze leefde.

'*Socorro.*' Ze klonk als een kikker. Ze dwong zich haar keel te
openen en probeerde het nog eens.

'*Por favor…* help…'

Eindelijk werd er aarzelend op de deur geklopt.

'*Che!* Alles goed met je?'

'Alsjeblieft… kom binnen.'

De deur ging open. De prostituee uit de kamer ernaast stond op
de drempel, met een roze handdoek en een tandenborstel in haar
hand. Een pezige, stevige vrouw, met wallen onder haar blauwe
ogen. 'Ik dacht – wat is er in hemelsnaam met je gebeurd?'

'Kan niet lopen.'

'Ik bel het ziekenhuis.'

Ze ging op zoek naar een telefoon. Eva draaide zich om naar de
muur. Terwijl ze wachtte zag ze zichzelf meer dan dat ze het zich
herinnerde, iets tussen muur en matras stoppen, dat bundeltje
met bladeren en wortels. Ze haalde het ertussenuit en legde het
op de bovenkant van haar gevoelloze benen.

De kamer waar ze haar naartoe brachten was wit en kaal en het
ziekenhuis tekende zich daarachter af als een steriele wildernis,
een niet in kaart gebrachte, reusachtige ruimte. Op de tweede dag
werd ze wakker van voetstappen in de gang. Een groep marcheer-
de naar haar kamer.

'Dit is een bijzonder geval,' zei een dokter voor de deur. 'Ge-
deeltelijke verlamming, gevoelloosheid, koorts, uitdroging, on-
dervoeding, pijn op meerdere plekken, hysterie, waanbeelden.
Nog geen diagnose vastgesteld. We gaan naar binnen.'

Ze dromden binnen, een vlucht witte vogels in hun laboratoriumjassen. Leraar voorop, coassistenten fladderend om hem
heen. Eva voelde hun blikken op haar verwarde haar, het zweet

van haar ongewassen lichaam, de rommelige hoop half voltooide gedichten op het metalen tafeltje dat op haar schoot rustte. Ze hees zich overeind in de kussens.

'*Buenas tardes*,' zei ze.

De studenten schuifelden heen en weer. Haar lichaam snakte naar water.

'Noteer tijdens het onderzoek elke kleine afwijking,' zei de arts. Hij was een kalende man, met hangwangen als van een hond. 'Zijn er vragen?'

Ze schudden hun hoofd.

'Dokter?' zei Eva.

'Goed, laten we beginnen.' De dokter trok Eva's lakens weg. Hij legde een stethoscoop tegen haar borst en prikte in haar hals, armen, handpalmen, middel, terwijl hij opmerkingen maakte tegen de studenten. Hij kneep in haar dij. 'Voel je dit, señorita?'

'Nee.'

'Til je rechterbeen even op, alsjeblieft.'

Ze probeerde het; het been bleef slap op het matras liggen.

'Linkerbeen.'

Niets.

'Interessant.' Hij maakte aantekeningen op haar status. 'Goed. Dit is van belang voor dokter Santos, die de patiënt vanmiddag zal onderzoeken.'

Een student mompelde iets. Pennen zwaaiden door de lucht en krabbelden op klemborden.

'We gaan,' zei hun docent, en de groep ging uiteen.

'Dokter,' riep Eva.

De dokter draaide zich om. 'Ja?'

'Ik wil wat water.'

'Ah. *Bueno*. Er komt zo een verpleegster.' Hij glimlachte nerveus en was verdwenen.

Eva liet zich weer in een wit gesteven kussen vallen. Ze zou dankbaar moeten zijn voor dit bed, deze schone kamer, hoe afschuwelijk hij ook was, een steriel hok waar te veel ogen naar binnen loerden. Ze was aan hun genade overgeleverd. Ze vroegen weinig over haar leven en zij wilde het hun niet vertellen. Ze hoefden niet te weten van haar ontreddering, Andrés' desertie, het snot op zijn borst, een moeder in een streepje licht en een vader in een schoen. Ze zouden kunnen denken dat ze gek was, maar zij wist hoe het met haar was: ze leefde, ze ademde nog, en dat was een wonder. Ze zou weer kunnen lopen. Misschien. En als ze dat deed, zou ze met grote stappen haar eigen toekomst tegemoet gaan, voorwaarts, voorwaarts, nooit meer terug; ze wist niet waar ze naartoe ging, maar ze wist wel waar ze genoeg van had: van kakkerlakken, verraad, de holte van een schoen; met grote stappen zou ze van dat alles weglopen, naar een nieuwe kust, met haar tanden op elkaar op zoek naar wonderen. De wereld strekte zich om haar heen uit in een naakt landschap dat haar overweldigde toen ze haar ogen sloot. Ze schreef gedichten. Woorden schoten als vonken in haar omhoog. Ze kon niet ophouden. De ene regel na de andere brandde zich in het schrift dat een vriendelijke verpleegster haar had gebracht. Pen raakte papier en ze had invallen die bijna onmogelijk leken. Ze waren alles wat ze had, deze gedichten, en mamá's gedroogde planten die ze snel in haar maté strooide als de verpleegsters niet keken.

Ze pakte haar pen en schreef: *Jij, mijn vuur, bent alles wat ik heb. Naakt kom ik nog steeds naar je toe.*

Dorst. Voetstappen gingen bruusk heen en terug over de gang. *Blauwe tong, lik al mijn lichaamsdelen. Hongerig kom ik naar je toe.*

Ze scheurde de bladzij uit het schrift en liet hem op de grond vallen. Nieuw papier. *Ik heb gezocht naar de wildste wouden/ Bronnen van angst, onbekende wegen/ Immers de geheime naam van begeerte...*

Het licht dat door het kleine raam scheen werd goudkleurig. Weer nieuw papier. *Overal is hoop/ Zolang er nog poëzie is.*

Voor haar deur lachte een vrouw. Ze klonk als een heks. *Gedichten prikken je als naalden uit dromen, / Gedichten dragen vrouwen door gaten in de hemel.*

Er werd op de deur geklopt. De verpleegster kwam binnen met een rolstoel. 'We gaan naar dokter Santos,' zei ze, alsof ze een theebezoek bij de paus aankondigde.

Eerst moest er water worden gedronken, daarna een sponsbeurt, en daarna zette de verpleegster Eva in de rolstoel en reed haar door smalle gangen. Bij elke deur wemelde het van de mensen: verpleegsters, mannen in laboratoriumjassen, een patiënt met verband om zijn bovenlichaam en een angstige blik in zijn ogen, een patiënt die huilde en heel zacht zong tegen het infuus in haar arm. Ze gingen door grijze dubbele deuren. Alweer vulde een groepje studenten in witte jassen de kamer. In hun midden stond een man van in de dertig met een grote neus, een buikje en een onmiskenbare autoriteit.

'Dokter Santos? Hier is de patiënt.'

Dokter Santos keek op van zijn klembord en keek Eva met een koele, afstandelijke blik aan.

'Señorita Firielli.' Zijn stem was gepast vriendelijk. 'Hoe gaat het met u?'

'Niet zo best.'

Hij knikte, langzaam, begripvol. 'Het valt niet mee om ziek te zijn.'

'Het valt niet mee om in dit ziekenhuis te liggen.'

Witte jassen ruisten als zachte alarmsignalen. Dokter Santos staarde haar aan. 'O ja?'

Ze had te veel gezegd. Ze bloosde. 'Ja.'

'Mag ik vragen waarom?'

'De artsen. Ze hebben geen respect.'

Zijn gezicht bleef onbewogen, maar ze meende even zijn mondhoek te zien trillen. 'Nou, señorita, mijn verontschuldigingen. Laten we hopen dat onze reputatie te herstellen is.' Hij keek op de status. 'U kwam hier met klachten van verlamming, koorts, verschillende soorten pijn, onder andere acute hoofdpijn – klopt dat?'

Ze knikte.

'Ik ga u nu onderzoeken.'

Hij begon haar te betasten, terwijl de studenten in een stille kring om hen heen stonden. Hij voelde aan haar sleutelbeen, klopte op haar armen, drukte zachtjes op haar rug. Zijn vinger-toppen waren warm en licht. Ze vlogen heel vlug over haar rug-gengraat, alsof het een bekende trap in het donker was.

Dokter Santos knikte zwijgend en maakte aantekeningen op haar status. De studenten volgden hem naar een zijkamertje, waarvan ze de deur sloten om te overleggen. Toen ze tevoorschijn kwamen, had hij een flesje pillen bij zich. 'Willen jullie me alleen laten met de patiënt?'

De studenten vertrokken. De dokter zette een krukje naast haar rolstoel en ging zitten. 'Eva.' Zijn neus leek op een snavel. Een grote witte vogel, dichtbij en zoetgevooisd. 'Ik wil niets liever dan je beter maken.' Hij liet haar het flesje met roze pilletjes zien. 'Deze pillen vertegenwoordigen de grootste vooruitgang van de moderne geneeskunde. Ze werken uitstekend voor precies zo'n aandoening als jij hebt. Als je ze trouw neemt, word je beter. En dat wil je toch, beter worden?'

Zijn blik was zo vorsend, zijn jas zo gesteven en wit. Ze knikte.

'Ik wil dat je nu met de behandeling begint.' Hij gebaarde naar haar hand en legde er drie pilletjes in. Ze wogen bijna niets. 'Neem ze in. Dan word je beter.'

Eva liet de pilletjes in haar hand rollen. Ze was niet gek, ze was niet de weg kwijt, het zou goed komen. Ze bleef de dokter aankij-ken terwijl ze de pilletjes in haar mond stopte. Genees me, dacht ze, en ze slikte ze door. Dit was een teken. Haar herstel begon. Ze zou beter worden.

Dokter Roberto Santos had zijn ophanden zijnde huwelijk achter in zijn hoofd opgeslagen in een laatje met het etiket Dingen Die Ik Behoor te Doen. Een volstrekt logische plek om een huwelijk in te bewaren. Het zou zeker enig geluk voortbrengen, niet alleen voor Cristina Caracanes, die kilometers Venetiaans kant had besteld die hij niet mocht zien, maar ook voor zijn vader en moeder. Het zou de naam van de familie zuiveren in plaats van bezoedelen. De naam bezoedelen was bij de familie Santos een traditie die zijn ouders al hun leven lang probeerden ongedaan te maken. Zijn moeder Estela was altijd bezeten geweest van het idee 'de vloek op te heffen' – en zo zei ze het ook, alsof ze opgesloten zaten in kastelen die bewaakt werden door draken, alsof zij Doornroosje was geweest toen Reynaldo Santos haar vond terwijl ze zichzelf koelte toewuifde naast onafgemaakte spoorwegrails in de Pampas. Zij was de dochter van de man die eigenaar was van de New World Railroad Company; hij was bouwkundig ingenieur, tewerkgesteld door New World als opzichter bij de aanleg van het spoor. Hij werd onmiddellijk gegrepen door de manier waarop een paar lokjes, ontsnapt uit haar knot, in de wind wapperden. Hij was een ontwikkeld man, maar geen grondbezitter. Door de aderen van zijn familie had het blauwste bloed van oud-Spanje gestroomd, terug te voeren tot de achterneef van koning Ferdinand van Aragon, maar dit was bezoedeld door Reynaldo's vader, bekend als Llanto, het laatste lid van de Mazorca dat nog in leven was. Llanto had zich hierbij aangesloten in 1848, toen dictator Juan Manuel de Rosas zijn groep huurmoordenaars uitbreidde om de angst in stand te houden. De Mazorca had toen zo veel missies dat ze nieuwe leden rekruteerde onder de eigen zoons. Llanto was zestien toen hij zich erbij aansloot. Hij leerde al snel hoe je met één lange zwaai de kelen van een tiental neergeknielde mensen kon doorklieven. Hij leerde manieren om de violist te dwingen te blijven spelen terwijl het bloed vloeide. Hij perfectioneerde de kunst van het spiesen van hoofden op speren, zodat ze een weeklang gapend op het Plaza de Mayo stonden. Rond zijn twintigste verjaardag had Llanto ruim tweehonderd mannen en vrouwen en zevenentachtig kinderen vermoord. Toen werd de dictator afgezet en Llanto trok zich beschaamd terug in een hut op de vlakte buiten Rosario. Op zijn zestigste keerde hij terug naar Buenos Aires, op zoek naar een respectabele echtgenote. Hij vond Talita, een tweeëntwintigjarige weduwe, en verwekte zijn eerste wettige kind, Reynaldo, de bouwkundig ingenieur. Reynaldo groeide op met de bezoedelde nalatenschap van zijn familie, vastbesloten om die te veranderen door de loop van zijn eigen leven, alsof de familienaam gezuiverd kon worden van bloed en schaamte door de daden van zijn nakomelingen. Dus had hij het reinste meisje gehuwd dat hij kon vinden, dat zichzelf in stilte koelte toewaaide naast de rails waar nog geen trein overheen gereden had. In haar ongerepte liefde voelde ze de last van de smet op de familie Santos pas toen de huwelijksreis in Rio de Janeiro afgelopen was.

Roberto Santos was altijd op de hoogte geweest van die smet. Hij was grootgebracht om de missie van zijn vader voort te zetten. '*Mira*, Roberto,' zei zijn vader altijd, 'er zijn in het leven maar drie dingen belangrijk. Weet je welke?'

'Ja,' zei Roberto dan, en wachtte op wat zou volgen.

'Geboorte. Huwelijk. Dood. Dat zijn ze. En denk na – op welke hiervan kun je invloed uitoefenen? Alleen op het huwelijk. Je kunt maar beter een goede keuze maken.'

Jarenlang had Roberto helemaal geen keuze gemaakt. Het was voor hem een te grote dreiging, een trein die in de bocht de wagons van honderd jaar achter zich aan zou trekken. Heel die wrede achtergrond drukte op zijn schouders. In plaats daarvan had hij zich op zijn studie gestort, zijn hele schooltijd en daarna, waarbij hij opgroeide van uitstekende leerling tot uitstekende arts tot vooraanstaand onderzoeker op het gebied van de geneeskunde. De naam van de familie Santos werd een bron van nationale trots onder wetenschappers, intellectuelen, en sinds kort ook in de betere kringen rond Perón. Het was niet genoeg. Zijn ouders wilden een huwelijk; hij was hun enige zoon.

En nu was hij er zo dichtbij, nu hij Cristina Caracanes had uitverkoren, met haar perfect gewatergolfde haar, haar krampachtige societyglimlach, haar high teas en liefdadigheidsfeesten voor weeskinderen met hun kaalgeschoren hoofd en tinnen bedelnap. Haar afkomst was onberispelijk, net als de plooien in haar rokken. Het was zijn vaders idee geweest, en volgens Roberto een goed idee. Het leek er zelfs op – te oordelen naar zijn bezoekjes aan haar salon, waar ze in het late-middaglicht Engelse thee nipten – dat hij haar beviel. Of althans dat de columns van de societybladen waarin hun verloving werd verheerlijkt haar bevielen. Ze was de jongste van drie meisjes en op haar vierentwintigste kon ze niet wachten tot ze getrouwd was. Ze leek op een paard en lachte als een mus. Ze was fatsoenlijk en correct en helder en saai, het tegenovergestelde van deze *Uruguaya* die zijn wereld was binnengedrongen in een rolstoel en gedichten spuide als mini-explosies.

Het lot had volgens hem een afschuwelijk gevoel voor humor, het soort dat niet goed viel bij welopgevoede mensen, om deze vreemde patiënt naar zijn zaal te sturen. Om het volmaakte onderwerp van zijn studie naar hem te sturen in de vorm van deze vrouw, scherp en glanzend als geslepen glas, even verleidelijk en gevaarlijk om aan te raken.

Hij gedroeg zich tegenover haar roekeloos, zoals hij jaren niet was geweest, en hij zou ermee moeten ophouden, hij zou niet driemaal per dag naar haar toe moeten gaan en haar uit zijn eigen hand pillen moeten geven. Het was meer dan hij ooit voor een patiënt had gedaan. Het kwam door haar huid. Nee, door haar mond. Nee. De manier waarop ze bewoog, zodat zelfs het vaalste ziekenhuishemd eruitzag als satijn (het lef, de brutaliteit). Misschien was het haar kwetsbaarheid. Of haar tong. Hij telde de minuten totdat hij haar natte, warme tong weer kon aanraken.

'Je pillen, señorita.' Hij wachtte tot ze opkeek van haar papier. Ze glimlachte en opende haar mond.

De vingers van dokter Roberto Santos jeukten en brandden toen ze drie pilletjes op de zachte vochtige tong legden en wachtten, zich daarna onwillig terugtrokken terwijl zij haar tong weer in haar mond terugtrok en haar hoofd kantelde om water te drinken, zodat haar blote nek zichtbaar werd.

'*Gracias*,' mompelde ze. 'U bent heel vriendelijk.'

Ze schreef verwoed en soms keek hij naar haar vanuit de deuropening. Kussens in haar rug, schrift op het blad, voorhoofd in diepe concentratie gefronst. Wat een boeiend type. Hij kon geen patroon ontdekken in deze aanvallen. Eva was net een wilde kat: glad, rusteloos, veranderlijk – en ook intelligent; intelligenter dan Cristina met haar gebabbel. Hij kon zich Cristina totaal niet voorstellen omringd door gedichten die ze zelf schreef. Maar hij kon zich haar ook niet voorstellen in een rolstoel, omringd door de ziekste, armste mensen uit de stad.

Het maakte hem onrustig om te denken aan waar Eva vandaan kwam. Hij dacht meestal niet te veel aan de wereld van zijn patiënten buiten het ziekenhuis, de lastige verwikkelingen van hun dagelijks leven. Zelfs deze vrouw hield hij liever in het nu, hij dacht liever aan haar als aan een vis – uit de diepten van de zee gespuwd – en aan dit ziekenhuis als een droge oever waar ze glanzend lag te spartelen, hulpbehoevend zonder dat hij het zout van verdrinking hoefde te proeven. Werelden als die van hen pasten niet bij elkaar. Nooit. Daarom hadden *Argentinos* uit zijn eigen sociale klasse – en meer nog uit die van Cristina – de vorige week zo vol afschuw gereageerd toen Perón met Eva Duarte trouwde. Zo'n vrouw als minnares was één ding. Maar als echtgenote en, mocht hij de verkiezing winnen, als vrouw van de president?

'Wat is er gaande met ons land,' had Cristina kreunend gezegd, terwijl ze rinkelend een porseleinen theekopje op het schoteltje neerzette.

Roberto Santos had geknikt terwijl Cristina verder mopperde. Ik vraag me af: is Eva ooit minnares geweest?

Dat, dacht hij – terwijl hij in de ziekenhuisgang ijsbeerde, zich over statussen boog, zijn rechterhand op de rug van een huilende vrouw legde – moest het antwoord zijn. Wat hij voelde moest een puur fysieke reactie zijn. Als hij haar tot zijn minnares kon maken, als hij er tenminste het lef voor had en het geluk aan zijn kant stond, kon hij zichzelf verlossen van deze opwinding. Hij probeerde aan Eva te denken in Flor de Oro, hij probeerde meisjes uit te zoeken die iets van haar weg hadden, hij wendde voor dat zij degene was die wijdbeens onder hem lag in de kamer boven, maar het had geen effect. De volgende ochtend werd hij toch weer wakker met zijn gedachten bij haar in dat akelige bed, half verlamd (God sta hem bij) en toch zo vrolijk, terwijl ze hem aanspoorde haar in één lange, trage hap te verslinden. Nee, hij hield zichzelf voor de gek; hij wilde meer dan hij kon krijgen bij iedere plaatsvervangster in Flor de Oro. Hij wilde Eva kénnen. Wat precies wilde hij kennen – niet haar verleden misschien, maar de manier waarop ze ademde in haar slaap, de kronkel vlak onder het oppervlak van haar bewustzijn. Iets onverklaarbaars in haar maakte haar tot de vreemde vrouw die ze was. Haar woorden waren er slechts schaduwen van. Hij wilde meer zien. Hij wilde wanhopig graag elk gedicht zien op die stukjes papier. Hij liet ze weghalen door de verpleegsters wanneer Eva sliep, en legde ze snel weer terug voordat ze wakker werd. Voor zijn onderzoek, zei hij. (Alweer roekeloos: verpleegsters hadden dit soort dingen vaak door, en stel dat ze iets vermoedden? Stel dat ze zouden praten? Buenos Aires mocht dan groot zijn, maar niet te groot voor roddels, vooral over zoiets, een societyverloving, een knappe jonge patiënte, een dokter die de naam van de familie van smetten wilde vrijmaken.) Hij schreef ijverig op haar status wat er op de papiertjes stond. Het fascineerde hem mateloos. Hij kon er niet mee ophouden. Op elk papiertje stond in de rechterbovenhoek de datum, in dunne cijfertjes, zelfs als er slechts één woord op stond, zoals:

Totale –
of
(schoenveter)
of
zing zing zing
Op andere stonden langere stukjes, zoals
Brandend brandend klim ik
Til me op en zet me neer
Of, heel bizar
Ga uit mijn ribbenkast
Piraat slager dwaas

En hiervan gingen zijn knieën knikken:
Ik viel van de rand van de wereld
Toen Santos naar me toe werd gezonden

Hij kreeg een warme nek en maakte zijn kraag los. Geluk en lef, dat heb ik nodig. Het was een rustige ochtend op de zaal. Hij had de ruime koffiekamer voor zichzelf. Toch stond hij in de voorraadkast bij het licht van een zwak peertje Eva's stukjes te lezen. Hij voelde zich een dwaas omdat hij zich op deze manier verstopte, dat hij zo'n absurde maar noodzakelijke voorzorgsmaatregel nam.

Voetstappen naderden de koffiekamer. Instinctief trok Roberto de deur dicht. Belachelijk, dat was hij, om zich te verstoppen onder planken vol mondkapjes. Er was geen acceptabele verklaring.

'Even snel een kop koffie, dan gaan we weer verder.' Het was dokter Vásquez. Twee paar voeten liepen naar het keukentje achterin. Roberto hoorde het gedempte gerammel van bekers. 'En, wat denk jij van dat dichteresje?'

'Bizar, dokter.' Zeker een student. Een en al verbazing in zijn stem. 'Zoiets heb ik nog nooit gezien.'

'Het bevestigt wel degelijk de hypothese van Santos.'

'Krijgt ze het ooit te horen?'

'Nee.'

Geluid van koffie die werd ingeschonken. Gerammel van lepeltjes. 'Het is waanzin, dokter...'

'Ik weet het. Ik weet het. Maar je kunt niet aan een patiënt vertellen dat hij placebo's toegediend krijgt. Trouwens, haar gekte is van een ongevaarlijke soort.'

'Wat kan er verder nog voor zulke gevallen worden gedaan?'

'Niets. Maar ze helpen ons de grenzen van de moderne geneeskunde af te tasten.' Roberto hoorde de zelfgenoegzame toon van de dokter. Het was benauwd en het rook muf in de voorraadkast en hij had – tot zijn verbazing – een stomp kunnen geven op de dikke neus van dokter Vásquez. Hij hoorde dat er twee bekers op het stalen aanrecht neergezet werden, en weg waren ze.

Roberto opende de deur van de voorraadkast en haalde diep adem. Daar was de koffiekamer, met zijn moderne stoelen, zijn koffiepot, de ficusboom met bruine punten aan de bladeren. Alles op zijn plaats. Alles in orde. Schoon, normaal, leeg. Binnenkort.

Eva was niet verbaasd toen dokter Santos met zijn voorstel kwam. In de drie weken dat ze in het ziekenhuis lag, had ze tijd gehad om na te denken, om haar geest tot in de kleinste hoekjes uit te kammen en schoon te vegen, en ze wist een paar dingen: dat ze ingestort was, dat ze dood had kunnen zijn, dat ze nog geen bestemming gepland had buiten deze muren. Dat ze zich stom had gedragen tegenover Andrés. Als een kind. En nu konden haar benen weer bewegen en op doktersadvies liep ze zes keer per dag de kamer op en neer, naar het raam en terug. Ze zouden haar laten gaan, ze zou vrij zijn om te gaan waar ze wilde, en waar moest ze dan naartoe? Ze kon zich door haar benen laten terugvoeren naar San Telmo, daar de draad weer oppakken, weer een kamer met ratten en kakkerlakken zoeken, weer een don Rufino. Of naar huis gaan, naar Montevideo, met lege handen en versleten, verslagen schoenen, geconfronteerd worden met mamá's verdriet, het geslaagde leven van haar broers, de blik in papá's ogen. Ze verdronk zich nog liever in de Río de la Plata. Vlak onder haar was een leegte, een diepe donkere afgrond waar ze in kon vallen, eindeloos, waar ze nooit uit zou terugkomen, en ze wilde nog liever sterven dan daarin wegzakken. Als ze moest blijven drijven, kon ze niet hetzelfde meisje blijven dat ze was geweest.

Ze wist ook het een en ander over dokter Santos. Ze wist dat er een eerbiedige stilte viel als hij in volle kamers verscheen, dat hij verloofd was (met een meisje uit de familie Caracanes, had de verpleegster fluisterend verteld), dat zijn vingers trilden wanneer ze pilletjes op haar tong legden. Ze wist dat zijn bezoekjes een klok waren waaraan ze de tijd kon afmeten; hij sliep in een huis vol mooie spullen; zijn blik was als die van een hongerige hond. Hij was geen slechte man, dat wist ze ook; het was niet moeilijk om het verschil te zien tussen een slechte man en een hongerige. Ze dacht dagenlang aan zijn blik, zijn honger. Ze dacht aan haar eigen tong, een natte zachte spier in haar mond, die hem deed beven. Hoe beroemd en uitmuntend hij ook was, zij liet hem beven.

Op de laatste dag – nadat hij had gezien hoe ze haar tong uitstak, zijn roze pilletjes er stilzwijgend op had gelegd en er dat spoortje zout van twee dikke vingers op had achtergelaten – zei hij: 'Dit zijn je laatste pillen.'

Ze slikte ze door zonder water en keek toe toen hij haar status doornam.

'Alles is gestabiliseerd. Je hebt weer de volledige beschikking over je benen. Morgenochtend mag je naar huis.' Hij gebaarde naar het raam. 'Je kunt de draad van je gewone leven weer opnemen.'

Eva keek naar het raam, dat niet veranderd was. 'O.'

'Ben je blij?'

Het was te klein, dat raam, en te vierkant. 'Waarom zou ik dat niet zijn?'

'Tja… Eva.' Hij boog over het bed heen en ze rook de zeepachtige geur van zijn aftershave. 'Ik moet het je vragen. Heb je een thuis om naar terug te keren?'

Ze vouwde haar handen als in gebed. 'In een bepaald opzicht wel.'

'Ik neem aan – als ik zo vrij mag zijn – dat het niet veel voorstelt?'

'Misschien niet.'

'Nou, ik heb een idee. Een voorstel, zou je kunnen zeggen.'

Ze staarde naar haar handen en wachtte.

'Ik regel een appartement voor je.'

'Ik had geen idee dat uw ziekenhuis daarin voorzag!'

'O, nee, Eva. Ik spreek niet namens het ziekenhuis.' Hij kuchte. 'Ik zou het persoonlijk voor je regelen.'

Niet elke stilte was hetzelfde, wist Eva. Sommige waren leeg, andere niet. Deze hing ertussenin, doortrokken van ongezegde woorden. Dokter Santos trok zijn kraag recht. Hij keek even naar de deur, die nog steeds dicht was, en toen weer naar haar. Ze sprak langzaam, alsof ze met elk woord een puzzelstukje op de juiste plek legde. 'Vraagt u me nu mijn deugdzaamheid in de waagschaal te leggen?'

Hij knipperde met zijn ogen. 'Natuurlijk niet. Ik… waardeer je gewoon, als patiënte. Jouw welzijn ligt me zeer na aan het hart.'

'O.'

'Laat me je helpen, Eva.' Hij dempte zijn stem. 'Ik zou je, als je het niet erg vindt, gewoon komen bezoeken, om te zien of alles goed met je gaat.' Hij zweeg even. 'Ik wil dat het goed met je gaat.'

Zijn gezicht verhulde niets. Ze glimlachte. 'Ik wil ook dat het goed met me gaat.'

Dokter Santos bekeek vorsend haar ogen, haar mond, haar hals, haar haar, opnieuw haar ogen. Hij klapte haar statusmap dicht. 'Mooi.' Zijn laboratoriumjas ritselde toen hij opstond. 'Dan is dat geregeld.'

De volgende ochtend lag er op het blad met Eva's laatste ontbijt een witte envelop. Erin vond ze een sleutel, tweehonderd peso's en een ongesigneerd briefje:

Avenida Magenta 657 #10. Neem een taxi. Tot morgen.

Ze voelde zich alsof ze zojuist tot prinses was uitgeroepen toen ze haar tas inpakte (twee jurken, mamá's bundeltje, onderbroeken, lipstick, een beha, een stapel papier), liep naar buiten om een taxi aan te houden en drukte haar neus tegen de autoruit terwijl ze over glimmende straten snelden. De chauffeur stopte voor een bronskleurig gebouw. Ze glipte langs de bewaker met gouden knopen in de hal, bang dat hij haar toe zou schreeuwen: *Waar denk jij naartoe te gaan?* Hij glimlachte slechts. In de lift vroeg ze zich af wat ze zou doen als de sleutel niet paste. Ze zag zichzelf al over straat zwerven met haar tassen, een verloren vrouw, in de steek gelaten, breekbaar, zonder man of jas om haar tegen de kou te beschermen.

De sleutel paste. De deur ging zonder probleem open. Het appartement verwelkomde haar in al zijn pracht: behang met mauve rozen en goudkleurig latwerk, een bordeauxrode bank, het gladde gevoel van mahonie onder haar hand, crèmekleurige lakens op een breed matras in de slaapkamer. Ze hield van de geur die er hing, als lavendelzeep op pas gehakt hout, en de roodbruine tegels in de kitchenette met een, twee kasten, royaal voorzien van whiskyglazen, theekopjes, dunne borden. Overal was aan gedacht, alles stond op zijn plaats. Geen kakkerlakken, geen papierdunne muren, geen gaten in het plafond. Een klein balkon wenkte in de slaapkamer, net groot genoeg voor één persoon (of twee, dicht tegen elkaar aan). Ze stapte naar buiten en nam alles in zich op: de hoge hemel, de glanzende auto's, de gekunstelde lachjes van societyvrouwen, de stenen pilaren en gebeeldhouwde engelen van het grote huis aan de overkant. Daar ging de deur open, als van een kluis, en een weduwe kwam naar buiten met haar gesluierde hoed scheef op haar hoofd. Ze vormde een strakke zwarte streep op het trottoir. Aan het eind van het huizenblok was een bakkerij met aan een paal een uithangbord van bewerkt hout. LA PARISIENNE. Ze zou vanavond croissants eten. Croissants en wijn en sigaretten, hier in dit nieuwe verblijf. Ze dacht aan dokter Santos met zijn ernstige frons, zijn zoute vingertoppen, zijn zwerm protegés. Dokter Santos met zijn adellijke verloofde en zijn geheime sleutel. Hij had haar het fraaie deel van de stad geschonken. Hij had haar een thuis met veel kopjes geschonken. Hij had haar zijn woord geschonken dat hij morgen zou komen. Dit had ze vandaag, maar morgen had ze niets als hij genoeg van haar kreeg. Minnaressen worden in de goot achtergelaten en niemand hoort ooit nog iets van hen. Alleen echtgenotes mogen hun kamers vol zijde houden. Ze had al te veel van de goot gezien en Andrés, waar je ook bent, hier in deze weidse stad waar ik vanaf deze hoogte, op dit balkon, uitkijk naar de zuidkant waar we vroegen rondkropen, je kunt van mij naar de hel lopen en eeuwig branden. Je mag verschrompelen tot een verkoold karkas, en dan zou ik op je gaan staan en je tot as verpulveren. Ik zal niet aan je denken. Ik ga niet instorten, ik ga klimmen en klimmen, wacht maar af, kijk maar, ik zal laten zien wat ik werkelijk ben. Een grammofoon op een naburig balkon speelde *Alma mía, con quién soñas?* Ze wiegde licht met haar heupen op de maat van de tango. *He venido a turbar tu paz.* Een auto parkeerde voor de deur van de weduwe. De chauffeur liep om de auto heen om het achterportier open te maken. De weduwe keek op en Eva voelde de boze blik van de onbekende vrouw door het zwarte kant van haar sluier heen. Een blik vol beschuldiging. Eva hield op met wiegen. Toen begon ze opnieuw, ze wiegde heftiger dan eerst en hield de verscholen blik van de weduwe vast. *La noche porteña te quiere besar.* De weduwe verstarde tot een ding met een rechte rug in mooie, donkere stof. Toen veegde ze langs haar hoed, alsof ze een vlieg verjoeg, en boog zich naar de auto. Eva keek toe toen de auto zijn portieren vergrendelde, grommend tot leven kwam en de laan uit denderde, uit het zicht.

Hij kwam voor zijn eerste bezoek om drie uur, precies aan het begin van de siësta. Hij legde een discreet envelopje op het tafeltje bij de deur. Hij hield zijn hoed in beide handen; één duim schoof op en neer over de rand.

'Dokter Santos, gaat u toch zitten.'

Ze zaten samen op de wijnrode bank. Het was alsof hij zijn tong kwijt was. Ze had hem zo nog niet eerder meegemaakt, buiten de gangen van het ziekenhuis, onzeker, nerveus, een jongen op onbekend jachtgebied.

'*Este.* Hoe vind je het appartement?'

'Het is prachtig. Nogmaals bedankt.'

'Heb je alles wat je nodig hebt?'

'Ja. Ik ben alleen doodmoe.'

'Ah. Doodmoe.'

'*Claro.* Ik ben net twee dagen uit het ziekenhuis. Een hele overgang.'

'*Sí, claro.* Nou.' Zweet glom op zijn haarlijn. 'Zal ik je dan maar met rust laten?'

Ze was levendig; meer dan levendig; onder zijn blik kreeg ze gestalte. Hij was bereid haar te verslinden, met kleren en al. Ze deed alsof ze het niet zag. 'Dank u, dokter Santos. Als u het niet erg vindt.'

Hij zweeg.

'Ik weet zeker dat ik me snel beter zal voelen.'

'Natuurlijk.'

Ze zaten zonder zich te verroeren. Hij greep zijn hoed. Ze liep met hem naar de deur. 'Komt u morgen, alstublieft. Ja?' Hij keek haar vorsend aan. Zijn gezicht was vriendelijk, als in een boek, als van een vogel. 'Natuurlijk.'

De volgende middag zat Eva klaar, gewapend met een zilveren dienblad, theekopjes, schaaltjes, theepot, room en suiker, en zoetigheden van La Parisienne. Ze had een nieuwe jurk aan, gekocht van de inhoud van de envelop van gisteren: blauw, met ivoorwitte stippen en een bijpassend ceintuurtje.

'Ah! Je ziet er prachtig uit.'

'U bent te vriendelijk.'

'Voel je je al wat beter?'

Eva tilde het dienblad op. 'Veel beter.'

'Heerlijk.'

'Ik hoop dat u ze lekker vindt. Zullen we gaan zitten?'

Eva schonk haar gast een kop thee in. Het vocht stroomde in een donkere golf. Ze luisterden naar het zachte geklater.

'Suiker?'

'Graag.'

'Melk?'

'Ja.'

Hij keek hoe ze melk inschonk en zijn thee roerde. Het was een warme, heiige middag, niet zo geschikt voor deze drank. Ze gaf hem zijn thee aan. Damp steeg op van hun kopjes, een gazen muur tussen hen. 'Hoe was het vanochtend?'

'Druk. Bijzonder druk.'

'Vertel eens wat u hebt gedaan. Ik wil het heel graag weten.'

Hij nam een slokje thee. Hij pakte een chocolade eclair en begon over zijn dag te vertellen. Hij vertelde haar over de patiënt die was gestorven, terwijl zijn negen dochters in een kring rond zijn bed de rozenkrans baden. Zijn ogen waren onder de vingers van dokter Santos dichtgegaan als zachte boter. Eva bleef vragen stellen, dus vertelde dokter Santos verder: over de negen rokken van de dochters, geknipt uit dezelfde grove paarse stof. De rustige manier waarop ze tegen de muur aan gingen staan toen de verpleegster een wit laken over het lijk legde. De gangen waren die ochtend stampvol geweest, er waren verschillende patiënten tegelijk binnengelaten. Tegen de lunch had hij zere voeten van het lopen door gangen en het staan naast bedden. Tijdens de lunch ontstond er een meningsverschil tussen vier studenten over de dosering van pijnstillers. Dokter Santos, die was gevraagd om als scheidsrechter op te treden, had zijn broodje salami niet op kunnen eten. Hij bleef praten. Het licht om hem heen werd geleidelijk intenser. Hij vertelde haar over zijn studenten, de serieuze en de luie, degenen die als robots probeerden elke regel uit hun hoofd te leren (zonder, tot zijn ongenoegen, te accepteren dat geneeskunde ook een kúnst was), degenen die uit pure ambitie overdreven gehoorzaam waren. Wat fantaseerde hij graag dat hij alleen was, geen artsen, geen verpleegsters, geen enkele patiënt, alleen hij, in een groot, wit, leeg ziekenhuis. Eva leunde naar voren, met haar kin op haar hand, en luisterde en knikte. Toen hij zo'n beetje uitverteld was, waren er twee uur verstreken. Hij keek op zijn horloge.

'Ik moet terug.'

'Nu al?'

'Ik heb je tijd verspild.'

'Helemaal niet. Het was boeiend.'

'Vind jij het boeiend?'

'Dat vindt toch iedereen?'

Dokter Santos keek even naar de lekkernijen, waarvan niets meer over was dan wat kruimels en een stukje aardbeientaart.

'Nee.'

'Dat kan ik me haast niet voorstellen.'

Hij reikte naar haar dijbeen. Ze stond op toen zijn hand langs haar scheerde, een aanraking die erkend noch ontkend kon worden.

'Wat een heerlijke middag. Het spijt me dat u moet gaan.'

Hij stond op, onvast, als een man die meer had gedronken dan hij had gewild. Ze liepen naar de deur en bleven op de drempel staan, Eva hield het blad met kruimels tussen hen in.

'Tot morgen dan?'

'Tot morgen.'

Bij zijn derde bezoek kwam hij iets vastberadener binnen. Thee werd ingeschonken, dampte, en werd bleek van de room. 'Ik vind het fijn om u te zien, dokter Santos.'

Hij ging vandaag dichterbij zitten. 'En ik om jou te zien.'

'Hoe ging het vanochtend?'

'Ik denk niet aan vanochtend.'

'Nee?'

'Ik denk aan jou.'

'Wat aar…'

Zijn mond kwam op de hare, grote handen op haar lichaam, vochtig duwend; toen ze snel het kopje op tafel zette spatte er thee uit, heet op haar arm; een hand dwaalde over haar lichaam, een tong verkende haar tanden, ze werd tegen de bank gedrukt en de hand was op haar borst, hunkerend wrijvend, daarna snel en gretig naar de onderkant van haar rok.

'Roberto.'

'Ja.'

Ze hield hem op een afstandje. 'Ik kan het niet.'

'Wat?'

Zijn gezicht was ondoorgrondelijk. Zijn adem voelde zwaar tegen haar wang.

'Begrijp het alsjeblieft. Ik ben je zoveel verschuldigd – en ik zou willen dat we…' ze zweeg even – 'echt waar. Maar ik ben een deugdzame vrouw. Dat weet je toch wel?'

Hij knipperde met zijn ogen. Zijn lippen bewogen maar hij zei niets.

'Je bent verbaasd.' Ze sloeg haar blik neer, alsof ze gekwetst was. 'Ik wacht op de man met wie ik zal trouwen.'

Roberto trok aan het stukje van haar jurk dat hij als een prop in zijn hand hield.

'Dingen gaan anders, hier in Argentinië. Ik had het moeten weten.'

'Eva.' Zijn stem klonk schor. 'Het is geen gebrek aan respect. Maar je moet weten hoezeer ik naar je verlang.'

Met die blik alleen al had hij een gat in haar kunnen branden. Ze werd overspoeld door opluchting. Hij zou geen geweld gebruiken. Ze zou de slag en de oorlog verliezen als hij geweld gebruikte. Maar nee, hij was een zachtzinnig man, verslaafd aan fatsoen. Hij wilde dat ze zich opende, dat ze zich aanbood in dankbaarheid of schuld. Het werd van haar verwacht dat ze dit deed, de volgende stap van de juiste dans. 'Mijn lieve dokter.' Ze ging met haar hand langs zijn kaak. 'Ik zou willen dat het kon. Maar het is onmogelijk.'

Een tragedie, perfect in zijn gedwarsboomde verlangen. Een moment waarop de violen zouden aanzwellen in een romantische film. Eva hoorde geen violen, alleen het gegrom van een auto en een geborstelde hond die blafte op straat. Roberto sloot zijn ogen. Zijn broek bolde op onder zijn middel. Eva nam zijn gezicht in haar hand. Zo bleven ze zitten, zijn hand op haar dij, haar hand op zijn kaak, dichtbij genoeg om dezelfde geladen lucht in te ademen.

'Dank je.'

'Waarvoor?'

'Dat je me respecteert.'

Roberto zei niets.

'Ik heb een gedicht voor je geschreven.'

Zijn ogen bleven gesloten.

Hij knikte. Ze schonk hem woorden. Zijn gezicht ontspande, een jongen die in slaap wordt gezongen. Ze streelde zijn haar. Het was niet Andrés' haar, geen stevige golfjes vanaf zijn hoofdhuid en weer terug. Het sprong niet op tussen haar vingers in strakke, veerkrachtige krullen. Dit haar was steil en fijn, de pommade van die ochtend had iets van zijn kracht verloren, ze kon het met een paar strelingen dezelfde kant op strijken. Ze vroeg zich af hoe de jaren zouden zijn naast deze man, als zij de oorlog won en hem als haar buit nam. Hoe hij haar zou vasthouden en zien en aanraken, en wie zij zou worden in zijn huis. De kleine jongen in hem zat zo dicht onder het oppervlak, gretig, kwetsbaar, alleen. Toen ze het gedicht had opgezegd werd het stil, terwijl ze zacht streelde en orde aanbracht op de zachte hoofdhuid van de dokter.

Hij kwam elke werkdag. Ze richtte haar dagen in rond zijn komst. In de ochtenden schreef ze, rookte ze, en zat ze wat te niksen op het balkon, terwijl ze net deed alsof ze niet naar de weduwe uitkeek, die er nooit was, en alsof ze niet naar gebouwen in het zuiden van Buenos Aires tuurde. Rond het middaguur kuierde ze naar La Parisienne en kocht ze een broodje voor de lunch en lekkernijen uit de glanzende vitrine voor Roberto's bezoek. Thuis kookte ze water en zette alles voor de thee klaar op het blad onder het keukenraam, waar het licht er overvloedig op scheen en haar handen leek te wassen. Ze wachtte verlangend zijn klopje af, dat altijd hetzelfde klonk: staccato, strak, zonder enige zwierigheid. Ze ontving hem in dat appartement alsof het haar eigendom was, alsof hij met zijn bezoek afhankelijk was van haar goedertierenheid. Ze gaf hem kleine stukjes van zichzelf: een schoot om op te rusten, zachte woorden, een luisterend oor, een dij om langs te strijken of lippen om te kussen bij het afscheid. Ze voelde de kracht in haar lichaam samengebald tussen haar heupen, een lange, stevige lasso die ze naar hem wierp, zoals een man op gaucholand vee vangt, of misschien zoals vee een man vangt. Het wond haar op. Elk bezoekje was een overwinning op wetten zo oud als de zwaartekracht, zo constant als de wet van slagtand en prooi: de wet van man en hoer, en zij overtrad die, nietwaar, ze zette hem op zijn kop en schudde alle stukjes door elkaar als namaaksneeuw in een bol.

'Neem nog een stukje taart.'

'Ik zou niet kunnen.'

Ze gaf hem speels een duwtje. 'Jawel.' Ze hield hem de schaal voor. Hij hief zijn handen in een gebaar van overgave en nam een stukje taart met geglazuurde peer. Eva keek hoe hij er, zonder te knoeien, zijn voortanden in zette. 'Hoe gaat het met je verloofde?'

Hij staakte het kauwen. Zijn vingers knepen in de deegkorst en maakten er kleine barstjes in.

'Natuurlijk weet ik daarvan.'

'Ze maakt het goed.'

'Ze is vast erg mooi.'

'Mijn ouders mogen haar graag.' Zijn ogen waren zo licht. 'Ik moet mijn plicht vervullen.'

'Tegenover haar?'

Hij haalde zijn schouders op.

'Tegenover je ouders?'

Roberto greep met beide handen een van de hare. Zoete peer en boterkorst kruimelden in haar hand. 'Eva. Ik wil jou. Je bent altijd in mijn gedachten.'

'Roberto…'

'Maar het kan niet.'

'Wat niet?'

'Ik kan niet met je trouwen.'

Ze keken elkaar aan. Het namiddaglicht legde een randje goud om de meubelen. Ze zou het allemaal houden, de meubelen, de zon aan de noordkant, de man. Ze schudde langzaam, bedroefd haar hoofd. 'Querido. Wat moeten we doen?'

Hij boog zich naar haar toe. Zijn adem rook naar zwarte thee. 'Hier blijven. Bij elkaar zijn. Je krijgt wat je nodig hebt.' Hij kuste haar. Zijn mond was wellustig en vochtig en zoet van glazuur. Ze liet zich achterover op de bank vallen. Hij lag boven op haar, al stijf.

'Roberto.'

'Mm.'

'Dit kan niet.'

Zijn stem klonk als die van een kind. 'Waarom niet?'

'Dat weet je wel.' Zijn geslacht was stevig, net als haar handen om zijn gezicht. 'We zijn niet getrouwd.'

Hij graaide naar haar, haar bloes ging open, haar benen gingen open onder dwang van zijn knieën, en bijna bezweek ze – waarom niet, waarom niet, hij had al zo lang gewacht – maar toen ze haar ogen sloot zag ze een smerige steeg, wegschietende ratten, haar eigen hals blootgesteld aan de kou. Ze verzette zich tegen hem. Hij wilde niet van wijken weten. Ze duwde harder, en met een schok liet hij haar los. Hij kroop naast de bank en maakte een zacht geluid.

'Roberto?'

Hij keek haar niet aan. De muren omlijstten hem met een barokke wildernis: hordes zachtpaarse rozen in een getraliede kooi.

'Roberto.'

'Ik moet gaan.'

Hij snelde naar de voordeur en verdween.

De volgende drie uur verliepen in een waas. Eva dronk een hele fles wijn en keek hoe het licht in haar fraaie huis langzaam afnam. Het was niet haar huis. Ze was het kwijt. Hij had er genoeg van. Er zouden geen discrete envelopjes meer zijn, geen dromen tussen satijnen lakens, geen middagen met verstolen blikken en trage lasso's en suiker in Engelse thee. De avond viel; de kamer werd donker, badend in een zachte gloed van de lantaarnpaal voor haar raam. Ze had zijn aanbod moeten accepteren, zijn bijvrouw moeten blijven, houden wat ze had en hem tevredenstellen, in plaats van het onderste uit de kan te willen. Als hij haar nog een kans bood, zou ze die grijpen, maar waarschijnlijk was het te laat. Ze zou haar koffer moeten pakken. Er was weinig in te pakken en ze kon nergens naartoe. Buenos Aires doemde in heel zijn wrede grandeur overal om haar heen op en siste triomfantelijk: jij hoort hier niet, en je zult hier ook nooit horen, je bent niets. Ze zag haar vader in de donkere hoek van de kamer, glinsterend, doorzichtig. Hoer, noemde hij haar. Stomme hoer. Ze liet hem haar tanden zien en hij wankelde als een spiegelbeeld in water dat door steentjes wordt verstoord. Haar hoofd deed pijn. Ze kon niet denken. Ze wilde dat het tollen van haar hoofd ophield. Ze sloot haar ogen.

Ze werd wakker van een staccato klopje en strompelde door de donkere kamer. Roberto stond in de gang.

'Ik heb mijn hoed laten liggen.'

'Kom binnen.'

Hij liep het donker in.

'Sorry, ik zal het licht aandoen.'

'Nee. Niet doen.' Zijn silhouet kwam op haar af. Hij rook naar sigaretten. Ze had hem nooit zien roken. 'Eva.'

Ze zette zich schrap.

'Het is goed. We gaan trouwen.'

Ze hield haar adem in.

'Zeg ja.'

'Ja.'

Ze hielden elkaar in stilte vast. Er spoot een auto langs het raam, op weg naar een drankgelag of een eenzaam café. Roberto groef beide handen in Eva's haar. Eva ademde in zijn gesteven kraag. Zijn mond viel tegen haar wang, kaak, hals.

'Wanneer?'

'Binnenkort,' zei hij, zo zacht dat de hoeken van de kamer hem niet gehoord konden hebben. 'Heel binnenkort.'

De volgende dag verbrak Roberto zijn andere verloving en maakte een afspraak met de kerk voor de zaterdag over twee weken. Hij gaf Eva een lijst met boetieks. 'Ze verwachten je morgen.'

Ze vroeg niet hoe het was gegaan met Cristina, maar in gedachten liep ze de mogelijkheden na. Cristina was in woede ontstoken, had kostbare vazen tegen de muur gesmeten, Roberto en zijn eventuele nageslacht vervloekt. Ze was op haar knieën gevallen, had maagdentranen geschreid, hem met haar handen op haar hart gesmeekt om er nog eens over na te denken. Nee. Ze had een strak, adellijk glimlachje laten zien, stijve woorden gezegd (een arm meisje, ach, wat aardig voor je), en Roberto met een hoofdknikje te kennen gegeven dat hij kon gaan. Ze zette zich schrap voor de komst van Cristina Caracanes aan haar deur, met een rood hoofd en gebalde vuisten, maar dat gebeurde niet. Zelfs de societybladen beperkten hun roddels over het schandaal in de familie Santos tot twee korte paragrafen, omdat ze de meeste plaats hadden ingeruimd voor de familie Perón. Juan Perón was zojuist tot president gekozen. Evita zou zijn first lady worden. Er moest over de toekomst gespeculeerd worden, een nieuw tijdperk moest worden aangekondigd, geruchten nagepluisd over de japon die Evita tijdens de inauguratie zou dragen. Maar toch. Twee paragrafen zijn genoeg om een doodsteek toe te brengen. *Srta. Caracanes is vervangen door een onbekend meisje van twijfelachtige komaf.* Eva zat in het ochtendlicht op de vloer en las de zin zevenendertig keer over. Ze rukte het artikel eruit en scheurde het in steeds kleinere stukjes, totdat het bijna stof was. Ze nam ze mee naar het balkon en strooide ze in de richting van het grote huis aan de overkant. De snippers vielen langzaam in willekeurige groepjes. Ze ging naar binnen en pakte een leeg vel papier.

Lieve mami,
Sorry dat ik niet heb geschreven, maar vandaag heb ik geweldig
nieuws: ik ga trouwen. Zijn naam is dokter Roberto Santos en hij
staat in hoog aanzien. Hij is ook betrouwbaar en vriendelijk.

De pen draalde even en schreef toen verder.

Onze verloving staat op de societypagina's, naast foto's van Evita!
Het huwelijk vindt over twaalf dagen plaats. Er moet nog veel ge-
daan worden, dat kun je je wel voorstellen. Roberto wil dat ik een
totaal nieuwe garderobe aanschaf. Hij is heel gul. Tot de bruiloft is
dit mijn adres: Avenida Magenta 657 #10. Er is verguld behang en
er zijn prachtige theekopjes (jij zou ze prachtig vinden, Coco). Deze
peso's zijn een geschenk van ons.
Ik hou van je, Eva.

Ze ging helemaal op in de voorbereidingen. Ze bracht lange ochtenden door in elegante boetieks, omhuld door glas dat ooit ondoordringbaar had geleken. Ze hield van de manier waarop de
lampen er zijde, stenen en parels lieten stralen. Ze wilde glanzen
als edelstenen, golven als een ragfijne sjaal, ruisen met de waardigheid van fraaie, met de hand gemaakte onderrokken. Ze werd
serieus genomen door de vrouwen die haar maat namen en zomen
omsloegen en aan haar voeten zaten te vouwen en spelden (ze
herinnerde zich heel goed de blik op de wereld vanaf de grond).
Ze kon een satijnen japon betasten en hem de hare maken door
slechts te knikken. Er werd haar op koele, beleefde toon gevraagd
of ze haar diamant liever in goud of in platina gezet wilde hebben.
Goud, zei ze stellig. Goud, in al zijn robuustheid. Voor haar eerste
etentje bij Roberto's ouders moest ze dat op haar huid voelen.

Het huis van de familie Santos was een en al kroonluchters en galmende gangen en weelderige draperieën voor de ramen. Ze aten in gespannen stilzwijgen dat alleen werd doorbroken door het getik van kloeke messen op wit porselein. Señora Santos, met haar kaarsrechte rug en hoge kanten kraag, bekeek Eva met openhartige scepsis. Señor Santos zat in elkaar gedoken boven zijn soep en schudde tussen zijn happen door met zijn hoofd alsof hij naar een tragische opera luisterde die alleen hij kon horen. Eva doorspekte de maaltijd met wellevende opmerkingen.

'Wat een prachtig huis.'

Tik, tik.

'Dat is een fraai schilderij.'

Tik.

'De soep was overheerlijk, dank u.'

Roberto, rechts van haar, zat met zijn hoofd over zijn bord gebogen als een man die bad of boete deed. Niemand zei iets. Het dienstmeisje haalde zonder een woord te zeggen schalen weg en vulde wijnglazen. Halverwege het hoofdgerecht (gekruide aardappelen, *boeuf au vin*), legde Eva zich erbij neer dat er in stilte werd gegeten. De saus was heerlijk, pikant, machtig; ze spoelde hem weg met grote slokken wijn. Ze zou met een stuk brood haar bord hebben schoongeveegd als dat niet onbeleefd was geweest. Het was alsof haar wijnglas uit zichzelf steeds bijgevuld werd (het meisje was bedreven, onopvallend – ze leek een beetje op mamá op oude foto's, dat haar, die gloedvolle zwarte ogen). Eva voelde de blik van señora Santos op de rode vloeistof als die in haar glas viel. Ze rechtte haar rug. De stilte was tastbaar, bijna vleselijk, zij rekte over de tafel als een spier die zich spande en liet zien hoe ver zij kon reiken. De chocolademousse werd opgediend in kristallen bokalen. Ze pakte een zilveren lepeltje. Ze zou zich door het dessert heen slaan. Ze had in haar leven voor veel uitdagingen gestaan; een chocolademousse zou ze ook wel overleven. De gedachte maakte haar aan het lachen – een kort, kakelend lachje. Ha-ha-ha! Het drietal – zijn vader, zijn moeder, Roberto zelf – staarde Eva aan. Roberto bloosde: zijn moeder kneep haar lippen op elkaar; zijn vaders mond hing open. Ze wachtte tot ze door schaamte zou worden overmand, maar ze voelde alleen het gewicht van de gouden ketting om haar hals. Ze stak haar kin in de lucht (ze stelde zich voor dat de ketting zou schitteren in het kaarslicht) en glimlachte.

'Ik ben dol op chocola. Jullie niet?'

Ze nam een hapje mousse (zo zoet, zo machtig). Señora Santos stuurde haar eigen dessert terug.

'Maak je geen zorgen,' zei ze op weg naar huis in de auto tegen Roberto. 'Ze gaan me nog wel accepteren.' Ze leunde tegen zijn arm. Ze zouden wel moeten. Roberto pakte haar hand en vlocht hun vingers in elkaar tot één grote knuist.

Hun huwelijksplannen waren eenvoudig: een trouwerij in de kerk, bijgewoond door Roberto's naaste familie en een enkele vriend, dokter Caribe, en zijn vrouw. Antonio Caribe was tijdens Roberto's opleiding zijn mentor geweest, en inmiddels bespraken ze als collega's nog steeds hun werk tot in de kleinste details. Hij was het soort man van wie je je kon voorstellen dat hij een gewonde mus in zijn beide handen zou houden. Priester en sluier, de eed en de ringen, en het kussen van de bruid. Geen receptie. Ze zouden direct daarna op huwelijksreis gaan naar een huisje ten zuiden van Mar del Plata.

De dag voor haar huwelijk ontving Eva een pakketje met een cadeau verpakt in vloeipapier en een brief.

Lieve Eva,

Gefeliciteerd. Ik wil hem ontmoeten. Ik wil dat je huwelijk heel gelukkig wordt.

Stuur alsjeblieft foto's. Iedereen wil ze zien. Artigas vraagt vaak naar je. Hij verkeert in goede gezondheid, trommelt elke dag, vaak

met César, Xhana's verloofde, die fantastisch kan drummen – je her-
innert je hem toch wel? Ze gaan volgende maand trouwen. Xhana
geeft geschiedenisles. En ze is een van de beste danseressen van het
hele carnaval. Je zou haar echt moeten zien.

Meer nieuws: Mirna heeft weer een zoon gekregen – je bent op-
nieuw tante geworden. En Coco's kleindochters worden al echte jon-
gedames. Ay, je zou hen moeten zien, Eva, bijna muchachitas *en zo*
knap – niet te geloven toch, dat ik zo'n gelukkige grootmoeder ben!
Het is alleen zo jammer dat hun oom Andrés die nergens voor wil
deugen nog steeds geen brieven schrijft. Als je mijn zoon ziet (je moet
toch wel íets weten?) vertel hem dan dat hij ons hart heeft gebroken
en dat hij naar huis moet gaan, waar hij hoort.

Terug naar je mami.

Ik heb nooit een trouwjurk gehad, hija, dus ik kan je niet de mijne
sturen. Neem in plaats daarvan dit. Iets ouds. Iets blauws. Ik heb het
gemaakt van een gordijn dat rond mijn huwelijksbed hing. De eerste
keer dat ik je vader zag, kwam hij achter dit gordijn vandaan op een
belachelijk klein podium. Goed. We missen je. Cuidate.

Liefs,
Mami

Eva haalde het vloeipapier van het pakje en zag een kousenband
van blauw fluweel en ivoorkleurig kant. Hij was fraai gemaakt,
maar erg opzichtig vergeleken bij de zijden en linnen stoffen uit
haar nieuwe leven. Ze bracht de kousenband naar haar neus: hij
rook naar kamfer en kaneel; hij rook naar Uruguay. Het kant kietelde zacht haar wang, een echo van een verloren aanraking. Ze
stelde zich voor dat Roberto's moeder kennismaakte met mamá,
een donkere vrouw genaamd Pajarita, die kousenbanden naaide,
brouwsels maakte van boombast, een bruid die haar huwelijks-
nacht had doorgebracht in de open lucht op de oevers van de Río
Negro, omringd door paarden en koffers met kostuums. Ze zag

señora Santos al helemaal voor zich, de blik op haar gezicht, de kromming van haar nek die je zou willen omdraaien. Eva zou de kousenband dragen. Niemand zou het weten. Ze zou hem onder de wijde wolk van haar japon verborgen houden. Hij zou langs haar dijbenen schuren als ze over het kerkpad liep, schuren van herinneringen en verloren werelden. Het leven zat vol verloren werelden. Je kon kilometers afleggen over kronkelwegen en denken dat je ver weg was van alles wat je kende en plotseling op een flintertje ervan stuiten. Dertig jaar geleden ging een meisje op een plek liggen die naar gras en paarden en de inktzwarte rivier rook. Die waren nu allemaal verdwenen – de jaren, het meisje, de paarden. Eva streek met haar vingers over de kousenband. Misschien zou hij ritselen – al zou niemand dat horen – onder het luidruchtige ruisen van Venetiaans kant, de zuchten van onderrokken, de stilte van witte rozen die ze als wapens voor zich uit hield.

5

Over zwart water,
een geheime zee

Haar leven vulde zich met mooie dingen: een huis in La Recoleta met een entree die werd geflankeerd door pilaren en een perfecte heg, viergangenmaaltijden van een kok die het vak had geleerd in Toulouse, vijf kistjes met juwelen, 's nachts een paar warme benen naast de hare, damasten gordijnen, zilveren schalen, Louis xiv-stoelen, ingrediënten genoeg – meer dan genoeg zelfs – om gelukkig mee te zijn.

Eva trok zich in het huis terug alsof het een enorme cocon was. De wereld zou later nog wel komen, maar eerst genoot ze van het luxegevoel die te kunnen mijden. Terwijl haar man lange dagen maakte in het ziekenhuis, bracht zij lome middagen door in de studeerkamer, badend in stoffig zonlicht en de orgiastische geur van oude boeken. Ze verloor zich in verhalen, romans, geschiedenis, en las gretig door totdat het licht helemaal uit de hemel was weggevloeid. Als Roberto thuiskwam, aten ze aan de lange eettafel. Hij praatte over zijn dag. Zij knikte bij zijn verhalen, glimlachte om zijn triomfen, fronste meelevend haar voorhoofd bij zijn klaagzangen. Later, boven, trok hij haar kleren uit alsof hij een geschenk uitpakte. Liggend onder hem had ze het gevoel dat geen wind haar kon wegblazen, dat geen storm het wiegende anker van zijn gewicht van zijn plaats kon brengen.

Uiteindelijk waagde ze zich naar buiten, een stijlvolle dame nu, in zijde en goud. Ze bracht vele uren door met het maken van gedichten, alleen, in chique cafés. Ze kocht armenvol boeken. Ze bezocht feestjes waar gasten Veuve Clicquot nipten en gevatte grapjes maakten. Ze leerde snel haar intelligentie te gebruiken in het bijzijn van politici, intellectuelen, en aristocratische vrouwen met sluik haar. Sommigen gedroegen zich stijver tegenover haar dan anderen, maar ze hield haar kin in de lucht en bleef stralen. Wat konden ze haar per slot van rekening maken? Een nieuw tijdperk was aangebroken, als zelfs de first lady uit een arme familie afkomstig kon zijn, stiekem door rijkelui een hoer genoemd kon worden, maar toch vol felheid in de schijnwerpers verscheen. Geen verontschuldigingen van Evita Perón. Thuis luisterde Eva naar haar toespraken op de radio. *Perón is alles, de ziel, het lef, de hoop van* Argentinos. *Ik ben slechts een eenvoudige vrouw die leeft om Perón ten dienste te staan.* De overdadige stoelen en tapijten zouden alleen al van het vuur in die stem in brand kunnen vliegen. Eva zag al bijna voor zich hoe de vlammen zich verspreidden. *Men kan niets bereiken zonder fanatisme! Het is het waard ons leven ervoor in te zetten!* De kranten stonden vol met haar foto's: Evita in haar kantoor, waar zwermen arme Argentijnen elke dag aanklopten, die om hulp vroegen en geld kregen, gebitten, maaltijden, glimlachjes, schoenen, naaimachines, speelgoed, geïmporteerde vloerkleden, geïmporteerde gordijnen, beloften dat er meer hulp zou komen; Evita in chique Parijse japonnen, vol diamanten, lachend naar de camera; Evita voor de microfoon, haar gezicht vertrokken van smart, haar hand hoog alsof ze daarmee elk moment kon gaan wuiven of slaan. Eva knipte de foto's uit en stopte ze tussen ondergoed, waar Roberto ze niet zou vinden. Roberto hield niet van de Peróns.

'Het zijn fascisten,' zei hij, terwijl hij 's ochtends zijn das rechttrok.

Eva knikte zonder iets te zeggen.

'Ze krijgen elke dag meer macht.'

Ze streek zijn kraag glad.

'We moeten voorzichtig zijn. Aan de goede kant van hen blijven.'

'Natuurlijk, *mi amor*.'

Soms, diep in de nacht, droomde ze dat zij Evita was en dat er een stel kinderen samendromde in haar slaapkamer. Ze waren blootsvoets. De vrouwen volgden vlak achter hen. Ze schudde aan Roberto, in bed naast haar, maar hij werd niet wakker. De vrouwen en de kinderen staken hun armen uit, met hun handen open, eisend, en daar stond mami tussen hen in met een schaar in haar hand, ze keek niet naar Eva, ze begon het satijnen beddengoed in stukken te knippen, en Eva probeerde lakens om zich heen te trekken, probeerde te schreeuwen, maar de kinderen waren gegroeid, ineens waren het jongemannen die met gretige handen aan het beddengoed rukten. Als ze geluk had, werd ze wakker voordat ze bij haar waren.

Na twee jaar huwelijk beviel Eva van een zoon. Roberto. Robertito. Zijn eerste kreten doorboorden de lucht en leken die te verscheuren. Ze verlangde ernaar hem met haar lichaam tot rust te brengen, hem te vullen met haar melk, maar Roberto had andere regelingen getroffen. Haar zoon werd snel meegenomen naar de kamer ernaast, waar een voedster wachtte.

'Maak je geen zorgen,' zei de arts die de bevalling had gedaan. 'Rust gewoon uit.'

Maandenlang hunkerde Eva naar haar baby. Ze bleef vol vuur bij zijn wiegje zitten als hij sliep. De voedster heette María: een rijpe jonge vrouw, ergerlijk lief, die een zachtheid bood die die kleine handjes nu herkenden, die lieten stromen wat Eva had laten verdrogen. Haar borsten waren dor. Ze was nu een dame, ze moest een rol spelen, een rol waarin geen plaats was voor baby's die aan haar lichaam zogen. Haar zoon werd groter. Ze kende hem nauwelijks. Ze bewaarde zijn schoentjes. Ze kon er niets aan doen, het was een onbewuste oerdrang en ze deed het trouwens in het geheim, er was niemand die er een stokje voor kon steken.

Ze speelde haar rol onberispelijk. Señora Santos, Doktersvrouw, Charmante Dame, Werkelijk een Voortreffelijk Dichteres. Hebt U Haar Haar Laatste Gedicht Horen Voordragen In *La Nueva Palabra*? Heel charmant. Salons in de hoogste kringen openden hun deuren voor haar. Zelfs haar gedichten moesten bij haar rol passen: ze was tenslotte geen anoniem meisje, geen geëmigreerd serveerstertje waar niemand om gaf. Ze was belangrijk; ze werd gezien; haar woorden konden de carrière van haar man maken of breken. Ze gaf haar gedichten thema's mee van een goede echtgenote: huiselijke genoegens, toegewijde liefde, de fijnste aspecten van het moederschap. Ze onderzocht ook elke regel om te zien of er niets in stond dat als anti-Perón zou kunnen worden uitgelegd. Er waren schrijvers en redacteurs verbannen. *Als ik elke dag vijf keer pressie moet uitoefenen omwille van het geluk van Argentinië*, schreeuwde Evita, *dan zal ik dat doen*. Eva's gedichten werden even keurig gemodelleerd als de heggen rond haar huis.

Ze vond het niet erg. Het was haar plicht. Wanneer ze de neiging had om met te veel vuur te schrijven, nam ze een koud bad om de gedichten uit haar weg te spoelen.

Ik heb voor dit leven gekozen, dacht ze naakt, tandenklapperend van de kou. Dus zal ik het leiden.

Harde witte tegels glansden aan alle kanten om haar heen.

Eva's tweede kind werd geboren op een dag waarop ze in tweeën leek te scheuren. Het meisje kwam rood en krijsend ter wereld; Eva krijste; hun stemmen vormden samen een scherpe fuga. De zuster wikkelde het kind in een deken en nam haar mee. Eva dwong zich rustig te ademen. Ze wachtte totdat de kamer bijna leeg was. Alleen zij en een medisch student bleven achter.

'Psst.'

Hij liep naar haar toe.

'Breng mijn baby.'

Hij keek even rond in de lege kamer.

'Alsjeblieft.'

'Het is tegen de regels.'

'Dat weet ik.'

'Het kan even duren.'

'Goed.'

De jongeman keek haar onderzoekend aan. Zijn gezicht was stevig, ernstig, het moest geschoren worden. Hij verliet de kamer. Eva wachtte. De tegels van het plafond bewogen niet langer. Ze zag dat ze in hun perfect gevormde rijen stilstonden. De student kwam terug, schoot snel naar binnen, een juwelendief met de buit in een deken gewikkeld. Hij legde de baby op Eva's borst, een klein gezichtje, zo schoon nu, onbekend en rimpelig, vreemd, de ogen gesloten, een roze huid, vingertjes wriemelend in de onbekende textuur van de lucht.

De student tuurde ook naar de baby. 'Hebt u al een naam voor haar?'

'Ja,' zei Eva, die zich een maand eerder had ingesteld op een meisje, in de bibliotheek toen ze een toneelstuk van Oscar Wilde las. *Ik dorst naar uw schoonheid*, had de heldin gezegd. *Noch de rivieren noch de grote zeeën kunnen mijn passie blussen*, en die regel had zich in haar vastgezet, leek de gruwel die daarna kwam goed te maken. 'Salomé.'

'Salomé?' Hij fronste zijn wenkbrauwen. 'Is dat niet de vrouw die Johannes de Doper liet onthoofden?'

'Ja.'

'U kent het verhaal?'

'Ja.'

Hij hield zijn hoofd schuin en bekeek haar met vernieuwde belangstelling. Voetstappen klonken in de gang, stierven toen weg. Hij keek weer naar de baby. Hij was heel knap. Eva vroeg zich af of dit de eerste bevalling was die hij had bijgewoond.

'Salomé,' zei hij langzaam, alsof hij het woord proefde. 'Wat zal ze later gaan doen?'

Eva legde haar vederlichte dochtertje tegen haar borsten. 'Doen?'

'Met haar leven. Is dat niet vreemd, het pure potentieel van één leven?'

Eva zei niets. De student sloot zijn ogen en legde een hand op het kleine hoofdje. Salomé vlijde zich in blind vertrouwen in zijn hand. 'Jij kunt alles doen, Salomé. De wereld veranderen, de loop van de geschiedenis. Het is allemaal mogelijk.'

Eva was uitgeput en vertederd en voelde een vage gêne, alsof ze per ongeluk een privéceremonie van een ander bijwoonde. Ze wilde Salomé weer in haar lichaam opslokken. Ze wilde tegen deze jóven schreeuwen dat hij zich er niet meer mee moest bemoeien, dat hij hen met rust moest laten, dat hij altijd bij hen moest blijven. De intimiteit die hij had opgeroepen was ondraaglijk. Salomés gezichtje vertrok, ze huilde zachtjes, en Eva maakte haar ziekenhuishemd open en legde de baby aan haar tepel. Het kleine mondje hapte toe.

'Het kan even duren,' zei hij, 'voordat de melk toeschiet.'

Het babymondje vond de tepel. Er kwam niets uit. Salomé begon te huilen.

'Als ik zo vrij mag zijn,' zei de student, en hij pakte Eva's borst. Aanleggen, knijpen, baby sussen, *toe maar, toe maar*, en daarna kwam het mondje weer en het begon, een piepklein druppeltje dat brandend Eva's lichaam verliet. De jongeman wendde zijn blik af, naar de muur.

'Hoe heet je?'

'Ernesto.'

'En je achternaam?'

'Guevara.'

'Señor Gue...'

'Zegt u maar Ernesto.'

'Ernesto. Dank je.'

Hij knikte. 'Ik moet haar meenemen. Als ze genoeg heeft.'

'Natuurlijk.'

Ze wachtten totdat Salomés mond de greep verloor. Eva pakte haar op en gaf haar aan Ernesto. Zijn hand lag weer op het hoofd van haar baby, ondersteunde het, een noodzakelijke aanraking, maar Eva had zin om te roepen: *Hou daarmee op, dief.*

'Zal ik het licht uitdoen?'

'Graag.' Ze trok haar hemd goed en keek hen na.

Ze leunde achterover in haar kussen. Buiten klom de zon op met zijn entourage van roze en paarse tinten. In het schijnsel van moderne fluorescerende lichten had ze het niet opgemerkt. Ze voelde zich leeg. Ze sloot haar ogen en draaide zich op haar linkerzij, toen op haar rechter, om de slaap te vatten. Toen dat haar lukte, toen ze droomde, was hij daar ook, de student, hij stond op een dak met haar dochter in zijn armen, en hij zei: *Het is allemaal mogelijk, wat dan ook*, hij brulde als een leeuw, hij was nu een leeuw, zijn klauwen zouden haar dochter aan stukken scheuren, ze rende schreeuwend op hen af maar hij gooide de baby op naar de zon, een baby die vleugels kreeg en opsteeg, een baby die vloog, ze zou verloren raken of ze zou verbranden, een baby-Icarus, haar baby, *Nee*, schreeuwde Eva, *nee* en *nee*, ze rende en fladderde met haar ellebogen naar buiten als een stomme kip maar ze kon niet vliegen, ze kon niet vliegen; *Maak je geen zorgen*, zei de leeuw. *Het is mogelijk.*

Acht weken na de geboorte van Salomé, een week voor de ballingschap, betrad Eva met pijnlijke borsten het presidentiële paleis. De avond was verstikkend warm, zwoel van nog niet gevallen regen. La Casa Rosada stond onder de wolken, met zijn onverwoestbare muren, zijn tientallen verlichte ramen, zijn hoge entree, bewaakt door nimfen met blote borsten in wier gebeeldhouwde gezichten honger of geamuseerdheid te zien was. Eva hield haar adem in toen ze erlangs liep. Om haar heen drongen andere gasten naar voren in een mengeling van dure parfums. De pijn in haar borsten werd erger; ze hield de arm van haar man steviger vast.

In de garderobe nam Eva haar vossenbont af, waarmee ze haar japon onthulde, rood als de robijnen die in haar oren hingen. Een gewaagde kleur, maar dit was een avond voor gewaagde dingen, de eerste keer dat ze in het openbaar verscheen sinds de geboorte van Salomé. Tijd om zich weer in haar slanke, met baleinen versterkte jurkje te hullen – maar het zat strak, verschrikkelijk strak om haar borsten, het stuwde de gezwollen melk omhoog die daar niet mocht zijn. Een fatsoenlijke dame zou al weken geleden geen melk meer hebben gehad. Ze wendde zich naar Roberto, die met een afwezige blik naast haar stond. Ze glimlachte. 'Zullen we?'

Roberto knikte. Hij zag er moe uit. Ze keek naar de wallen onder zijn ogen, de rimpels en plooien van ambitieus, eindeloos werk. Vanavond, als ze weer thuis waren, zou ze hem op allerlei manieren ter wille zijn. Zijn voeten masseren; gedichten voorlezen (alle poëzie was voor hem slaapverwekkend); dat ene zwarte negligé voor hem aantrekken. Het negligé had de laatste paar keer alleen geen effect gehad. Ze vroeg zich af waardoor het kwam dat zijn belangstelling voor haar was verslapt. Een kind gekregen. Te dik geworden. Dat had ze wel verwacht tijdens haar zwangerschap, maar nu bleef hij nog steeds weg: hij werkte over en at buitenshuis, voor zijn werk, zei hij dan, en zij zei dan: voor je werk, ja, natuurlijk. Eva reikte omhoog en trok de vlinderdas van haar man recht. Hij glimlachte, zijn ooghoeken trokken zo'n beetje samen, en ze miste het gewicht en de zachtheid van zijn lichaam. Gearmd liepen ze naar de balzaal.

De prachtige zaal spreidde zijn armen in een groots welkom. Alles schitterde: vrouwen die behangen waren met juwelen, militairen die behangen waren met medailles, schalen met hors-d'oeuvres, de gepolitoerde cello die luidruchtig weeklaagde. Het plafond hing vol kroonluchters en weerkaatste het geroezemoes van tweehonderd gasten. Vlak naast hen vertelde een collega van Roberto een anekdote waar vijf mensen geboeid naar luisterden. Roberto liep op hen af en Eva volgde. Halverwege begonnen haar tepels verschrikkelijk te branden; ze legde een hand in haar middel om in balans te blijven.

'Roberto. Ik moet even naar het toilet. Ik ben zo terug.'

In het toilet zag ze twee keer een kristallen vaas met witte lelies: een keer op een marmeren plaat en een keer in de spiegel waarin een vrouw worstelde om haar borsten boven een strapless jurk uit te trekken. Twee keer schoot er een straal melk uit haar lichaam op de spiegel. Een dame keek haar aan tussen de sporen witte melk. Nog steeds een dame. Natuurlijk. Zelfs als ze twee borsten had die stiekem aan zich lieten zuigen wanneer de voedster er niet was. Ze was er niet in geslaagd zich te onttrekken aan het dierlijke zuigen van Salomés mondje, het gevoel van de melkstroom die van een groot in een klein lichaam vloeit. Eva haalde de lap die ze voor in haar jurk had gestopt weg om de ronddwalende sporen van haar misdaad op te vangen. Ze bond hem rond haar borst als een verband, en trok hem strak aan. Strakker. Ze dacht aan haar dochter in haar wieg – of misschien, op dit moment, aan María's borst. De melkspatten op de spiegel biggelden omlaag naar het marmeren blad. Ze veegde ze weg. Het toilet spoelde het bewijs weg in donkere, onzichtbare buizen. Het rook er naar melk en zweet en lelies. Ze trok de voorkant van haar jurk weer goed, controleerde haar kapsel en liep terug naar het feestgedruis.

De menigte was aangezwollen. Gesteven smokings mengden zich tussen uniformen van generaals en japonnen in alle kleuren: koraalrood, paars, smaragdgroen, crème. Geroezemoes; gelach; een sonate op de violen. Roberto sprak met een andere vooraanstaande wetenschapper, een kalende naprater. Ze voegde zich bij hen en stond met een vriendelijke glimlach naast haar man, rondkijkend of ze mensen zag met wie ze een praatje kon maken.

Champagneglazen werden op zilveren dienbladen aangedragen. Ze krulde haar vingers om een ervan, dronk, en zag Lucio Bermiazani, de uitgever, aan de andere kant van de zaal. Ze had hem nog nooit ontmoet maar ze herkende zijn gezicht – vlezig, met een sarcastisch lachje – uit het literaire katern van *Democraciá*; het jaar ervoor was hij, voor het debuut van Soledad Del Valle, daarin de ster geweest. Hij was nog meer in de schijnwerpers getreden door het ontbreken van foto's van de dichteres zelf, een vrouw die ondergedompeld werd in mysterie en journalistieke speculaties, een blinde *paisana* die verzen schreef, op de tarwevelden van de pampa's, een kluizenares, plebejisch, infaam, en die de literaire elite bezong zonder ooit een voet in de grote stad te hebben gezet. En dan de gedichten. Stille vervoering die bijna van de bladzijde spatte. Eva genoot ervan, 's avonds laat, lang nadat ze haar man ermee in slaap had gebracht.

Haar man stond nu te knikken, terwijl zijn gesprekspartner het beleid van Perón tegenover de Sovjet-Unie prees. Ze mompelde: 'Als jullie me willen excuseren,' en schoot naar de andere kant van de zaal.

De manier waarop een soiree kon beginnen en zij zich erdoorheen bewoog – na al die tijd leek het nog steeds pure magie. Ze werd zich scherp bewust van haar eigen lichaam, hoe het bewoog, de donkere glans van haar haar, het parfum dat zacht van haar af straalde. Elegantie gaf haar een ring van kracht. Mannen deden een stap naar achteren om ruimte voor haar te maken, vrouwen gingen rechtop staan, blikken bleven rusten, kinnen knikten of bewogen van de ene kant naar de andere. Ze was zoveel meer dan een vrouw die haastig haar melk van marmer af veegde: ze werd gezien, ze telde mee, ze kon schrander uit de hoek komen.

Meneer Bermiazani was in gesprek met generaal Penaloza. 'Ah!' zei de generaal. 'Señora Santos! Hoe gaat het met u?'

'Heel goed, generaal.'

'En u ziet er ook heel goed uit,' reageerde de reusachtige man, zijn scheve tanden ontblotend. 'Lucio. Hebt u al kennisgemaakt met señora Santos?'

'Nee.' Lucio richtte zich op in zijn smoking.

'Señora, dit is Lucio Bermiazani. En dit is señora Eva Santos, de vrouw van dokter Roberto Santos. Ik weet zeker dat u van hem gehoord hebt.'

'Natuurlijk.' Lucio trok zijn wenkbrauwen op. 'Uw man heeft veel voor Argentinië gedaan.'

'Dank u.' Eva hief haar champagneflûte. 'Net als u. Uw bundels zijn fantastisch.'

Lucio voelde zich gestreeld; ze zag de pauwenveren bijna achter hem uitwaaieren. 'Ah. U leest poëzie?'

'Ik ben dol op poëzie.'

'Echt? Waarom?'

Generaal Penaloza slenterde weg nadat hij Juan Perón aan de andere kant van de zaal had opgemerkt.

Eva liet de champagne in haar glas rondwalsen; hij schuimde aan de randen. 'Waarom?' Ze had het gevoel dat het feest, de avond, de zee van juwelen en japonnen werden teruggebracht tot dit moment, deze plek, dit vleugje aandacht van een vlezige kleine man. '"Waarom ademhalen? Waarom liefhebben?/ Waarom naar de ochtend verlangen?/ Gedichten zijn slechts vleugels die groeien/ In de geest van ieder mens."'

De uitgever liet zijn weelderige, onzichtbare veren ruisen. 'Soledad Del Valle.'

'Een ware bron van inspiratie.'

'Wacht even. Eva Santos. Ik heb gedichten van u gelezen in *La Nueva Palabra*.'

'Ze hebben er een paar gepubliceerd.'

'Als ik het me goed herinner, waren ze heel aardig.'

'U bent heel vriendelijk.'

'Dus u houdt van dichteressen.'

'Onder anderen.'

'Er schijnen er tegenwoordig steeds meer te komen.'

'Inderdaad.'

'Hebt u al een bundel uitgegeven?'

'Nee.' Ze glimlachte. 'Maar mijn huis puilt uit van de gedichten! Het vraagt om een bijzondere manier van huishouden.'

'Nou, ik hoop dat u er, in plaats van er met een bezem achteraan te gaan, een paar naar mij stuurt.' Hij stak zijn hand in de zak van zijn smokingjasje en haalde er een visitekaartje uit. 'Ik zou graag uw manuscript lezen.'

'*Ay*, señor – dank u.'

'Señora, het genoegen is aan mijn kant.' Hij maakte een buiginkje. 'En nu hoop ik dat u mij wilt excuseren.'

Lucio waggelde weg en zij bleef even staan, overweldigd door haar overwinning. Ze moest het snel aan Roberto vertellen. Ze draaide zich om om naar hem toe te lopen.

Na haar derde stap bleef ze staan. Evita stond in het volle zicht, glinsterend als een diamant in een chique satijnen japon. Ze lachte om iets wat iemand zojuist had gezegd, haar mond een brede rode boog, haar haar een gouden kroon. Ze was broodmager, ja – de geruchten over haar ziekte moesten waar zijn; maar ziek of niet, ze straalde, ze stond hier te stralen, de parel van het volk, heilige, echtgenote, spreekbuis van het volk, lijm die het volk met Perón verbond. De Brug der Liefde, werd ze genoemd, en die naam paste inderdaad bij haar, immers door haar aanwezigheid werden verbindingen gelegd. Nu stond Evita alleen met achter haar de ruggen van zwarte smokings, verrassend klein, maar terwijl ze daar stond, terwijl haar mond een boog vormde, kon Eva geloven wat ze wilde geloven: dat de beloften waar waren, Perón een bijna-God was, dat de armen het veel beter zouden krijgen: huizen, fijn brokaat; dat de regering onbeperkt van haar volk hield, dat geïmmigreerde serveersters hun edelstenen konden houden en gedichtenbundels konden uitgeven. Ga niet dood, zei Eva in zichzelf tegen haar. Ga nooit dood. Evita draaide zich om en toen hun blikken elkaar kruisten legde Eva haar hele ziel in die blik, maar Evita knikte slechts naar niemand in het bijzonder, met dezelfde glimlach die portretten in het hele land sierden, en daarna gleed haar blik zoekend verder en was het moment voorbij.

Eva kreeg pas uren later, in de auto, de kans om Roberto het nieuws te vertellen. Buiten had de regen zich eindelijk bevrijd uit de wolken. Hij viel in overvloed. Eva pakte de hand van haar man. 'Lucio Bermiazani wil mijn werk zien. Ik geloof dat hij het wil publiceren.'

Roberto drukte een kus op haar voorhoofd. 'Mooi.'

Het was niet de reactie waarop ze had gehoopt. Haar echtgenoot was een goed mens. Hij had zoveel voor haar gedaan. Hij had zijn leven op zijn kop gezet en opnieuw vormgegeven, alleen om bij haar te kunnen zijn. Ze wisten allebei van deze schuld, die te groot was om te worden ingelost. Ze kneep in zijn hand en keek uit het raam naar Buenos Aires, dat schuilging onder regen. Barokke deuren zwaaiden open voor goedgeklede klanten die op zoek waren naar warmte. Jonge stelletjes kropen dichter tegen elkaar aan onder een paraplu, in een steeg, lachend. Fiere ijzeren lantaarnpalen wierpen wazige lichtkringen. Ze stelde zich haar boek voor tot in de fraaiste details: de rug, de roomwitte bladzijden, het feest ter ere van het verschijnen. Er zou champagne zijn, schitterende bloemen, een stroom mensen. Misschien zou Soledad Del Valle zelfs komen. EVA SANTOS, zou er in de kranten staan, DE DICHTERES DIE DEL VALLE UIT HAAR SCHUILPLAATS LOKTE. Buenos Aires zou proosten en stralen en zijn armen om haar heen slaan. Buiten de auto veranderde het straatbeeld en kwamen de grote huizen van La Recoleta in beeld. De slagregens roffelden op het stalen dak boven hun hoofd.

Het regende twee dagen lang. De nattigheid nam toe, nam af, nam weer toe. De derde nacht werd het nog erger, toen dokter Caribe om kwart over een bij hen aan de deur kwam. Ze waren allebei verbaasd toen María, de voedster, op hun slaapkamerdeur klopte om te zeggen dat er aangebeld was. Ze wilden net naar bed gaan. Eva lag op haar knieën op de grond om de veters van de tweede schoen van haar man los te maken. Ze keek naar hem op in het schaarse licht.

'Verwacht jij iemand?'

'Natuurlijk niet.'

Met weer dichtgestrikte veters en rechtgetrokken kraag daalde het echtpaar de brede rode trap af (wat een ruzie was dat geweest, om het rode tapijt; Roberto had voorspelbaar saai beige gewild, maar Eva had haar poot stijf gehouden en haar rood had gewonnen – Diablitarood noemde ze het bij zichzelf, als de stoelen waarop ze dichteres was geworden). Eva bleef op de onderste tree staan en keek hoe haar man de hal door liep.

'Wie is daar?'

'Antonio.'

Roberto deed open. Dokter Caribe stond onder een zwarte paraplu. Hij hield het handvat in een greep alsof dat het enige was wat hem nog op de grond hield.

'Kom binnen.'

Dokter Caribe kwam binnen en klapte zijn paraplu dicht. 'Sorry dat ik jullie lastigval.'

'Onzin. Je bent altijd welkom. Maar is alles in orde?'

'Nee.'

'Je vrouw...?'

'Met haar is niets aan de hand. Met de kinderen ook niet. Ik kon niet slapen. Ik wist niet waar ik anders naartoe moest.'

Roberto nam de jas en hoed van zijn vriend aan en gaf ze aan Eva, die ze aan de kapstok hing. 'Wil je iets drinken?'

In de salon schonk Eva cognac in drie bolle glazen en ging naast haar man op de grote bank zitten. Dokter Caribe zat tegenover hen op het tweezitsbankje, met vochtig haar en een glazige blik. Ze had hem vier maanden geleden voor het laatst gezien, op zijn zestigste verjaardag. De vele toosts en de ontroerende toespraken hadden dokter Caribe steeds doen blozen. Vanavond zag hij bleek; hij zag er oud uit, afgemat, bang. Een lichte pijn kroop in haar borsten.

'We hebben je laatst gemist in La Casa Rosada,' zei Roberto.

Dokter Caribe reageerde niet.

Weer was er een stilte, zwaar, ongemakkelijk. Op de salontafel tussen hen in stond een vaas witte rozen, onbewogen. Eva keek naar het behang met zijn groene en paarse tinten, zijn Franse boeren die onder goudkleurige bomen dansten. De regen roffelde tegen het raam.

'Lezen jullie de *Democracia*?' vroeg dokter Caribe.

'Soms.'

Dokter Caribe keek naar Eva.

'Ja.'

'Dan heb je dit ook zien staan.' Hij haalde een knipsel uit zijn zak. Op de foto stond een jongeman met een mager, ernstig gezicht, onder de kop: KUIPERIJ TEGEN PERÓN VOORKOMEN! POLITIE ARRESTEERT VERRADER TIJDENS VUURGEVECHT. Er stond een foto van de verrader, een student die samenspande met de Amerikaanse ambassade om Perón ten val te brengen. Eva had het verhaal een paar dagen geleden gelezen doordat haar oog viel op de naam van de verrader. Ernesto Bravo. Ze had het nog eens gelezen om zich ervan te overtuigen dat het niet degene was die ze had ontmoet, de student geneeskunde, maar nee, het was iemand anders.

Roberto knikte. 'Ik heb het gehoord. De politie heeft een jongeman gearresteerd wegens verraad.'

'Dat staat er. Maar dat is een leugen.' Dokter Caribe staarde in zijn glas. Zijn lippen waren op elkaar geknepen alsof ze een giftig woord binnen wilden houden. Hij walste zijn cognac rond in het glas, een keer, twee keer.

'Dokter Caribe,' zei Eva zachtjes, 'wat is er gebeurd?'

Hij dronk zijn glas leeg. 'De politie belde me vijf weken geleden. Ik behandel hun gevangenen. Dieven, moordenaars, prostituees. Dus ik dacht dat ik wel ongeveer wist wat ik kon verwachten. Goed. Toen ik op het bureau kwam, werd ik naar de Federale Politie-eenheid gebracht. Speciale Afdeling. Ik was er nooit eerder geweest.'

Hij zweeg even. 'Ze brachten me naar een donkere kamer. Een magere jóven lag op de betonnen vloer. Bewusteloos. Overal bloed, een diepe wond in zijn hoofd. Zijn gezicht was zo kapot dat ik je zweer dat zijn eigen moeder hem niet zou hebben herkend. Ik onderzocht hem, twee vingers en een van zijn ribben waren gebroken. Hij had een hoop bloed verloren.

Er werd me gezegd dat ik hem moest schoonwassen en beter maken – zonder hem naar een ziekenhuis te laten vervoeren. Dat is onmogelijk, zei ik. Hij verkeert in kritieke toestand; hij moet naar een ziekenhuis. De politieman keek me weinig vriendelijk aan. Lap hem maar gewoon op, zei hij. Een andere agent nam me apart. Luister, zei hij, het zit zo. Voor dat pak slaag is geen toestemming gegeven. Het was natuurlijk noodzakelijk, maar niet iets wat we aan de grote klok kunnen hangen. Hij moet hier blijven tot hij, je weet wel, toonbaar is. Dat is jouw taak. Ik protesteerde een beetje. En als ik het niet doe? De agent werd ongeduldig. Hij zei: Dan doet waarschijnlijk niemand het.' Dokter Caribes onderlip trilde.

Roberto keek uit piëteit de andere kant op. Eva's borsten, vol melk, deden pijn; ze zag zichzelf de dokter van de andere kant van de salontafel, langs de rozen, naar haar borst trekken, zoals ze met een kind zou doen dat op straat zijn knie had bezeerd. 'Het is goed, dokter.'

'Nee, helemaal niet.' Hij staarde neer op zijn handen. 'Ik schaam me jullie te moeten vertellen dat ik ben gebleven. Maar die jongen had wel vijf artsen nodig. Als ik wegging, had hij er niet één. Dus begon ik hem schoon te wassen. Ik had er de hele nacht voor nodig. Halverwege hoorde ik de agenten voor de deur. De eerste wilde de jóven doodmaken en doen alsof hij bij een verkeersongeluk was omgekomen. De tweede aarzelde. Ze spraken over hem alsof hij een oude lap was die je kon weggooien. Ik dacht dat ik moest overgeven, daar op die betonnen vloer.

Op dat moment had ik natuurlijk moeten vertrekken. Ik had moeten weigeren om ooit nog terug te komen. Maar ik dacht: wat gaan ze met mij doen? Wat gaan ze met die jongen doen? God, wat was ik een lafaard.' Dokter Caribe staarde over Eva's schouder alsof de cel van beton en ijzer vlak achter haar was. 'De jongen werd mijn leven. Alle uren dat ik wakker was bracht ik bij hem door. Als ik sliep, droomde ik van hem. In mijn dromen veranderde hij soms in mijn zoon – ze zijn ongeveer even oud. Goed. Na vier dagen kwam hij bij bewustzijn. De agenten blinddoekten hem zodat hij me niet kon zien. Ze gaven mij een andere naam die ze in zijn aanwezigheid gebruikten. Ze wilden hem uit de gevangenis weghalen, maar hij was nog te zwak. Het duurde nog vijf dagen voordat zijn toestand stabiel genoeg was om hem te kunnen vervoeren.

We brachten hem naar een huis in een buitenwijk. Een geheime schuilplaats, gebruikt door de politie om… weet ik wat te doen. Ze richtten het in voor zijn herstel. Toen zijn gezicht genas, deed hij me steeds meer aan mijn zoon denken. Hij zei nooit iets tegen me, hij vroeg alleen om eten of water, of hulp als hij zich wilde omdraaien op het bed waaraan hij met zijn handen was vastgebonden. De politie had hem natuurlijk gewaarschuwd niets te zeggen. Ons allebei. Maar evengoed werd ik getergd door het idee dat hij mij verachtte. Dat hij me als een van hen beschouwde. Ik wilde het uitleggen, ik wilde weglopen. In plaats daarvan deed ik wat me werd opgedragen.

Drie weken gingen voorbij. Ten slotte kwam het bevel om hem vrij te laten. Het was voorbij. Ik dacht dat ik zijn leven had gered, en mezelf. Ik zou het allemaal achter me laten. Ik ging naar huis en sliep vierentwintig uur aan één stuk.

Toen ik de volgende ochtend de *Democracia* las, liet ik bijna mijn maté op de grond vallen. Zo kwam ik erachter hoe de jongen heette.' Hij hield het knipsel omhoog. 'Ernesto Bravo.'

Eva's borsten brandden, ze waren te vol, ze drukten tegen het kompres. 'Ik begrijp het niet.'

Dokter Caribe schudde met het knipsel. 'Bravo heeft geen aanslag op de politie kunnen doen. Hij was bij mij. Hij is erin geluisd.'

Eva leunde achterover en probeerde niet te slikken – geen speeksel, geen lucht, niets wat de ruimte tussen hen vulde. De Franse boeren op het behang waren belachelijk met hun vrolijke gehops, alsof er niets mis was met hun gouden boom. Belachelijk, en toch wilde ze zijn zoals zij, blijven dansen, zich vasthouden aan alles wat vrolijk en glanzend en de moeite waard was om je leven aan te wijden. Maar iets anders, een wond, had zich in haar huis geopenbaard. Een dokter stort in naast witte rozen; een jongeman wordt onherkenbaar toegetakeld; boeren dansen rond een beschilderde boom waarvan de echte stam, daarin opgesloten, sterft.

'Wat erg,' zei ze.

Hij klonk kleintjes, het jongetje met de geschaafde knie. 'Ik weet niet wat ik doen moet.'

'Antonio.' Roberto boog naar voren. 'Laat het los.'

'Dat kan ik niet. Ik heb alles verraden – mijn beroep, mijn geweten. Zelfs mijn vrouw, die zich afvraagt waarom ik zo slecht slaap. Als ik niets doe om dit onrecht goed te maken, kan ik hieraan kapotgaan.'

Eva zag zijn getergde gezicht en geloofde hem.

Roberto keek bedachtzaam. 'Wat zou je willen doen?'

'Ik moet het mensen vertellen. Behalve jullie. Ik wil advies hoe ik dat moet doen.'

'Nee.' Roberto kwam bijna van de kussens omhoog. 'Dan zou je je baan in gevaar brengen, je familie – alles.'

'Ik weet het.'

Eva voelde pijn om haar gast, om zijn verdriet, om de jonge Ernesto Bravo, om het mondje van de baby die boven lag te slapen in een roze wieg. 'En als je nu eens een brief schreef en ervoor zorgde dat die op de juiste plek terechtkwam?'

'Eva...' begon Roberto, met een harde klank in zijn stem.

'Anoniem,' voegde ze eraan toe. Roberto wierp haar een onverholen waarschuwende blik toe. Ze deed alsof ze het niet zag.

'Dat kan ik niet,' zei dokter Caribe. 'Ik heb het geprobeerd. Ik kon er de woorden niet voor vinden. Het is alsof ik geblokkeerd ben.' Hij glimlachte naar Eva, een vermoeide glimlach, zijn eerste die avond. 'We hebben niet allemaal jouw talent.'

'Dat maakt niet uit,' zei Roberto. 'Je zou hier boekdelen over kunnen schrijven en dan nog zou je niets kunnen veranderen aan wat er is gebeurd.' Hij drukte zijn handen stevig tegen elkaar; Eva voelde iets van zijn angst. 'Het laatste wat Argentinië kan gebruiken is dat er weer een goed mens verbannen wordt.'

'Misschien heb je gelijk.'

'Trouwens.' Roberto wuifde even met zijn hand in de lucht alsof hij die wilde schoonvegen. 'Ik heb je paper over lepra gelezen. Boeiend.'

Het gesprek ging verder, veranderde, raakte doorspekt met medische termen die Eva niet begreep. Ze schoof onrustig heen en weer; tijd om zich los te maken; tijd om naar Salomé te gaan.

'Excuseer me,' zei ze, en ze liep snel naar de trap.

Salomé Ernestina Santos sliep in haar wiegje, haar hand gebald tot een vuistje, speen in haar mond. Eva trok het speentje eruit en Salomé opende haar ogen, huilde en stak haar handjes uit naar haar moeder. Ze ontblootte haar borsten. Het mondje was warm en gretig. Haar vuistje ontspande en greep naar de huid van haar moeder. Daar was het, het warm-zoete trekken, haar vermogen om iets te geven wat nodig was. Ze probeerde niet te denken aan Ernesto Bravo, tweemaal gebroken, of aan de vrouw die hem ooit met haar lichaam had gevoed; ze probeerde niet te denken aan de Peróns met hun roze paleis, hun glans glans glans op de radio, de hoop die ze brachten, hun leugens in de kranten, de ingewikkelde balans van hun bestaan, complex, onontwarbaar, Einstein-achtig in zijn paradoxen; ze probeerde niet te denken aan haarzelf, de volgende dag en de dag erna en daarna, waarop ze verder leefde met dit geheim in haar binnenste, een respectabele vrouw, veilig en netjes, met haar juwelen en kristallen glazen en damasten gordijnen, die andere mensen liet bloeden op betonnen vloeren. Ze walgde nu al van zichzelf. Ze hield Salomé nog steviger vast; de baby spartelde en zoog. Ze had haar dochter vele dingen kunnen vertellen, ze stond al op het punt ze te zeggen: *zo ben ik in werkelijkheid, met blote borsten voed ik je, terwijl ik zo graag dapper wil zijn, groot, boos, en de man wil geloven die zei dat het allemaal mogelijk is*, maar baby en moeder openden tegelijkertijd hun mond, en Salomé liet de tepel los en smakte met haar lipjes. Eva legde haar dochter terug in de wieg, ging zitten om een slaapliedje te zingen, '*arrorró mi niña, arrorró mi sol*', en de baby sliep.

Ze ging terug naar de salon. De mannen stonden overeind.

'Ga je al weg?' Eva spreidde haar handen om haar teleurstelling tot uitdrukking te brengen.

'Het is niet bepaald theetijd.'

'Maar evengoed! Laat me dan in elk geval even meelopen naar de deur. Roberto.' Ze tikte op de arm van haar man. 'Jij moet uitgeput zijn. Ga maar alvast naar bed.'

Dat deed hij, en een paar minuten later, toen de dokter buiten de regen in stapte, fluisterde Eva: 'Kom morgenochtend terug, als Roberto aan het werk is. Dan help ik je.'

Dokter Caribe keek haar met samengeknepen ogen aan. De regen tikte op zijn paraplu. 'Hoe dan?'

Ze boog naar hem toe, druppels vielen op haar haar. 'Met de woorden.'

Het duurde niet lang. Na drie dagen stormde Roberto de salon binnen.

'Eva!'

Ze keek op van het schrift waarin ze net had opgeschreven: *Je brandt en*. Zijn gezicht was dicht bij het hare, een harde mond, een gefronst voorhoofd, een opgejaagd dier.

'Wat is er?'

'Vertel mij dat maar, Eva. Wat je gedaan hebt met Antonio.'

'Ik weet niet waar je het over hebt.'

'Die nacht. Toen hij ons dat allemaal vertelde. Er circuleert een stencil onder politici. Vandaag is het uitgelekt naar de pers.'

Eva legde haar schrift op de salontafel. 'Waarom denk je dat ik daar iets mee te maken heb?'

Roberto keek kwaad. 'Kijk me recht aan en zeg me dat dat niet zo is.'

'Het was toch anoniem?'

'Je hebt geen idee waartoe ze in staat zijn.' Hij had een wilde blik in zijn ogen, als een gekooide jaguar. *Je bent bijna een oude man*, dacht ze. 'Ik heb vandaag een raadselachtig telefoontje gehad, waarin ons werd aangeraden het land te verlaten. Vertel mij eens, lieve echtgenote, waarom zou ik zo'n telefoontje krijgen?'

Zijn ogen boorden zich in de hare. Ze dwong zichzelf niet weg te kijken, niet te vragen hoe dat kon, hoe ze het konden weten.

'Je hebt hem geholpen, Eva. Tegen mijn wil.'

Ze stond op. 'Jouw wil is niet de enige die ik volg.'

Het ging snel – handen op haar schouders, ruw werd haar hoofd door elkaar geschud en ineens werd ze tegen Frans behang gesmakt en een man die haar echtgenoot was schreeuwde: 'Wat – heb – jij – gedaan?' en zijn handen waren rond haar nek, ze kreeg geen adem, ze kreeg geen adem, ze hoefde niet te ademen omdat ze wegzweefde uit haar lichaam, naar buiten, de lucht in, als ze nu maar die kier kon vinden...

Hij liet haar los. Ze leunde tegen de muur. Pijn bonsde in een snoer rond haar hals. Roberto stond een paar passen van haar vandaan, met zijn rug naar haar toe. Ze zag aan zijn neerhangende schouders dat hij spijt had. De woonkamer omlijstte hem met zijn antieke tafel, fluwelen gordijnen, pluchen kleed, met de hand gemaakt in Perzië. *Hij houdt van me.* Ze zei de woorden zachtjes in zichzelf.

'We gaan weg,' zei hij. 'Morgen. Pak alles voor de kinderen in. Eva. Je weet…'

'Ja.'

Hij bleef even staan en verliet toen de kamer zonder om te kijken.

De volgende nacht om twee uur tuurde Eva uit het raampje van de auto naar het water van de Río de la Plata. Donker. Stil. Het bood plaats aan de bolle ruimen van boten in de haven. Achter haar hoorde ze mannen bezig bij hun achterbak die er koffers uithaalden vol kleren, geld, foto's, stapels ongepubliceerde gedichten, haar geheime doos met babyschoentjes (te klein geworden, essentieel, herinneringen die ze niet kon achterlaten of weggooien). Salomé lag te dromen in haar armen. Robertito hing slaperig tegen haar aan, met zijn knuffelkonijn Papagonia stijf in zijn armen. Ze snoof zijn fijne geur op: zoete talkpoeder en doordringende haarolie. Kon ze hem maar zo houden, zacht en drie en geurig, kon ze de voortsnellende wetten van de tijd maar ontlopen. Zijn intelligentie verbaasde haar; vandaag had hij onvermoeibaar vragen op haar afgevuurd over waar ze naartoe gingen ('naar het land waar ik vandaan kom') en voor hoelang ('o, dat zul je wel merken'). Haar man zat achterin aan de andere kant en staarde naar zijn stad. Hij had de hele rit gezwegen. Maar beter ook. Eva trok de sjaal om haar nek recht zodat de blauwe plekken niet te zien waren.

Ze vroeg zich af hoe en wanneer mensen erachter zouden komen dat ze vertrokken waren. Roberto's studenten in het ziekenhuis; zijn ouders, met hun ingehouden maar overvloedige liefde;

María met de borsten die maar stroomden en stroomden. Op een avond in het jaar 1951, zou het verhaal gaan, was het hele gezin ineens verdwenen. Het zag er niet naar uit dat het ging regenen. De wolken waren weggetrokken, alsof ze verzadigd waren van de regenval van de laatste tijd, zonder dat iets wees op hun terugkeer, althans niet vannacht nu het zo belangrijk voor hen was dat er een heldere hemel was. Het had geen zin om zich zorgen te maken over hoe de hemel er morgen uitzag.

Een boot legde aan in de haven. Het autoportier ging open en een man met een capuchon duwde haar de boot in. Voorzichtig deed ze een stap naar binnen. Overal om haar heen glinsterde het donkere water. *Cierre. Cielo. Cerrado. Siempre.* Slot. Lucht. Opgesloten. Altijd.

De bootmannen met een kap op hun hoofd loodsten hen de rustige rivier op. Vóór hen was niets dan water te zien, maar Eva wist dat er land in zicht zou komen, want zij had er gewoond, ze had er gelopen en geleefd, zes jaar geleden was het haar thuis geweest. Montevideo. Stad van echo's. Stad van te veel schoenen. Stad van slagerijen op de hoek, groene kruiden die welig tierden in de keuken, de simpele warmte van mami's stoofpotten. Terwijl ze omringd door de nacht terugvoer, bad ze voor de eerste keer in vijftien jaar: voor haar zoon, Roberto, en voor Salomé; voor haar huwelijk dat gebukt ging onder een nieuwe, onbekende last; voor dokter Caribe en zijn gezin, ook ergens op weg naar de overkant; voor Ernesto Bravo en zijn moeder en voor Evita en Juan Perón en het Argentinië dat van hen hield en bang voor hen was, Argentinië dat zo betoverd en gekweld en ernstig was; ze bad voor Uruguay, voor mamá, haar broers, hun kinderen en echtgenotes, alle dichters bij La Diablita, Coco met haar brieven en haar vermiste zoon Andrés; ze bad dat de golven bleven zingen bij La Rambla en dat de Uruguyaanse wol op spinnewielen gesponnen zou blijven worden; voor haar vader, ja, ze bad voor haar vader en zelfs voor Pietro, *sí*, o God die in de hemelen zijt of waar U zich ook mag schuilhouden, ook voor Pietro, aangezien dit de enige plek was waar ze dat kon doen, hier tussen twee oevers, tussen twee thuishavens, op deze rivier die tussen twee werelden stroomde.

Uren later doken in het donker, aan de overkant van het lange zwarte water, de abrikooskleurige lichtjes van Montevideo op.

Monte. Vide. Eu. Ik zie een berg, zei een kapitein vier eeuwen geleden, toen hij vanaf zijn boot een lage heuvel ontwaarde en op een rivier af voer waar geen zilver in zat. Stad van verkeerde benamingen. Stad van kleine dingen. Stad die geurde naar leer, verse wol, zilte avondbriesjes.

Terugkeren was als achteruitreizen in de tijd. Al die herinneringen, gevangen in elke steen en stap en geur. Op de eerste dag werd ze bijna omver gestoten door de fontein in Parque Rodó. Uit het water rees een spookbeeld van haarzelf op, aan het eind van de oorlog, voorovergebogen om braaksel uit haar bloes te wassen. Het besprong haar, besmeurd en klauwend. Ze wankelde achteruit, in de richting van de bomen en de straat erachter.

Nu ze terug was leek alles anders. De stad was niet veranderd; zij was degene die haar ogen moest laten wennen – al haar zintuigen moest laten wennen – aan een ander licht, aan spookbeelden, aan dingen die zo klein en kalm waren. Geen reusachtige boulevards, geen uitzinnig lawaai in het hart van Montevideo. Zelfs de auto's klonken minder jachtig. Hun nieuwe appartement was in La Ciudad Vieja, vlak bij Avenida San Salvador. Het smeedijzeren balkon keek uit op barokke gebouwen, een laan met keien, oude bomen die hun bladeren wiegden, en La Diablita. Zes jaar geleden, vóór Buenos Aires, zou een woning in deze buurt haar het toppunt van glamour hebben geleken. Het bed was stevig, maar niet weelderig; de tapijten waren schoon, maar niet rood; de gordijnen apart, maar niet stijlvol. Ze sloop vaak uit bed (zachtjes, om Roberto niet in zijn slaap te storen) en liep op haar tenen in pantoffels en een bontjas naar het balkon. Op dat veilige plekje rookte ze en staarde ze naar de rode deur waardoor klanten naar binnen en naar buiten liepen. De deur zelf wist het nog, hij riep haar met zijn gebonk; als ze de straat overstak en hem aanraakte, zouden alle avonden van werk en verlangen bij haar terugkomen en haar laten zien wie ze was. Dat gebonk hield haar uren wakker, de ene sigaret na de andere brandde langzaam tot as in haar hand.

Haar terugkeer zou pas echt een terugkeer zijn als ze naar Punta Carretas ging. Ze kon niet naar het huis waar ze was opgegroeid. Ze kon papá niet zien. Ze dacht eraan, probeerde het zich voor te stellen, probeerde dingen te bedenken om te zeggen, maar haar beelden hielden altijd op bij Tomás' bruiloft, toen hij stond te lachen met Pietro, toen er een stuk pascualinataart op de grond viel. Die pascualinataart was dik en rot en kon gemakkelijk in haar lichaam dringen. Ze was bang dat ze niet haar bed uit zou kunnen komen, haar kinderen niet kon kussen, niet kon voorkomen iemand te vermoorden als ze het weer slikte. Een impasse was een impasse en was beter dan een oorlog. Maar mamá. Ze moest mamá zien.

Ze zocht haar op in carniceriá Descalzo. De geur binnen was doordringend en riep het beeld op van een piratenmeisje en een piratenjongen die een draak slachtten, hard lachten, er niet meer waren. De winkel zag er nog hetzelfde uit, net als Coco: hetzelfde ronde gezicht, de gele zakdoek, en achter de vitrine gebukt over worstjes die ze opnieuw rangschikte.

Robertito kroop tegen Eva's rok. Hij was al humeurig sinds ze hier waren, en hij was aan een middagslaapje toe. Eva wachtte, plotseling verlegen, op Coco. Ook zij zou graag tegen enorme rokken zijn weggekropen. Twee vliegen zoemden loom door de van vlees doortrokken lucht, misschien de nazaten van de vliegen die daar al waren toen Eva vertrok. De vitrine viel met een klap dicht en Coco dook op en zag haar klant staan, een rijke, onbekende vrouw, met een kinderwagen en een driejarig jochie aan haar zijde.

'Wat kan ik voor u doen, señora?'

'Ik kom mijn moeder opzoeken.'

Coco knipperde met haar ogen. Ze nam Eva van top tot teen op, en toen nog eens. 'Eva?' Langzaam, alsof ze een motor die lang had stilgestaan weer op gang bracht. 'Eva Firielli?'

Het gordijn achter de toonbank ging open. Pajarita vloog erdoor. Ze bleef staan in haar wollen jurk, haar haar voor de helft zilvergrijs, haar ogen groot. Eva voelde iets in haar breken. 'Mamá…' en voordat ze op haar af kon stormen of op haar knieën vallen om vergiffenis te smeken, waren er twee armen om haar heen, zacht kriebelende wol, de geur van gedroogde basilicum en bitterwortel.

'Wat is het lang geleden,' zei mamá.

Ze liet zich door haar moeder omhelzen. Zo klein als ze was, haar kracht was groot. Eva kreeg amper adem. Pajarita's schouders begonnen te schokken. Eva weerstond de impuls om zich los te maken.

Roberto trok aan haar rok. 'Mamá.'

Pajarita liet haar los en hurkte neer naast de jongen. *Hola, precioso.*

'Roberto. Zeg eens hallo tegen je abuela.'

'Hallo, abuela,' praatte hij beleefd na. Hij keek de vrouw die voor hem stond met haar vochtige ogen en lelijke jurk onderzoekend aan. Ze raakte zijn arm aan, zijn haar, zijn gezicht.

Eva wees naar de kinderwagen. 'En dit is Salomé.'

Pajarita keek in de wagen. Salomé bewoog alsof de blik haar lichte slaapje had verstoord. Pajarita tilde het kind eruit en zette haar op haar heup. De baby greep een zwart-zilvergrijze vlecht alsof het een touw was die haar als redmiddel werd toegeworpen. Ze trok hard. Pajarita leek het niet erg te vinden, ze zou het waarschijnlijk niet eens erg vinden als Salomé de vlecht uit haar hoofd trok.

'Ze is erg sterk,' zei Eva verontschuldigend.

'Ze lijken precies op jou, Pajarita,' zei Coco achter de toonbank. Ze was hersteld van de schok en nam Eva met enige achterdocht op. 'Kijk eens aan. Net uit Buenos Aires.' Ze benadrukte de laatste twee woorden op een toon waarin enig ontzag, of misschien afkeuring klonk. 'Ik zou je niet herkend hebben.'

Eva glimlachte onzeker. Ze voelde zich net een kind dat wordt betrapt bij het dragen van haar tantes mooiste kleren. Het werd nu verstikkend in deze slagerij met zijn geur van bloed en ijzer, zijn herinneringen, zijn eigenaresse met haar armen over elkaar. Coco gaf, ondanks al haar hartelijkheid, haar wrok niet snel op en Eva werd ervan verdacht te zijn ontsnapt met haar zoon en haar beste vriend pijn te hebben gedaan. Eva stelde zich Coco en mamá voor in de woonkamer boven, waar ze al die jaren thee dronken die doortrokken was van de smaak van elkaars verdriet.

'Waar is je man?' vroeg Coco.

'Aan het werk.'

'Aan het werk! Tijdens zijn vakantie?'

'We zijn hier niet voor een vakantie.' Eva keek hoe haar zoon naar een kist met rundvlees drentelde. 'We blijven.'

Pajarita keek naar haar, of probeerde dat, met haar hoofd nog steeds naar één kant getrokken door Salomés vuistje. 'Jullie blijven?'

'Ja.' We moesten weg, in het donker, op een boot met mannen met kappen op, 'we hebben het plotseling besloten. Daarom heb ik niet geschreven.'

Roberto stond met zijn neus tegen het glas. Hij zou er zeker een vlek op achterlaten.

'Aha.' Pajarita staarde haar aan. 'Wanneer komen jullie eten?'

Dat was de vraag die Eva had gevreesd. Ze wilde, kon niet denken aan een welkom-thuis-feest stampvol familieleden, eindeloos veel empanada's, het rumoer van zo'n twintig stemmen, overal rondkruipende neefjes, wijn, *bizcochos*, papá. 'O, we zien wel,' antwoordde ze, iets te luchthartig. 'We hebben het 's avonds al zo druk.' Een beschamende uitvlucht. 'Maar ik kom jullie hier weer opzoeken.'

Pajarita's blik was vriendelijk maar week niet. 'Wat moet ik tegen je vader zeggen?'

Eva verplaatste haar gewicht van haar linker- op haar rechtervoet, toen weer op haar linker. Roberto tikte twee keer tegen het glas, *tik tik*. Natuurlijk zou mamá proberen haar erbij te trekken, alsof de familie een weefgetouw was en Eva een lastige draad; alsof ze dacht dat haar handen haar dochter konden inweven en vastzetten, en het kleed een geheel zou vormen, en dat het geheel alles kon omsluiten, zacht, tevreden, alsof er geen verdomde schaar op de wereld was. 'Ik weet het niet.'

Pajarita hief haar hoofd, dat bevrijd was uit Salomés greep. 'Juist.'

Er viel een stilte. Coco kuchte. Roberto tikte met zijn nagels tegen het glas: *tik tik tik tik tik tik tik tik tik...*

'Hou op, *querido*.' Eva trok hem van de vitrine vandaan en tilde hem op haar heup. Hij werd zo groot. Ze had al haar kracht nodig om hem vast te houden. 'Ik moet hem mee naar huis nemen voor zijn middagslaapje.'

'Kom gauw terug,' zei haar moeder.

Eva knikte. 'Morgen.'

Coco greep Eva bij haar arm toen ze naar de deur liep. 'Luister. Wat Andrés betreft. Er moet iets zijn, wat dan ook, wat je me kunt vertellen.'

Eva keek naar Coco's hand vol levervlekken. 'We zijn samen vertrokken. Hij is ongeveer vier maanden bij me geweest in Buenos Aires. Toen verdween hij, en sindsdien heb ik niets meer van hem gehoord.'

Coco kneep haar ogen halfdicht. 'Heeft hij je met problemen achtergelaten?'

'Nee. Hij was heel galant. Hij heeft niet... we hebben niet...'

Coco keek weifelend. De geur van rauw vlees werd sterker.

'Het spijt me.'

'Ik wil alleen weten of hij nog leeft.'

Eva zag in gedachten Andrés voor zich, doodbloedend in een steeg in San Telmo, of alleen, bezwijkend aan longontsteking, of dolend door Parijs en lachend naar hen beiden. 'Natuurlijk.'

'Je bent veranderd, weet je dat. Het zijn niet alleen de kleren.'

Zo veel lagen waarin ze terugkeerde, dacht ze die avond toen ze op het balkon zat te roken. Het is een duik in het verleden, eenvoudig, onmetelijk, onmogelijk. Een duik in het donker. Het was een benauwde, vochtige avond; sterren gingen schuil achter lage wolken. Verderop in de straat ging de deur van La Diablita open en een meisje paradeerde naar binnen. Een serveerster? Een ambitieuze dichteres? Eva zou er niet naartoe gaan. Er waren al genoeg thuiskomsten geweest. Ze drukte haar sigaret uit op de leuning van het balkon. Een man in een lange zwarte jas hing beneden op straat rond. Een lage gleufhoed verborg zijn gezicht. Ze had het vage idee dat hij ergens op wachtte. Op iemand, of iets waarnaar hij op zoek was. Ze stak nog een sigaret op en wachtte op de speurtocht, de slet, de geheime afspraak. De sigaret brandde langzaam op. Er gebeurde niets.

Ze stond op en liep haar slaapkamer in. Roberto lag zacht te snurken op zijn rug, met zijn mond open. Hij had zonder enig probleem werk gevonden; de ziekenhuizen hadden om hem ge-vochten, en niemand vroeg naar de redenen van zijn verhuizing. In het donker keek ze in de spiegel boven haar toilettafel even naar haar hals. De blauwe plekken leken verdwenen. Ze boog er verder naartoe en draaide haar hals zo dat het schijnsel van de straatverlichting erop viel. Ja, verdwenen. En het stilzwijgen tus-sen haar en Roberto maakte plaats voor welgemanierdheid, Goe-demorgen en Ik Zal Even Je Jas Aannemen aan het begin en het eind van elke dag. Maar het was slechts een broos laagje. Geen van beiden had de ander, of misschien zichzelf, vergeven, noch voor de stencils, noch voor de ballingschap, noch voor de momenten waarop ze ademloos tegen de muur gedrukt had gestaan.

Eva pakte een schrift en een pen. Ze schreef. In het donker kwamen de letters slingerend en slordig op het papier, maar dat gaf niet. Ze schreef van binnen uit, in een hoog tempo, en scheurde bladzijden uit als ze ze vol had, totdat ze zichzelf helemaal had uitgewrongen. Daarna trok ze een la open, legde de bladzijden op elkaar en duwde ze in een moeras van onafgemaakte gedichten.

Drie jaren verstreken. Rustige jaren. Op sommige dagen miste Eva de luidruchtigheid en mogelijkheden van Buenos Aires, maar tot haar verbazing liet Montevideo zich op nieuwe manieren zien met zijn eigen alledaagse lyriek. In de slagerswinkel bijvoorbeeld, op dagen wanneer het er benauwd werd van het vrouwenzweet en zoete oliën en bekentenissen. Dezelfde vrouwen kwamen nog steeds vlees kopen en roddels uitwisselen, maar nu doorspekten ze hun verhalen met gepoch over kleinkinderen. Zelfs La Viuda kwam nog steeds. Ze moest zo oud zijn als Methusalem. Soms wilde ze een kruk bij de deur en bestookte ze iedereen die binnenkwam met haar apocalyptische raadgevingen. De vrouwen kletsten met Eva en wilden alles weten over de tussenliggende jaren, over Perón, er waren zo veel Argentijnse ballingen hier, elk jaar meer, zeiden ze, en was Perón echt zo repressief als in de linkse kranten stond? Eva gaf antwoord en de vrouwen klakten afkeurend met hun tong: wat een populist, dat hij dat met zijn eigen volk deed, heel anders dan onze Batlle, God hebbe zijn ziel. Kleine groepjes stonden geduldig te wachten op Pajarita's hulp. Sommigen gingen met een stalen gezicht achter het jutegordijn en kwamen huilend terug; een paar gingen huilend naar binnen en kwamen vol vreugde weer naar buiten. Eva keek naar de kinderen, pakte vlees in, veegde hier en daar een werkvlak schoon. Ze snuffelde aan de wereld van haar moeder.

Af en toe kon ze haar moeder mee krijgen naar La Rambla, waar ze slenterden en naar de zonsondergang keken die de rivier een rode gloed gaf. Een ontspannen rust omgaf hen. Moeilijke onderwerpen konden in die rust besproken worden.

'Mami?'

'Mmm.'

'Ik hoop dat je niet boos bent dat ik niet naar huis kom.'

Eva luisterde naar de aanrollende golven. Haar moeder keek naar de landtong waarop de vuurtoren stond. Toen hun huis werd gebouwd, had ze Eva eens verteld, scheen het licht van die vuurtoren vanaf de oever rechtstreeks door hun ramen naar binnen.

'Je bent niet van gedachten veranderd?'

'Nee.'

'Kan ik er niets aan veranderen?'

'Nee.'

Ze liepen door. Mamá keek bedroefd. Haar profiel tekende zich af tegen de heldere lucht. 'Ik heb liever een deel van je dan helemaal niets.'

Ze zag de rest van haar familie stukje bij beetje: Tomás en Carlota bezochten haar in de slagerswinkel. Bruno en Mirna vroegen haar te eten en probeerden haar verhalen uit Argentinië te ontfutselen over *buñuelos* en gekookte aardappelen, terwijl de kinderen met houten treintjes op de vloer speelden. Marco, inmiddels apotheker in Buceo, gebruikte matépauzes om met zijn zus in het park te zitten en haar aan het hoofd te zeuren over hun vader. 'Je zou met hem moeten praten,' drong hij dan aan. 'Jullie zijn allebei te koppig.' Eva glimlachte dan en zag hoe de wind zijn krullen door de war blies.

Xhana's keuken was haar toevluchtsoord. Xhana woonde met haar man en haar vader in Barrio Sur, een huizenblok van Césars ouders en twee huizenblokken van de rivier vandaan, omringd door de kleine zwarte gemeenschap van Montevideo. In de keuken lag over de vierkante tafel een gingangkleed dat er prachtig bij

247

paste. Borden en vorken en bekers werden voor iedereen tevoorschijn gehaald. Vaak zat hun woonkamer vol trommelaars en hun
muziek. Eva bracht dikke pakken vlees van Coco mee – als vulling voor empanada's, om te bakken als *milanesa's*, om te kruiden
voor *churrasco*. Ze zag hoe Xhana haar keuken bestierde, hartelijk
lachte, kookte als een gulle duivelskunstenares, aan vrienden de
nuances uitlegde van een nieuwe wet of fabrieksstaking. Ze zag
nog steeds het meisje in Xhana dat vis had schoongemaakt en
dat onbevreesd Marx had verslonden. Toen ze de keuken voor
zichzelf hadden en tot diep in de nacht zaten te praten kwam hun
meisjestijd zo dichtbij dat Eva naar haar eigen handen moest kijken om zich ervan te overtuigen dat ze de afmeting hadden van
vrouwenhanden.

'Fijn dat je weer terug bent.' Xhana schonk nog een glas wijn in.
'Je bent veel te lang weg geweest.'

Eva blies rook uit. 'Maar goed dat ik in ballingschap moest.'

'Niet alleen terug uit Argentinië, *prima*. Al lang voor die tijd
was je weg.'

Eva draaide de asbak rond, waarin een hoop peuken lagen. 'Ik
weet het.'

'Je was mijn enige zusje. Ik heb je gemist.'

Eva hoorde tío Artigas in de woonkamer zacht een oude gau-
choballade zingen. Ze kende die uit haar kindertijd. Césars *repique*
gaf de aanzet voor een candombe-ritme, langzaam en soepel. Eva
drukte haar sigaret uit en stak een volgende op. Ze wachtte op de
vraag die ze niet wilde beantwoorden. Hij bleef uit. 'Ik ben er nu,'
zei ze.

Na het bezoek aan Xhana bleef Eva vaak tot zonsopgang schrijven. Gedichten kwamen vanzelf in haar boven: overvloedig, persoonlijk, ongepolijst. Haar geheime voorraad vulde drie laden,
woorden gevangen in het schemerdonker, elk woord een kleine
prisma dat aan een kleine straal van Eva's wereld een andere richting gaf. Honger. Dageraad. Een stad aan de oever. Twee wonder-

baarlijke kinderen die, ondanks de verlangens van een moeder, groeiden en renden en kleine zelfstandige mensjes werden. Salomé en Xhana die een dode zwaluw in Parque Rodó wilden begraven (zo overgevoelig, haar Salomé: ze huilde alsof ze jarenlang van dat vogeltje had gehouden). Het vreugdevolle gevoel haar lichaam tegen dat van Roberto aan te krullen op een regenachtige nacht (de kleine Roberto, niet de grote, Roberto de kleine, ernstige, slimme.) Ze schreef over Montevideo's slapende schoonheden en zijn dagelijkse terugkeer in haar huid, over de manier waarop iets kleins – de bochtige loop van El Río de la Plata, een huilende vrouw tegen de reling van een balkon, de geur van rood vlees dat in het café op de hoek *a las brazas* werd geroosterd – haar recht in het hart kon raken zodat ze beefde in plotselinge windvlagen die haar bewust maakten van de wereld en haar zwakke positie daarin. En ze schreef en schreef niet over de angstige nachten, waarin demonen haar door haar dromen heen leken te duwen totdat ze wakker werd, zwetend, naar adem snakkend, alleen in een angstige stad naast een arts die diep lag te slapen. Ze schreef niet over de arts, de vreemde in haar bed, het laagje van beleefdheden dat hen voor elkaar beschermde. Ze wist niet meer waar die woorden naartoe gingen, waarom ze ze schreef, wat ze betekenden. Het was genoeg om haar pen over het papier te laten gaan, de ene regel na de andere, vorm gevend aan iets waaraan geen vorm te geven was. Op zoek naar thuis.

'Roberto moet zijn thuis wel missen,' zei señora Caribe bij de thee. 'Wij missen het in elk geval wel.'

Eva nam een slok uit een elegant kopje. Het was dagen geleden dat Roberto voor middernacht was thuisgekomen. 'Ja, inderdaad.'

Señora Caribe keek naar haar plafond, waar een gebrandschilderde vin bedompte lucht ronddraaide. 'Soms geven de kranten me hoop dat Perón niet zal aanblijven. Hij is roekeloos geworden.

Een veertienjarig meisje? Wat voor president is dat, die een veertienjarig meisje tot zijn minnares maakt?'

Eva schudde haar hoofd en kneep haar lippen afkeurend op elkaar. Evita zou zich omdraaien in haar graf, dacht ze, al had ze natuurlijk geen graf. Zich omdraaien in haar welriekende balsems dan.

'Maar bovenal wil ik mijn zus zien voordat ze sterft. Ik hoop alleen dat ze het langer volhoudt dan Perón. Soms droom ik dat ze dood is en vanaf de overkant van de rivier naar me schreeuwt. Ik kan haar horen, maar ik kan niet terugschreeuwen. Dan word ik badend in het zweet wakker – het klinkt vast krankzinnig.'

'Nee. Helemaal niet.'

Señora Caribe glimlachte dankbaar. 'Heb jij wel eens nare dromen?'

Eva sloeg haar benen over elkaar en zette ze weer neer. 'Ja.'

'Ah. Daar weet ik iets voor.' Ze keek achterom, alsof de porseleinkast oren zou hebben. 'Wie wast je haar?'

Die vraag had Eva niet verwacht. 'Ikzelf.'

'Wie nog meer?'

'Mijn kapper.'

'En dat is?'

'Een man in Pocitos.'

'Bah! Je moet naar die van mij gaan. Zij is de beste kapster van de hele stad. Ze wast je haar alsof die heerlijke zeep van haar je zorgen kan wegspoelen.'

Eva glimlachte naar haar gastvrouw.

'Echt, ik meen het. Daarna slaap ik beter. En kijk hoe goed ze knipt.'

Ze streelde haar grijze krullen. 'Ik zal je haar nummer geven.'

Nadat Eva die avond haar kinderen naar bed had gebracht en de afwas had gedaan, haalde ze op het balkon het briefje van señora Caribe tevoorschijn. Ze deed haar best om het handschrift bij het licht van de lamp te ontcijferen. *Zolá Zapateada, 35-53-99.*

Hij was er weer, op straat: de man met de donkere gleufhoed. De hoed laag over zijn oren getrokken, gehuld in zijn lange jas, alsof het geen hartje zomer was. Alsof er iets op straat lag dat hij had verloren. Wat dreef een man ertoe om drie jaar over straat te dwalen? Het kon een getergd kunstenaar zijn; een man met een gebroken hart; een misdadiger met kwade plannen; een gek die nergens anders naartoe kon. Of gewoon een zwerver in een wereld die zielen laat ronddolen, die de ziel wegstuurt zonder waarschuwing of reden of zelfs een lucifer om wat licht te brengen in het donker. Ze ging terug naar haar slaapkamer met zijn lege bed zonder echtgenoot. Ze glipte onder de dekens en deed haar ogen dicht. Zolá Zapateada, dacht ze vlak voor ze in slaap viel, wat voor een naam is dat?

Ze maakte een afspraak voor de week daarna. Zolá woonde in een stijlvol flatgebouw, waar de liftjongen een uniform droeg met glanzend gepoetste knopen. Ze stapte uit op de vijftiende verdieping en klopte aan op nummer 1555.

'Ik kom zo,' riep een zachte stem aan de andere kant.

Een lange, keurig verzorgde vrouw deed open. '*Buenas...*' Ze bleef stokstijf staan.

'Zolá?'

'Ja. Kom binnen.'

Eva ging naar binnen en bekeek het vertrek, de marmeren vlakken, ivoorwitte muren, een kristallen vaas met een uitbundig boeket. Zolá droeg parels en paarse zijde en donkerrode lipstick. Ze staarde Eva aan met een blik zo intens dat het bijna onbeschoft was.

'Wat een mooi appartement.'

'Eva. Herken je me niet?'

'Ken ik je?'

Haar trekken hadden iets bekends. Scherp, charmant. Ze kon ze niet thuisbrengen. Ze speurde haar geheugen af, het gezicht, het haar, de ogen. De Ogen. Haar keel snoerde dicht; ze kon niets meer zeggen. Ze staarden elkaar aan.

Een lang ogenblik verstreek. Onmogelijk. Eva's gezicht en handen werden warm. Haar gastvrouw was de eerste die wegkeek.

'Zal ik maté maken?'

Eva verroerde zich niet.

'Toe, maak het je gemakkelijk.'

Eva ging op de fluwelen bank zitten terwijl Zolá verdween om water te koken in de keuken. De kamer was groot en ruim, met muurhoge ramen, schilderijen in goudkleurige lijsten, uitbundig bloeiende planten. Rechts van haar stond een kappersstoel voor een ronde spiegel, links omspande het uitzicht de daken van gebouwen tot aan de rivier. Ze stelde zich voor dat ze zou vallen, uit het raam, uit haar werkelijkheid, helemaal naar beneden tot in een vertekende onderwaterwereld. Zolá kwam binnen met een blad bizcochos en maté.

Eva wilde lachen, huilen, schreeuwen. 'Ik kan het niet geloven.'

Zolá hield haar het blad voor zonder naar haar te kijken.

Eva nam een gebakje en tuurde ernaar. Het zag er volkomen normaal uit. 'Hoe lang knip je al?'

'Zeven jaar. Ik heb het geleerd in Buenos Aires, na de Verandering. De concurrentie daar is groot, dus ben ik teruggekomen.' Ze gaf Eva de maté aan. 'Ik ben een van de beste kappers in Uruguay.'

Eva dronk uit de kalebas. De bittere vloeistof vulde haar mond. 'En hiervoor ben je bij me weggegaan?'

'Om haar te knippen?'

'Je weet wel wat ik bedoel.'

'Sorry, inderdaad. Ik ben kort nadat we uit elkaar waren naar het ziekenhuis gegaan. Ik wilde je niet in de steek laten, maar niemand mocht het weten.'

'Wat hebben ze… ik bedoel…'

Zolá streek zijn (haar zijn haar zijn) rok glad. 'Ik ben geopereerd. Het was allemaal heel nieuw. In Berlijn heeft een schilder het als eerste laten doen. Dat was in 1931. Ik hoorde de jongens bij

La Diablita erover praten. Je kunt je wel voorstellen dat ze daar niet veel goeds over te zeggen hadden. Maar toen wist ik dat het mogelijk was, dus ben ik naar Argentinië gegaan. Je kent Buenos Aires. Op elk gebied de eerste.'

Eva knikte. De volgende vraag bleef in haar keel steken.

'Vraag door. Wat het ook is.'

'Waarom heb je dat gedaan?'

Zolá zei niets, en Eva was bang dat ze haar beledigd had. Ze zocht naar woorden om de stilte te vullen. Alles wat in haar opkwam leek haar onzegbaar.

'Om waarachtig te zijn.'

Het licht viel overvloedig binnen in dit hoge huis en schitterde op kristallen vazen, schudde het stof van herinneringen af, herschikte de bekende wereld. Ze gaf de kalebas terug aan Zolá. Ze keek hoe ze (ze!) water op de bladeren schonk en haar rode lippen op de plek bracht waar die van Eva zojuist waren geweest.

'En al die tijd heb ik gedacht dat je er met een andere vrouw vandoor was.'

'Echt?'

'Natuurlijk. Ik vond een lipstick onder je ladekast.'

'Van wie denk je dat die was?'

Eva staarde.

'Ik heb in een nachtclub gewerkt. Weet je nog?'

'O ja.'

'Maar dat is een smerig wereldje. Dit werk past beter bij me.'

Eva dacht aan de eerste keer dat ze samen naar huis waren gelopen vanaf La Diablita, hoe etherisch ze Andrés in het maanlicht had gevonden, als een wezen van een andere wereld dat niet thuishoorde bij het slagersblok. 'Je hebt geen idee hoe ik je heb gemist.'

'En ik jou natuurlijk ook,' zei Zolá.

Ze keken elkaar aan. Het was een intens vreemde en vertrouwde blik.

'Je ziet er goed uit.'

'Jij ook.'

Eva keek de andere kant op. 'Ben je bang dat je herkend wordt?'

Zolá glimlachte een beetje trots. 'Jij hebt me toch niet herkend? Maar ik blijf weg uit Punta Carretas. De meeste mensen die ik in Montevideo kende gaan niet naar kappers als ik. Mijn klanten zijn voor het merendeel… nou ja…'

'Zoals ik?'

'Ja, señora Santos.' Ze gaf de naam een ironisch accent mee. 'Zoals jij. Dus vertel eens. Wat voor iemand ben je geworden?'

'Daar kan ik geen antwoord op geven.'

'Waarom niet?'

'Ik heb er geen idee van.'

'Vertel me dan wat er is gebeurd.'

Eva deed haar verhaal, eerst systematisch, daarna sneller, over haar verlamming na Andrés' vertrek, het ziekenhuis, de speciale aandacht en roze pilletjes van dokter Roberto Santos, het appartement met lichtpaarse rozen en verleiding, het huis met de witte pilaren, de geboorte van haar zoon en dochter, haar sporadische publicaties, de doorweekte dokter die in het holst van de nacht aanklopte, de gekopieerde tekst die tot ballingschap had geleid, het balkon waarop ze naar de deur van La Diablita keek, haar avonden bij Xhana en haar dagen bij Coco, haar verre echtgenoot en drukke kinderen en gedichten die weggestopt lagen in een la. Door erover te praten werd de caleidoscoop van herinneringen door elkaar geschud. Woorden vielen van haar lippen in versplinterde kleuren en de vrouw voor haar nam alles wat ze zei in zich op. Uiteindelijk viel ze stil.

'En ben je gelukkig?'

'Dat weet ik niet. Jij?'

Zolá trok een wenkbrauw op. 'Ja. Maar ik heb een paar verschrikkelijk zware verliezen geleden.'

'Zoals?'

'Zoals mijn moeder.'

Een beeld van Coco vulde de kamer – bloed-en-zeep-handen, een schelle lach, heupen als muren van een fort.

'En jou.'

Eva keek naar de ronde spiegel die aan de andere kant van het vertrek hing. Daarin zag ze de bewolkte lucht.

Zolá staarde naar de salontafel alsof die haar boeide. 'Walg je ervan?'

Eva tuurde uit het raam. Het licht werd goudkleurig; het viel in scherven op de rivier. De rivier schitterde, lang en breed, dezelfde rivier als altijd. Ze had er jarenlang op willen varen voordat ze hem overstak. Ze kon zichzelf bijna zien, beneden op het water, in een boot bij zonsondergang, twintig jaar oud met haar beste vriend, verlangend naar zijn lichaam, verlangend naar veel meer, zeker van haar verlangen, zeker van niets. Misschien doolde dat meisje, haar geest, nog steeds rond in de lage golven. Een zeemeeuw scheerde over daken en verdween uit het zicht.

'Nee.'

Zolá keek even opgelucht als een kind.

'Ik heb alleen nog één vraag.'

'Nou?'

'Heb je de poëzie opgegeven?'

'Nee. Ik heb een pseudoniem. Als dichteres.'

'Aha.'

'Het is een plattelandsmeisje, van de pampa's.'

'Nee.'

'En ze is blind.'

'Zolá, wacht. Je bent toch niet Soledad Del Valle?'

'Ken je me?'

'Dit is niet te geloven.'

'Denk maar na. Een kluizenares, zedig, blind, buiten op het land – hoe zou die ooit in de stad kunnen verschijnen?'

Eva nam een bizcocho van de schaal, maar at hem niet op. Ze

pelde de laagjes bladerdeeg af, waarna een zachte, roze binnenkant zichtbaar werd.

'Wat denk je nu, Eva?'

'Dat de wereld een grap is.'

'Moet je erom lachen?'

'Wie weet.'

Zolá glimlachte. Achter haar was het alsof de hemel zich als een
mantel sloot. 'Zal ik je haar wassen?'

Het werd haar dierbare geheim, die tocht omhoog naar de vijftiende verdieping. Omhoog, omhoog naar de hemel, naar Zolá's
arendsnest, waar zo veel liefde was: brede lichtstralen; sprook-
jesachtige lelies die wijd geopend hun geur verspreidden; glad
marmer, gladde spiegels; haarlokken, haar eigen lokken, zwart en
sluik, die op de grond vielen. Elke keer als ze kwam, vielen ze op
een andere manier. Zola's handen keerden steeds weer terug naar
Eva's haar.

'Eva?'

'Mmm?'

'Hoe voelt dat?'

'Perfect. Het fijnste haarwassen van de wereld.'

'Ik noem het een hoofdmassage.'

'Noem het zoals je wilt. Ik noem het hemels.' Ze zakte onderuit
in haar stoel en liet haar hoofd nog meer ontspannen in warm,
zacht water dat naar rozen en amandelen rook. Vaardige vingers
gleden tastend door haar haar alsof ze op zoek waren naar goud-
spikkels.

'Geen wonder dat vrouwen hier geen genoeg van krijgen. Je
moet me ervoor laten betalen.'

'Ik wil er niets van horen.'

'Maar je zaak dan?'

'Sommige dingen zijn belangrijker. Ssst… ontspan…'

Ze sloot haar ogen en Zolá omvatte haar hoofd met zachte handen en dompelde het onder in zacht water met schuim van notenbloesems. Ze was een bloesem, een dierlijke soort, een gladde zeeanemoon die zich openvouwde, golvend, vol glibberige behoeftes.

'*Ay.* Dank je.'

'Waarvoor?'

'Dat je... me een zeemeermin laat voelen.'

Zolá lachte. 'Misschien krijg je wel een staart.'

Deze handen waren dezelfde die ze altijd waren geweest, ook al konden de nagels nu rode puntjes in je huid drukken. Ze had ze in haar gedachten naar goud zien zoeken, bladzijden omslaan, bladzijden vullen, tranen van haar wangen vegen. Ze kende deze handen, en ze kenden haar – beter, zo leek het, dan ze zichzelf kende: ze gleden over het parelsnoer, de oorbellen, zelfs de krullen, naar de verborgen, naakte contouren van haar hoofd. Het was een kwelling om zo'n stuk bleke, persoonlijke huid bloot te stellen aan die vingers: alsof de hele pantsering die ze ooit had gecreëerd kon oplossen in een bak geurig water; alsof niets verborgen kon blijven voor zulke vingers, en dat ook niet zou willen. Op sommige dagen kon haar deze kwetsbaarheid niets schelen en nam ze een vrije duik, ernaar hunkerend gestreeld, gemodelleerd, gewassen, herboren, herdoopt te worden in een geheime zee.

Toen Zolá begon te knippen, had Eva het gevoel dat ze een ander mens werd. Ze kwam binnen als een vrouw die niet helemaal af was, sterk maar wazig aan de randen, als een foto die met een softfocuslens is genomen. Zola's knipbeurt liet haar wezen duidelijker naar voren komen en maakte de randen scherper. Alles wat overbodig was, kon eraf, besefte ze. Knip, en er viel iets van haar af. Knip, en ze werd vrijer dan daarvoor. Knip, knip, zong de schaar met helder, zacht gesnerp terwijl hij langs de gebogen lijn van haar nek danste.

Na de eerste knipbeurt liep Eva over La Rambla alsof haar voeten op puur goud stapten. Na de tweede keer ging ze naar huis en huilde ze zeven uur lang. Stilletjes, zodat de kinderen haar niet konden horen in hun kamer of aan de tafel waar ze aten onder de half oplettende, half geërgerde blikken van señora Hidalgo van beneden. Eenmaal per uur klopte señora Hidalgo op Eva's slaapkamerdeur.

'Doña Eva? Hebt u mij nog nodig?'

'Als u het niet erg vindt…'

'Weet u zeker dat u verder niets nodig hebt?'

'Ja, señora. Dank u.'

Ze hoorde de weduwe met trage, knerpende stappen weglopen. Meer tranen.

Na de derde knipbeurt kwam Eva thuis en diepte alle gedichten op die ze kon vinden. Ze kwamen uit laden, sokken, tassen, de donkere ruimte onder het bed, de holtes van schoenen die niet meer gedragen werden. Ze spreidde ze uit op haar bed en begon ze te sorteren, op zoek naar patronen in de chaos.

Ze nam ze mee naar Zolá.

'Lees er nog een voor. Toe.'

'Zolá, ik moet gaan.' Met tegenzin. 'Ik ben al laat voor de oppas.'

'Natuurlijk.' Zolá leek het ook met tegenzin te zeggen. Ze krulde zich op de bank op, met haar kin op haar arm. 'Ze zijn prachtig. Waarom zijn we in vredesnaam dichter geworden?'

'Omdat we roekeloos waren.'

'Omdat we van het leven houden?'

'Omdat we niet anders konden.'

'Dat moet het zijn.' Ze gebaarde naar de papieren die over de tafel verspreid lagen. 'Mag ik ze nog een poosje houden?'

'Goed.'

De herfst kwam, met zijn koude winden en vroege buien. Het seizoen leek er schik in te hebben. Eva kon als ze op straat liep – met aan elke hand een kind – ineens getroffen worden door een heftige opwelling van geluk. Dan wilde ze huppelen, rennen en in plassen trappen, en genoot ze van het zachte gekraak van bruine bladeren onder haar schoenen. Zo veel rijkdom te genieten op één stoep. 'Salomé, jij neemt die!' Kleine schoenen vermorzelden een blad, nog een, en twee lachjes (een van een kind van drie, en een van haar moeder) mengden zich met het krakende geluid. 'Roberto? Jij ook?' Een hoofd schudde, een wollen muts (gemaakt door zijn abuelita) waarop de pompon wiebelde. Hoe was hij zo groot geworden? En zo ernstig? Er was heel wat gespetter in plassen voor nodig om hem te laten glimlachen, maar het loonde uiteindelijk de moeite om de zon in zijn gezicht te zien doorbreken.

Ongeremde vreugde blijft zelden onopgemerkt.

'Wat is er met je?' Xhana kruiste haar armen over haar schort.

'Wat bedoel je?'

'Kom, *prima*. Je moest jezelf eens zien.'

Eva nam een flinke hap van haar empanada. De damp sloeg van het deeg af.

'Papá, is ze niet veranderd?'

Tío Artigas roffelde een ritme op het tafelkleed. 'Als ik niet beter wist... zou ik zeggen... dat ze verliefd is!'

Xhana stak triomfantelijk haar kin in de lucht.

'Dat is laster,' zei Eva.

'O ja?' zei Artigas.

Eva keek om zich heen en spreidde haar handen, als een onschuldige die zich tot haar aanklagers wendt. Ze keek de kamer rond, alsof die haar kon redden. Olie siste in een pan op het fornuis; een vrouw rees op uit de zee in een schilderij aan de muur, sterren vielen uit haar handen, erboven stond IEMANJÁ; drummer en dochter keken haar aan. Geen respijt mogelijk. Ze boog spottend haar hoofd, alsof ze verslagen was.

'Jullie hebben gelijk. Ik ben verliefd... op mijn fantastische kinderen.'

Van twee kanten werd ze toegeschreeuwd.

'Goed,' zei Xhana. 'Je hoeft het niet te vertellen. Zelfs niet aan je eigen familie.'

'Zeker.' Artigas boog zich naar haar toe. 'Maar we hebben wel ogen in ons hoofd.'

Ze wilde nog iets zeggen; het was onmogelijk. Er waren nieuwe werelden in haar leven waar ze geen woorden voor had. Verbazingwekkend hoeveel werelden er bestonden in één stad, zelfs in een rustige stad waar geen berg te vinden was. Er waren zo veel inwoners in Montevideo, achter de duizenden deuren. Misschien waren vrouwen als steden, vol donkere kamers, en konden ze via verborgen gangen nieuwe werelden vinden.

'Eva.' Zolá's stem gleed door het water. 'Ik moet je iets bekennen.'

Eva dwong zichzelf haar gedachtespinsel los te laten.

'Ik heb je gedichten aan señora Sosoma gegeven.'

'De vrouw van de uitgever?'

Zolá keek berouwvol en geamuseerd. Een druppel water had een klein, donker cirkeltje achtergelaten op haar limoengroene blouse. 'Ze is een klant van me. Ze vond je werk prachtig. Zij allebei. Ik ben bang dat ze het willen uitgeven.'

Eva had de Sosoma's nooit ontmoet, maar ze was op de hoogte van hun uitgaven, elegante bundels die buiten Montevideo werden uitgegeven, met de bedoeling, zoals ze zelf zeiden, meer vrouwenstemmen onder de aandacht te brengen. 'Meen je dat?'

Zolá knikte. 'Vergeef je me?'

'Voor deze ene keer. Maar ik zal op moeten passen. Je kunt te goed geheimen bewaren.'

'Klopt. Maar ik kan ze ook goed vertellen.' Zolá's gezicht werd ondoorgrondelijk. 'Goed, lieverd, als je nu even achterover wilt leunen...'

Ze liet haar hoofd in Zolá's handen zakken. Haar lokken waren zeewier; daartussen zochten de vingers naar parels. Ze wemelde van de parels. Ze liep ervan over. Er was zoveel te vinden.

Eva hoorde het nieuws over de val van Perón op 20 september 1955 op de radio. De stem van de nieuwslezer, meegesleept door het historische moment, stroomde haar keuken in, over de tegels heen, over alles heen. *In Buenos Aires heeft een nieuwe militaire junta meegedeeld dat Perón zich heeft teruggetrokken... onbekende bestemming... Hier in Montevideo zijn ballingen al bezig hun spullen te pakken, klaar om naar huis te gaan.* De stem klonk eufoor, en Eva merkte dat ze uit haar stoel kwam alsof ze door een plotselinge windvlaag omhooggeblazen werd, vol hoop voor Argentinië, totdat de woorden 'nieuwe militaire junta' tot haar doordrongen. Ze zag voor haar geestesoog de familie Caribe overhemden strijken, en kammen en kopjes in koffers stoppen, foto's en schilderijen van de muren halen. Ze zag Roberto, gebogen over het bed van een ziek kind, zijn hoofd vol van het nieuws en visioenen over hun terugkeer. Ze zette de radio met een klap uit. De kinderen zaten op school. Het huis klonk hol nu het zo stil was. Salomés lievelingspuzzel lag op de salontafel: een tijger met een gemoedelijke grijns, zijn kop en poten onafgemaakt.

Die middag zat Eva bij Zolá voor de ovale spiegel en zag hoe de schaar haar natte haar knipte. Zolá stond over haar heen gebogen, met opeengeknepen lippen, geconcentreerd, haar haar opgestoken in een hoge, strakke knot. Ze waren allebei stil.

'Korter, Zolá.'

'Weet je het zeker?'

Eva knikte, ze wilde lucht, ze wilde gekortwiekt worden.

'Goed dan. Maar dan moet je je hoofd stilhouden.' De schaar snerpte. 'Hoe gaat het met het boek?'

'Geweldig. Heel spannend.' Dat was waar – de uitgever was bijzonder vriendelijk, en ze was er bijna klaar mee, 's avonds laat nog legde ze haar gedichten in het ene mozaïek na het andere – maar vandaag kwamen de woorden er met moeite uit.

'Mooi.'

'Heb je het nieuws gehoord?'

'Ja. De prijs van de wol is gedaald. Nog meer banenverlies.'

'En Perón.'

De schaar knipte onverdroten voort. 'En Perón.'

In de spiegel spreidde het ananaskleurige licht dat door de ramen binnenviel zich uit over de bank, de schoorsteenmantel, Zolá's roze jurk, haar parelsnoer, haar lichaam dat vooroverboog om Eva goed te kunnen knippen.

'Wat zei Roberto erover?'

'Ik heb hem nog niet gezien.'

'Hij zal wel blij zijn dat hij weer naar huis kan.'

'Naar huis? Hij komt nooit naar huis.' Eva had niet willen schreeuwen. 'Hij gaat vreemd, weet je dat.'

'Weet je dat zeker?'

'Natuurlijk!'

'Hou je hoofd stil.' Hun blikken ontmoetten elkaar in de spiegel: een boze vrouw met nat haar en een andere vrouw vlak achter haar, met een schaar in de aanslag.

Zolá ging weer knippen.

'Ik ben niet jaloers.'

'Nee?'

'Nee. Althans, niet op haar, wie het ook is. Ik ben jaloers op hém.'

'Waarom?'

'Omdat hij doet wat hij wil.'

'En jij niet.'

'Nee.'

'Waarom niet?'

'Voor vrouwen ligt het anders, Zolá.'

Zolá's spiegelbeeld bleef geconcentreerd aan het werk. 'En dat houdt je tegen?'

'Voor een deel.'

'En voor het andere deel?'

'Iets anders.' De schaar bevond zich nu in haar nek en was koud op haar huid. Haar huid was warm. 'En jij?'

'Hoezo ik?'

'Doe jij wat je wilt?'

Zolá keek in de spiegel. 'Voor een deel.'

Hun blikken haakten in elkaar. Eva kon niet ademen. Er daalde een stilte over hen die nadat ze hun blikken hadden losgemaakt bleef hangen tijdens het knippen, drogen, stylen. Ten slotte stond Eva op om weg te gaan. Ze bekeek haar haar in de spiegel. 'Het zit mooi.'

Zolá rangschikte flessen met zoetgeurende oliën en zeep. Ze zette een groene fles naar voren en weer terug. 'Als je vertrekt. Kom je dan afscheid nemen?'

'*Por favor.*' Eva pakte haar jas. Ze hield haar blik gericht op de knopen die ze vastmaakte. 'Je ziet me weer terug.'

Op weg naar huis maakte Eva een omweg langs de Plaza de Zabala, waar ze een lange, smalle straat in sloeg.

Het was er stil. Natuurlijk.

Dezelfde stenen engelen stonden op het dak, overdekt met duivenpoep. Dezelfde balkons flankeerden de deur met zijn koperen bel. Voor de ramen stonden rijen, rijen leren schoenen te pronken – zwart, rood, bruin, crème. Op de hoek aarzelde ze, klaar om de benen te nemen. Er bewoog niets. Ze hoefde niet verder te gaan en ze hoefde niet weg te rennen. De kille schemering viel. Een tram reed ratelend achter haar langs; zolen kletterden over de stoep; Montevideo was op weg naar huis. Ze was veranderd. Ze was dertig jaar, geen jong meisje meer. Ze had dunne lijntjes rond haar ogen; twee kinderen; een huwelijk dat gebaseerd was op fantasieën en maskers en serieuze pogingen; een bundel gedichten in de maak; een nicht en een moeder en drie broers; handen die haar hoofdhuid streelden onder rijk stromend water; en ze had iets vanbinnen – iets donkers, glibberig en solide, als een rots midden in de zee.

Daar was iemand in de etalage. Eva vloog de hoek om, uit het zicht. Ze had het gedaan. Op elke hoek van deze stad kon ze staan, ademen, waarachtig zijn. Meer dan wat ook wilde ze waarachtig zijn.

Roberto stak zijn sleutel om halftwee in het slot van de deur. Eva hoorde dat hij zijn jas uittrok, ophing, kuchte en naar de slaapkamer liep. Hij ging op het bed zitten. Het dekbed kreukte onder zijn gewicht. Eva bekeek zijn gebogen rug, zijn vlezige kin, zijn scherpe haviksneus. Zijn haar was bijna voor de helft grijs. Wanneer was dat gebeurd?

'Hallo.' Hij wachtte. Het was haar beurt, haar moment om te zeggen: hoe ging het vandaag, en neer te knielen om zijn schoenveters los te maken. Ze deed geen van beide. Roberto keek licht geërgerd op. 'Je hebt het nieuws vast wel gehoord.'

'Over Perón?'

'Vanzelfsprekend.' Roberto aarzelde, en bukte toen om zijn schoenen uit te trekken. 'Op mijn werk hebben ze me een fles champagne gegeven.' De veter werd met bijna chirurgische precisie uit de gaatjes getrokken. Hij deed het niet zoals Eva; zij had de neiging te hard te trekken. 'Heb je het aan de kinderen verteld?'

'Wat verteld?'

'Dat we naar huis gaan.'

'Roberto.' Ze ging naast hem zitten. 'Ik moet je iets vertellen.' Hij keek behoedzaam.

'Ik wil graag blijven.'

'Wat?'

'Ik wil niet naar Argentinië.'

'Natuurlijk gaan we terug.'

'Ik wil dit alleen even zeggen.'

'Nee. Zeg het niet,' zei hij, te hard.

Ze maakte een zacht, sussend gebaar. 'Luister nu even…'

'Nee, Eva, jíj moet luisteren.' Hij sprong overeind. 'Je wilt niet naar Argentinië. Dat wil je niet. Misschien ben je vergeten waarom we daar zijn weggegaan. Of waar ik met je getrouwd ben. Waar ik van jou heb gemaakt wat je nu bent.' Hij was rood en wees met een bleke, vlezige vinger naar haar. 'Ik geef je alles. En wat krijg ik ervoor terug? Dit. Ballingschap en nu dit. Een vrouw die geen zin heeft om terug te gaan.'

Eva stond op. Het was een opluchting dat die woede naar buiten kwam, tastbaar. 'Ik heb je in de steek gelaten.'

'Wat denk je?'

'Hoe heet ze?'

'Wie?'

'Je minnares.'

Hij deinsde terug.

'Of zijn het er zoveel dat je het niet meer weet?'

Van Roberto's gezicht was niets meer af te lezen. Eva kwam dichter bij hem. Ze rook een vleugje van zijn reukwater, scherp, aangenaam. 'Misschien ben ik een slechte echtgenote, maar ik ben in elk geval trouw geweest, ik heb nooit een vinger uitgestoken naar een andere man.' Of vrouw. Of. 'Dat kan ik in elk geval zeggen.'

Hij draaide zich om naar de gordijnen, en toen wist ze het: hun kamer was veel zwakker dan ze had beseft. Muren wankelden onder het minste gewicht. De lucht was scherp; hij prikte op haar huid.

Er werd op de deur geklopt. Eva deed open. Daar stond Salomé, met betraande ogen, haar vlechten vielen over haar lavendelblauwe nachthemd. Haar gezicht was fijn en klein voor een meisje van vier. Eva knielde bij haar neer.

'*Hija*, wat doe jij uit bed?'

'Ik hoorde iets.'

'Er is niets aan de hand.' Ze deed haar best om geruststellend over te komen.

'Ik was bang.'

'Ik begrijp het. Maar er is niets aan de hand.'

'Mag ik bij jou slapen?'

'Vanavond niet.'

'Alsjeblieft?'

'Een andere keer. Ik beloof het.' Eva streelde haar dochters wang. 'Ga maar weer terug naar bed.'

Salomé knikte, niet overtuigd. Eva keek haar na toen ze terugliep naar haar kamer, en deed de deur dicht.

Roberto keek vermoeid. 'Je wilt echt niet terug?'

'Nee.'

Hij knikte, alsof hij het al had geweten. Hij opende de kast en gooide een broek op het bed. Hij pakte er nog een.

'Wat doe je?'

'Ik ga weg.'

'Ssst. Denk aan de kinderen.'

'Ik ga weg.' Hij sprak zachter, maar hij bleef driftig heen en weer lopen naar de kast.

'Vannacht nog?'

'Ja.'

'Waar ga je naartoe?'

'Doet dat er iets toe?'

'Naar haar.'

'En als dat zo is?'

'Kom je nog terug?'

'Waarom zou ik?'

Ze wiegde een beetje. 'Om de kinderen.'

'Ik vergeet ze niet.'

De stapel op het bed was als een paddenstoel uitgegroeid tot een hoop wol en riemen en keurig gestreken katoen. Op dit moment zou een andere vrouw misschien bidden, smeken, op haar knieën vallen, zich klein maken, alles doen om hem thuis te houden en hem op andere gedachten te brengen. Maar – de gedachte had het effect van sterkedrank – dat wilde ze niet. Natuurlijk wilde ze dat niet. Ze was te dronken, ze wilde meer, ze wilde haar roes volgen, waarheen die haar ook bracht, hoe steil ook de afgrond was, hoe diep ze ook viel.

Ze zag dat Roberto de koffer van de plank haalde en geopend op bed gooide. Hij ging methodisch te werk, haar echtgenoot, zelfs nu zijn emoties hoog opliepen. Bij die gedachte bespeurde ze een lichte genegenheid voor hem. Ze had hem kunnen kussen (niet om hem te houden), maar het leek er niet het juiste moment voor. In plaats daarvan liep ze naar het balkon om frisse lucht op te snuiven. Avenida San Salvador strekte zich klaarwakker onder haar uit. Een oud tangonummer klonk zacht door een raam; stelletjes slenterden ongehaast langs, hun handen gleden door elkaars haar; op de stoep voor La Diablita zaten mensen in groepjes bij elkaar aan tafeltjes, de kou trotserend. Ze stak een sigaret op en keek hoe de askegel zachtjes knetterend haar mond naderde. De man met de gleufhoed was bij de lantaarnpaal aangekomen, zijn jas strak om zich heen en zijn hoed laag op zijn hoofd, zoals altijd. Triest. Absurd. Als hij een getergde kunstenaar was, zou hij naar huis moeten gaan en kunst moeten maken. Als hij een minnaar met een gebroken hart was, moest hij op zoek gaan naar een nieuwe liefde. Als hij een gek was – tja – kon hij geen andere plek vinden voor zijn gekte? De roes van deze nacht gaf haar moed. 'Señor,' riep ze, 'wie bent u? Wat zoekt u in vredesnaam?'

De man bleef stokstijf staan. Een jong paartje dat uit La Diablita kwam bleef nieuwsgierig staan kijken.

'Eva,' zei hij. 'Hallo.'

Eva brandde bijna haar vingers aan haar sigaret. Die stem kende ze. De man zette zijn hoed af. Zijn grijze haar glansde in het lamplicht, een tint lichter dan de oude stenen van het gebouw achter hem. Hij glimlachte nerveus. Zijn handen kneedden de hoed. Vanuit deze hoek leek hij klein, een miniatuur van haar vader. 'Ik... *este*... wilde je niet lastigvallen.'

Eva drukte haar sigaret uit en wierp hem op straat. Ze wilde lachen, maar toen ze haar mond opendeed kwam er geen geluid. 'Dus jij was het, al die tijd?'

Ignazio haalde zijn schouders op en gaf het daarmee toe. Het jonge paar was blijven staan en keek met nauwverholen belangstelling toe. Ignazio wierp een blik op hen. Ze keken weg. 'Kunnen we misschien ergens naartoe gaan? Iets drinken?'

'Nee,' zei Eva. 'Ik ben bezig.' Nu lachte ze wel, een lach die zonder moeite kwam, de ongeremde lach van een gekkin. Haar vader tuurde vanaf zijn ijzeren lantaarnpaal naar haar. 'Morgen misschien? Vijf uur?'

'Goed dan.' Hij zette zijn hoed weer op. 'Tot morgen.'

'*Adiós*, papá.'

In de slaapkamer stond Roberto met twee paar sokken in zijn hand. Op ongelovige toon vroeg hij: 'Was dat je vader?'

Eva dacht aan Roberto's eigen vader, die nooit als een zwerver 's nachts op straat rond zou dolen. Niet voor een dochter, niet voor wie dan ook. Alleen een idioot, een halvegare of een dronkenlap zou zoiets doen. 'Ja,' zei ze, 'hij is het.'

De volgende ochtend werd Eva wakker in een leeg bed. Het licht krulde zijn lange vingers om de zijkanten van de gordijnen. Het was benauwd in de kamer, vol verschaalde adem en rondzwevende woorden. Licht en adem en onuitgesproken zaken, en zij alleen tussen de lakens, leeg, euforisch, bang. Ze pakte pen en papier en begon een gedicht. Een gedicht over een vrouw die haar benen verloor en op zoek ging om ze te vinden, waarbij ze zich al tandenknarsend voortsleepte op haar ellebogen. Stof vulde de mond van de vrouw en Eva hield op met schrijven, scheurde het blad uit en begon een ander gedicht, waarin een vrouw midden in de nacht over een rivier voer, vanaf een oever die Leugens heette naar een oever die Waarheid heette. Ze beschreef Waarheid, haar wilde druivenranken en vuurrode vogels, en ze ging zelfs door toen ze de lichte voetstappen van haar kinderen voor de deur hoorde; ze moest opstaan en ontbijt voor hen maken, maar haar pen schreef almaar verder op het papier en haar hand kon niets anders doen dan volgen. De voetstappen waren verdwenen en daarna klonken er geluiden uit de keuken en weer voetstappen en daarna een stem voor de deur die zei: 'Mami.'

Salomé keek haar aan en leek nog kleiner door het blad dat ze vasthield terwijl ze zich tot het uiterste moest concentreren om het niet te laten vallen. Op het blad stonden maté, een thermosfles met heet water en een bord met geroosterd brood. Hoe hadden ze dat zelf voor elkaar gekregen? Stel dat ze zich hadden gebrand?

'Goedemorgen,' zei Salomé onzeker.

Eva ging rechtop in bed zitten. '*Ay, hija.*' Salomé kwam dichterbij, en Eva pakte het blad van haar aan en zette het op het bed. Ze keek naar haar dochter en herinnerde zich haar gezichtje van de vorige avond, vol vertrouwen en oneindig kwetsbaar. Een meisje dat elke verandering van de wind opmerkte, dat alles haarfijn aanvoelde maar zichzelf niet kon beschermen, dat iemand nodig had die dat voor haar deed. Het maakte Eva doodsbang om te denken aan wat het moederschap eiste, aan de mogelijkheid dat ze faalde. Ze voelde dat haar gezicht betrok. Salomé keek angstig en Eva glimlachte snel. 'Wat lief. Wat ontzettend lief.'

Salomé ontspande een beetje.

'Heb je trek?'

Salomé knikte en Eva tilde de dekens op zodat het meisje naast haar kon kruipen. Salomé nestelde zich als een molletje tegen haar aan. Hoe had haar eigen lichaam dit vreemde, perfecte kind ter wereld kunnen brengen?

'Waar is je broer?'

Salomé haalde haar schouders op.

Eva riep hem, een keer, twee keer, toen kwam Roberto aanlopen met een half opgegeten boterham in zijn hand, hij zag er behoedzaam en hoopvol uit in zijn Donald Duck-pyjama. Ze zouden samen opstaan, een nieuw leven beginnen, een nieuwe drie-eenheid, en wat kon het schelen dat anderen hoofdschuddend toekeken en hun lippen op elkaar knepen, het was haar leven, niet dat van anderen.

'Kom erin, kom erin,' zei ze.

Ze scheurde het brood in ongelijke stukken en ze zaten met z'n drietjes knus en rustig tegen elkaar aan, met hun voeten over elkaar, en aten geroosterd brood zonder zich te bekommeren over de kruimels.

Die middag ging Eva voor het eerst sinds tien jaar bij La Diablita naar binnen. Ze werd overspoeld door herinneringen aan rode stoelen en vrolijke muziek en donkere muren. Ze zag zichzelf, als dertienjarige wankelend op hoge hakken buiten adem binnenkomen, die belangrijke dag waarop ze voor het laatst had gesproken met deze man, haar vader, die nu bij haar was.

Ze gingen dicht bij de piano zitten. De serveerster die hun bestelling opnam had haren als neergeslagen vleugels. Ignazio keek rond. Hij had rimpels in zijn gezicht die ze nooit had gezien. 'Heb je hier gewerkt?'

Eva knikte. Ze haalde een sigaret tevoorschijn; Ignazio stak hem voor haar aan, daarna stak hij er zelf een op. Hun rook vormde trage slingers in de lucht tussen hen. Ze wachtte totdat hij zou beginnen, maar hij zat alleen te roken en met zijn vingertoppen tegen zijn duim te tikken. Achter hem boog een vrouw met gebleekt haar zich gretig naar haar vriendin. *Vertel me het geheim,* zeiden haar ogen.

'Al die tijd,' zei Ignazio.

Eva tikte as in de asbak.

'Je appartement ziet er heel mooi uit. Van de buitenkant.'

'Het lijkt erop dat je die kant heel goed kent.'

'Ik wilde je niet aan het schrikken maken. Echt niet.' Hij spreidde zijn handen. 'Ik kan het niet uitleggen. Als ik 's avonds naar buiten ging, wandelen, dan kwam ik uit bij jouw huizenblok.'

'Is het nooit bij je opgekomen om aan te kloppen?'

'Ik had nooit gedacht dat je zou opendoen.'

Ze vroeg zich af of ze dat gedaan zou hebben. De wijn werd gebracht en in glazen geschonken. Ze dronken zonder te klinken. De ruimte gonsde van het geroezemoes, klagerige muziek van een jazzplaat, een te harde lach, een zwaar parfum.

Ignazio speelde met de steel van zijn glas. 'Je bent nooit teruggekomen.' Het was geen vraag, en als het dat wel was geweest, had ze er geen antwoord op gehad. 'Er is een gat geslagen in de familie.'

Eva rookte. Achter hem verslond de vrouw met het gebleekte haar de bekentenissen van haar vriendin, met haar ellebogen op de tafel en haar in lakleer gestoken voet wiebelend eronder.

'Haat je me?' Hij zei het tegen het rode tafelblad.

Ze walste haar wijn rond. Ze nam een slok. Het verwarmde haar keel. 'Nee.'

Hij streek nog een lucifer af. In de kortstondige vlam zag hij er hoopvol uit, bijna als een kleine jongen. Ooit, dacht ze, was hij echt een jongetje geweest, ergens in Italië en daarna aan de reling van een stoomboot, waar hij sigaretten rookte als deze, op weg naar Uruguay, stralend, alleen, duizenden kilometers van huis. 'Ik ga dood,' zei hij.

'Papá. Ben je ziek?'

'Nee. Alleen oud.'

'Niet zo heel oud.'

'Ouder dan mijn vader is geworden.'

Dat hij zijn vader noemde schokte haar. Ze wist helemaal niets van hem. 'Oud en dood zijn twee verschillende dingen.'

Hij haalde zijn schouders op. 'Ik wil dat je me vergeeft.'

'Waarvoor?'

Hij speelde met de steel van zijn glas. 'Voor alles. Dat ik nooit jouw kant van het verhaal heb willen horen.'

Haar sigaret was bijna opgebrand tot de filter. Ze drukte hem uit.

'Ik zou het nu kunnen horen.'

Ze voelde aan de onderkant van de tafel. Die was koud en plakkerig; ze zou er vieze handen van krijgen. 'Nee.'

'Of we zouden het achter ons kunnen laten.'

'Dat is beter.'

Ignazio staarde naar de asbak alsof daarin een versleuteld mysterie lag. 'Wil je naar huis komen?'

Ze hield zich bezig met het aansteken van een sigaret. De harde lach sneed weer door de lucht, hield toen op, gevangen in een web van stemmen. 'Ja.'

'En me vergeven?'

Ze blies rook uit en inhaleerde weer. 'Waarom niet.'

Hij hoestte. Hij keek verwonderd naar haar vingers, met hun zorgvuldig gelakte nagels. 'Je ziet er heel mooi uit. *Este...* hoe is het met je gezin?'

Eva lachte. Ze was duizelig, ze was dronken, het kwam niet door de wijn. 'O, prima. Mijn man is vertrokken.'

'Waarheen?'

'Hij heeft me verlaten.'

'Wat?'

Eva glimlachte, bizar genoeg. De vrouw met het gebleekte haar was weg; op haar stoel lag alleen nog een verkreukeld servet.

'Kom bij ons wonen.'

'Ik red me wel,' zei ze een beetje te snel.

'Maar toch. Als je iets nodig hebt. Eten. Geld. Een plek om te wonen.'

Eva dacht aan het zandkleurige huis met zijn volgepropte kamers, zijn warmte en drukte, de tafel vol borden, verlaten hoekjes die ze zich tot in het kleinste detail herinnerde. 'Dank je.'

Hij haalde weer zijn schouders op. 'Nog wat wijn?'

Eva ging naar de vijftiende etage. Zolá deed open. 'Wat een verrassing.'

'Stoor ik?'

'Absoluut niet.'

Eva kwam binnen. Zolá deed de deur dicht. Ze droeg een lila
blouse en ze zag er prachtig uit, een zeldzame, hybride kasbloem.

'Roberto is naar Buenos Aires vertrokken.'

'Nu al?'

'Zonder mij.'

'O. Wat erg voor je.'

'Laat maar. Daar kwam ik niet voor.'

'Zal ik je haar wassen?'

'Zolá.' Eva liep op haar toe. Ze wist niet hoe ze moest beginnen. Ze raakte Zolá's gezicht aan, en Zolá's ogen werden groot,
een reactie die eruitzag als pijn. De lucht raasde en toen deed het
er allemaal niet meer toe, ze waren al binnen, ze kusten elkaar,
twee monden bewogen in elkaar, vochtig, dringend, Zolá die zich
tegen haar aandrukte. Zolá's handen in haar haar, warm, stevig,
zoekend, gretiger dan ze ze had gekend, en toen deed ze het, ze
liet haar handen dwalen, ze liet ze vrijelijk over Zolá's lichaam
gaan als twee beesten die naar eten wroeten.

'Kan dit?' zei Zolá. 'Kan dit echt?'

'Ja,' zei Eva. 'En óf het kan.'

De hemel, dacht ze, bevindt zich niet in de lucht maar in huid en
huid en huid…

Ze lagen naast elkaar in het donker nadat ze de liefde hadden bedreven in het donker, met het donker, het donker waarin ze werden vastgehouden als in de kom van een grote hand. Ik wil hier
nooit weg, dacht Eva, ik wil wonen op deze plek die doortrokken

is van de geuren die we hebben gecreëerd, met de afdruk die ons lichaam en onze stemmen hebben gemaakt. Ik wil voor eeuwig in dit lichaam blijven dat één wordt met een ander lichaam, en onze kreten en poriën en verloren holtes ontdekken waar zich jarenlang verlangen heeft schuilgehouden, ernaar hunkerend zijn geheime kleuren prijs te geven.

'Ik wil hier voor altijd blijven,' zei ze.

'Blijf dan.'

'Ik bedoel, ik ga weg. De kinderen. Maar ik laat mezelf hier in een laagje zweet tussen je lakens achter.'

'Mm.'

'En ik laat je nooit in de steek.'

'Mmm.'

'Je lichaam, Zolá…'

'Ssst.'

'Het is een wonder.'

'Eva.'

'Echt.'

'Eva.'

'Laat me nooit in de steek.'

'Nooit.'

'Huil je?'

'Nooit. Nooit.'

Behoedzaam lanceerde ze zichzelf op eigen kracht een nieuw leven in. Ze vond een baan in een café, drie blokken van haar huis. Het loon was laag maar haar collega's waren goedlachs en haar baas, een gulle zeventiger, stuurde haar elke dag naar huis met kartonnen dozen croissants of guavetaart of empanada's voor de kinderen. Ze aten deze kleine gaven als ontbijt of lunch of avondmaal, soms zo uit de doos, waarvan de witte rechte zijden vol vettige kringen zaten. Met z'n drieën zaten ze rond de keukentafel met hun handen te eten. Roberto plukte zijn hapjes altijd systematisch uit elkaar, alsof hij de inhoud moest onderzoeken voordat hij ging proeven. Salomé sloot haar ogen voor elke hap, alsof het proeven van de vulling een akte van geloof vereiste. Ze aten vaak in stilte. Ze waren zwijgzaam geworden sinds het vertrek van hun vader. Eerst vroeg Roberto elke dag waar zijn vader was, en de antwoorden – nog steeds in Buenos Aires; nee, hij kwam niet terug; vanaf nu zouden ze met z'n drieën zijn – waren niet voldoende om zijn vragen te laten ophouden. Maar algauw leken deze vragen hem te vervelen, ze bleven weg en lieten de zachte geluiden van tanden en lepels achter.

Ze aten niet altijd thuis. Ze begon hen mee te nemen naar het huis van haar ouders in Punta Carretas. De eerste keer stond ze in de woonkamer terwijl haar vader haar kinderen omhelsde, en ze dacht: ik ben geen negentien, geen elf, geen kind in oorlogstijd, ik ren niet midden in de nacht weg. Haar kinderen pasten zo gemakkelijk in de armen van abuelo Ignazio, alsof ze zich al hun hele leven in zijn genegenheid koesterden. Na vijf minuten wist hij hen al aan het lachen te krijgen en beloofde hij goocheltrucs na het eten. Als jullie tenminste al je worteltjes eten, zei hij met een knipoog. Roberto knikte ernstig. Salomé straalde. Aan de eettafel zag Eva dat haar kinderen eerst hun groente opaten, een fenomeen dat ze nog nooit had meegemaakt. Daarna hielp ze haar moeder in de keuken, terwijl Ignazio en de kinderen zich voor zijn optreden terugtrokken in de woonkamer.

'Ze zijn dol op hem,' zei Eva, en probeerde een neutrale toon aan te slaan.

Pajarita glimlachte. 'Hij is tien keer zo opgewonden als zij.'

Ze deden de vaat, Pajarita waste, Eva droogde en ruimde op. De kopjes en vorken en pannen stonden nog steeds op dezelfde planken van dezelfde kasten als altijd; ze waren er thuis, ze hadden een plek, ze hoorden daar. De werkvlakken stonden nog steeds vol planten en potten met gedroogde bladeren en wortelen en stukken bast die menig huisvrouw een zucht van verlichting konden doen slaken, of een dochter het gevoel in haar benen konden teruggeven. Eva wist niet wat ze tegen haar moeder moest zeggen, maar het leek er niet toe te doen; een gemoedelijke stilte hing tussen hen in, verweven met het geluid van stromend water, gerammel van borden en gelach van kinderen dat in de gang opsteeg.

Op andere avonden gingen ze naar Xhana, waar Artigas en César met de kinderen speelden. Ze schreven liedjes waarin Salomé en Roberto de helden speelden, een prinses die door gaucho's uit hoge torens werd gered, een prins die dorpen uit handen van koningen redde. Als ze het verhaal niet leuk vonden, mochten ze het veranderen, maar dan moesten ze het wel zingen. De kinderen koesterden zich in de warmte van Xhana's huis, het rumoer, de ritmische trommels en aanzwellende stemmen. De familie dromde voor het avondeten samen aan de gingang tafel, waar hun armen elkaar raakten, terwijl tía Xhana het vlees voor Salomé sneed en verhalen vertelde over de geschiedenis van Uruguay: een revolutie van *indios* en bevrijde slaven, een president die scholen bouwde voor iedereen, fabrieken waar mensen niet meer werkten omdat ze er niet gelukkig waren, dappere mensen die, zoals ze vertelde, het hadden opgenomen voor hun land, voor Uruguay, en ervoor hadden gezorgd dat zij deze tafel en eten en een fijne familie hadden.

'Laat ze eten, *querida*,' zei César.

'Ze mogen best een verhaaltje horen tijdens het eten. Ja toch, *chicos*?'

Roberto tuurde in zijn aardappelpuree. Eva stootte hem even aan.

'Ja,' zei hij.

'Ja,' zei Salomé. Ze keek verrukt, meegesleept door Xhana's verhalen. Eva werd er ook door meegesleept; ze dacht aan Argentinië, met zijn lange stoet dictators; daarbij vergeleken had Uruguay een uniek verhaal, een bijzonder verhaal, dat bewees dat er

– met geletterdheid, arbeidsrechten, gezondheidszorg – een sterke democratie kon bestaan in Zuid-Amerika, en opnieuw kon worden gecreëerd in andere landen. Toen ze dat een keer zei, ontlokte ze haar tafelgenoten sceptische reacties.

'Ik zou willen dat je gelijk had, *prima*,' zei Xhana, 'maar zo simpel is het niet. Dat zou allemaal wel eens verleden tijd kunnen worden.'

'Als het dat niet al is,' zei Artigas.

Eva legde haar vork neer. 'Hoe kan dat dan?'

'Kijk maar wat er is gebeurd sinds de Koreaanse oorlog is afgelopen. De Verenigde Staten hebben onze wol niet meer nodig om hun soldaten te kleden, noch ons rundvlees om hen mee te voeden.'

'Ja.'

'Dus hebben we nu inflatie, lagere lonen, stijgende kosten. We kunnen niets exporteren, maar we moeten nog wel steeds importeren.'

'We hadden onze economie nooit op oorlog mogen baseren,' zei César, zo fel dat zelfs Roberto opkeek van zijn bord.

'*Sí, querido*, maar we hadden toch geen keus? Zo'n klein landje als het onze? Hoe zouden we kunnen overleven zonder aan die giganten te verkopen?'

'Dat is nu net de vraag,' zei Artigas. 'We moeten een betere manier vinden. Kijk naar alle onrust dit jaar, de stakingen, de arrestatie van vakbondsleiders. De regering staat niet aan de kant van de arbeiders, niet meer.'

'Dat kan ook niet; ze zijn te versplinterd.'

'Ze zijn corrupt.'

'Het moet veranderen.'

'Dat gebeurt niet.'

'Dan veranderen de mensen,' zei Xhana.

Salomé luisterde zo ingespannen dat er een stukje vlees van haar vork viel; ze hield hem afwezig in haar hand terwijl ze ermee in het luchtledige prikte. Eva voelde een tweeledige behoefte om zich in het gesprek te mengen – om te zeggen dat dit niet waar kon zijn, dat Uruguay niet zo kwetsbaar was, het had al vaker zware tijden gekend die voorbijgingen en dat zou zeker weer gebeuren – en om het gesprek een heel andere kant op te sturen, ver van alles wat in de oren van kinderen dreigend kon klinken, bijvoorbeeld dat er een reden kon zijn om het huis te verlaten, zoals ze een keer eerder hadden gedaan. Ze had bewondering voor Xhana, met haar vergaderingen van communistische commissies, haar pamfletten met oproepen voor stakingen, haar nimmer aflatende analyses van sociale problemen, maar ze werd heen en weer geslingerd tussen het instinct om mee te doen en het instinct om haar gezin te beschermen. Ze was nu alleen met de kinderen, en ze hadden zoveel minder dan eerst, en ja, natuurlijk werd er niemand Uruguay uitgezet en dat zou ook beslist niet gebeuren, maar toch, stel, stel dat het wel zo was, waar moesten ze dan naartoe? Ze kon beter de strijd steunen op manieren die haar ter beschikking stonden, van een afstand, in het rijk van de poëzie, en poëzie was tenslotte belangrijk; woorden waren belangrijk; haar wapens waren haar woorden.

Wanneer ze lang bleven, vielen de kinderen in slaap in het bed van tío Artigas, en Eva en Xhana brachten de avond alleen in de keuken door.

'Neem er nog een, Eva.'

'Dank je, Xhana. Ik heb echt genoeg gehad.'

'Nog nieuws van Roberto?'

'Een brief. Hij is thuis, heeft zich geïnstalleerd. Ik neem aan dat het hem goed gaat.'

'Gaan jullie scheiden?'

'Dat kan niet.'

'Waarom niet?'

'Dat is verboden in Argentinië.'

'Dus je kunt niet hertrouwen.'

'Dat was ik ook niet van plan.'

'Maar in de toekomst, Eva?'

Ze aarzelde lang, veel te lang. 'Mijn toekomst ligt bij mijn kinderen.'

'Je kunt toch een andere man tegenkomen?'

Ze had niet willen lachen, en ze probeerde het te onderdrukken, zodat het uiteindelijk als heksengekakel klonk. 'Daar zullen we maar niet op rekenen.'

Een huwelijk was ondenkbaar, ze dacht alleen aan Zolá, die ze een paar keer per week zag, na het werk, of voor het werk, of tijdens afspraken om haar haar te laten doen, terwijl haar kinderen aan de zorg van hun grootouders waren toevertrouwd. Ze wilde oud worden met Zolá, ze wilde weten hoe haar aanraking op een rimpelige huid zou voelen, wat de tijd met hun twee naakte lichamen zou doen. Ze wilde diep in Zolá graven en zich opkrullen in haar kern, daar een nest maken, nooit meer weggaan. Ze wilde dat Zolá haar vulde, steeds weer, ze wilde op straat lopen, vervuld van de vingers van haar minnares, gedoopt door haar tong. Al hun momenten waren gestolen en het waren er nooit genoeg. *Vertel me meer. Stort je hart uit, helemaal. Ik ben geboren om je te strelen, hiervoor leef ik, met mijn hand op jouw huid.* Ooit, jaren geleden, had ze willen sterven; nu raasde ze dat het leven niet lang genoeg was, dat ze geen duizend jaar samen hadden, dat ooit hun dagen geteld zouden zijn. Ze hadden maar weinig kostbare momenten samen, waar ze even zuinig op waren als op munten die ze met hun lust poetsten tot ze glansden. Dus dit doet genot met een vrouw, dacht ze: het maakt je begerig, het maakt dat je wilt leven, léven, het maakt dat je het geheim ten koste van alles bewaart, het maakt het dier in je wakker en laat het zo hard grauwen dat de hemel in tweeën breekt.

De herfst kwam en bekleedde de straten met bladeren die erom smeekten platgetrapt te worden. Eva voelde ze kraken onder haar zolen; soms deed ze het voorzichtig; een trage, zware liefkozing, en andere keren gaf ze haar stap kracht mee, waarbij ze zich het gezicht van haar man voorstelde. Roberto was vergeten geld te sturen. Dat zei hij toen ze hem belde: ik ben het vergeten, ja, ja, ik stuur het gauw. Zijn stem klonk gespannen en hij hing snel op, de vrouw die had opgenomen stond waarschijnlijk ongeduldig achter hem met haar voet te tikken. En Eva geloofde hem, dat hij het geld had willen sturen, dat het hem was ontschoten, dat Montevideo gewoonweg steeds verder uit zijn gedachtewereld raakte. Voor hem was het tenslotte een klein bedrag; een schijntje. Eva schopte een hoopje bladeren omhoog toen ze erdoorheen liep. De huur moest over vier dagen betaald worden, en ze had niet genoeg geld.

Ze nam Xhana in vertrouwen, 's nachts om twee uur bij haar in de keuken.

'Bel hem op.'

'Heb ik al gedaan.'

'Je moet elke dag bellen.'

'Die vrouw mag me kennelijk niet.'

'Nou en? Dit is zijn verantwoordelijkheid.'

'Ik ben geen liefdadigheidsdoel.'

'Natuurlijk niet. Het zijn zijn kinderen.'

Eva stak een sigaret op. 'Ze zijn van mij.'

Xhana keek naar de rook die krullen vormde in de lucht. 'Ik kan je het geld voor de huur wel lenen.'

'Dank je.'

Ze zaten in stilte terwijl Eva rookte.

'Ik wil gewoon niet van hem afhankelijk zijn.'

'Je zou uit je appartement weg kunnen gaan.'

'Waar moet ik dan naartoe?'

'Je bent hier welkom, maar bij je ouders thuis is meer ruimte.'

'Dat kan ik niet doen.'

'Waarom niet?'

Eva haalde haar schouders op.

'Je ziet je vader nu toch geregeld?'

'Ja.'

'En het gaat toch goed?'

'Over het algemeen wel.'

'Wat dan niet?'

'Ik blijf wachten tot er iets misgaat.'

'Misschien gebeurt dat niet.'

'Misschien.'

Xhana keek hoe Eva haar sigaret uitmaakte. 'Hoe staat het met het boek?'

De knoop in Eva's maag werd kleiner en begon te gloeien. 'Bijna klaar.'

Het zou over drie weken uitkomen. *De breedste rivier van de wereld.* Een dun boek, een eenvoudig omslag met een pentekening van het silhouet van een naakte vrouw tegen een oever. Tussen voor- en achterkant zongen gedichten hun lied over honger en morgenrood en geliefde steden, met melk gevulde borsten en angstige nachten, passie zonder naam en schoonheid zonder reden, een jongeman die in een cel in Buenos Aires lag te bloeden, marxistische dromen aan een gingang tafel. De eerste keer dat ze een exemplaar in haar handen hield, dacht ze aan het meisje dat op haar tiende van school ging, en wilde ze dat ze terug kon gaan in de tijd en het boek voor haar kon openen. Dat meisje ademde tussen deze bladzijden, zoals alle meisjes en vrouwen die ze was geweest; ze doolden als geesten tussen de regels met woorden; ze verwachtte bijna dat de pagina's vochtig aanvoelden van hun voortdurende uitwaseming. Misschien waren er twee mensen die dit boek lazen, of tweeduizend – het deed er niet toe. Het bestond, zij bestond, ze had haar lied gezongen.

Xhana en Pajarita organiseerden een feestje toen het boek uitkwam, in het huis in Punta Carretas. Ze stonden dagenlang in de keuken, zetten het huis vol verse bloemen en stuurden Eva de keuken uit als ze wilde helpen. Ze voelde zich een beetje als een bruid, de bruid die ze zou zijn geweest als ze van huis uit was getrouwd, volgens de gewoonte. Ze stond voor de spiegel haar lippen te stiften en stelde zich voor als bruid, vanavond, op haar dertigste, in haar rode zijden jurk, maar met wie zou ze in het huwelijk treden? De vrouw in de spiegel keek terug en bloosde niet.

Het huis puilde uit van de gasten, van mensen die ze goed kende – Bruno, Marco, Tomás, Xhana, Artigas, Coco, Cacho, alle vrouwen uit de buurt, al hun familieleden – tot dichters die ze onlangs had ontmoet en dichters die ze jaren niet had gezien: Beatriz, Joaquín en de Beroemde Dichter kwamen tegelijk aan en slaakten kreten van vreugde toen ze haar omhelsden. Vooral Beatriz leek dolgraag met haar te willen praten. Ze was veranderd; haar haar had een natuurlijke bruine kleur, ze was getrouwd met Joaquín, ze had een dichterscollectief voor vrouwen opgericht, zou Eva zich daarbij willen aansluiten?

'Heel graag,' zei Eva.

'Mooi zo. Ik popel om je boek te lezen.'

'Dank je.'

'Vertel eens.' Beatriz dempte haar stem. 'Ben je echt weggelopen met Andrés?'

Eva draaide haar wijnglas rond. 'Op een bepaalde manier wel.'

'Dat dacht ik al. Echt. Waar is hij nu?'

'Daar kunnen we alleen maar naar raden.'

'O,' zei Beatriz, en Eva bespeurde iets van teleurstelling in haar stem.

'Volgens sommigen is hij een nieuw leven begonnen in Parijs.'

'Parijs!'

Eva glimlachte. Ze kon er niets aan doen. 'Wie weet?'

Later die avond las ze, op aandringen van iedereen, een paar gedichten voor. Ze stond voor het raam van de woonkamer, omlijst door de koele gevangenismuren, en huilde bijna om het hartelijke applaus, het maakte haar open, ze had te veel wijn gedronken, het geluid vulde haar lichaam als een warme, zoete drank. Na het voorlezen zette iemand de muziek harder en de menigte begon te dansen; eerst danste ze met haar vader, daarna met Artigas, daarna met Xhana, daarna in een kring met collega-dichters, en uiteindelijk alleen, tussen stelletjes in, waarbij ze zich zo bewoog dat de zijde van haar jurk haar lichaam streelde, rode zijde, dacht ze toen ze haar ogen sloot, wat een kleur voor een bruid, wat een avond om weg te lopen – ik zou nu bij mezelf eeuwige trouw kunnen beloven, terwijl mijn heupen wiegen op de muziek, en niemand zou er iets van weten; waarom niet? Wie kan het wat schelen of het onmogelijk is, het mogelijke met al zijn leugens en muren kan naar de pomp lopen; het ritme is goed en primitief, mijn ogen zijn gesloten en jij, jij, poëzie, wat voor bruidegom ben jij, verleidelijk, ondoorgrondelijk, na al die jaren weet ik nog steeds niet wat je belooft of wat je bent, maar ik weet wel dat je me nooit hebt verlaten; je bent de enige die dicht op mijn huid is gebleven, op mijn handen, mijn vrouwelijkheid, mijn geest, mijn nachten, toen ik niets had en niets was, was jij bij me; je wiegde me; vervulde me; kom dichterbij, mijn bruidegom, ik schenk je de warmte van mijn huid, de druk van mijn adem, het zout van mijn dagen, in voor- en tegenspoed, het is allemaal van jou, ik ben van jou, ja, ik wil. Ik wil. Ze opende haar ogen. De kamer was stampvol. Ze keek zoekend rond naar Zolá, maar die was natuurlijk niet gekomen omdat ze niet kon riskeren herkend te worden; Eva voelde haar afwezigheid als een scheur in haar eigen jurk, maar ze klampte zich vast aan wat Zolá laatst op een avond had gezegd toen ze Eva verraste met een door kaarsen verlichte slaapkamer, vol verse rozen. *Ik zal er zijn, ik ben altijd bij je.* Haar blik zocht de kinderen. Roberto zat met zijn neefjes Félix en Raúl empanada's te eten. Hij zag er zo volwassen uit in zijn overhemd en das, net een miniatuurman. Ze keek zoekend rond naar haar dochter, maar ze zag haar niet. Salomé. Salomé. Het huis was vol aardige volwassenen en dit was geen schoenenwinkel, er was geen reden voor paniek, maar toch sloeg die toe met de hamer van haar instinct, en ze baande zich een weg tussen haar gasten door naar de keuken, waar Pajarita *buñuelos* stond te bakken en niet wist waar Salomé was, ze rende de gang door en keek in elke kamer totdat ze de deur van haar oude slaapkamer opendeed en haar dochter slapend in het donker aantrof.

Ze ging op de rand van het bed zitten en liet haar ogen wennen aan het donker totdat ze Salomé zag liggen, opgekruld, de donkere, ver uit elkaar liggende vlechten, haar feestjurk met ruches verkreukeld. Haar ademhaling werd rustig en ze moest bijna lachen om haar eigen paniekaanval, maar ze wilde de stilte niet verstoren.

We redden het wel. Wij allemaal. Die gedachte bracht haar troost. We kunnen hier in huis komen, en dan redden we het prima. Deze avond bracht een broze goedgunstigheid, waarin het allemaal mogelijk leek, alle dorst en ook het lessen ervan, de wereld zelf voelde anders, weidser, schitterend, een oceaan waarin mannen en vrouwen hun leven als golven duwden; misschien was er geen golf (geen geschreven woord geen gebroken nacht geen damp-in-het-donker-geheim) overbodig geweest; misschien gaven ze kracht aan het leven dat nog moest komen. Ze kon dit kleine meisje tegen zich aan drukken, haar laten voelen dat ze veilig en vrij zou zijn, twee dingen die ze zelf niet was in de jaren dat ze in ditzelfde bed had geslapen; veilig en vrij en bemind met zo'n vurigheid dat niets haar ervan kon weerhouden de hoogste toppen van haar bestemming te bereiken. Maar ze wilde haar niet wakker maken, en in plaats daarvan grifte Eva de belofte in haar geest.

Salomé sliep door alles heen, ver weg op een vlot van dromen.

SALOMÉ

6

De wereld wordt door vele handen voortgedreven

Sommige vragen moesten niet gesteld worden. Bijvoorbeeld de vraag hoe papá aan de overkant van de rivier kon zijn terwijl je als je uitkeek over de rivier niets dan lucht zag. Vragen over lucht en vaders en vele andere dingen waren alleen goed om het grote rad van je ademhaling draaiend te houden; je ademt in zonder het te weten, en je blaast op dezelfde manier uit. Binnen in je houden vragen hun intensiteit, ze gaan cirkelend door je heen, als windvlagen. Beter om niet te veel te vragen, beter om mamá niet bedroefd te maken, haar lach te verjagen die de lucht in scherpe gouden reepjes brak, haar geur van bloemen en zweet en amandelen, haar aanwezigheid zelf waarin ze rookte en voorovergebogen zat te schrijven, geheime berichten naar vreemden of naar God. En dus vroeg Salomé niet naar de reden waarom ze verhuisden. In elk geval kon het haar niet schelen; ze hield van het huis van haar grootouders, met zijn ivoorwitte gevangenis buiten en de vlagerige wind in de eiken, zijn geuren van gebakken uien, rozemarijn die lag te drogen, abuelo's reukwater als hij haar in zijn armen knelde. Abuela schepte altijd bergen eten op witte borden met kleine roze bloemetjes. Abuelo Ignazio vertelde verhalen tijdens het eten: over zijn avontuurlijke jeugd in de *campo*; het paardrijden, de glans en de risico's van dat alles; de waterstraten van Italië, de boten die hij vroeger bouwde, en hoe zijn hart werd gestolen door een mooie, vingervlugge vrouw.

'Ze stal het van me, ik zweer het – zo uit mijn mouw! Ik heb het nooit meer teruggekregen.' Hij wees met zijn duim naar abuela Pajarita. 'Zij hier. Ze sprong uit de menigte tevoorschijn als die Wonder Woman.'

Abuela glimlachte. Ze zag er klein en oud uit. Salomé stelde zich haar voor in de kleurige bikini van Wonder Woman, met een lasso in haar hand.

'Eten, Salomé!' zei abuelo. 'Je moet nog groeien.'

Na het eten speelde abuelo met het enthousiasme van een kind. Hij liet hun veel dingen zien: hoe je moest pokeren, hoe je met koeienbeenderen kon gokken, kaarttrucs die hij ooit op een podium had gedaan. Hij schudde de kaarten met veel vertoon, in een wazige boog vlogen ze door de lucht. Met zijn handen vol littekens spreidde hij het spel uit op de tafel. Kies er maar een. Ze keek en koos. Daarna ging de kaart terug in het spel, en hij schudde en schudde, terwijl zijn mond een verhaal of een raadsel vertelde. De kaarten werden uitgespreid. Hij zei dat ze er weer een moest kiezen, en ze gehoorzaamde. Hij wist – niet te geloven! – precies welke kaart het was. Hij grinnikte om haar verbaasde gezicht en boog zich naar haar toe, ze rook de zoete, scherpe geur van wijn in zijn adem.

'Wil je het geheim weten?'

Salomé knikte.

'Beloof je dat je het aan niemand vertelt?'

'Beloofd.'

'Het gaat erom dat je hun aandacht op je ene hand vestigt en met je andere hand de truc uithaalt.'

Salomé liet de truc tot zich doordringen zonder dat ze kon vermoeden dat die, toen ze ouder was en in een schaars verlichte kamer geweren streelde, als een reddingsboei weer in haar herinnering zou komen.

Tijdens het inpakken bleef mamá af en toe midden in een handeling staan en staarde ze voor zich uit, met een boek of bord of doos in haar hand, alsof zich iets voordeed in de kamer wat alleen zij kon zien. Zo bleef ze als versteend staan, zelfs als Roberto of Salomé haar naam riep. De ochtend van de verhuizing stond het tweetal vroeg op en roosterde zonder iets af te spreken samen brood voor hun moeder, het was niet nodig om te zeggen *ze is zo afwezig dus laten wij daarom maar brood roosteren*. Overal in de woonkamer stonden dozen torenhoog opgestapeld, met pen gemarkeerd. Salomé was nu vijf, oud genoeg om het brood op het rooster te leggen, maar niet om het eraf te halen, en oud genoeg om koud water op de maté te gieten, terwijl Roberto nog steeds het hete water deed. Ze brachten het blad naar mamá's kamer. Ze troffen haar aan op het balkon, waar ze in haar nachthemd met haar rug naar hen toe stond.

'Mamá,' zei Roberto.

Snel draaide ze zich om. Ze was mooi, zelfs met die afwezige blik in haar ogen waaruit niets af te lezen was. Ze hielden haar het ontbijtblad voor, een hoopvol offer.

'O. Dank je wel. Goedemorgen.'

Mamá's broers hielpen met het tillen en uitladen van de dozen. Ze kwamen met veel tamtam aan in het huis in Punta Carretas. Haar grootouders zaten met verse limonade op hen te wachten. Tío Marco liep naar Eva met een grote doos waar niets op geschreven stond. 'Wat is dit?'

'Niets.'

'Dan weegt dat niets verdomd zwaar.'

'Die moet in mijn kast,' zei mamá snel.

Salomé vroeg zich af wat er in de doos zat. Ze liep achter tío Marco aan en zag dat hij hem in de kast zette, op een hoge plank waar ze niet bij kon. Ze droeg een doos met speelgoed naar haar nieuwe kamer. Ze keek om zich heen. Het was dezelfde kamer waar mami in was opgegroeid, met het lange raam boven het bed dat uitkeek op een enkele boom, met de rafelige lampenkap en piepende laden. Ze probeerde zich mami voor te stellen in dat bed, als kind, maar ze kon haar alleen zien als moeder, volwassen maar kleiner, terwijl ze tussen de lakens een sigaret rookte.

'Heerlijk,' zei abuelo die avond. 'Het huis is weer vol. Ik zie het niet graag leeg.'

Het klonk vreemd in Salomés oren. Het huis was altijd vol. Op sommige avonden puilde het uit van de tíos – Bruno, Marco, Tomás – en tías – Mirna, Raquel, Carlota – en neven en nichtjes: Elena en Carlos en Raúl en Javier en Aquiles en Paula en Félix en Mario en Carmencita en Pilar. Abuela Pajarita kon zelf ook goochelen: de tafel werd groter, de muren weken, er was ruimte voor alle familieleden. Het huis gonsde van gescherts, geroddel, spitsvondige opmerkingen, glazen die klonken, lachsalvo's, geschreeuw van jongens. Van bergen eten bleven slechts kruimels over. Kaartspelletjes duurden tot ver in de nacht. Overal waren mensen. Salomé keek naar het pokeren van haar ooms, speelde gaucho met haar neven en nichten (Aquiles de huidenverkoper, Carmencita de genezeres, Féix de schurkachtige *estanciero*), en soms, als ze rust nodig had, trok ze zich terug in de keuken om te gaan tekenen bij het geluid van borden die afgewassen werden.

'Kijk, die Salomé,' zei tía Mirna. 'Zo'n lief meisje. Zo rustig en stil.'

'Dat is waar,' zei mamá, en ze klonk onthutst. 'Ze is heel lief.'

Ze bracht veel uren alleen door, verdiept in haar eigen spelletjes. De knopen uit de naaimand van abuela hielden haar dagenlang in hun ban. Ze sorteerde ze op grootte, kleur, textuur, vorm. Ze hielden parades. Ze vormden families. Ze waren een dorp vol kleine ronde dingen, vol drama's en avonturen. Metalen knopen waren middenstanders – kruideniers, slagers, wolspinners. Groene waren slim. Roze werden snel verliefd. Op kleine knopen werd vaak gevit en de grootste, een fluwelen veteraan van een oude jas, kwam hen dan redden. Elke knoop had een verhaal;

elke knoop hoorde ergens bij. De heldhaftige liefdes en ruzies waren niet zichtbaar voor de rest van de familie; zij zagen alleen een lief meisje dat onopvallend en stilzwijgend met ronde schijfjes bezig was.

Zij en Roberto hadden een eigen heiligdom waar ze stilte konden vinden: een moeras aan de rand van de stad, de laatste halte waar de bus stopte. Soms gingen ze daar met boterhammen en munten voor de rit naar huis naartoe – om een frisse neus te halen, zoals mamá het uitdrukte. De lucht daarbuiten was weids en koel en geurig. Ze maakte tekeningen. Ze tuurde naar de voorbijglijdende eenden, het wuivende riet, de ingewikkelde banen die door insecten beschreven werden. Roberto ving kikkers en porde erin, liet ze weer vrij in de modder en noteerde wat in zijn schrift.

'Wat doe je?'

'Onderzoek.'

Ze keek uit over het moeras en vroeg zich af wat hij zou ontdekken. Roberto zou een beroemd wetenschapper worden, net als papá. 'Je broer is een genie,' had haar docent op haar allereerste schooldag gezegd. 'Laten we eens kijken of jij het tegen hem kunt opnemen.' Salomé wist niet wat 'opnemen' betekende, maar ze wilde het dolgraag kunnen. Ze lette goed op in de klas, deed al haar huiswerk, en repeteerde het alfabet tijdens de wandeling van en naar school, op elke stap een letter. Toen ze bij het eind was, deed ze drie Z-stappen om geluk af te dwingen. Ze schreef haar naam in grote blokletters. Ze knipte hartjes uit en versierde ze nauwgezet met ongekookte pasta, vilt en schelpen van de rivieroever. Ze leerde hoe ze cijfers moest optellen om nieuwe te krijgen en tegen het eind van haar eerste schooljaar leerde ze lezen. Zwarte lijntjes en bochten kregen in haar gedachten klank. Ze wilde alles kunnen lezen: straatnaamborden, schoolwerk, haar moeders boek met gedichten die ze zelf had geschreven en die nu planken in de hele stad sierden. 's Middags leerde ze naast haar broer in de keuken totdat het tijd was om de tafel te dekken.

'Wat zijn jullie studiekoppen!' zei abuelo. 'Roberto, wil je nooit eens buiten voetballen? Een beetje rotzooi trappen?'

Roberto keek verward op.

'Papá,' zei mamá op scherpe toon.

'Ik zeg alleen maar dat hij best een beetje lol mag maken, Eva.'

'Hij heeft lol.'

'Hij heeft een man nodig, Eva, om hem te laten zien...'

'Zo is het genoeg,' zei mamá. Stilte daalde over de tafel en verspreidde zich over de schalen, de borden, de vorken die verder gingen met hun taak, tik, tik. Mamá legde langzaam haar mes neer.

'Roberto,' zei abuela Pajarita, 'vind je leren leuk?'

'Ja.'

'En jij, Salomé?'

'Ja.'

'Wat is dan het probleem?'

Mamá keek dankbaar naar haar moeder. 'Ze halen uitstekende cijfers. Ze gaan naar de universiteit en dan kunnen ze alles worden wat ze willen. Allebei.'

Abuelo Ignazio tuurde in zijn wijnglas. 'Natuurlijk.'

Salomé draaide spaghetti om haar vork. De universiteit. Het zou nog jaren en jaren duren, maar toch doemde er een beeld op, als een kasteel aan de horizon. Ze zou er op een dag naartoe gaan en iets worden, wat ze maar wilde, en natuurlijk kon ze allerlei geweldige dingen worden.

Op een dag kwam mamá bedroefd thuis omdat haar baas minder werkuren voor haar had. Hij had dit zo geregeld omdat het zware tijden waren, zei hij, iedereen had minder geld in zijn zak, en Salomé zag in gedachten jassen en broeken en overhemden waaruit op mysterieuze wijze munten en bankbiljetten verdwenen, in heel de stad, en mensen die verbijsterd hun hoofd schudden en zich afvroegen: waar zijn alle peso's gebleven?

Een week later, toen Salomé en Roberto thuiskwamen van school, stond ze in de keuken op hen te wachten.

'Voordat jullie aan je huiswerk beginnen, moeten we praten.'

Ze gingen zitten.

'Jullie kennen dat moeras waar jullie naartoe gaan?'

Ze knikten.

'Daar mogen jullie nooit meer heen.'

Roberto raakte van streek. 'Waarom niet?'

'Omdat het er gevaarlijk is.'

Salomé dacht aan gemene eenden, modder die veel te glibberig was geworden.

'Hoezo, gevaarlijk?' zei Roberto.

'Het is een *cantegril* geworden.'

Een nieuw woord voor Salomé: cantegril. *Cante* leek op *cantar*, zingen: misschien werd er te veel gezongen. 'Wat is dat?'

Mamá aarzelde. Ze droeg een witte blouse met parelknoopjes. In de naaimand zaten drie van die knoopjes, dromerige oude vrijsters, allemaal verliefd op de Grote Fluwelen Knoop. 'Het is een nieuw soort huis. Waar mensen wonen. Maar geen... goed huis.'

'Waarom wonen ze daar dan?'

'Omdat ze nergens anders heen kunnen.'

Roberto dacht hierover na. 'Maar...'

'Roberto. Geen vragen meer.' Ze sloeg haar armen over elkaar. 'Niet meer naar het moeras.'

Die avond in bed probeerde Salomé zich een cantegril voor te stellen. 'Geen goed huis om te wonen.' Ze zag mannen huilen voor de deur, gezinnen mokkend aan hun *churrasco*, kinderen die voetballen kwijtraakten op straat, vrouwen die de was ophingen terwijl ze trieste liedjes zongen. Ze keek uit het raam naar een koppig sikkeltje maan. Het piepte tussen de takken van een eik door. Natuurlijk zag hij alles, die maan: haar moeders tranen, de cantegril, de straten, de rivier die zo graag het licht weerspiegelde. Ze wilde alles zien. Ze wilde het begrijpen. Het was slecht om tegen een verbod in te gaan, maar als ze het niet deed, zou ze het nooit zien of weten. Ze kon niet slapen. Ze woelde heen en weer, heen en weer, totdat de hemel, omlijst door haar raam, azuurblauw kleurde. Toen ze zich omdraaide, ritselde haar dekbed zacht over haar lichaam. Het was gemaakt van driehoekige blauw-met-groene lapjes en het knisperde, alsof iemand – abuela Pajarita, zij had het gemaakt – tijdens het koken specerijen in de naden had laten vallen. Ze stelde het zich voor, haar abuela die in de keuken tegelijkertijd probeerde te koken en te naaien, met een soeplepel in de ene en een naald in de andere hand, terwijl specerijen uit een van haar glazen potten in de stof vielen, zaden en wortels en verkruimelde bladeren, en nu voelde ze die op haar neer regenen alsof ze een lange deken vormden, en eindelijk viel ze in slaap.

Twee dagen later nam ze in haar eentje de bus naar het moeras. De bus raakte leger naarmate hij dichter bij de rand van de stad kwam. Het was een heldere dag en Montevideo zag er prachtig uit met zijn keienstraten, zijn platte daken vol waslijnen, zijn kruideniers met hun houten kisten met fruit. Tegen de tijd dat de bus bij haar halte aankwam, was zij nog de enige passagier, en de chauffeur keek in zijn achteruitkijkspiegel naar haar, een zevenjarig meisje dat in haar eentje zat.

'*Che, chica*, waar dacht jij naartoe te gaan?'

'Naar de volgende halte.'

'Daar laat ik je niet uitstappen.'

'Waarom niet?'

'Het is er gevaarlijk.'

'Maar er wonen mensen.'

'Precies. Weet je moeder dat je hier bent?'

Ze kreeg het er warm van. 'Señor, wilt u er alleen even stoppen? Dan kijk ik wel door het raam.'

De chauffeur trok zijn wenkbrauwen, dik als zwarte duimen, tegen elkaar aan. Hij stopte bij de bushalte zonder de deur open te doen. Salomé keek naar buiten.

Ze had zich mensen voorgesteld, huilend voor hun deur, maar er waren geen deuren om voor te huilen, geen huizen, geen keienstraten waarop je je voetbal kwijt kon raken. Het moerasland was nog steeds hetzelfde en intact; er stonden barakken op. De muren waren van karton en golfplaten (straks ga ik tieren en krijsen, dacht ze). Ze waren overal. Tussen de barakken lieten rietstengels hun kopje hangen in plassen pies en poep. De stank steeg naar haar op door een barst in het raam. Mensen dromden samen: een meisje op blote voeten in een versleten rok stapelde kranten op voor een vuur, een baby kroop naakt over een hoop rottende schillen, een man zonder overhemd gaf wat stro aan een schurftig paard en wierp een kwade blik naar de bus. Naar haar. Ze wendde haar blik af, maar ze had zijn ribben al gezien, en ook die van het paard. Ze voelde braaksel in haar keel omhoogkomen. Het zachte gebrom van de motor zwol aan tot gebrul, en ze reden weg.

Thuis kon Salomé zich niet op haar huiswerk concentreren. De cijfers op de bladzijde veranderden steeds in mensen: uitgemergeld 7, blootsvoets 4, een hele familie in karton gepropt 3. Ze was onrustig. Ze bleef maar denken. Ze had iets gedaan wat niet mocht, en misschien kwam de hemel nu naar beneden, maar tot haar verbazing was dat nog niet gebeurd, en door haar overtreding was haar wereldbeeld veranderd. Ze voelde een huivering van warmte en schaamte en overwinning. Ze kon wel huilen om de mensen die ze had gezien. Ze wilde de geheimen die ze had gezien aan het licht brengen.

Mamá was weg om haar haar te laten doen; ze had maar even tijd.

Ze glipte haar moeders kamer binnen en liep naar de kast. Ze ging op een stoel staan. De ongemarkeerde doos stond hoog en was zwaar, maar ze nam de tijd en trok hem met kleine stukjes tegelijk naar zich toe, totdat ze het volle gewicht in haar armen hield. Hij was te zwaar om zonder ongelukken naar de grond te tillen. Ze schoof hem met kleine duwtjes weer terug op zijn plaats.

Ze was niet sterk genoeg. Nog niet.

Het nieuws uit Cuba kwam op nieuwjaarsdag 1959. Cuba, een kleine, hechte gemeenschap, vol energie, een strakke spiraal die losvloog, explorend uit de radio, *Cuba, Cuba*, schoot het uit de mond van dronken mensen. Salomé wist niet wat het woord betekende, maar ze hoorde pure energie in de stemmen op de radio, de krakerige berichten uit een stad genaamd Havana, de mensen in de keuken van tía Xhana. Toen bijna alle gasten vertrokken waren en zelfs Xhana en César naar bed gegaan waren, bleven mamá en tío Artigas nog lang naar de radio luisteren. Het ochtendlicht vulde de woning. Salomé zou eigenlijk moeten slapen in het bed van tío Artigas, maar ze werd wakker van een snerende lach uit de keuken, haar moeders lach. Ze stond op, opende de slaapkamerdeur op een kier, knielde neer en spitste haar oren om te horen wat er in de keuken werd gezegd.

'Ik kan het nog steeds niet geloven.'

'Geloof het maar wel, Eva.' Tío Artigas klonk als een man op een hoge richel. 'Dit is de eerste van veel revoluties.'

'Denk je?'

'Je zult het zien.' Glazen werden ingeschonken. 'Zij zal over het continent razen. Denk maar eens na. Waarom dalen de lonen? Waarom staken de vakbonden?'

'Door de economie.'

'Waar berust de economie op?'

Salomé verplaatste haar gewicht van haar ene voet op de andere, stilletjes, laag op haar hurken.

'Op de handel.'

'Op de *yanquis*.'

'Ach, ik weet niet…'

'Kom op. Natuurlijk wel. Zij willen onze wol niet meer, en… *páfate!* – de boeren zitten zonder werk. Ze lenen ons geld en wat gebeurt er? Ze vertellen onze regering wat die wel en niet voor het volk kan doen. Denk je dat Eisenhower zich druk maakt om *cantegriles*?'

'Het is hier niet zo hopeloos als in Cuba. Wij hebben al bijna zestig jaar geen dictator meer. Dat kun je niet vergelijken.'

'Natuurlijk wel. Je ziet het alleen niet omdat je nog steeds gelooft in de droom van *batllismo*.'

'*Ay*, tío, dat is niet eerlijk.'

Een man op de radio schreeuwde iets, maar Salomé kon zijn woorden niet verstaan, ze hoorde alleen het scherpe, hoge geknetter dat eroverheen gonsde.

'Hij klinkt als een *Argentino*.'

'Dat is hij ook. Ernesto Guevara is zijn echte naam.'

Mamá lachte. 'Is dat een grap?'

'Nee.'

'Ik heb hem een keer ontmoet. Toen Salomé geboren werd.'

Salomé voelde dat haar handen warm werden.

'Che vertrok om iets nuttigs te doen. Net zoals ik ga doen.'

'Wat?'

'Ik vertrek.'

'Waar naartoe?'

'Naar Cuba.'

'Wanneer?'

'Zeer binnenkort.'

Mami's stilzwijgen botte uit als een boze bloem.

'Eva. Denk eens na. Niemand heeft mij hier nodig.'

'Xhana…'

'…houdt van me, maar heeft me niet nodig. En ik wacht hier

al heel wat jaren op.' Zijn toon werd plagerig. 'Je zou mee kunnen gaan.'

Salomé zag een schip, met haarzelf erop en tío en mamá, op weg naar een verre bestemming. Het was een wit schip, pas geverfd, een massieve gestalte op het water.

'Ik ben hier nodig,' zei mamá kort en bondig.

'Natuurlijk. Dat weet ik. De kinderen.' Weer met een plagerige toon. 'Of je kapster.'

'Tío...'

'Ja?'

Stilte in de keuken.

'Eva, ik veroordeel je niet. Echt niet.'

Nog meer stilte. Salomé kreeg kramp in haar benen, maar ze verroerde zich niet.

'Wat wil je daar gaan doen?'

'Alles wat nodig is. Bouwen, werken. Als ze het willen ga ik naar de zuidkant van het eiland. Ik heb eerder overleefd in het oerwoud.'

'Dat is eeuwen geleden. Je bent drieënzestig.'

'Nou, een prima leeftijd om me terug te trekken in het Caribisch gebied. Kom, Eva, wees niet bedroefd.'

Mami zuchtte. Salomé voelde die zucht alsof die uit haar eigen longen kwam. 'Ik zal je verschrikkelijk missen. Je moet ons wel schrijven.'

Het gebeurde snel. Tío Artí had een avond nodig om in te pakken en twee dagen om een schip te vinden dat hem naar Cuba zou brengen. De avond van zijn vertrek stond Salomé tussen een groep familieleden bij de haven van Montevideo, en zwaaide met haar zakdoek naar tío Artí op het dek. Hij werd al zwaaiend kleiner. Het was een klamme zomeravond en het zweet glinsterde op ieders voorhoofd. Later kon ze niet slapen van de verstikkende hitte. Ze lag in bed en dacht aan de verhalen die tía Xhana altijd had verteld, over dappere mensen die het opnamen voor hun land, die stónden voor wat ze zeiden; daarbij zag ze altijd een beeld van mensen die in een grote kring om haar heen stonden, schimmige geesten die keken, opstonden, gingen zitten, weer opstonden, steeds opnieuw, voor hun land, om in een trage, geluidloze dans geschiedenis te schrijven. Ze rezen nu op vanuit het donker. Ze zag hen duidelijk, ze zag de lichtgevende handen die ze uitstaken. Waar ga je naartoe? zeiden ze, en zij zei: naar Cuba. Ze pakten haar handen en voerden haar snel mee, ze voerden haar mee door de lucht totdat ze in een bos terechtkwam. Daar was Che, glimlachend, overdekt met zweet en modder. Ik heb op je gewacht, zei hij, al vanaf je geboorte. Hij reikte haar een kalebas met maté aan. Ze dronk. Het bos was vochtig en lommerrijk en donker. Tío Artigas kwam uit het gebladerte tevoorschijn, ook vol modder, met een geweer over zijn schouder. Hij zag haar en zei: Salomé, ben je er klaar voor? Ze knikte. Hij gaf haar het geweer. Ze hing het over haar schouder en ineens zat ook zij vol modder, ze straalde als geen ander, ze was onbevreesd als geen ander, ze was sterk als geen ander. Toen grinnikte Che, hij boog zich voorover, kuste als een vader haar voorhoofd en zei: We gaan.

Die zomer nam mamá hen mee naar het strand. Salomé en Roberto pakten handdoeken en boeken in en met z'n drieën wandelden ze over La Rambla, helemaal tot aan de stenen trap die naar het water liep. De afdaling was het leukst: als het zacht knerpende zand zich voor je uitstrekte, wachtend op je blote voeten, je aansporend om je sandalen uit te trekken, je tenen te laten wegzinken in het fijne, bleke zand, heet van de zomerse zon, dat helemaal tot aan het opspattende schuim liep. Rustig lagen ze op baddoeken te lezen totdat de hitte hen allemaal het water in dwong, waar ze elkaar in kleine, chaotische stoeipartijen nat spetterden.

Cuba bracht deining in de stad teweeg: gefluister, luidkeels geschreeuwde loftuitingen, discussies op de radio. Cubaanse vlaggen en pamfletten met LANG LEVE DE REVOLUTIE op ruiten geplakt. Ook mamá gedroeg zich anders. Ze schreef verwoed. Gedichten vloeiden uit haar pen en bedekten de vloer, blad na blad nieuwe verzen.

'Waar schrijf je in 's hemelsnaam over?' vroeg abuelo Ignazio.

'Over alles. Politiek, verandering, hoe het zou kunnen worden.'

'Waarvoor?'

'Hoe bedoel je?'

'Waarom schrijf je daarover?'

'Schrijven is van wezenlijk belang.'

'Pf. Een gedicht kun je niet eten.'

De school begon. Salomé leerde hele zinnen schrijven. Ze leerde sinaasappelen in twee en drie parten delen die bij elkaar konden worden opgeteld en van elkaar afgetrokken. Op een dag in juni zocht tía Xhana binnen haar toevlucht tegen de kou. Ze ontdeed zich van haar jas en sjaal en hoed. Door het raam zag Salomé dat de eiken hun takken tegen de gevangenismuren zwiepten.

'Hij heeft geschreven.' Xhana hield een envelop omhoog. Ze glom van plezier. 'Papá heeft geschreven.'

Ze gingen met z'n allen rond de keukentafel zitten. Abuela Pajarita haalde empanada's uit de oven. Abuelo had aan de tafel *El País* zitten lezen. Naast hem zat Roberto over zijn algebra gebogen. Abuelita bleef staan, met een lege bakplaat in haar handen. Xhana las hardop voor.

Lieve familia,
Hallo, hallo, ik mis jullie vreselijk, onvoorstelbaar. Ik ben ongedeerd aangekomen, en dat ben ik nog. Ik zweet veel en slaap niet en ik ben gelukkig. Er is heel veel werk te doen. Ik heb vooral geholpen casino's om te bouwen tot scholen, particuliere bedrijven tot nationale fabrieken. Wat van de rijken was, is nu van het volk. De Verenigde Staten van Amerika zijn niet gelukkig – we zullen zien hoelang ze

onze suiker kopen. Ze willen hun bedrijven terug. Niets is zeker, alles hangt af van hoop. En van werk, natuurlijk, dat altijd. Ik bestudeer de muziek van Havana. Geweldige muziek. Afrikaanse ritmes, hetzelfde maar ook anders dan onze candombe. Alles is anders en hetzelfde.

Zorg allemaal goed voor elkaar –
Kussen en liefs,
Artigas

'God zij dank,' zei abuela. 'Die man heeft eindelijk begrepen dat hij naar huis moet schrijven.' Ze zette een schaal empanada's op tafel. Handen vielen er van alle kanten op aan.

'Ik krijg de indruk dat hij het goed doet,' zei mamá.

'Goed?' zei abuelo. 'Hij breekt zijn rug daar nog. En waarvoor?'

'Om een beter land op te bouwen,' snauwde mamá.

Abuelo richtte zich op, maar Xhana stak haar hand op om hem het zwijgen op te leggen. 'Ten eerste zijn de empanada's verrukkelijk, Pajarita.' Er werd instemmend gemompeld. 'Dus daar zijn we het allemaal over eens. Tío, je moet het zo bekijken. Denk aan Uruguay. Hoeveel zijn de pensioenen gekort?'

'Te veel.'

'Er is niet veel over voor de ouderen.'

'Nee.'

'Een zak aardappelen misschien.'

Abuelo beaamde dit met een knikje.

'Waardoor is dit volgens jou gebeurd?'

Abuelo pakte nog een empanada. Naast hem ging Roberto weer aan het werk met zijn vergelijkingen. 'Het zijn zware tijden. Ons bedrijfsleven heeft het moeilijk.'

'En verder?'

Ignazio haalde zijn schouders op.

'Door schulden aan de *yanquis*, tío.'

'Dat klopt.' Mamá boog zich naar voren en wierp een schaduw op Roberto's papier. Hij legde zijn potlood iets te hard neer. 'We nemen iets van onze eigen mensen af om het te geven aan degenen die het meest hebben.'

'Schulden moeten worden afbetaald,' zei abuelo.

'Niet ten koste van arbeiders,' zei mamá.

'Pff.'

'Hoe bedoel je "pff"?'

'Dat is precies wat de communisten zeggen.'

Mamá verstrakte.

'Natuurlijk,' zei Xhana. 'Ik ben een communist.'

Abuelo Ignazio keek naar Eva. 'En jij, *hija*?'

'Ik weet het nog niet precies.'

Abuelo zuchtte. 'Wat is er gebeurd met het ouderwetse batllismo?'

'Dat hebben onze leiders verkocht,' zei Xhana, 'aan de hoogste bieder.'

Abuelo Ignazio richtte het woord tot zijn vrouw. 'Pajarita, wist jij dat je nicht een communist was?'

'Natuurlijk.'

'Wat vind je daarvan?'

'Ik hoop dat ze vanavond blijft eten.'

'En je eigen dochter?'

'Ik hoop dat die ook blijft eten.'

Mami lachte. Abuelo Ignazio liet zijn schouders met een overdreven gebaar van verslagenheid hangen.

'Heel graag,' zei Xhana.

Ze was elf, een braaf meisje, een lelijk meisje, met twee vlechten die slap en dun op haar kraag hingen, ondanks mamá's pogingen om haar haar voller te maken, de balsems, wasbeurten, geurige shampoos en olijfoliebadjes waardoor het naar salade ging ruiken. Niets hielp; ze bleef lelijk. De jaren die voor haar lagen maakten haar verward en bang en opgewonden. Ze wilde snel groot worden, zoals Roberto, die nu veertien was, los van haar, bijna een man, die 's ochtends een scheermes over zijn gezicht haalde. Ze hingen niet meer zo aan elkaar. Ze was alleen. Ze maakte niet snel vrienden, al waren er meisjes op school die haar bij hen thuis vroegen als ze haar hulp nodig hadden bij het huiswerk, en daar zag ze hun moeders, met een schort om hun brede middel, hun haar strak naar achteren, alsof het hun niet kon schelen, alsof ze belangrijker dingen aan hun hoofd hadden dan hun kapsel. Ze bakten en poetsten en wachtten op hun man en schreven geen gedichten, ze leken geen geheimen verstopt te hebben in hun kast of hun kleren en 's ochtends niet weg te hoeven. Ze ging er niet vaak naartoe. Ze las voortdurend. In sommige, heel oude verhalen kwamen meisjes voor die niet echt meisjes waren maar elfjes die in het bos thuishoorden, in een boomstam woonden of in het riet of in de rivier, en soms zocht ze op straat, in haar stad waarin een hele wijk met cantegriles ontstond – ver van de plek waar zij woonde, maar ze had er één gezien, ze kende die treurige, volle barakken, ze bleef ze in haar dromen zien – naar feeën en geesten of heksen die in de ijle lucht ineens deuren konden openen.

Ze won een beurs voor een particuliere opleiding. Roberto ook. Ze wist niets van de aanvraag totdat mamá haar de brief liet zien waarin stond dat ze was aangenomen.

'Je bent toch wel blij?'

Salomé knikte. Ze dacht aan Crandon, een groot wit gebouw, begroeid met klimop. Ze had het alleen maar door een ijzeren hek gezien.

'Kom eens hier, *hija*.'

Ze liet zich door haar moeder vasthouden. Haar haar rook naar zoete amandelen. Ze deden allebei alsof ze niet te groot was om op schoot getrokken te worden.

'Toen ik zo oud was als jij, ging ik van school. Wist je dat?'

Ze had het niet geweten.

'Ik werkte in een winkel.'

Ze probeerde het zich voor te stellen, een jonge mamá die wortelen of bloesjes of speelgoed verkocht, en die niet naar school ging.

'Maar jij. Jij kunt alles worden wat je wilt.'

Haar hand trok trage bogen over Salomés hoofdhuid.

Op de eerste dag dat ze naar Crandon ging, werd Salomé wakker van haar moeder die met omfloerste stem een oud tangonummer zong. Ze kwam uit bed en volgde de melodie. Ze tuurde in de woonkamer en was stomverbaasd door wat ze zag: mami stond te strijken. Nauwgezet. Om halfzes 's ochtends. Ze droeg dezelfde blauwe blouse als de vorige avond. *Y un rayo misterioso*, zong ze, *hará nido en tu pelo*. Ze liet het ijzer naar voren dansen, over de helderwitte blouse van het nieuwe uniform. *Florecerá la vida*. Ze streek de kraag glad, en de manchetten en mouwen, en toen de smalle stukjes tussen de knopen. *No existirá el dolor*. Salomé voelde dat er een heel persoonlijk gesprek plaatsvond tussen vrouw, strijkijzer en stof. Ze liep snel weg en kroop weer in bed. De hemel buiten had de kleur van het haar van een stokoude vrouw.

Zij en Roberto reden met de bus door de stad. Haar plooirok schuurde langs haar knieën. Achter de ijzeren hekken zwermden jongens met glad achterovergekamd haar en meisjes met parelkettinkjes over een perfect onderhouden grasveld. In de klaslokalen hing de kunstmatige citroengeur van schoonmaakmiddelen. De ramen waren glanzende omlijstingen van de lucht. Ze had nu een Engelse lerares die geen trui droeg van wol die ze zelf had gesponnen en gebreid, maar een op maat gemaakt jasje en een bijpassende rok. Ze sprak langzaam en zorgvuldig Engels.

'Jullie gaan... leren spreken... als een inwoner van... de Verenigde Staten. Wat zijn de Verenigde Staten? Wie?'

Het huiswerk stapelde zich op. Het was strikt verboden om tijdens de les voor je beurt te spreken. In de gangen galmden haar

voetstappen en de voetstappen van de jongens met hun gladge-
kamde haar en de meisjes met de parels.

'En?' vroeg mamá die avond. 'Hoe was het?'

'Geweldig,' zei Roberto.

'Goed,' zei Salomé.

'Moeten jullie veel studeren?'

'Ja.'

Ze leerde een geheel nieuwe taal, hoekige nieuwe woorden voor
dezelfde bekende dingen. Ze leerde over de Verenigde Staten, het
land ten noorden van het noorden zelf, ze leerde de staten uit haar
hoofd, vijftig stuks, van Alabama tot Wyoming, reusachtige staten, waarvan er vele groter waren dan heel Uruguay. Ze leerde
over dollars, hoe je ze kon omrekenen in centen, en hoeveel ze
waard waren vergeleken met peso's. Ze leerde de hoofdsteden van
Europese landen. Ze leerde dat er buitenlandse bedrijven waren
die misschien Uruguayaanse meisjes in dienst namen als ze slim
en netjes waren, goed konden typen en Engels spraken. Ze leerde
biologie, meetkunde, en alles over de wereldoorlogen. Thuis leerde ze hoe ze plooien in rokjes moest strijken en hoe ze in het Engels tegen mamá *please* en *of course* en *what a lovely pair of shoes,
mother* moest zeggen. Mami juichte en klapte elke keer.

'Ik dacht dat je Engels niet leuk zou vinden,' zei Salomé.

'Waarom in hemelsnaam niet?'

'Het is de taal van de *yanquis*.'

'Nou en?'

'Het is tegen de revolutie.'

'Dat is onzin,' zei mamá snel. 'Een taal kan nergens tegen zijn.'

Ze stonden stil en keken elkaar aan. Het was laat in de middag;
het licht viel in smalle bundels op de muren.

'Je moet het kunnen spreken. Het is de taal van de kansen.'

Roberto sloot vriendschap met Edgar, een jongen met sproeten die bezeten was van scheikunde. Hij kwam soms eten, at zijn
bord leeg ongeacht hoe vaak abuela hem opschepte, en gaf beleefd

antwoord op alle vragen die abuelo stelde. Ja, mijn vader is jurist; nee, we wonen in Malvín; ik geloof dat ik wel aardig kan voetballen; natuurlijk ben ik fan van Peñarol. Salomé vroeg zich af hoe het zou zijn als ze een vriendin mee naar huis bracht. De meeste meisjes op school waren heel anders dan zij. Bij hen zat geen haartje verkeerd; ze hadden een zwembad in de achtertuin; ze droegen elke dag een andere gouden ketting; hun gegiechel werd zorgvuldig aangepast. Tot haar opluchting negeerden ze haar meestal. Ze negeerden ook Leona Volkova. Leona zat altijd met haar knieën tegen elkaar aan, maar niet over elkaar. Ze lachte nooit tijdens de les. Ze was het enige joodse meisje, ze had een zachte stem en was beleefd – tot de dag waarop ze overeind schoot om te zeggen dat Trotski geen idioot was geweest.

Ineens was de spanning in de klas om te snijden. Alle ogen richtten zich op Leona, die met haar handen in elkaar geklemd rechtop stond.

Miss Magariños keek alsof ze water zag branden. 'Pardon?'

'Hij was geen idioot,' herhaalde Leona.

'Er werd jou niets gevraagd, jongedame.'

'Dat weet ik, miss Magariños. Maar toch. Dankzij hem is mijn familie levend uit Rusland weg kunnen komen.' Ze staarde naar haar lerares, die naar de muur staarde. Onhandig ging ze zitten.

Miss Magariños kuchte en ging verder met haar les. Leerlingen bogen zich over hun schrift. De sfeer bleef gespannen en beladen totdat de bel ging.

Na de les liep Salomé naast Leona de gang in.

'Dat was moedig van je.'

Leona keek haar niet aan. Haar donkere krullen leken uit het elastiekje onder in haar nek te barsten. 'Vind je?'

'Natuurlijk.'

'Het stelt niets voor. Niet vergeleken met wat anderen hebben gedaan.'

'Zoals Trotski?'

'Ja, zoals Trotski.'

Ze liepen naar buiten het grasveld op, dat pas gemaaid en geurig was. Leon. Leona. 'Ben je naar hem vernoemd?'

De zon weerkaatste in Leona's brillenglazen, zodat haar gezichtsuitdrukking niet goed te zien was. 'Hoe weet je dat?'

Salomé haalde haar schouders op. Ze verplaatste de boeken in de kromming van haar arm. 'Mijn tweede naam is Ernestina. Mijn moeder zegt dat ze me naar Che heeft vernoemd.'

'Hoe zit dat?'

'Ze zegt dat ze hem heeft ontmoet in Buenos Aires, in '51, het jaar waarin ik werd geboren.'

Leona lachte. Ze zag er anders uit als ze lachte, bijna knap (en jaren later, toen Salomé vreesde voor haar leven, herinnerde ze zich Leona zo, als een grijnzend kind bij wie de zon in haar brillenglazen weerkaatst werd).

'Geloof je je moeder?'

'Soms. Geloof jij de jouwe?'

'Ja.' Ze was weer ernstig. Ze dempte haar stem. 'Je weet dat Che naar de universiteit komt voor een toespraak?'

'Natuurlijk.'

'Mijn zus Anna studeert daar. We gaan ernaartoe.'

Leona's ogen waren groot, ze stond kaarsrecht, ze rook naar mandarijnen en tandpasta. Terwijl ze daar stond, aan de rand van het grasveld, in een gesteven en geplooid uniform onder de felle zon, kon Salomé geen beter lot bedenken dan vriendschap met dit meisje.

Leona keek om zich heen naar de zwerm witte blouses. 'Wil je mee?'

'Natuurlijk.' De blouses gingen richting grasveld, waar ze in de felle middagzon verblindend wit leken. 'Maar ik moet het wel vragen.'

Toen Salomé het vroeg, drukte haar moeder de kam hard tegen haar hoofdhuid.

'Natuurlijk mag je niet.'

Haar handen grepen de helft van Salomés haar, verdeelden het in drieën en begonnen het vaardig te vlechten.

'Maar mami, waarom niet? We zijn naar lezingen geweest...'

'Dit is geen gewone lezing. Dit is omstreden.'

'Dus?'

'Dus!' Haar vingers trokken de vlecht strak. Ze werkten snel; ze waren behendig; ze kenden dit zigzagpatroon zo goed. 'Er komen agenten aan te pas, en veel... emoties.' Een elastiekje sloot zich om de vlecht. Mamá liet hem vallen en begon aan de linkerkant.

Salomé wilde die twee handen uit haar haar schudden. 'Ga jij ernaartoe?'

'Nee. Het is kaartavond bij tía Carlota.'

Het laatste elastiekje werd om de vlecht gewikkeld.

Op de avond waarop Che zijn lezing hield aten ze zonder mamá. Abuelo vertelde tijdens de maaltijd verhalen, oude, bekende verhalen, waarin hij nieuwe aspecten aandikte. Een man komt door een gokspel terecht op de kermis waar hij gaat goochelen. Een meisje keert terug uit de dood en verschijnt boven in een boom. Het leek onwerkelijk, absurd, buiten proportie. Maar ja, dacht Salomé, wat valt er te winnen met bescheidenheid? Weerklank zoeken – of de hunkering ernaar, de opwelling om met woorden uitdrukking te geven aan wat er in je leeft – was toch zeker geen misdaad? En misschien waren de verhalen van abuelo wel helemaal niet zo buitenproportioneel. Misschien was de wereld tijdens die eeuw zelf veranderd, was het bereik ervan kleiner, waren zijn proporties teruggedrongen, zijn fantasie aan de horizon ingedamd.

Ze was de tafel aan het afruimen toen tía Carlota belde.

'Waar is je mami, Salomé?'

'Weg.'

'Waar naartoe?'

Ze aarzelde. 'Kaarten.'

'Wat? Bij wie? Wie hebben er lekkerder *picadillos* op hun kaart-avondje?'

'Niemand, tía, ik weet...'

'Het is al goed, *pues nadie*. Je weet echt niet waar ze is?'

'Geen idee,' loog Salomé.

'Nou, vraag maar of ze me terugbelt.'

'*Claro.*'

Ze hing op en stond in de gang met de hoorn nog lang zoemend tegen haar oor gedrukt. Ze was erheen. Ze moest erheen gegaan zijn. Op dit moment was haar moeder in een grote ruimte met Che, terwijl Salomé alleen was met de zoemtoon van een lijn die verbroken was. Ze luisterde naar het gezoem totdat het agressief begon te klinken. Ze liep naar de keuken. Abuela Pajarita was een gietijzeren pan aan het afwassen. Haar zilvergrijs-zwarte vlecht wipte licht op en neer, alsof de onderste punt haar middel schoon veegde. Salomé droogde borden af, depte vocht van hun ronde vormen en zette ze met een klap in de kast. Het leek zo makkelijk: afwassen, afdrogen, dan opstapelen. Geen spoor van wat ermee was gebeurd.

Toen ze klaar was, sloop ze haar moeders kamer binnen en sloot de deur. Ze maakte geen licht. De maan reikte met zilveren armen door het raam. Ze was nu groot genoeg en sterk genoeg, en ze was niet bang dat ze iets verkeerds deed – en als ze dat toch was, liet ze zich niet door die angst leiden. Het enige wat ze nodig had was een stoel, zoals deze, dichter bij de kast, naar de doos die daar nog steeds stond, zodat ze hem naar voren kon trekken, geduldig, op haar tenen. Hij was nog steeds zwaar; ze had er haar armen vol aan; ze zette hem op de vloer. Toen ze de eerste klep opendeed rook ze eucalyptus. Nog een klep, nog een, en daar waren ze, besche-nen door het bleke maanlicht. Schoenen. Kinderschoenen. Haar schoolschoenen met bandjes en Roberto's veterschoenen, waar hij vorig jaar uitgegroeid was. Met elke laag werden de schoenen klei-ner, totdat helemaal onderin kleine babyschoentjes tevoorschijn kwamen, sommige met een bloemetjespatroon, andere jongens-achtig en lelijk, en in elke maat schoen zaten drie eucalyptusbla-deren – niet meer en niet minder. Ze wilde in de schoenen duiken, door het donker zwemmen op zoek naar een aanwijzing voor wat er in mamá omging, voor iets wat de eucalyptus verklaarde, of iets wat dit allemaal verklaarde. Ze bracht een blaadje naar haar neus en rook eraan, wreef het daarna tussen haar vingers alsof het het eerste blad was dat ze ooit echt voelde, alsof er in de dunne ner-ven een geheime code verborgen zat, maar omdat ze te hard wreef brak het doormidden, en ze schrok van haar eigen vernielzuch-tige daad. Ze stopte het blaadje in de schoen en zette de schoenen terug, vouwde de kleppen dicht en plaatste de doos op de plank, de stoel weer tegen de muur, niemand heeft het gezien; niemand heeft het gedaan, niemand weet het.

Toen ze die avond in slaap viel, dacht ze aan dozen, deuren, col-legezalen, de binnenkant van schoenen en hoeveel – hoe vreselijk veel – ze wilde weten.

Che's lezing eindigde in geweld. Ze hoorden het de volgende och-tend aan het ontbijt op de radio. Iemand loste een schot, er brak oproer uit, tegen het eind van de nacht waren er tientallen gewon-den. Abuelo klaagde dat de socialisten te weerspannig werden, te veel problemen gaven. Mamá dronk haar maté zonder op te kijken.

Leona verscheen twee dagen niet op school. Salomé stelde zich haar voor met gebroken botten, een opengereten huid, striemen, blauwe plekken. Maar toen ze kwam, was ze nog helemaal heel en ze glimlachte zelfs. Ze gaf Salomé tijdens de Engelse les een briefje: *We moeten praten.* In de lunchpauze zonderden ze zich af onder een eucalyptusboom op de hoek van het grasveld. Salomé was zo nieuwsgierig naar het verhaal dat ze haar boterham niet weg kreeg.

'Het was ongelooflijk.' Leona zette haar bril af en wreef de glazen schoon met de zoom van haar rok. Haar ogen waren helder en naakt. 'Hij heeft zoveel gezegd. Dat de strijd in Cuba een strijd is van ons allemaal, dat het iets spiritueels is, grensoverschrijdend, wat zich overal zal uitbreiden waar mensen honger hebben. Hij droeg een zwarte baret en tijdens zijn toespraak gingen zijn armen de hele tijd op en neer, en zelfs van veraf kon je zien dat hij in het echt knapper is.' Leona zweeg even toen drie oudere meisjes met hun hand half voor hun mond smoezend langsliepen. 'Hij zei dat we de imperialisten niet moeten haten, omdat we dan net als zij worden, dat we in plaats daarvan sterk kunnen blijven en ons op de overwinning moeten blijven richten... *Victoria!* Dat zei hij: *Hasta la Victoria!* En toen hij dat zei, barstte het publiek in applaus los.'

Salomé verlangde naar dat applaus – ze wilde zich erin bevinden, erdoor gedragen worden. 'En wanneer begon het vechten?'

'Kort daarna, maar luister, de kranten hebben gelogen. Che was niet de oorzaak. We stonden te juichen en toen hoorden we een schot, een kogel vloog in de richting van Che. De menigte raakte in paniek, de politiemannen kwamen binnen alsof ze een gevecht moesten beëindigen – maar er was niemand die vocht, alleen zij. Ze sloegen op mensen in die weg probeerden te vluchten. Ze hebben de arm van mijn zusje gebroken. Ik heb alleen een paar blauwe plekken opgelopen.' Ze rolde haar mouw op en liet Salomé een ronde, vaalgele, halfpaarse plek zien. 'Een lage prijs.'

Salomé knikte, ze herhaalde voor zichzelf de woorden die Che had gezegd en sloeg ze op: cryptische woorden, direct, orakelachtig. Het was alsof de vervagende blauwe plek schitterde als een medaillon.

Leona en Salomé brachten lange uren door onder die boom. Ze aten er hun boterham en keken naar studenten die zich in groepjes op het grasveld verzamelden, of ze installeerden er zich na school om te studeren. Soms sloegen ze hun leerboek dicht en praatten ze over boeken die ze hadden gelezen, niet die op school werden gebruikt, maar de exemplaren die Leona van Anna's boekenplank haalde. Anna had *Het Kapitaal* van Marx, *Mijn leven* van Trotski, geschiedenisboeken over Latijns-Amerika, boeken en essays van Bolívar, Artigas, Batlle, Bakoenin, Lenin, Castro, Che. Salomé kaftte de boeken met papier uit de slagerswinkel, zodat de docenten de titels niet konden zien en zich er niet mee zouden bemoeien. De teksten waren lastig te lezen; ze was blij met Anna's pen die aangaf welke woorden zo belangrijk waren dat ze onderstreept moesten worden of versierd met een sterretje of – de allerbelangrijkste – onderstreept en benadrukt met '*Sí!*', gekrabbeld in de kantlijn. In het begin bracht ze mamá's gedichten mee, maar Leona las ze alleen uit beleefdheid.

'Poëzie,' zei ze uiteindelijk, 'heeft geen nut.'

Salomé frommelde wat met haar moeders boek (terwijl ze in gedachten abuelo hoorde zeggen: *een gedicht kun je niet eten*) en stopte het terug in haar schooltas. Ze had meer succes met de brieven van tío Artigas; elke keer dat er weer een kwam, vroeg Leona Salomé uit over wat erin stond, totdat ze de brieven woord voor woord overschreef als de andere familieleden niet keken. Wat een brieven. Je rook er bijna het zweet in en de neergemaaide rietsuiker, de spierkracht en de honger van zijn dagen. Na drieëndertig jaar weduwnaar te zijn geweest, had tío Arti de liefde weer gevonden in de persoon van Constanza, een tachtigjarige uit Matanzas die met haar geestkracht pannen en schotels in beweging kon brengen. Toen ze elkaar de eerste keer kusten, beweerde hij, kwam de keukentafel op hen af zodat ze met hun lichaam tegen een heldergele muur aan werden gedrukt. Ze spraken af de rest van hun leven bij elkaar te blijven. Hij bracht soms dagen door in Havana, soms op het platteland, altijd bezig iets te regelen: schoolboeken, machetes, geweren, medisch verband. De regering was streng, zei hij, maar daar had ze haar redenen voor. Leona verslond elk woord. Salomé hield van haar om haar gretigheid. Dit was een ware, schitterende vriendschap, die haar verlangen volledig vervulde, die aanvoelde waar dat verlangen afboog in leegte, waar het opzwol op zoek naar betekenis, hoe het aan de binnenkant van haar huid duwde en schuurde en brandde. Leona's verlangens bogen en zwollen en schuurden met haar mee. Er waren geen woorden nodig om dit te weten. Ze wist het als ze rustig schouder aan schouder zaten en keken naar de schaduwen van takken die over het gras kropen.

Salomé werd dertien. Uruguay veranderde: banen gingen verloren, fabrieken werden gesloten, pensioenen werden drastisch verlaagd. Montevideo spreidde zijn armen voor een hausse van stakingen. Slagers, boeren, schoenmakers, arbeiders in de telefoon-, olie- en wolindustrie dromden de straten op. Salomé zag hen niet zelf, maar foto's van hen in *El País*, menigten met monden die schreeuwden en spandoeken die ze in de lucht staken. De regering stelde een avondklok in, censureerde de pers, sloeg in op stakers, loste schoten, arresteerde. President Giannattasio noemde op de radio zijn acties 'acute veiligheidsmaatregelen'. De universiteit lag bezaaid met pamfletten met oproepen de stakers te steunen. Roberto, die zich er pas had ingeschreven, klaagde zijn nood aan de eettafel.

'Ze zijn overal. Op de grond, op tafels, op de muur geplakt. Het is heel ergerlijk.'

'Maar díe stakingen dienen een doel,' zei mamá. 'De maatregelen ontnemen ons onze burgerrechten.'

'Is dat niet hetzelfde als wat Castro doet?'

'Daar is het anders.'

'Waarom?'

'Het is voor de revolutie.'

Roberto zei niets; hij schepte nog wat rijst op zijn bord.

'De jongen heeft gelijk.' Abuelo Ignazio tilde zijn vork op alsof het een scepter was. 'De universiteit is er alleen voor studie.'

Mamá fronste haar wenkbrauwen. Haar haar was stijlvol gekapt in de vorm van een bijenkorf, en Salomé, met haar eigen futloze haar, kon zich niet voorstellen dat ze die zelf op haar hoofd zou hebben. Het was vreemd dat mamá geld uitgaf aan ingewikkelde kapsels terwijl ze zuinig aan moest doen. Het had iets kleinburgerlijks. Ze had er een keer naar gevraagd, maar mamá had haar toegebeten: *Ik krijg korting, het is een oude vriendin van me,* en daarmee was het onderwerp afgedaan. 'Misschien is de wereld van nu ook een studie waard.'

In het voorjaar, in de tijd dat The Beatles voor het eerst op de radio te horen waren, belde Leona haar op. Ze klonk gejaagd en ze sprak nadrukkelijk.

'Salomé.'

'Ja,' zei ze, terwijl er allerlei verklaringen in haar opkwamen voor de toon waarop ze klonk: een tragisch sterfgeval, ze had ineens een vriendje, Leona's eerste menstruatie (bij Salomé was het een jaar eerder begonnen; ze zou zeggen dat het wel meeviel).

'We hebben de banden met Cuba verbroken.'

'Wat?'

'De regering. De diplomatieke banden.'

'O.'

'Het is ernstig. Functionarissen van de vs hebben het opgedragen. Onze regering is hun geld verschuldigd, dus hebben ze gedaan wat er werd geëist.' De lijn ruiste. 'Lafaards.' Er klonk geritsel. 'Wacht even. Ik lees het je voor.'

'Natuurlijk wacht ik.'

'Oké. De Verenigde Staten hebben gezegd: "Jullie regering ziet de onverdraaglijke aanwezigheid van het communisme op dit continent door de vingers." Niet te geloven, toch? Blijf even hangen.'

Salomé hoorde Anna op de achtergrond praten.

'Luister, ik ga weg. Ik spreek je later, *si*?'

'Natuurlijk.'

'Tot morgen.'

Ze had opgehangen voordat Salomé gedag kon zeggen.

Het protest zwol aan op het Plaza de Independencia. Salomé luisterde naar de radio en zag het allemaal voor zich, het geschreeuw, politieknuppels, schoten, arrestaties, Leona en haar zus daar op straat, hun leven riskerend. Ze dacht eraan om stilletjes weg te gaan en zich bij hen aan te sluiten, maar dat was onmogelijk – mamá hield haar goed in de gaten en zou de kamer niet uit gaan. Ze deed alsof ze haar huiswerk maakte. Twee uur later kwam Roberto met een rood hoofd binnenstormen. Hij leek oud, helemaal geen jongen meer.

'Heb je geen les?' vroeg mamá.

'Dat kon niet. Hij is bezet.'

'Wat is bezet?'

'De universiteit.' Ze staarden hem aan. Roberto hief zijn handen. 'Ze hebben met honderden – studenten, en ik geloof ook hoogleraren – alle gebouwen bezet. Ze hebben spandoeken, ze schreeuwen. Het gaat om dat gedoe met Cuba.'

Mamá knipperde met haar ogen. 'En de politie?'

'Die heeft de gebouwen omsingeld.'

'Hebben ze wapens?'

'Natuurlijk.'

Mamá kwam langzaam overeind en met haar bleke huid, rode lippen en zwarte haar leek ze precies op Sneeuwwitje nadat die van de giftige appel had gegeten. 'Zo is het genoeg. Jullie gaan allebei niet meer uit huis totdat dit allemaal voorbij is. Salomé, geen school.'

'Maar...'

'Je hebt me gehoord. Jullie blijven thuis.'

Salomé boog zich over haar boeken. Geen school betekende geen Leona, geen laatste nieuwtjes, geen tijd onder de boom om verhalen over de gebeurtenissen op straat te horen. De algebraische formule staarde haar aan, koppige kleine hiëroglyfen die niets met deze avond te maken hadden. Vanuit de keuken hoorde ze abuela wortelen of aardappelen in stukjes snijden; ze rook uien die gebakken werden. Buiten deze muren draaide, tolde, wervelde de wereld om zijn as, geduwd door vele handen, gevoed door alle kreten en liederen en marcherende voeten en zalen vol mensen en brandende dromen – en zij zou er geen deel van uitmaken. Ze vroeg zich af hoe het daarbuiten was.

Montevideo schudde dagenlang op zijn grondvesten. Salomé volgde de acties nauwgezet op de radio. De universiteit was nog steeds bezet. Op de derde dag sjouwden de Cubaanse ambassadeurs snel hun koffers naar Carrasco Airport. Er kwam een menigte bijeen om haar solidariteit te betuigen en hen uit te zwaaien. Salomé hoorde op de radio over het geweld; de politie gebruikte knuppels, ze bleef slaan als er mensen vielen, er lag bloed op straat, er zat bloed op de glanzende glazen deuren van het vliegveld. Leona had nog steeds niet gebeld. Misschien was ze op het vliegveld, misschien maakte haar bloed nu strepen op de ruiten. Misschien daalde er een revolutie neer op Uruguay, steeds lager cirkelend als een enorme havik, iets spiritueels, zonder grenzen, dat een lange schaduw wierp terwijl het een plek zocht om te landen, en de geschiedenis zou zich de mensen herinneren die er ruimte voor maakten. Zij wilde er ruimte voor maken. Ze wilde dapper zijn. Ze wilde de as van de wereld ervaren. Vandaag kan ik niet, dacht ze, het is me verboden, ik kan onmogelijk ontsnappen. Maar jij, lange schaduw, rondcirkelend ding, ik beloof je dat ik me aan je zal geven. Wanneer ik herinnerd word, áls ik al herinnerd word, zal dat zijn voor mijn bijdrage aan de verandering. Als ik mijn adem nu dertig seconden inhoud, verzegel ik daarmee mijn belofte. Ze keek naar de klok. Ze hield haar adem in.

De telefoon ging in de gang. Abuela nam op.

'Hola? Wat? César, ja. O. Natuurlijk... Wat erg. Is ze...? Natuurlijk.'

Mamá's stem: 'Wat is er aan de hand?'

'Xhana ligt in het ziekenhuis.'

'Wat heeft ze?'

'Gebroken ribben. Wonden aan haar hoofd.'

Mamá maakte een zacht schraperig geluid in haar keel.

'Ze waren op het vliegveld.'

'Ik moet naar haar toe.'

'Ga maar… ik pas wel op de kinderen.'

Salomé dacht aan tía Xhana, met geknakte botten, een bloedend hoofd, door een agent met een knuppel tegen het asfalt geslagen. Ze hoopte absurd genoeg dat mamá binnen zou komen om te vragen of ze meeging. Natuurlijk gebeurde dat niet. Rusteloos en van streek, opgesloten in het huis, hoorde ze haar moeder haar sleutels pakken en zich naar buiten haasten.

Xhana lag vijf dagen in het ziekenhuis, en toen de universiteit weer openging en de lessen werden hervat, mocht Salomé bij haar op bezoek. Tío César zat naast het bed en zag er vermoeider uit dan ze hem ooit had gezien. Xhana lag in de kussens en keek blij op toen ze de anjers zag die Salomé vasthield.

'Wat lief,' zei ze met een glimlach, en Salomé zag dat ze twee tanden kwijtgeraakt was.

Het hele jaar daarna – toen ze scheikunde bestudeerde en Hemingway en kunst, toen ze met Leona in de schaduw van de eucalyptus fluisterde, tijdens drukke dagen en nachten in het huis in Punta Carretas – luisterde Salomé alle gesprekken af die ze maar kon horen. Ze was nu een spion, heimelijk, hardnekkig, vastberaden om de schaduwen te herleiden tot hun oorsprong, om de wereld te zien in al zijn verwikkelingen, en te midden van de chaos een ruimte voor zichzelf te forceren. Er waren veel gesprek-

ken, gedempt, luid, verontrust, vluchtig, onbezonnen, bedachtzaam, prikkelbaar, belerend. Ze spitste haar oren en maakte zich
onzichtbaar. In de gangen van Crandon, buiten op straat, in de
slagerswinkel van Coco, in Xhana's keuken, in abuela's keuken,
achter mamá's dichte deur, bij de bushalte, in de bus, overal verzamelde ze woorden en voegde ze samen tot een puzzel.

Alles is veranderd.

Het is tijdelijk.

Het is een ramp.

Dit is bijna een dictatuur.

Ach, hou toch op.

Hou zelf op. Kijk naar de politie.

Dat is waar.

Zie je wel?

Onze economie is een ramp.

We zijn er altijd bovenop gekomen.

Dit keer is het anders.

We zijn een volhardend volk. Een stabiel volk.

Het Zwitserland van Zuid-Amerika.

Dat is verleden tijd.

Het verleden is ooit afgelopen.

Je weet er niets van.

De vakbonden houden stand.

Armoede ook.

Het politiegeweld ook.

Ik kan werkelijk niet geloven dat ze zo gewelddadig zijn.

Het is niet Uruguayaans.

Nu wel.

We komen in opstand, net als de rest van de wereld.

Kijk naar Cuba.

Kijk naar Europa, China, Vietnam.

Kijk naar Mississippi.

Kijk naar de Tupamaros.

Tupamaros? Wie zijn dat in vredesnaam?

Ik weet het niet precies, maar ze hebben pamfletten rondgestrooid op de universiteit.

Ik geloof dat ze onlangs een bom hebben laten ontploffen.

Ja, voor het gebouw van de U.S. Navy.

Hm. Leuke kerels.

Ik heb gehoord dat ze *gringos piratas* op de muur van het gebouw hebben geschreven.

Ik heb gehoord dat ze naar Túpac Amaru zijn vernoemd.

Ik heb gehoord dat ze banken beroven.

Ik heb gehoord dat ze geweren hebben.

Ik heb gehoord dat ze ze opsparen voor de revolutie.

Ik heb gehoord dat ze geroofde buit aan de armen geven.

Ik heb gehoord dat ze een aftakking zijn van de socialistische partij.

Ze zijn wetteloos.

Het zijn helden.

Onze wetgevers zijn wetteloos, dus wat maakt het uit?

Je overdrijft.

Je bent naïef.

Ze slaan stakers in elkaar.

Nou, die maken het ook wel te bont.

Te bont voor wie?

Verslaggevers worden ontslagen.

Nou en? Iedereen wordt ontslagen.

Er moet een revolutie komen.

Natuurlijk niet.

We staan op de rand van een dictatuur.

Kom op zeg – zo'n soort land zijn we niet.

Het is al begonnen.

Dat kan niet.

Zeker wel.

Nee.

Ik zeg je dat het al gebeurt.

Als we gewoon geduld hebben, komt het wel weer goed.

En zo niet?

Dan…

Dan wat?

Haar vijftiende verjaardag naderde met rasse schreden, meisjes behoorden vol verlangen uit te zien naar de dag van hun *quinceañera*, met een bijna ondraaglijke spanning, maar Salomé moest eraan herinnerd worden door haar moeder en abuela, die al maanden voordien plannen maakten, die 's avonds laat aan de jurk naaiden, waarbij de woonkamer één kolkende zee van witte ruches was, terwijl ze vroegen: hoe vind je dit? En dit? Nog meer lagen hier, wat denk je? En Salomé knikte of schudde haar hoofd, ja of nee, en liet hen spelden, stikken, ze liet zich langzaam ronddraaien, bekijken, zeggen dat ze er heel knap uitzag. In het eindresultaat voelde ze zich slungelachtig. Ze was nog steeds hoekig, met lange ledematen, een schertsvertoning van vrouwelijkheid. En bovendien vond ze de beloning voor het feit dat ze een vrouw werd, de plechtige geschenken die haar werden gegeven, teleurstellend: haar eerste lipstick, roze en plakkerig op haar mond; hoge hakken waarop ze haar evenwicht verloor; lange witte handschoenen, passend bij haar jurk met ruches. Er moest toch meer zijn, stimulerender dingen om de ondoorgrondelijke last van de volwassenheid te aanvaarden.

Het feest zelf maakte haar duizelig met zijn warmte en mensen en lawaai, de hoeveelheden bizochos, empanada's, *alfajores*, *pascualina* en *churrascos*, genoeg om heel Montevideo mee te voeden. De taart leek uit meer dan duizend stukken te bestaan. Eén voor één vertelden de gasten haar hoe mooi ze eruitzag, waardoor ze zich schaapachtig voelde en ook een beetje wantrouwig werd. Desondanks gaf ze zich, toen ze eenmaal twee glazen champagne had gedronken en het dansen serieus begon, over aan sidderende onderstromen van plezier. Genot school tenslotte in haar botten, in een warme dikke stroom, en ze zag het ook in de gasten terwijl ze dansten: tía Xhana en tío César zwierden en draaiden dat het een lieve lust was op een zinderende tango; de grijze haren van Coco en Greogorio vermengden zich terwijl ze zich tegen elkaar aan drukten; abuelo liet mamá rondzwieren en mamá lachte en zijn ogen werden groot als in een soort verbijsterd ontzag; zelfs Roberto begaf zich op de dansvloer, gegeneerd shakend op muziek van The Beatles, *Do You Want To Know A Secret*, met Flor – zijn vriendin, het nichtje van Edgar, met haar zandkleurige haren los, haar lichaam kronkelend, haar gezicht sereen en stralend. Salomé zou nooit zo zijn als Flor, zo afgestemd op het filigraan van begeerte, dat ze zonder woorden haar wereld in kon lokken. Het maakte niet uit. Ze wilde niet zijn zoals Flor, zo glanzend, leeg, terwijl de wereld om haar heen wegviel en veranderde. Ze bleef glimlachen voor de gasten. Leona was er niet. Ze miste haar vriendin, die het de laatste tijd druk had en afgeleid was omdat haar tante ziek was, althans dat zei ze. Natuurlijk had Leona geen reden om te liegen, niet tegen Salomé, met wie ze alles deelde; des te meer reden waarom leugens moeilijk, gênant, slecht te verteren zouden zijn, ervoor zorgden dat Leona wegkeek wanneer ze het over haar tante en haar lange ziekbed had, en naar de ijzeren hekken aan de andere kant van het grasveld tuurde.

De lange witte handschoenen begonnen te kriebelen. Sommige geheimen worden met gemak geopenbaard, maar andere kunnen vlam vatten als ze te dicht bij woorden komen. En als ik nu een vrouw ben, als het waar is dat deze witte ruches een echte vrouw van me maken, dat deze champagne en deze dans me van mijn kinderjaren bevrijden, dan wil ik erin stappen, dan wil ik zien wat Leona ziet, ik wil die geheime plaatsen betreden die ze misschien niet kent maar waarvan ik denk dat zij ze nu wel kent, plaatsen waar het zindert van gevaar die ik noch kan benoemen, noch me kan voorstellen, maar die zeker niet voor kinderen zijn, absoluut niet voor kinderen, alleen voor mannen en misschien ook voor vrouwen die kunnen zeggen dat ze echte vrouwen zijn en niet bang om hun eigen lot onder ogen te zien.

Het duurde twee maanden. Ze waren in de toiletruimte in het souterrain, een halfvergeten plek waar het naar met mos begroeid roest stonk. Buiten regende het. Salomé had een brief van Artigas bij zich.

'Moet je dit stukje horen. "We zijn nog aan het herstellen na Che's vertrek. Volgens sommigen heeft hij de revolutie in de steek gelaten. Maar ik denk dat hij die ergens anders in Latijns-Amerika is gaan verspreiden. Wie weet waar ze straks de kop opsteekt?"'

Ze keek op. Zweet parelde op Leona's slapen.

'Wat denk jij?'

Leona tikte met haar nagels op de wastafel. Het was alsof ze ergens door in beslag genomen werd: een naderend examen, een scherp steentje in haar schoen. 'Wat denk jíj?'

'Ik denk dat het waar is. Ik denk dat ze zich verspreidt.' Salomé ademde de muffe lucht in. 'Ik wil er deel van uitmaken.'

'Hoe graag wil je dat?'

Ze klonk geschokt. 'Dat weet je toch.'

Leona deed een stap dichterbij. Haar trekken kregen iets scherps. 'Met je hele hart?'

'Ja.'

Leona keek haar vriendin onderzoekend aan. Haar haar zat in een paardenstaart; een paar losgeraakte lokjes vormden een wazig aureool. Haar trekken verzachtten zich; haar blik werd bijna teder. 'Zou je je leven ervoor geven?'

Salomé hield haar adem in. Er waren geen ramen in het toilet; het enige licht was afkomstig van een zwak, kaal peertje. Het hing vlak boven hen, zodat er alleen licht op hun voorhoofd viel, terwijl hun kin half verscholen bleef in het donker. Twee meisjes die staan te kletsen in een toiletruimte. Twee jonge vrouwen die hun leven vormgeven. Ze hoorde in de verte de regen tegen het gebouw roffelen. Haar wereld was vol regen en tanden en wapenstokken om die tanden eruit te slaan, en hier was zij, schoolmeisje, vrouw, opgewonden, levend en bang, starend naar haar vriendin, luisterend naar glibberige verlangens in haar lichaam, naar de belofte die ze met ingehouden adem had gedaan toen ze nog een kind was, in de veronderstelling dat ze op een dag sterk genoeg zou zijn, maar bén ik sterk genoeg? Hoe sterk is genoeg? Sommige stappen zijn definitief, je kunt niet terug, je kunt niet weten of je er klaar voor bent of zelfs maar de weg voor je zien, je kunt alleen in het donker kijken, met zijn schemerige fonkelingen en verre explosies en scherpe bochten, en – streng, snel – afwegen wat het je waard is.

'Ja,' zei ze.

Leona keek haar onderzoekend aan en glimlachte. Ze haalde een stuk papier uit haar rugzak, schreef erop tegen de muur, duwde het Salomé in haar hand en verliet de ruimte.

Salomé las het briefje. *Kom morgen om precies tien voor zes naar El Chivito Sabroso. Zorg ervoor dat je helemaal alleen bent. Vernietig dit briefje onmiddellijk.*

De volgende dag maakte Salomé na school snel haar huiswerk. Geen tijd om zich te verkleden; dan maar in uniform.

'Ik ga,' zei ze tegen haar moeder terwijl ze naar de deur liep.

Mamá keek op van haar boek. 'Waarheen?'

'Naar een vriendin.'

Mamá trok een gemodelleerde wenkbrauw op. 'Wie dan?'

Salomé dacht snel na. *Hasta la Victoria.* 'Victoria.'

'Victoria. Zit zij op Crandon?'

'Ja.'

'Heb je je huiswerk af?'

'Ja.'

Mami's trekken verzachtten en Salomé had even gewetenswroeging. Ze duwde het gevoel weg en dacht aan de avond waarop Che Guevara zijn lezing had gehouden. Toen loog haar moeder ook over waar ze naartoe ging.

'Ben je terug voor het avondeten?'

Ze had geen idee. 'Nee.'

'Veel plezier. Maak het niet te laat.'

Om twaalf voor zes stond Salomé voor El Chivito Sabroso. De regen was opgehouden; de schemering begon de gebouwen en de stenen te strelen. Ze probeerde niet te denken aan de uren die haar wachtten, leeg en blanco, onbekend. Ze keek door het raam van het restaurant naar drie melancholieke mannen die een kruik bier deelden. Een eenzame vrouw zette haar tanden in haar broodje *chivito*, waar de inhoud – vlees, gebakken ei, ham, bacon, kaas – van onderen uitpuilde. Een ober keek onverschillig toe. Aan de overkant van de straat stonden twee agenten op de hoek. Een bus kwam rammelend aan rijden, stampvol vermoeide arbeiders. Eén agent greep onnodig naar het pistool op zijn heup toen ze met grote stappen wegliepen.

Leona kwam de hoek om. Salomé hief haar hand om haar te begroeten, maar ze liep haar voorbij alsof ze vreemden waren. Ze vertraagde haar pas zonder zich om te draaien. Salomé volgde op enige afstand. Ze liepen naar het eind van het huizenblok, daarna naar rechts, toen nog twee blokken en weer naar rechts. Ze kwamen in een rustige zijstraat, schaars verlicht, geflankeerd door oude gebouwen. Leona bleef staan voor een wasserette. Er brandde geen licht. Op het bord voor de ruit stond GESLOTEN. Ze klopte op de deur, hij ging open, ze stapte snel naar binnen. Salomé stond alleen in de lege straat. Het rook er naar goten vol regen. Ze liep naar de deur die openging voordat ze kon aankloppen. Leona trok haar naar binnen en ging haar voor door het inktzwarte donker, langs rijen onzichtbare wasmachines tot achter in de zaak. Ze kwamen bij de achterste muur; met haar armen gestrekt voor zich uit stuitte Salomé op stelen van zwabbers en bezems. Leona klopte aan het eind links ergens aan. Ze trok Salomé aan haar pols mee door de onzichtbare deuropening.

Ze kwamen in een krappe ruimte zonder ramen. Vier mensen zaten erbinnen: Leona's zusje Anna, met haar lange gezicht en een bril met goudkleurig montuur; een jongeman met een gesteven kraag; nog een man van achter in de twintig met een vierkant gezicht en een ruige baard; en een forse, grote *muchacho* met haar dat krullig in zijn gezicht viel, die er ouder uitzag dan Salomé, ongeveer zeventien. Hij had iets bekends, maar ze kon hem niet plaatsen, ze kon niet nadenken omdat ze allemaal naar haar keken.

Leona gebaarde haar plaats te nemen. Salomé ging behoedzaam op de ijskoude vloer zitten, en had spijt dat ze in haar knielange schoolrokje het huis uit gerend was. Ze rook een mengeling van de adem van zes mensen en de geur van twee olielampen.

Ruigbaard knikte Leona toe, die daarop de deur sloot.

'Dus jij bent Salomé,' zei Ruigbaard.

Ze knikte. Alle ogen waren nog steeds op haar gericht.

'Is ze echt betrouwbaar?'

Leona's knikje was doorslaggevend.

Ruigbaard staarde Salomé aan. Zijn ogen waren donkergroen, zijn voorhoofd hing er als een richel overheen. 'Wat weet je van de Tupamaros?'

Ze schraapte haar keel. Daar ging ze dan. 'Ze willen Uruguay bevrijden.'

'Waar heb je dat vandaan?'

'Uit de kranten…'

'De kranten spreken niet zo gunstig over hen.'

'En van mijn familie.'

De jongen met de krullen grinnikte en nu wist ze het weer, hij was de kleinzoon van Cacho Cassella, de goochelaar uit abuelo's jonge jaren. Tinto Cassella. Hij knipoogde in het gedempte licht naar haar.

Ruigbaard ging door: 'Wat vind jíj van de Tupamaros?'

Ze had die vraag al de hele dag door zich heen laten gaan. 'Dat ze belangrijk zijn. En dapper.'

'Wat zou je tegen een Tupamaro zeggen als je er een tegenkwam?'

Vanuit haar ooghoek zag ze Leona die haar kin hief en naar voren boog, en Salomé rook bijna de eucalyptus, voelde bijna het gestippelde licht op hun grasveld. 'Ik bewonder wat jullie doen en ik wil er deel van uitmaken.'

Ruigbaard gaf geen krimp. 'En als die Tupa tegen je zei dat bevrijding alleen mogelijk is door actie te voeren – met geweld, als dat nodig is?'

Op dat moment zag ze de wapens. Ze losten bijna op in de donkere muren: geweren in de hoek, een pistool op Anna's knie. Ze had eerder wapens gezien, bij politieagenten, in de handen van soldaten, op foto's van de Cubaanse revolutie – maar nooit van zo dichtbij, en niet op de schoot van een studente, niet binnen het bereik van een man die haar aan een test onderwierp. Haar lichaam voelde aan als een beker met fijngestampt ijs, zo strak en koud. Maar wapens waren noodzakelijk, nietwaar? Een verachtelijk soort noodzakelijkheid die je niet wilt, maar die je niet kunt negeren, zoiets als je stoelgang. Ze dacht aan Che, de verlichte Che, die in zijn slaap een rank geweer tegen zich aan drukte. De niet-geventileerde lucht was zwaar en drukkend.

'Daar zou ik mee instemmen.'

Ruigbaard boog zich dichter naar haar toe. 'Hoe oud ben je?'

'Vijftien.'

'Begrijp je wat er van je wordt gevraagd?'

'Ja.'

'Denk je niet dat je er te jong voor bent?'

'Nee.'

Hij streelde zijn baard. Hij keek de kamer rond. 'Iemand iets op te merken?'

Tinto hief zijn hand. 'Ik ken haar. Onze grootouders zijn met elkaar bevriend. Ze is een goed en betrouwbaar meisje.'

'Ik zou haar mijn leven toevertrouwen,' voegde Leona eraan toe.

'Mooi,' zei Ruigbaard. 'Misschien moet dat wel. Iemand nog iets?'

Het bleef stil in de kamer.

'Allemaal vóór?'

Alle leden staken hun hand op. Leona trok haar dicht tegen zich aan. 'Welkom, vriendin.'

Alle Tupamaros stonden op en gaven Salomé een kus. Tinto's wang voelde glad en strak; die van Ruigbaard heel zacht. Zijn naam was Orlando. Hij stelde haar voor aan de anderen: Tinto, Anna en Guillermo, de man met de gesteven kraag. Orlando was de leider van hun cel, zei hij; Anna zou het uitleggen. Anna duwde haar bril omhoog en draaide zich stijfjes naar Salomé. De Tupamaros, zei ze, werden ook wel de nationale bevrijdingsbeweging genoemd. Alles moest van nu af aan uiterst geheim blijven. Ze zweeg even. Salomé knikte. Anna ging door. De beweging was verdeeld in cellen. Dit was haar nieuwe cel. Slechts één persoon in elke cel kende andere Tupamaros. Orlando had contact met die andere en gaf de informatie die hij van hen kreeg door. Als ze ooit tijdens een opdracht opgepakt werden, konden ze niet meer loslaten dan een paar namen, zelfs als er zware druk – ze zei deze twee woorden langzaam, alsof ze elke lettergreep proefde – werd uitgeoefend. Anna had iets weg van een mes, met haar magere gestalte, haar scherp afgemeten woorden. Alsof ze niet zou aarzelen om de wereld doormidden te snijden. 'Begrijp je?'

Salomé knikte.

'Heel goed,' zei Orlando. 'Laten we verdergaan.'

De rest van de bijeenkomst bleef ze stil. Het ging er geordend, beleefd, bijna alledaags aan toe; het deed haar denken aan een groep studenten die het huiswerk vaststellen, praten over research – wie werkt er aan de top van de Federale Bank? Wat doet hij in de weekends? – en praktische projecten – veertig stel handboeien maken voor de volgende week – en plannen maken – volgende week in de kelder van Guillermo's oom. Het was moeilijk te geloven dat dit echt was. Ze stelde zich voor dat ze overeind sprong en naar de steeg rende, terwijl ze *Ik ben een Tupa!* schreeuwde naar de van luiken voorziene ramen en de fluwelen hemel. De bijeenkomst was ten einde. Tinto kwam naar haar toe.

'Salomé. Wat een verrassing.'

Ze krabbelde overeind uit haar weinig charmante houding op de grond.

'Een leuke verrassing, natuurlijk.'

Ze schrok toen ze zag hoe fors hij was geworden. Als kind was hij slungelachtig geweest. Ze noemden hem Tinto omdat zijn hals zo lang en dun was als een fles rode wijn. Nu was er niets meer klein aan hem, hoewel het leek of hij zijn nek rekte. Vol geestdrift. De olielampen gingen uit en ze was er blij om, want ze bloosde. 'Hoe is het met je abuelo?'

'Die werkt nog steeds. Hij zegt dat hij net zo goed dood kan zijn als hij geen brood meer op de plank kan brengen.' Hij veegde een lok uit zijn ogen weg. Die sprong onmiddellijk weer terug. 'En die van jou?'

'Die maakt het goed.'

Ze keken elkaar aan.

Leona trok aan haar arm. 'We vertrekken één voor één. Jij bent nu aan de beurt.'

Tinto gaf haar snel een kus. 'Tot de volgende keer.'

'Tot dan,' zei ze, en ze draaide zich om naar de gang. Ze aarzelde heel even op de drempel; ze kon niets zien; buiten was het allang donker. Ze had nog nooit van haar leven in zo'n duisternis gelopen. Ze had graag een zaklamp of een kaars gehad, maar ze wachtte zich ervoor erom te vragen, dus strekte ze haar armen voor zich uit en liep ze de aardedonkere ruimte in waar zich aan twee kanten rijen machines schuilhielden.

7

Stalen konijnen en liedjes die sneeuw doen smelten

Ze bereidden de revolutie voor. Er was genoeg te doen. Geld inzamelen, wapens bijeenbrengen en leden werven; banken en wapenverenigingen beroven; koperdraad tot een vorm buigen die niemand pijn deed. Salomé probeerde elk paar handboeien dat ze maakte zelf uit. Ze trok het draad om haar polsen heen en als er rode striemen achterbleven, kneedde ze het net zolang tot het goed zat. Natuurlijk zouden ze in de tas of zak of portemonnee van een of andere Tupamaro uit de vorm kunnen raken, maar ze deed toch haar best. Ze zouden misschien gebruikt worden op bankmedewerkers, klanten, receptionisten, juist die mensen voor wie de Beweging bedoeld was. Het laatste wat we willen is deze mensen pijn doen, dacht ze, terwijl ze het draad langzaam rondwikkelde en haar goede wensen erin kneedde. Tupamaros waren altijd vriendelijk en beleefd tijdens hun acties. Beleefdheid was een van de hoofdregels van de Beweging.

Er waren veel regels te leren. Ze sijpelden haar wereld en haar gedachten binnen. Regel een: Zorg dat er niets op je aan te merken is, trek geen aandacht. Daar was ze goed in, ze was een natuurtalent, daar had ze zich haar hele leven al in geoefend. Regel twee: Wees de goede zaak toegewijd. Ja. Ze was niet te jong, ze kon werken, ze was te vertrouwen, ze kon zich aan een belangrijke, nobele zaak wijden, ze zou hun laten zien wie ze was. Regel drie: Houd alles geheim. Dat kon ze ook, hoewel ze af en toe aan vreemde verleidingen werd blootgesteld. Haar nieuwe identiteit stak borrelend en schuimend de kop op. Ze had wel tegen de buschauffeur kunnen schreeuwen: ik ga je land redden! Ze fluisterde bijna tegen de non op de achterbank: ik begrijp het, ja, ja, ik heb ook een eed afgelegd. En tegen de grijze man aan de andere kant van het gangpad, die naar haar benen zat te kijken, zei ze niet: pas op, je weet niet wie ik ben, je hebt de wapens onder mijn bed niet gezien.

Ze verstopte ze plichtsgetrouw volgens de instructies. Het ging erom dat je ze onder je matras legde, en dat je je bed zo piekfijn opmaakte, met schone lakens, dat het bij geen van je familieleden opkwam er een vinger naar uit te steken. De dag waarop Salomé haar eerste geheime voorraad mee naar huis bracht – twee pistolen en één geweer – schudde ze haar kussen zevenentwintig minuten lang op en was ze een vol uur bezig haar blauw-groene quilt recht te leggen. Hij zag er keurig, fris, gladgestreken uit, natuurlijk, een stukje naar links, iets naar rechts, was dat een plooi, nee, het was gewoon de naad tussen de driehoekjes, nu zit er een kuil in het kussen, nu is het te bol, nu de deken, hoe zit hij aan de onderkant, het ziet er goed uit, alles netjes, alles keurig, dit is een onschuldig bed.

'Salomé.' Mamá klopte op haar deur. 'Het eten is klaar.'

Aan tafel kwamen de stemmen van haar familieleden van ver, alsof ze in een schelp gevangen zaten, of alsof zij opgekruld zat in een schelp en de anderen ver weg op het strand waren. Ze zag hen al opstaan en naar haar slaapkamer rennen, eerst abuela, daarna abuelo, daarna Roberto, daarna mamá, vier paar handen die haar matras optilden, maar er werd alleen luidruchtig gegeten, bedaard gelachen, er was de smaak van gebakken *buñuelos*, het inschenken van cola.

Salomé leerde slapen – en niet slapen – met harde bulten in haar rug. De hele lente en de hele zomer lag ze in het donker te woelen om een houding te vinden waarin ze die niet zou voelen, maar het had geen zin. Scherpe uitsteeksels staken in haar heup.

Lange geweerlopen lagen van haar schouderblad tot haar middel. Soms lag ze 's nachts half doezelend, half wakker, door het raam te turen naar een schijfje maan of een maan die er niet was. Op andere nachten lukte het haar lang genoeg te slapen om te dromen, en dan bevond ze zich in een wildernis in een onbekend deel van de wereld, waar ze wachtte tot andere guerrilla's zich bij haar voegden, opgekruld op een hoop wapens, omringd door knoestige bomen en krijsende vogels. Terwijl ze daar lag groeide de stapel, de berg wapens werd steeds hoger, totdat ze boven het bladerdak van het bos uit getild werd en de zon haar bescheen met een overvloed van warme stralen die glinsterden op boomtoppen en op de pistolen bij haar knieën. Ze droop van het zweet onder die zon. Als ze dan wakker werd (bezweet, boven op wapens) maakte ze onmiddellijk haar bed op. Ze douchte en trok haar uniform aan, waarvan ze de blouse zorgvuldig in haar rok stopte. Daarna het ontbijt – Hoe heb je geslapen, Salomé? Prima, mamá – en dan de bus naar school.

Het was moeilijk om zich op de lessen te concentreren. Ze leken zo ver van waar haar gedachten nu om draaiden. Maar ze was sterk, ze zou haar kracht bewijzen, er zou niets op haar aan te merken zijn: ze schreef uitputtende essays, ontraadselde de natuurkundige wetten, polijstte haar uitspraak van Engelse woorden. Modelstudenten wekken geen achterdocht. Niemand kon weten dat zij niet meer dezelfde was, behalve Leona, die alles wist, die ook dagdroomde van een geslaagde revolutie, die ook met haar rug op staal sliep en in de klas braaf aantekeningen maakte, op Salomés blikken reageerde met een vaag schouderophalen of een nog vagere glimlach. Leona, zuster in de geest, zuster in de misdaad, die zich zo beheerst gedroeg dat je niet kon vermoeden wat een felheid er in haar school. Hun verbondenheid had zich verdiept tot het gevoel iets te delen. Ze wisten van elkaar wat voor leven ze leidden, een dubbelleven, een gelaagd leven, een leven naast een ander leven, een in de zon en een ondergronds.

Ze moest groter worden om ruimte te maken voor zo veel levens.

De bijeenkomsten waren punctueel en benauwd en efficiënt. Orlando stelde hen op de hoogte van de laatste acties: bankovervallen, inbezitneming van wapens, het brengen van eten naar een cantegril. Haar rol was beperkt tot het aanhoren van de verslagen, het verstoppen van een paar wapens, nu en dan het maken van handboeien. Tinto leidde haar af met zijn enorme handen, het donkere haar dat uit zijn overhemd kwam, veerkrachtige krulletjes die ongetwijfeld naar nog meer donkere krulletjes op zijn borst leidden, en hoe lagen die precies tussen katoen en huid? Hij was het soort jóven over wie oude dames fantaseren dat ze hen helpen bij het oversteken, vriendelijk en groot en maar een kleine beetje maf. Te oordelen naar zijn houding had hij een groeispurt doorgemaakt: hij liep een beetje krom en alsof hij niet goed raad wist met dat grote lichaam. Het beviel Salomé wel, zowel dat grote lichaam als het feit dat hij er geen raad mee wist; een aangenaam gewicht voor een vrouw als het op haar kwam liggen; wat een gedachte, wat een gedachte – hoe kwam ze daaraan?

Na bijeenkomsten knoopte Tinto op gestolen ogenblikken een gesprekje met haar aan.

'Mijn grootmoeder heeft het huwelijksbed van jouw abuelos opgemaakt, wist je dat?'

Een vreemd begin van een gesprek.

'Je wist het.'

'Ja.'

'Aha.'

'Mijn abuelo is verrukt van de manier waarop jouw abuelo zingt.'

Hij keek twijfelachtig.

'Nee, echt. Hij was blijkbaar beter dan Gardel.'

Hij lachte. Zijn adamsappel ging op en neer als hij lachte. Hij keek haar aan. Ze voelde dat de andere Tupas angstvallig hun blik afwendden.

'Ik ben aan de beurt om weg te gaan,' zei ze.

'Goed. Tot de volgende keer.'

Ze dacht dagenlang na over hun korte gesprek. Ze liet elk woord aan het brede uitspansel van haar gedachtewereld voorbijgaan. In het schaarse licht van de geheime, grotachtige kamers had hij niet gezien hoe gewoontjes ze was, hoe lelijk. Hij had het wel gezien, maar het kon hem niet schelen hoe ze eruitzag. Of het kon hem wel schelen en het beviel hem wat hij zag. Dat kon niet waar zijn, maar het deed er niet toe, haar kon het niet schelen, daarvoor ging ze niet naar de bijeenkomsten en hij wilde waarschijnlijk alleen maar aardig doen.

Na de volgende bijeenkomst kwam Tinto naar haar toe en nam de draad weer op alsof er intussen niets was gebeurd. 'Hoe hebben je ouders elkaar leren kennen?'

'In Argentinië. In een ziekenhuis.'

'Interessant.'

Ze haalde haar schouders op.

'Vind je niet?'

'Hoe hebben jóuw ouders elkaar ontmoet?'

'Dat is een lang verhaal.'

'Nou?'

'Je bent aan de beurt om te vertrekken,' zei hij.

September. De lente richtte zich op en schudde haar warme haren los. Tinto speelde haar een briefje toe voordat hij uit de wasserette wegglipte.

Wil je het hele verhaal horen? Wat dacht je van morgenavond, Parque Rodó, om negen uur?

De volgende avond in het park ging Salomé in het donker – pad en bomen en fontein gehuld in duisternis – op zoek naar Tinto. Ze vond hem op een bankje met maté en een thermosfles. Ze ging naast hem zitten. Ze lieten de kalebas langzaam tussen hen heen en weer gaan. Hun stilzwijgen was even ontspannen als de duisternis. Achter hen liet de fontein zijn zachte, klaterende lied horen.

'Ik wil nog steeds dat verhaal horen,' zei ze.

'O, ja. Natuurlijk.'

Hij vertelde haar dat zijn papá, Joaco Cassella, was geboren aan een weg ergens in de provincie Rocha, op een kermiswagen tussen kisten met kostuums. Zijn moeder had tijdens de bevalling een aantal fluwelen gordijnen met bloed doordrenkt. Ze vestigden zich in Montevideo, waar Tinto's grootvader zijn goochelaarskleren aan de wilgen hing en voltijds timmerman werd, en geconfronteerd werd met het vreemde grensgebied van het stadse leven. Tinto's mamá daarentegen kwam uit een familie die haar al zes generaties lang met de stad verbond. Haar naam was Magda. Haar vader was een kleermaker die ooit kostuums had gemaakt voor president Batlle y Ordóñez zelf. Ze ontmoette Joaco in de bakkerij in de buurt. Ze was zestien en werd getroffen door de manier waarop hij zijn munten streelde voordat hij ze aan de bakker gaf. Het waren zachte strelingen, intiem en weloverwogen. Joaco keek naar haar op een manier waardoor ze zonder brood de bakkerij verliet. De tweede keer was ze op weg naar buiten met broden in haar arm, met haar blik naar de grond, en zag ze dat hij helemaal niets aanraakte. De derde keer dat ze binnenliep zag ze dat hij een enkele munt streelde. Hun ogen vonden elkaar. Hij liep naar haar toe.

'Ik kan deze peso laten verschijnen waar je maar wilt.'

'Pardon?'

'In mijn mouw. Op de toonbank. In je hand.'

Ze lachte. 'Ik ben niet gek.'

'Geloof je me niet?' Joaco boog zich naar haar toe en volgens zijn versie van het verhaal wist hij het zodra hij haar haar rook. 'Kijk goed. Als het me lukt, mag ik je naar huis brengen. Goed?'

'Goed.'

Jaren later vond Magda dat hij haar had bedrogen door niets te zeggen over zijn vaderschap.

Tinto zweeg; er kwam een stelletje aan over het hakselpad, dicht tegen elkaar aan, ze namen de tijd. Hij wachtte totdat hun silhouet één werd met de bomen.

De wandeling van Joaco en Magda verliep stil en beladen, helemaal naar de kleermakerszaak van Quiroga. Hij vroeg wie haar vader was. Don Quiroga, de kleermaker? Ja, zei ze, we wonen boven. Ze glipte naar binnen en hij bleef op straat staren naar de prachtige deur en het imposante koperen bord. 'Ik heb mijn toekomstige vrouw ontmoet,' zei hij die avond tegen zijn moeder, 'maar om haar te krijgen moet ik een pak hebben dat bij Batlle zou passen.' Zijn moeder, Consuelo, Meesteres der Vermommingen, stofte haar naaimachine af en zei tegen haar zoon dat hij moest sparen voor een mooie lap. Het duurde twee maanden voordat elke munt en elke steek op zijn plaats was gevallen. Joaco poetste zijn schoenen en besprenkelde zich met reukwater voor hij naar de kleermakerszaak van Quiroga ging. De eigenaar leek sprekend op een buldog.

'Don Quiroga. Ik kom uw zegen vragen. Ik wil dingen naar de hand van uw dochter.'

Don Quiroga wist dat zijn dochter mooi was en hij had plannen met haar, een huwelijk met een burgemeester of een bureaucraat op zijn minst, uitstekende wijn, reisjes naar het buitenland, jarenlang plaatsen op de eerste rij in Teatro Solís. Deze jongeman kwam zonder geloofsbrieven. Maar zijn revers waren onberispelijk, zijn manchetten klassiek, zijn trekken vastberaden. Hij kon hem niet zomaar weigeren.

'Ik laat het aan haar over.'

Twee jaar laten trouwden ze. Tinto werd geboren in een slaapkamer vol houtkrullen. Rond zijn zevende verjaardag had hij vier tafels gemaakt.

'En nu?' zei Salomé.

Nu maakte zijn vader meer uren voor lagere prijzen. Zijn moeder verzon elke dag nieuwe manieren om langer met het voedsel te doen en alle magen te vullen. Zijn abuela Consuelo, Meesteres der Vermommingen, stierf in de voorkamer aan kanker. Tinto bracht haar 's ochtends maté, 's middags soep en crackers. Pijn of ouderdom hadden haar knorrig en vergeetachtig gemaakt. Op haar aandringen had hij hun enige wandversiering van de muur gehaald, een aquarel van de haven van Montevideo, en daarvoor in de plaats haar oude roze balletpakje opgehangen. Ze staarde er uren naar, soms met afschuw, soms alsof ze een haveloze engel zag.

Salomé had naar Tinto kunnen luisteren totdat de zon opging. 'Ik moet eigenlijk gaan.'

'Ik ook.'

Geen van hen verroerde zich.

'Misschien,' zei Tinto, 'kunnen we nog eens afspreken.'

De bank werd hun plekje. Ze kwamen er altijd 's avonds. Op een avond vroeg hij hoe ze 'erbij' gekomen was, en ze vertelde hem over Leona, de schaduw van de eucalyptus, de cryptische uitnodiging in de toiletruimte. Een andere keer vertelde hij hoe híj 'erbij' gekomen was, hoe hij zich bij de socialistische partij had aangesloten nadat hem op straat een pamflet in handen was geduwd tijdens een staking van rietsuikerarbeiders die vanaf de akkers in het noorden naar Montevideo waren gelopen, en hij had daar op de stoep gestaan, zwetend van de hitte, met het half verkreukte pamflet in beide handen, denkend aan zijn abuelo Cacho, ook een plattelander, misschien een heel verre neef van deze mannen, die met reumatische handen timmerde. Hij bezocht de bijeenkomst die in het pamflet werd aangekondigd. Ene Orlando sloeg hem een jaar gade voordat hij zei: Tinto, laten we iets gaan drinken. Zij vertelde hem ook verhalen, uitvoerige verhalen, over een man uit Venetië die naar de stad kwam toen hij en de stad allebei nog jong waren, toen ze allebei nog vol beloften waren;

en over een pasgeboren meisje dat uit haar huis verdween waar ze niet gewenst was, waar ze geen naam had gekregen, en dat op raadselachtige wijze had weten te overleven tot ze werd ontdekt, als een vogel in het wild, alleen in de top van een boom, en hoe ze van daaruit vloog of viel, afhankelijk van wie en wanneer je ernaar vroeg. En ze vertelde hem over de jeugd van dat meisje in de *campo* toen het land daar nog niet omheind was, en haar kennis van planten en hun geneeskracht, die misschien was begonnen met de wedergeboorte in een boom, en die haar hele leven aanhield en goed genoeg werd om haar familie door zware tijden heen te helpen en die haar keuken vulde met kruiden die haar in de stilte boven de geluiden van haar familie uit leken toe te fluisteren. Ze vertelde hem over een andere vrouw die, zo ging het verhaal, haar toekomstige man ontmoette toen ze zijn patiënte was, in een rolstoel en met een lelijk ziekenhuishemd aan, waarin ze hem verleidde met louter geestkracht. Salomé had zich deze ontmoeting altijd voorgesteld als een fysieke botsing in de gang, een gril van het lot, de dichteres die de lange gang door raasde op onvaste wielen, de dokter fris en hulpeloos in zijn gesteven witte jas, haar wielen gericht op zijn knieën, haar hoofd afstevenend op de plaats onder zijn hart. Ze vertelde over de liefde of behoeften of gecompliceerde lustgevoelens die hen tot een huwelijk dreven, en het weelderige huis in Buenos Aires waarin ze was geboren maar waarvan ze zich niet kon herinneren het met haar eigen ogen gezien te hebben. In het huis, zei ze, was nu leven waar zij niet bij hoorde, een arts met een nieuwe vrouw die geld stuurde voor kerstcadeaus, maar nooit truien die pasten of boeken die ze leuk vond, behalve het jaar waarin zijn boek over neurologie uitkwam en hij twee kopieën stuurde, een voor ieder kind, gesigneerd door de auteur. Het ene exemplaar, dat van Salomé, lag onder het bed stoffig te worden, maar het andere stond bij Roberto op de hoogste plank, met het omslag naar voren zodat het fonkelde als een verre ster. Dit alles beschreef ze, en ook het boek van haar moeder, *De breedste rivier van de wereld*, dat haar fascineerde, waarin elke regel een unieke vorm had, als sleutels van haar moeders ondoorgrondelijke innerlijk leven, sleutels die ze met haar geest aftastte maar niet kon gebruiken omdat de vergrendeling op ingewikkelde wijze ingekapseld zat in de steeds veranderende structuur van de vrouw die de regels had opgeschreven. Een vrouw die bleef schrijven en die op de een of andere manier de tijd vond om lessen in poëzie te geven in verschillende woonkamers in heel Montevideo, een inspanning die vrijwel geen geld opleverde maar waarna ze stralend en triomfantelijk thuiskwam. In Salomés verhalen werd haar moeder tot haar verrassing een toonbeeld van inspiratie, schoonheid, glamour, alle eigenschappen die bij haarzelf zo glibberig en vreemd leken. Het verbaasde haar dat zij steeds praatte, dat hij steeds luisterde naar alle verhalen die in haar leefden en ademden als wezens van vlees en bloed. De hemel zwoer met hen samen, schonk hun duisternis, wikkelde hen in zwoele, vochtige avonden. Op een avond rustte zijn hand ineens op de hare, een handpalm op haar knokkels, breed, sterk, aarzelend. Ze verroerde zich niet. Ze kreeg een gloeiend gevoel in haar arm. Achter de bomen zong de fontein zijn klaterende lied.

'Vertel eens iets,' zei hij.

'Zoals?'

'Over jezelf.'

'Dat heb ik al gedaan.'

'Nog iets.'

Die hand, het enige waar ze aan kon denken was die grote warme hand. 'Ik kan niets bedenken.'

'Niets?'

'Niets.'

'Je bent mooi.'

Ze had zichzelf die dag in de spiegel gezien; ze wist dat er niets was veranderd. 'Leugenaar.'

'Hoe durf je.' Ze dacht dat hij boos was totdat hij begon te lachen. Ze hield van zijn gruizige lach. Een laagje zweet had zich tussen hun handen gevormd; haar zweet, of het zijne, of dat van hen beiden. Het was alsof alles gonsde: de bomen, de benauwde lucht, de huid van haar hand en alles erin. Ze wilde schreeuwen. Niets in de wereld was sterker dan dit, een hand, een stem, de opwelling om te schreeuwen. Tinto kuste haar, kort, stevig, een stilzwijgende vraag die ze beantwoordde met haar vingers vlak boven zijn bovenste knoopje, waar ze krulletjes streelde die nog zachter waren dan ze zich had voorgesteld.

'Het is officieel.' Eva trok de krant tussen haar handen strak. 'De Tupamaros hebben zichzelf openlijk bekendgemaakt.'

Abuelo Ignazio pakte een boer van de tafel op. 'Tss. Wat een nieuws.'

Salomé bekeek de kaarten die ze in haar hand hield. Aan de andere kant van de woonkamer, in de schommelstoel, tikten abuela's breinaalden tegen elkaar. De regen spatte op het raam.

Eva leek niet van haar stuk gebracht. 'Het communiqué is gepubliceerd, woord voor woord. Luister maar: "We hebben onszelf buiten de wet geplaatst. Dit is de enige eerlijke handelwijze zolang de wet niet voor iedereen gelijk is; wanneer zelfs degenen die hem hebben gemaakt zich er straffeloos buiten houden. Vandaag kan niemand ons het heilige recht op rebellie ontnemen."'

Haar moeder, de woordvoerster. Bij bijeenkomsten waren de woorden ontleed en besproken, teruggebracht tot hun alledaagse essentie; hier, in de woonkamer, uitgesproken door mamá, werden ze nieuw, kregen ze glans, kracht, konden ze betoveren. Ze vroeg zich af of haar moeders leerlingen zich ooit zo voelden als ze hun gedichten terughoorden in Eva's stem. Als dat al gebeurde tijdens de lessen poëzie; ze had geen idee wat daar eigenlijk plaatsvond.

'Ze zouden allemaal neergeschoten moeten worden,' zei abuelo. 'Wat is er voor heiligs aan het beroven van een bank?'

Salomé legde vier vrouwen op tafel.

'Hé! Jij wint!' Hij duwde schelpen naar haar toe, geschilferd na gebruik van tientallen jaren. De geur van gebraden vlees dreef vanuit de keuken binnen. In zijn kamer aan het eind van de gang zette Roberto de radio aan. *One day*, zongen The Beatles, *you'll look to see I've gone.*

'Het motief,' zei Eva. 'Daar gaat het om.'

'Het was niet echt een vraag.'

'Toch geef ik je antwoord. En bovendien,' zei Eva, 'doen ze nooit iemand kwaad.'

'Hoe denk je dat het is voor die bankeigenaren?'

'Alsof hun geld voor de revolutie wordt gebruikt. Wat ook zo is. Wat denk jij, *hija*?'

For tomorrow may rain, so I'll follow the sun.

'Ik heb er niet echt over nagedacht,' zei Salomé.

Eva keek haar onderzoekend aan. 'Echt niet?'

Ze knikte. Een warme gloed steeg naar haar wangen.

'En jij?' vroeg Eva met haar blik op Pajarita.

Abuela Pajarita bleef maar breien en breien. Salomé vroeg zich af hoeveel steken ze in haar leven al had gebreid. Honderdduizenden, in haar eentje. 'Ik geloof dat ik niet in het bankgebouw zou willen zijn wanneer ze dat beroofden.'

Eva rekte zich langzaam uit. De krant lag verkreukeld op haar schoot. 'Het lijkt erop dat ze zich heel correct gedragen.'

Abuelo grimaste naar de kaarten die hij weer had gedeeld (hij blufte). 'Soms, *hija*, klink je alsof je een van hen bent.'

'Als dat zo was, zou jij dat niet weten, of wel soms?'

'Als dat zo was, zou ik je niet in huis willen hebben.'

Salomé stond iets te gehaast op. 'Ik ga even naar het vlees kijken.'

'We beginnen net een nieuwe spel,' zei abuelo.

'Dat vlees gaat wel goed,' zei abuela.

'Ik ben zo terug.'

In de keuken dwong ze zichzelf diep adem te halen. Ze moest kalmer worden, voorzichtiger. Ze deed de oven open en stelde zich voor wat haar moeder zou zeggen als ze erachter kwam: *Al die leugens*, misschien, of *Je had toestemming moeten vragen*, of *Tesoro, mijn schat. Ik had nooit gedacht dat je zo sterk was.* Abuelo had het mis: mamá was geen Tupamara. Salomé wist dat, omdat ze onder haar matras had gekeken en niets anders had aangetroffen dan bladzijden en nog eens bladzijden vol onafgemaakte gedichten. Er waren dagen waarop mamá het huis verliet zonder haar bed op te maken. Bij haar was het overduidelijk: ze betoogde mee met vakbonden, ze las woedende gedichten voor in cafés, ze publiceerde verzen die muziek maakten van woorden als *liberación*, pamfletten staken ongegeneerd uit haar tas. Intussen – en dat was helemaal zonneklaar – had ze nooit in haar dochters matras naar wapens gezocht. Nee, dacht Salomé, ze staat niet naast me, ik ben alleen. Niemand in dit huis kent de stad zoals ik die ken, een stad van deuren, zo veel deuren, hoog en laag, barok en eenvoudig, licht en donker, afgebladderd en net geverfd, en achter sommige van die deuren gangen die naar onzichtbare deuren leiden waar slechts sommigen doorheen kunnen, alleen zij die elk moment dat ze wakker zijn aan hun land wijden en elk moment dat ze slapen aan de wapens.

Het leek wel of ze zich vermenigvuldigden. Vreemde stalen konijnen. Zes pistolen en vier geweren inmiddels. Ze had louter uit noodzaak op hun harde frames leren slapen, alert en dromend tegelijk. In haar verbeelding groeiden de stapels nog steeds aan tot bergen.

Salomé deed de ovendeur dicht en zette de temperatuur hoger.

Che Guevara stierf. Het was in de lente van '67. Het nieuws bereikte hen op een dag dat de lucht prachtig was, een zeldzaam blauw dat je zou willen proeven. Hij had tussen guerrilla's in Bolivia geleefd. Hij was vele malen in de borst geschoten. Volgens *El País* viel hij in het heetst van de strijd. Volgens Orlando werd hij door soldaten gevangengenomen en daarna door hen gedood – *Bolivianos* die opgeleid waren door Amerikaanse agenten. Volgens Orlando hadden ze zijn beide handen afgehakt.

Alle acht zaten ze zonder iets te zeggen in een betonnen kelder onder de plankenvloer van een restaurant. Er was weinig lucht en het rook er naar oud frituurvet. Salomé sloot haar ogen en zag twee enorme afgehouwen handen, tegen elkaar gedrukt als in gebed, ze zag zichzelf ernaartoe klauteren, naar de hemel, terwijl bloed op haar hielen plakte. Ze opende haar ogen. Tinto huilde zonder zich te verroeren, zonder een geluid te maken. Leona's ogen waren dicht. Anna keek onbewogen, zoals altijd.

Orlando kuchte. 'De beste manier om Che te eren is doorgaan.' Hij zag er zonder baard veel jonger uit. Hij werkte undercover bij het politiebureau, waar de medewerkers geschoren moesten zijn. 'We hebben altijd geweten wat de risico's zijn.'

En dat was waar, zij had het ook geweten, ze was te slim om zich niet bewust te zijn van de risico's; ze wist dat er een kans was dat ze omkwam, dat ze gearresteerd werd, in Het Systeem terechtkwam met zijn elektrische hel, waarover geruchten gingen; de sprong die ze had gewaagd zou kunnen resulteren in een vlucht of een val of een omgeving die ze zich niet kon of niet wilde voorstellen. Dit gold allemaal al toen Che nog in leven was, hoopvol, grijnzend, met zijn handen nog aan zijn lichaam. Ze zou niet geschokt moeten zijn, en ook niet bang, maar ze kon er niets aan doen – angst welde in een golf in haar op, en ze hoopte dat niemand de brakke geur ervan kon ruiken.

Orlando boog zich naar voren. Ze kon zich hem niet voorstellen op een politiebureau. Ze kon zich hem nergens anders voorstellen dan in donkere, benauwde kamers. 'We mogen ons niet van ons doel laten afleiden. Het is onze taak om Che levend te houden.'

'*Hasta la victoria siempre,*' zei Anna.

Salomé herhaalde de woorden samen met alle anderen.

De lente bloeide. Madeliefjes staken hun tere kopjes in Parque Rodó boven de grond uit. In het donker kon ze ze niet zien, maar ze wist dat ze er waren, met hun kopjes naar de zwarte hemel terwijl zij en Tinto zachtjes met elkaar praatten en maté dronken, dicht tegen elkaar aan. Ze ontdekte de welving van zijn nek, de holte van zijn sleutelbeen, het harde bot onder zijn kraag, waar ze met haar tong krulletjes van zijn borsthaar ving. Vele keren trok ze dat spoor na, op en neer, en weer op, steeds weer gretig, nooit voldaan, terwijl hij met zijn hand haar lichaam, haar, nek, borst, taille, heup, borst verslond. Ze maande hem tot stilte wanneer hij wilde gaan praten. Ze wilde niet zijn woorden horen, zijn gedachten, beloften waar hij zich wel of niet aan kon houden. Woorden zijn verspilling, een gedicht kun je niet eten, ze was geen doorsnee meisje dat kon leven van snoepgoed; geef me het oervoedsel van je huid, mond, handen, dat me door de zware dagen heen helpt. Tijdens lessen en examens en familie-etentjes haalde ze kleine hapjes terug – zijn hand op haar blouse, de smaak van zijn tong, het wanhopige beheersen van zijn adem – en genoot ze er nogmaals van. Lief meisje. Guerrillameisje. Ze moest zich vermannen om beide rollen te spelen. Lust en angst en vreugde moesten onder de oppervlakte blijven, waar ze in stilte aan haar knaagden.

Zelfs toen de brief kwam waarin stond dat ze was toegelaten tot de universiteit en haar moeder juichte van plezier en als een kind stond te springen, hield Salomé haar blijdschap in toom.

'Geschiedenis,' zei mamá.

'Ja.'

'Wil je nog steeds historicus worden?'

'Ja.' Ze voelde het trekken: boeken opgestapeld in scheve hopen, zalen bezaaid met pamfletten, gewroet in de worstelingen van het verleden, en zijzelf, jaren later, een nieuw soort wetenschapper voor een nieuw Uruguay.

'*Mija*, wat geweldig. Toen ik zo oud was als jij was ik al serveerster. Dat wil ik niet voor jou.' Ze veegde langs haar ogen en hield de toelatingsbrief zo dicht tegen zich aan dat hij verkreukelde tegen haar borsten. 'Kom, ga zitten, *mi amor*.'

Ze gingen op de bank zitten en mamá sloeg haar arm om Salomé en begon te vertellen: *Ik werkte eerst in een schoenenzaak, maar daar ging het verkeerd, en toen ik eenmaal was ontsnapt naar La Diablita werd het beter, ik was dertien en dat was een gouden tijd, de tijd waarin ik andere dichters ontdekte, de dichter in mezelf ontdekte, en toen ging ik naar Argentinië, ik wilde de wereld veranderen, ik wilde alles zien, alles ervaren, alles schrijven, en natuurlijk heb ik een goed leven gehad, maar als ik naar de universiteit was gegaan had ik…*

Haar woorden bleven stromen en Salomé luisterde met een half oor, maar ze bleef steeds dat ene woord horen dat haar moeder in het begin had gezegd. Toen haar moeder ten slotte even zweeg tijdens haar verhaal over de jongeman die door de politie van Buenos Aires tot moes was geslagen, zei Salomé: 'Wat bedoel je met "ontsnapt"?'

'Hoezo ontsnapt?'

'Je zei dat je was ontsnapt naar La Diablita.'

'Ja.'

'Waarom moest je…'

'Het was geen ontsnapping,' zei ze op gespannen toon. 'Het was gewoon een nieuwe baan.'

Ze zwegen. De schaduwen werden langer in de avondzon.

'In elk geval,' zei mamá, 'gaan we het vanavond vieren. Ik ga champagne halen.' Ze stond op en pakte haar portemonnee, en de open sfeer tussen hen was verdwenen. Salomé keek haar moeder na, en toen was ze alleen op de bank met haar toelatingsbrief. Ze pakte hem op en bekeek de verse kreukels, de formele bewoordingen, de toenemende schemering waarin het papier leek te gonzen. Ze hield het parallel aan de vloer en stelde zich voor dat ze zo klein zou worden dat ze op het papier kon zitten en er, als op een magisch tapijt, mee naar onbekende bestemmingen kon vliegen. Het lukte haar bijna te doen alsof dat kon – ze voelde de opwaartse druk waardoor ze in de lucht kon zweven.

Het gevoel hield een week aan totdat Orlando op een avond achter in een verlaten fabriek zei: 'Salomé. Je hebt een opdracht.'

Salomé ging snel rechtop zitten. Ze was niet gewend dat ze op de agenda stond. Ze voelde ogen op haar branden.

'Er is een vacature bij de ambassade van de vs. Ze vragen een assistent-secretaresse: ze moet kunnen typen en documenten vertalen en uitstekend Engels spreken. De werkneemster zal toegang hebben tot vele dossiers. Het is een fulltime baan.' Orlando spreidde zijn handen. 'We denken dat jij die baan wel zou kunnen krijgen.'

Ze wilde vragen wie die 'we' waren, welke gezichtloze mannen samen met Orlando hadden besloten dat zij die baan zou kunnen, zou moeten, zou gaan krijgen. De vraag was zeer ongepast. Ze had zichzelf er, alleen al omdat ze het dacht, om kunnen slaan.

'Salomé.' Orlando boog zich naar voren. In de gloed van de olielamp waren zijn trekken zacht. 'De Beweging heeft genoeg studenten.'

In haar ooghoek zag ze dat de broodmagere Anna toekeek of ze niet reageerde met een veelzeggende reflexbeweging of gespannenheid.

'Natuurlijk,' zei Salomé.

Twee weken later werd ze aangenomen. Bij de sollicitatie hoorde een typetest, een Engelse test en een kort gesprek met Viviana, de hoofdsecretaresse, een vrouw met een hoornen bril die de Engelse *th* nog niet onder de knie had. Over twee weken was ze klaar met school. Konden ze daarop wachten? Ja, natuurlijk, juffrouw Santos. Daarop wachten we met alle plezier.

Ze vierde plichtsgetrouw het behalen van haar diploma, aan de buitenkant een meisje dat lachte naar camera's en proostte met champagne en huilerige moeders en grootmoeders. De volgende ochtend lag ze in bed met haar ogen open totdat mamá aanklopte en binnenkwam met een blad met toast en maté en een gele roos, die halsreikend zijn steel uit een vaasje stak.

'Voor mijn kersverse studente!'

Salomé schoot overeind.

'Wat is er?'

'Ik moet iets vertellen.' Ze voelde zich kleintjes in het bed, een kind dat met knopen speelde en haar eigen haar niet kon vlechten. Ze zette haar voeten op de grond. 'Ik heb een baan.'

Mamá keek haar niet-begrijpend aan.

Salomé pakte het blad uit haar handen, zette het op bed en probeerde een vrolijke toon aan te slaan. 'Het is een geweldige baan. Als secretaresse. Bij de ambassade van de vs.'

Haar moeder bleef midden in de kamer staan. Ze droeg haar paarse badjas binnenstebuiten; de naden stonden rafelig overeind. Ze sprak langzaam, alsof het haar moeite kostte om haar gedachten op een rijtje te houden. 'En de universiteit dan?'

'Daar ga ik niet heen.'

'Maar je wilt toch studeren!'

Salomé staarde naar de rode lampenkap op het nachtkastje. Hij was oud en versleten en had al jaren geleden vervangen moeten worden. 'Niet echt.'

'Sinds wanneer?'

'Bovendien hebben we het geld nodig.'

'Je kunt je studie niet opgeven voor de familie!'

Salomé stond op. 'Dus ik moet gaan studeren voor de familie? Voor jou?'

Mami's mond hing open; ze staarde haar dochter aan; er ontsnapte haar een geluid dat iets van een rauwe kreet had. 'Al die jaren heb je zulke mooie cijfers gehaald.' Ze wankelde. 'En je toekomst dan?'

Maar Salomé kon niets zeggen over de toekomst; ze kon haar

moeder niet vertellen over het handjevol toekomst dat ze bij zich droeg, de wapens in haar matras, de blauwdruk in haar hoofd, de actie waaraan ze dagelijks vol spanning, heimelijk, meedeed voor de toekomst, voor het volk, voor de te veronachtzamen prijs van de zelfzuchtige behoefte van één meisje om te gaan studeren, want natuurlijk hadden ze gelijk en was het te veronachtzamen wanneer je eenmaal de revolutie omhelsde en het verlangen wegborg om hier weg te rennen in haar pyjama en pas te blijven staan wanneer ze bij de universiteit aankwam en in de bibliotheek inbrak en zichzelf barricadeerde met boeken die ze zou lezen en waarvan ze een bed zou maken en die ze tegen iedereen zou gebruiken die haar achterna kwam. 'Luister, mamá, het is een fantastische baan. Waarom ben je niet trots op me?'

Eva ontblootte haar tanden als een poema; voor het eerst van haar leven was Salomé bang voor een aanval van haar moeder. 'Hoe kun je zeggen dat ik niet trots ben?'

'Niet op deze baan.'

'Jij gaat die baan niet doen.'

'Jawel.'

'Je bent zestien, Salomé, ik ben je moeder en ik zeg je dat je naar school gaat.'

Salomé raakte in paniek en stelde zich voor dat ze aan haar haren naar de les werd gesleept. Mamá die buiten op haar zou wachten, weg was de baan bij de ambassade, haar goede naam naar de maan in de ogen van Tinto, Leona, Orlando, Anna, gezichtloze Tupamaros, de geest van Che. 'Je bent gewoon kwaad omdat jij nooit hebt gestudeerd.'

Ze had onmiddellijk spijt van haar woorden, of in elk geval speet het haar te zien wat er bij mami gebeurde: ze verstijfde, er was geen spoor meer te zien van die poema, geen spoortje felheid, alleen een geschokte, lege vrouw in een badjas waarvan alle naden te zien waren. Eva wankelde niet. Ze knipperde niet met haar ogen. Ze keek niet naar Salomé. De stilte was zo beklemmend dat er geen ruimte meer was om adem te halen tot haar moeder wegging.

Eva bleef drie dagen in bed. Salomé meed haar. Eén keer, en niet vaker, bracht abuela Pajarita het onderwerp ter sprake. 'Die baan. Is dat wat je wilt?'

'*Sí,*' zei Salomé, terwijl ze het aanrecht boende.

'Weet je dat zeker?'

'*Sí.*'

'Want je weet dat je zou kunnen studeren. We zouden het best redden.'

Salomé wrong krachtig de vaatdoek uit. 'Waarom vertrouwt niemand me?'

'Je verandert van onderwerp,' zei Pajarita bedroefd. Salomé zei niets en abuela Pajarita keek hoe ze de vaatdoek ophing en wegliep.

Op haar eerste dag stond Salomé om vijf uur op om te zorgen dat ze er perfect uitzag met een knot, in haar blouse, haar panty. De ambassade was een doolhof van brede, glanzende gangen. Frank Richards, haar nieuwe baas, gaf haar een verbrijzelende handdruk. Hij had lange bakkebaarden en een snelle glimlach; op een driehoekig bordje boven zijn bureau stond BOSTON RED SOX.

'Zo, dus jij bent Salomé.' Hij ging haar voor naar een kaal bureau en gebaarde haar plaats te nemen. 'Jullie Uruguayanen komen zo vroeg van school. Ik zou niet geweten hebben wat ik op m'n zestiende had moeten doen.' Hij haalde een sigaret en een zilveren aansteker tevoorschijn. 'Niet dat ik dat nu weet.' Hij kneep zijn ogen even samen toen hij lachte.

Ze glimlachte vriendelijk. Dit zou niet al te moeilijk worden.

Meneer Richards gaf haar dossiers die ze moest ordenen, dossiers die ze moest vertalen, dossiers waar ze nette kopieën van moest typen. (*Alsjeblieft, Salomé*, hoorde ze hem in gedachten zeggen, *breng die meteen naar de rebellen*.) Er waren saaie brieven vol beleefdheden en beloften, verzoeken om hulp van Amerikaanse staatsburgers, officiële verklaringen met weinig inhoud. Toen ze er zeven dagen werkte, stierf president Gestido en werd de macht overgedragen aan vicepresident Pacheco. Memo's van Pacheco's medewerkers stroomden binnen op de ambassade. Ze doorzocht Viviana's dossiers om ze te lezen. Pacheco beloofde plechtig zich in te zetten voor de belangen van de Verenigde Staten. De vriendschapsband zou aangehaald worden. Lyndon Johnson hoefde zich geen zorgen te maken: de plaag van het socialisme zou grondig worden aangepakt.

'Prijzenswaardig,' zei Orlando toen hij haar verslag ontving. Het was een geordende stapel, vol goed onderbouwde beschuldigingen. Leona keek haar vanaf de andere kant van de kamer in haar bankuniform stralend aan. Salomé had gedacht dat Leona eraan kapot zou gaan als ze aan het werk moest, maar ze had alleen gezegd *later, na de revolutie, komt er nog wel tijd om te studeren*. Haar geloof dat die tijd zou komen was rotsvast.

Thuis zei mamá niets. Ze bekeek Salomés strakke knotje en panty met een achterdochtige blik. Ze behandelde haar dochter alsof ze plotseling een gast was geworden, die beleefdheid verdiende maar een vreemde was in haar huis, wier neigingen en stemmingen niet te peilen waren. Een vreemde gast die werkte voor de *yanquis* en zich kleedde als een kantoorjuf en die niet de indruk maakte kwaad te zijn op deze man die zich nu president noemde, die al kranten had opgeheven, bijeenkomsten had verboden, progressieve partijen had verboden, had gefulmineerd over de noodzaak van een strenge krijgsmacht in Uruguay. Mamá, wilde ze schreeuwen, ik ben niet wat je denkt – hou op over die censuur, hou op over die wetten, ik doe er meer voor dan je je kunt voorstellen, en zodra we deze narigheid te boven komen, als we die ooit te boven komen, zul je mijn offer zien en me dankbaar moeten zijn. Maar ze zei niets. Ze accepteerde het beeld van zichzelf als onverschillig kantoormeisje dat haar spaghetti at zonder haar knot los te maken terwijl mamá vergeefs over de toestand klaagde, in de wetenschap hoe het ritueel zou verlopen: abuelo zou iets mompelen over veiligheid, Roberto zou klagen over lessen die verstoord werden, Salomé zou het eten op haar bord rondschuiven, en abuela Pajarita zou een vermoeide maar gemeende opmerking maken over overleven – *We komen er wel doorheen*, bijvoorbeeld – en er bij iedereen op aandringen nog eens op te scheppen, nog wat te eten, er was genoeg.

Ze vond een veilig plekje om haar lunch te gebruiken, een bankje op een nabijgelegen plein. Een stenen generaal domineerde het midden, met geheven zwaard, overdekt met duiven en hun uitwerpselen. Ze had de plaquette van de generaal nooit gelezen en ze wist niet wie hij was. Hoeveel mensen – hoeveel duizenden – vochten en stierven er niet voor hun land zonder dat ze een standbeeld kregen? Wie zouden de pleinen van de stad sieren als de revolutie ten einde was? Ik wil geen standbeeld, dacht ze, ik wil alleen weten dat ik er aan heb meegewerkt. Dat ik er iets aan heb bijgedragen om de verandering tot stand te brengen, en dat ik aan mijn kleinkinderen kan vertellen: ik wist dat er verandering kwam, ik heb me ervoor ingezet, ik heb alles gedaan wat ik kon; dan zullen ze me verwonderd aankijken en trots zijn. Vertel het nog eens, zullen ze zeggen. Vertel ons er alles over. Ik heb gevochten voor jullie, zodat jullie een gelukkig Uruguay zouden hebben waar iedereen genoeg te eten heeft. Ze zullen zich verbazen over dat rare verleden waarin niet iedereen te eten had, en ze zullen opgroeien en oud worden en het hun kleinkinderen vertellen. Salomé nam nog een hap van haar boterham. Ik vecht voor jou, zei ze in gedachten tegen de stad: voor jou, Montevideo, vlakke, trage, pretentieloze stad, de enige die ik ken, met al je hongerige monden en onbezongen charmes, hoofdstad van een klein land in een uithoek van de aarde, waar het licht op kapotte stoeptegels schijnt, waar kijk, kijk, twee oude dames arm in arm naar een bank wandelen met tassen aan hun arm die bij hun hoedjes passen, en met onder die hoedjes wie weet wat voor braakliggende herinneringen. Ze at haar brood op. De dames waren nog aan het wandelen. Met hun oneindige kleine pasjes leek het alsof ze zich hun leven lang nooit hadden gehaast, de tocht naar het bankje kon de hele dag duren. De wind ging ruisend door de bladeren, langs de kraag van Salomé en de rokken van de oude dames. Weer een dag, weer een plein in deze melancholieke stad. De generaal droeg zijn duivenpoep in stilte. Op de bank in het park was alleen zonneschijn te zien.

Nog zes minuten voor haar lunchpauze voorbij was. Ze gooide kruimels naar de geagiteerde vogels.

President Pacheco regeerde bij decreet. Hij negeerde stelselmatig de grondwet. Hij verklaarde dat vakbondsstakers als dienstplichtigen moesten worden beschouwd, waardoor soldaten in staat werden gesteld het vuur op hen te openen, hen te dwingen weer aan het werk te gaan, en krijgsgevangenen van hen te maken. Verslaggevers zinspeelden in voorzichtige bewoordingen tussen de regels door op onrust. Er werden mensen ontslagen, ook abuelo Ignazio, zodat hij elke dag thuis op de bank lag en uit het raam staarde naar de bleke muren van de gevangenis die uitpuilde van de politieke gevangenen, van socialisten tot arbeiders tot Tupamaros. Zijn pensioen stelde niets voor, maar de familie redde het nog: mamá verdiende nog steeds geld als serveerster. Abuela Pajarita had nog steeds kruiden en thee en een luisterend oor te bieden achter in de slagerswinkel van Coco, en Salomé bracht natuurlijk een fatsoenlijk salaris mee naar huis. Roberto, inmiddels een ster op de faculteit biologie, hoefde niet van de universiteit af om thuis geld in het laatje te brengen, en de familie hoefde evenmin voor brood in de rijen te staan die zich door de hele stad langs huizenblokken slingerden.

Haar dagen waren zacht en hard, zacht en hard, de zachte

warme lippen van Tinto, de harde vormen van wapens (twintig nieuwe soorten, waaronder M16's, die ook al werden ingezet in Vietnam), de zachte wind waarin ze instinctief voelde of er gevaar dreigde, de harde hakken van haar pumps op de vloer van het kantoor, de zachte stem van abuelo als hij verhalen vertelde en nog eens vertelde over een ouder, mystiek, sepiakleurig Uruguay, de harde deuren die dichtsloegen voordat er geheime besprekingen begonnen.

De Beweging kreeg steeds meer impact. Het aantal leden nam toe. Haar cel bestond nu uit elf leden, meer gedrang en minder zuurstof. Het was 1968 en de wereld zwoegde en kreunde en schitterde van de opstanden, je kon er alles over lezen, overal braken ze uit, op hun hele continent en ook in Mexico Stad, Tsjechoslowakije, Londen, Parijs, Vietnam, Warschau, Berlijn, Chicago, Australië, Japan, plaatsen die ze nooit gezien of aangeraakt had, maar waar ze wel iets mee had, waarmee ze zich al verbonden voelde, één spikkeltje in een gigantisch glinsterend web dat de wereldbol omspande, omringde, in zijn plakkerige draden van verandering wikkelde. Draden van opstanden. Er was geen ontsnappen aan. In haar kleine, relatief onbeduidende land hield ze – soms voelde ze het, als ze een schemerige straat in keek – de fijne teugels van de wereld in haar hand en het was waar, ja toch? de revolutie was nabij, het ging steeds sneller. De tijd was aangebroken voor gerichte acties die nooit vergeten zouden worden, waarover geschiedkundigen in de toekomst in grootse bewoordingen zouden schrijven: *op dat moment begon de bevrijding.* Er was kracht voor nodig, geheimhouding, opoffering. Anderen offerden meer dan zij, zoals Orlando bijvoorbeeld, wiens naam op een lijst van mensen stond die gezocht werden wegens opruiing en die zich nu ergens schuilhield. Tupas werden gezocht. Ze waren berucht. Hun naam mocht in de pers niet worden genoemd. Verslaggevers mochten alleen de woorden 'misdadigers' of 'terroristen' gebruiken. In één krant werden ze 'De Naamlozen' genoemd, en van die krant brandde het kantoor tot de grond toe af (gebouwen branden als gevolg van onze naam! dacht Salomé) – maar de term bleef hangen. Ze hoorde hem in de bus, op pleinen, in kiosken in het centrum, voor Coco's vleesvitrines.

De Naamlozen zijn weer bezig – ze hebben net een casino beroofd.

Ze doen hetzelfde als Robin Hood.

Ze gaan ons van deze rotzooi bevrijden.

De Naamlozen hebben deze rotzooi veroorzaakt, waar heb je het over, idioot, zij zijn het probleem.

Het zijn de kakkerlakken van Uruguay.

Eerder de helden.

Eerder de schijtluizen.

Ze gaan dit volk bevrijden.

Dat zal Pacheco niet toelaten.

De Naamlozen zijn slimmer dan hij.

Dat is een ding dat zeker is.

Zij geven ook meer om ons.

Ik haat ze.

Ik juich ze toe.

Pas op, juich maar niet te hard.

Waarom niet? Zie je wel? We zijn niet vrij meer!

De Naamlozen zijn vrij.

Hoe weet je dat?

Dat is overduidelijk.

Niets aan hen is overduidelijk.

Vraag het hun dan.

Ha!

Ik ben bang voor hen, als je de waarheid wilt weten.

Ik zou willen dat ik het lef had om een van hen te zijn.

Ik zou willen dat ik een van hen kon ontmoeten, want weet wel, ik heb een heleboel te zeggen.

Zelfs kinderen hoorden het gefluister, zoals tía Xhana op een avond vertelde.

'Señora Durán geeft les aan de derde klas in het lokaal naast me. Ze is geen sympathisant, dat kan ik je wel vertellen.' Xhana schonk wijn in het glas van Ignazio. 'Maar vorige week vroeg ze haar leerlingen een woord op te schrijven, een willekeurig woord met een "T". Negentien van hen – negentien! – schreven "Tupamaro". En wat deed señora Durán? Ze wilde alle boeken van Robin Hood uit de schoolbibliotheek weg laten halen. Maar wat denk je?'

Een gespannen stilte daalde over de tafel.

'Nou?' zei mamá.

'Ze was te laat. Ze waren allemaal al uitgeleend. Zelfs kinderen weten wat er gaande is.'

'Maar goed ook,' zei mamá.

Abuelo Ignazio keek alsof de aardappel in zijn mond ineens zuur smaakte. 'Hoe kunnen De Naamlozen kinderen iets goeds leren?'

'Onderdrukking dan wel?' Mamá's haar, dat vandaag los en soepel op haar schouders viel, zwaaide heen en weer. 'Mensen hebben alle hoop nodig die ze kunnen krijgen.'

Abuelo sloeg zijn blik ten hemel. Salomé stelde zich voor dat ze hoop uitschonk – een stroperige vloeistof, opgeslagen in geheime vaten, die nu uitvloeide over straten, onder auto's, in goten, over keien, dwars door muren, net als de pap in dat verhaal over de pan die almaar overkookte. De wijn klokte scherp op haar tong.

In december 1968 stak Roberto de rivier over om de zomer door te brengen bij zijn vader in Argentinië. Hij pakte nauwgezet zijn koffer in en liep met veerkrachtige stappen heen en weer in huis. Hij stelde zijn vriendinnetje Flor aan de telefoon gerust: *Natuurlijk zal ik je missen, doe niet zo dwaas*, en intussen leunde hij afwezig tegen de muur. Salomé was ook uitgenodigd, maar zij ging niet. Ze kon niet worden gemist op de ambassade. Het waren wrede tijden, het waren heldere tijden; zelfs The Beatles hadden een nummer geschreven dat 'Revolution' heette. De wereld snelde in volle vaart vooruit. Er was werk aan de winkel. En al had haar vader haar uitgenodigd, hij wilde haar in elk geval niet zo graag zien als Roberto, een feit dat duidelijk werd in de gesprekken aan de telefoon. Tegen Salomé deed hun vader vormelijk, soms kortaf. Tegen zijn zoon leek hij geanimeerder en hij bleef vele minuten met hem aan de lijn, waarbij Roberto junior lange tijd gretig luisterde, langzaam knikte, en uiteindelijk reageerde met opmerkingen over zijn studie, of over de prestaties van hun vader, of over een opmerkelijk biologisch verschijnsel waar hij van op de hoogte was, natuurlijk, ja natuurlijk, of hoe geweldig het was dat hij de wetenschappers zou ontmoeten over wie zijn vader sprak, eminente mannen, de vrienden van zijn vader. Mannen tegen wie Roberto junior opkeek zoals zijn leeftijdgenoten opkeken tegen John Lennon. Zij, Salomé, zou een last zijn tijdens dit bezoek, het vijfde wiel aan de wagen, het meisje dat te vroeg van school was gegaan, niet meer dan een secretaresse – waar zouden ze over moeten praten? Toen ze tijdens slapeloze nachten in het donker eerlijk nadacht over haar gevoelens voor haar vader, bespeurde ze geen liefde of haat of woede of zelfs maar een verlangen, maar een emotieloze leegte, een leegte die al zo lang bestond dat hij niet meer gevuld hoefde te worden. Ze kon geen woorden vinden om dit uit te leggen aan haar moeder, maar gelukkig hoefde dat niet. Tot Salomés verrassing reageerde Eva op haar besluit met een aanvaarding die grensde aan opluchting. Haar zoon leek haar veel meer reden te geven tot bezorgdheid, met zijn onmiskenbare geestdrift, zijn verstrooidheid tijdens het avondeten, zijn zorg over wat hij mee moest nemen en wat hij moest achterlaten, allemaal dingen die Eva met een gespannen lach verdroeg, alsof de tocht over de rivier een tocht van haar vandaan was, alsof hij naar zijn vader toegetrokken werd als een mot naar het licht en nooit meer naar huis zou terugkeren. Op de dag van zijn vertrek stond Salomé op de kade bij de veerboot tussen Eva en Pajarita, die wuifden en wuifden terwijl hij de boot op liep, ook al deed hij dat met zijn rug naar hen toe. Uiteindelijk bleef hij staan, hij draaide zich om en wuifde niet alleen, maar riep ook *Adios, adios, llámanos*. Ze hadden een vuur kunnen ontsteken met de energie die ze genereerden: ze riepen en wuifden en gingen op hun tenen staan, en Salomé voelde een steek van jaloezie, niet vanwege de reis, maar vanwege de onstuimige liefde die uit dit afscheid naar voren kwam.

Ze zag Tinto later die avond in het park.

'Het kan me niet schelen,' mompelde ze tegen zijn borst.

'Hoe kan dat nou? Hij is je va…' Zijn woorden stierven weg, haar hand lag op zijn broek, op zijn gulp, die ze niet openmaakte, nooit, maar ze liet haar vingers spreken tot zijn stijve geslacht. De wind kuste de boomtoppen.

'Alles op zijn tijd,' zei hij later buiten adem.

De plannen voor Pando werden op een koele avond in augustus uit de doeken gedaan. Orlando schetste de actie met zeldzaam enthousiasme. Ze zou plaatsvinden op 9 oktober 1969, precies twee jaar na de moord op Che. Ze zouden de hele stad een middag in hun macht houden. Ze zouden geld en wapenen verzamelen en de wereld laten zien hoe krachtig het verzet van Uruguay was.

'We hebben het over een grootse militaire overname.' Hij streelde zijn baard, die donkerder was geworden. 'Al onze meest ervaren leden zijn erbij nodig. Tinto. Anna. Leona. Guillermo. Salomé.'

Ondanks alle nachten op stalen konijnen en haar toegewijde spionage had Salomé nog nooit aan een actie meegedaan. Ze had nog nooit in het openbaar een wapen in haar handen gehouden, en ook nooit een bank of casino of wapenhandel beroofd. Ze voelde zich opgetogen en een beetje onzeker. Ze keek even naar

Tinto, die in het halfduister naar haar knipoogde.

In de dagen die voorafgingen aan Pando – terwijl ze in de bus zat en typte en de vaat deed – deed ze haar best om haar opwinding en angst de baas te blijven. Op een dag zou Pando herinnerd kunnen worden als de Moncada Barracks van de Uruguayaanse revolutie, het keerpunt, het begin van een nieuw tijdperk. Voor haar geestesoog zag ze een plein schitteren met een fontein of een standbeeld in het midden, en zij waren daar allemaal bij: Tinto, Leona, Orlando, Anna, Guillermo, en tientallen onbekende Tupamaros met hun geweer in de lucht geheven, open en bloot, niet om te schieten maar om hun triomf te tonen, en de mensen voelden als een flikkering in de lucht dat hun stad veranderde en ze vielen op hun knieën bij het zien van wapens, dus riep zij *sta op, sta op, wees niet bang*, en daarna stonden ze op en ze huilden en dansten en schreeuwden onsamenhangende woorden.

Op de afgesproken dag stond ze vroeg op om haar tas in te pakken, uit te pakken en weer in te pakken. Pistolen, pamfletten, een witte zakdoek, een nette blouse, dertig koperen handboeien, en daarbovenop kantoormappen. Ze kleedde zich volgens de opdracht in het zwart. Haar vingers trilden. Ze probeerde kalm te worden. In gedachten herhaalde ze de instructies. Ga direct naar het uitvaartcentrum. Vergeet niet dat je in de rouw bent. Speel je rol overtuigend. Probeer te huilen. Water, dacht ze. Ze moest water hebben. En op zijn minst wat geroosterd brood als ontbijt.

In de keuken had abuela Pajarita de maté al klaar.

'Goedemorgen,' zei ze, en ze reikte de kalebas aan.

Salomé nam hem aan zonder de tas van haar schouder te halen. De bittere drank troostte haar en maakte haar keel open. Deze keuken was geen absolute zekerheid, evenmin als haar terugkeer hierheen. Het licht. De potten. De planten. De wortels die op een bakplaat lagen te drogen, donker en knoestig, om de pijn te lenigen in de gewrichten van een oude dame, of in haar hart, of in haar geweten. Het fornuis waarop drie generaties hadden gekookt. Dat alles kon ophouden te bestaan, zij kon ophouden te bestaan, ook al leek dat onmogelijk, en toch was het altijd mogelijk; onvoorziene gebeurtenissen maakten onmiskenbaar deel uit van het leven, en vandaag helemaal, aangezien een enkele kogel er een eind aan kon maken, ervoor kon zorgen dat ze nooit terugkwam, dat ze nooit de namen van alle planten in al die potten leerde kennen; die namen zelf waren vergankelijk, aangezien ze alleen in abuela's gedachten leefden, en wie weet wat er zou gebeuren (met de bundeltjes, de potten, de kruk in Coco's winkel) als ze stierf, wat al helemaal een onmogelijkheid leek. Abuela die stierf – als dat gebeurde, zou dit huis vast en zeker instorten of exploderen.

Abuela keek haar met een zenuwslopend heldere blik aan. 'Heb je tijd voor een geroosterde boterham?'

'Net.'

'Dan maak ik er een voor je.'

'Dat is niet...'

'Geen probleem.' Ze had al twee boterhammen op het rooster gelegd. Haar vlecht viel als een zilveren stroom over haar rug. Salomé wilde zich eraan vastklampen. Ze wilde uitschreeuwen dat ze achttien was, een guerrillastrijder die op het punt stond een stad in te nemen, die haar eigen brood kon roosteren. Ze wilde eeuwig abuela's brood eten, en daarvoor schaamde ze zich: dat ze, nu de grote strijd vandaag wachtte, hier wilde blijven, bij haar grootmoeder, omringd door groene geuren en zacht licht. Abuela smeerde boter op het brood en keek hoe haar kleindochter er grote happen van nam. 'Wil je niet even zitten?'

'Ik moet naar mijn werk.'

'*Ta*. Zien we je bij het avondeten?'

'Natuurlijk,' zei Salomé, die al op weg was naar de deur.

Toen ze bij het uitvaartcentrum aankwam, hadden zich daar een twintigtal rouwenden verzameld. Ze waren jong, somber, in vormelijke zwarte kleren. Ze kwamen één voor één naar haar toe en kusten haar wang. Er werden geen namen uitgewisseld. Ze moesten doen alsof ze achterneven en -nichten waren, die de dood betreurden van hun tío Antuñez, en hem in een lange stoet auto's naar zijn geboortestad begeleidden om hem te begraven. Tupas. Tupas. Hun wangen voelden glad als balsem tegen de hare; ze moest de neiging onderdrukken om ze met twee handen te omvatten zodat ze hun trekken in zich kon opnemen en onthouden.

Orlando en Leona kwamen naar haar toe, samen met een gezette man met dun wit haar. 'Mijn naam is Tiburcio,' zei de man. 'Ik ben de begrafenisondernemer. Gecondoleerd.'

Salomé knikte. Ze zocht naar een passende reactie.

'Ik begrijp het,' vervolgde hij. 'Zo te zien hield iedereen erg veel van hem.'

'Dat is waar,' zei Leona. Ze rook naar jasmijnolie. 'Hij was altijd zo vrijgevig. Gaf altijd aan de armen.'

Tiburcio plooide zijn gezicht in een geoefende uitdrukking van medeleven. 'Ja. Ja.'

De rouwdienst verliep vlot en eenvoudig, en na afloop liep de groep neven en nichten naar buiten. Op de oprijlaan stonden negen zwarte auto's te glanzen in de zon. De lijkwagen stond vooraan, met zijn achterdeuren geopend. Zes dragers plaatsten de kist erin. Rouwkransen lagen erbovenop, wapens erin. Het was te veel, de warme voorjaarslucht, de glanzende kist, de oom die zogenaamd zoveel aan de armen had gegeven, een begrafenis zonder dode, een kist zonder stoffelijk overschot, geen stoffelijk overschot maar wapens, wapens in plaats van beenderen, wapens in plaats van een lichaam, alleen wapens bleven er over, en zij allemaal samen als een vreemde, geheime familie, een familie van Naamlozen, een familie van maskers, een familie die rouwde om de dood van – wie? wat? – en zij wilde hen leren kennen, die anonieme neven en nichten, deze *jóvenes* in het zwart, niet hun naam of favoriete eten maar wat ze in die kist zagen, wat hen ertoe had gebracht, waar ze om rouwden en wat ze koesterden in de donkerste hoekjes van hun lichaam. Houden jullie waar ik van hou, weten jullie waarom je het doet, en wat doen jullie in godsnaam met al die angst? Hun gezichten waren zo mooi in het zonlicht, fris en ernstig en vol botjes die heel gemakkelijk gebroken konden worden. Ze wilde hun wangen beschermen, en alle kwetsbare lichamen van dit land, hun land, haar land, maar ze kon alleen maar orders opvolgen en huilen. Ze huilde zo goed dat de begrafenisondernemer een hand op haar rug legde. Ze leunde tegen hem aan; de deuren van de lijkwagen gingen met een klap dicht. Tiburcio's ogen waren nat.

'Het komt wel goed,' zei hij.

Ze persten zich in de auto's met achter elk stuur een slippendrager. Salomé zat met Orlando en twee andere Tupamaros in de auto die bestuurd werd door Tiburcio. Het werd stiller op de snelweg toen ze Montevideo uit waren, stadsstraten maakten plaats voor vierkante barakken en een enkel fruitstalletje. De hemel strekte zich uit als een enorme blauwe tent. Ze reden voorbij een *cantegril*, met zijn hutten van zink en karton en een stank die door de ramen heen drong. Eindelijk lag de weg leeg en vlak voor hen, een kerf tussen groene weiden. Tiburcio kletste nog wat totdat hij er het zwijgen toe deed. Orlando zat doodstil. Ze reden verder.

De auto's voor hen stopten langs de kant. Het gebeurde snel. De begrafenisondernemer tuurde door de voorruit. 'Waarom is hij...?'

'Stop nou maar, alstublieft,' zei Orlando.

De wagen bleef staan in de berm. Orlando haalde bliksemsnel zijn pistool tevoorschijn. 'Alstublieft meneer, stapt u uit.'

Salomé kon het gezicht van Tiburcio niet zien; ze hoorde hem alleen scherp inademen, daarna hoorde ze het portier en geschuifel van voeten op grind. Orlando stapte uit. Vlak voor hen gebeurde hetzelfde met de andere auto's: een chauffeur wordt tot zijn schrik gedwongen uit te stappen en zijn handen op zijn rug te houden om ze te laten boeien; hij laat zich op de achterbank zetten; een goed geklede nabestaande neemt het stuur over en scheurt de snelweg op, terwijl de zon weerkaatst op getinte ramen.

Orlando reed. Tiburcio zat naast Salomé achterin, met grote ogen, als van een hert. Salomé hield haar pistool op schoot.

Even was er niets te horen behalve het zachte ruisen van de weg.

'Wat stelt dit verdomme voor?' vroeg Tiburcio.

'Wij zijn Tupamaros,' zei Orlando, met zijn blik op de weg. 'We hebben deze auto's gegijzeld voor een actie.'

'Tupamaros?'

'Dat klopt.'

'Echt waar?'

'Ja.'

'Waar brengen jullie me naartoe?'

'Naar Pando.'

Tiburcio beet op de binnenkant van zijn wang. 'En jullie oom?'

'Nep.'

Salomé haalde een pamflet tevoorschijn terwijl ze één hand op haar pistool hield. 'Het enige doel van het regime is de arbeiders te vernederen,' las ze voor. 'Wij zijn arbeiders, net als u. We willen een einde maken aan de onrechtvaardige situatie, en ervoor zorgen dat alles voor iedereen eerlijk wordt geregeld.'

De ondernemer keek haar aan. Zijn ogen waren grijs, gespannen, bijna doorschijnend. Ze schaamde zich voor de krokodillentranen die ze eerder had gehuild. '*Pues*, dat klinkt niet zo heel slecht.'

'Wees niet bang,' vervolgde ze. 'We zullen u niets doen.'

'Bang? Voor jullie?' Hij lachte schel en blikkerig. 'Jullie zouden mijn kleinkinderen kunnen zijn.'

Een halfuur later kwamen ze in Pando, met zijn vriendelijke aquarelkleurige straten. Ze reden naar het zonovergoten plein en kwamen tot stilstand. Salomé, Orlando en de twee andere Tupa's bonden een witte zakdoek om hun arm. Haar hart sloeg wild in haar borst. Bijna één uur. Op het plein zat op een bankje een jong stelletje in de zon een boterham te eten. Zij hadden ook een witte zakdoek om hun arm. Ergens, een paar straten verderop, stond een groep klaar om de politie te belegeren. Tinto en anderen lagen te wachten bij de brandweerkazerne. Salomés doel, El Banco República, lag in het volle zicht aan de andere kant van het plein, met zijn stenen muren en hoge koperen deuren, een ondoordringbaar uitziend gebouw dat zij op het punt stond te bestormen. Haar hele lichaam was zo gespannen als een snaar. Tiburcio leunde tegen haar aan, met zijn kin op zijn borst, bezweet en dik en ontspannen. Zijn lippen bewogen een beetje. Ze stak haar arm door de zijne. 'U blijft bij mij,' fluisterde ze. Hij knikte zonder op te kijken.

Nog drie zwarte begrafeniswagens stopten één voor één bij het plein. De vrouw op het bankje draaide zich om naar hun auto. Ze zag Salomés zakdoek; ze glimlachten.

Een motor kwam brullend aan en reed een rondje langs het plein. De bestuurder wuifde met een witte zakdoek in de lucht. Ze sprongen uit de auto, alle vier de Tupamaros en Tiburcio, geboeid en wel. Ze staken het hete plein over; halverwege kwamen twee nabestaanden met vijf geweren naast hen lopen. Ze stormden de bank binnen.

'Rustig blijven allemaal,' riep Orlando, terwijl hij een geweer in de lucht stak.

De rij, bestaande uit klanten die in hun lunchpauze de bank bezochten, draaide zich om. Een bankbediende slaakte een kreet.

'Jullie zijn veilig,' zei Orlando. 'Niet bang zijn, wij zijn Tupamaros, gaat u allemaal tegen de muur aan staan.'

Salomé hielp mee mensen ernaartoe te brengen, met in één hand het pistool en haar andere arm door die van Tiburcio. Een hete energiestroom golfde door haar heen. De begrafenisondernemer liep schuifelend naast haar, zijn bezwete lichaam verzette zich niet. Er verscheen een stoel voor een zwangere vrouw. Orlando liep weg naar de kluizen in de kelder. De ruimte was één zee van zweet en adem en niet-gestelde vragen.

'Niet bang zijn,' zei Salomé dringend tegen hun ruggen. 'We gijzelen de stad uit naam van het volk. We doen niemand kwaad.'

Ze liep de rij langs, met Tiburcio tegen zich aan, en deelde pamfletten uit. Klanten draaiden hun hoofd om het bericht te kunnen lezen. 'Hou uw handen op de muur, alstublieft.'

'Maar ik wil dit lezen.'

'Goed. Maar hou uw handen op de muur.'

'Hoe kan ik dan lezen?'

'Probeer het maar,' zei Salomé zo streng mogelijk. Ze voelde zich net een schooljuffrouw met slimme, onhandelbare leerlingen. Ze liep verder naar een bebrilde man in een ruitjeshemd.

'*Gracias*,' zei hij, toen hij het pamflet aanpakte.

'*De nada.*'

'Tupamaros?'

'Ja.'

'Echt?'

'Ja.'

Zijn gezicht klaarde op, hij drukte het pamflet tegen de muur en verdiepte zich erin.

Bij de halfopen deur hoorde ze een oude vrouw kibbelen met een Tupamaro.

'Ik kom mijn pensioen halen.'

'*Ta, señora*, maar vandaag kan dat niet.'

'Wat zeg je, jongen?'

Harder: 'U kunt het vandaag niet ophalen. De bank is overgenomen door Tupamaros.'

'Tupa… *que*?'

'Dat klopt. U moet binnenkomen; op straat is het gevaarlijk.'

'Krijg ik dan morgen mijn pensioen?'

'J... ik weet het niet. Toe, komt u nu maar.'

Hij ging naar binnen en trok de weerspannige dame aan haar arm mee. Ze hield haar kin in de lucht, haar gezicht stond grimmig. 'Waarom zou ik naar binnen gaan,' mopperde ze tegen niemand in het bijzonder, 'als ze me geen geld geven?'

Salomé gaf een pamflet aan de dame, die dat heel precies in vieren vouwde en in haar tas stopte. Ze keek Salomé beschuldigend aan; Salomé liep snel verder de rij langs en deelde papieren uit, waarbij ze steeds tegen de schouder van de begrafenisondernemer stootte. Ze vroeg zich af wat er gebeurde in de kluisruimte, op straat, bij de brandweerkazerne. Niet denken. Concentratie.

Een vrouw stormde de deur door met haar haar fladderend als een cape om haar heen. 'De Bank van Pando wordt overvallen!'

Ze staarde naar de rij gegijzelden, de lege balies, Salomés pistool dat naar voren gericht was. 'Wat? Hier ook?'

Salomé knikte; de vrouw lachte. Salomé beduidde haar zich om te draaien, en dat deed ze, waarbij ze haar handen tegen de muur plaatste, nog steeds lachend terwijl haar haar bewoog als fijne zwarte zijde. Salomé gaf haar een pamflet en hoopte dat de vrouw daardoor haar mond zou houden. Het was natuurlijk goed als burgers niet ineenkropen van angst, maar zij was een guerrillastrijder, een krijger, bewapend en ernstig, hoe durfden ze te lachen?

'Luister,' zei de vrouw. 'Ik kan dit niet lezen. Wat staat erop?'

'Er staat op waarom we dit doen. Waarom we hier zijn.'

'Nou? Waarom zijn jullie hier?'

'Lees het pamflet,' riep Ruitjeshemd. 'Het is goed.'

'Waarom zou ik, als ik het van haar kan horen?'

'Ze wil dat alles eerlijk geregeld wordt,' zei Tiburcio, met zijn hoofd schuin naar Salomé.

'O ja? Heeft ze je daarom geboeid?'

Tiburcio haalde zijn schouders op.

De deur vloog open. Salomé draaide zich om, de haan van

het pistool gespannen voor mensen die lachten of oude dames of wie dan ook. Het was Tinto, met een rood hoofd, die van de brandweerkazerne kwam terwijl zijn haar in wilde lokken over zijn ogen viel.

'Het is officieel!' riep hij. 'De Tupamaros hebben Pando ingenomen!'

Hij sprong op de balie en barstte los in een verwarde, begeesterde toespraak. 'Bevrijding is in de lucht, we ademen haar in, ze vult dit bijzondere land, Uruguay, een vergeten juweel in een verloren continent – maar nu niet meer – we gaan stralen, niets kan ons tegenhouden, Uruguayanen, beste medeburgers, broeders, zusters, jullie zijn de revolutie, en jullie zullen vrij worden – heel Latijns-Amerika zal vrij worden. Che is bij ons, hier, hij juicht – kunnen jullie hem horen?' Zo praatte hij door. De ogen van Ruitjeshemd werden vochtig achter zijn brillenglazen. De oude dame met het pensioen kneep haar lippen op elkaar, uit ergernis of om een glimlach te verbijten. Een paar mensen bleven onbewogen staan, maar anderen knikten, juichten, joelden, met hun handen nog steeds tegen de muur, hun lichaam draaiend om Tinto te kunnen zien: een grote jonge man met zijn handen open, onbeholpen, met een bezweet gezicht en een heldere stem, zijn haar naar alle kanten, zijn armen gespreid op dit plotselinge podium.

Orlando kwam uit de kelder naar boven en sleepte zakken met zich mee. 'We gaan.'

Tinto sprong op de grond. Ze liepen snel naar de deur. Buiten klonken schoten. Nog meer schoten. Binnen werd het stil.

'Ik ga wel kijken,' zei een bleke Tupamaro. Hij was snel terug. 'Er is een agent buiten. Hij houdt een vuurgevecht met twee van onze mensen.'

Orlando's gezicht was een muur van kalmte. 'We wachten binnen.'

Ze wachtten. Schoten doorboorden de rust binnen. Iemand

bij de muur jammerde. Toen het schieten ophield liepen ze naar buiten en de zon deed pijn aan Salomés ogen. Drie rouwwagens stonden aan de overkant geparkeerd, de laatste vol kogelgaten. De banden waren aan flarden. Een politieagent lag erachter, een jonge man met zwart haar, een pijp van zijn broek was doorweekt en glom. Een rode plas verspreidde zich langzaam rond zijn been.

'Shit,' zei Orlando. 'We zijn een wagen kwijt. We moeten bij elkaar kruipen. Naar binnen!'

Salomé rende naar een auto en duwde Tiburcio, de begrafenisondernemer, op de achterbank, waarna ze dicht tegen hem aan schoof, en Orlando volgde. Door het achterraam ving ze een glimp op van Tinto die zich in de auto achter hen perste. Toen ze wegscheurden gooide ze de rest van haar pamfletten uit het raam, ze vielen als reusachtige confetti op straat waar ze het asfalt bedekten en iets van het bloed van de agent opzogen, hoopte ze. Ze gingen een hoek om. Overal op straat waren mensen: op de trottoirs, in deuropeningen, uitzwermend midden op straat, met zakdoeken wuivend op balkons of naar hun auto toesnellend.

'Komen jullie terug?'

'Wanneer vindt de revolutie plaats?'

'Ik doe mee!'

'Neem me mee!'

'Neem mijn broer...'

'Hé!'

'Lang leve Che Guevara!'

De chauffeur toeterde en schreeuwde uit het raam: 'Maak de weg vrij! Toe, maak de weg vrij!' Hij vloekte binnensmonds.

Ze zaten met zijn negenen in de auto gepropt: Orlando, Tiburcio, Salomé en zes anderen, van wie drie in het politie-uniform van Pando. Van alle kanten werden ze ingesloten door lichamen, zweet en benauwdheid. De menigte week uiteen. Ze stopten aan de rand van de stad, voor de hekken van de begraafplaats.

'We zetten hem er hier uit,' zei de chauffeur.

Salomé maakte snel en zacht Tiburcio's handboeien los. Zijn aanwezigheid had iets vertrouwds gekregen, bijna iets vanzelfsprekends. 'Dank u.'

De begrafenisondernemer kneep even in haar arm. 'Luister, wees voorzichtig.'

Ze keek hem niet aan. 'Ik red me wel.'

Het portier ging open. Hij stond alleen op het grind van de oprijlaan, knipperend tegen de zon, een gezette man met dun wit haar, die net wakker werd uit een droom. Ze wilde nog iets tegen hem zeggen, maar het portier ging dicht en ze reden weg. Ze zwaaide door de achterruit. Hij zwaaide terug, achter hem zag ze barokke ijzeren hekken, zijn gebaar werd steeds kleiner.

De snelweg opende zijn lange armen voor hen. Ze rammelde van de honger; ze had de stoffering kunnen eten, de pistolen, de blauwe hoed van de hemel. De jongens in politie-uniform vertelden voorin druk en verward hun verhaal.

'Je had de blik op hun gezicht moeten zien. Van die agenten.'

'Ik trof er een op de wc, waar hij stond te pissen; een enorm grote kerel; hij lachte naar me totdat ik met mijn pistool in zijn rug porde.'

'Echt waar?'

'Echt waar.'

'In onze straat hielden we het verkeer tegen, we gooiden pamfletten en schreeuwden "Lang leve de revolutie!"'

Ze voelde hun geladenheid: als elektriciteit, onstuitbaar. Het gonsde door haar huid. Het was gelukt, ze hadden getriomfeerd, ze hadden het er heelhuids vanaf gebracht.

Orlando boog zich naar de bestuurder. 'Kun je niet harder rijden?'

'Ik geef plankgas, *compañero*. Het komt door al dat gewicht.'

'Natuurlijk.'

'Ze halen ons niet in. We liggen voor. Tegen de tijd dat de politie van Montevideo ervan hoort, zijn we allemaal veilig en wel in ons – waar dan ook.'

Orlando raakte de schouder van de bestuurder aan. Hij was echt een zachtmoedige man. 'Rij maar zo snel als je kunt.'

Ze kwamen aan de rand van Montevideo. Een politiewagen stond langs de kant van de weg. Ze werden stil. De agenten – de echte – schoten overeind bij het zien van de lange zwarte auto, lieten hun motor razen, kregen toen de uniformen achterin in de gaten en zakten achterover, nee, dat konden geen Tupas zijn. Ze was misselijk. Er werd al naar hen gezocht. Ze zei in stilte onbeholpen een halfvergeten weesgegroet, vol van genade, gezegend zijt gij, ging het zo niet? bescherm ons in elk geval, hier in deze auto, en ook Tinto, waar hij ook is, en Leona en Anna en Guillermo, en alle Tupas die me vanochtend op de begrafenis een kus hebben gegeven, alle Tupas die op de vlucht zijn; en Tiburcio op weg naar zijn huis; en de agent met dat bloedende been, kijk alstublieft in ons hart, Heilige Moeder Maria, vergeef ons dat been; bid voor ons zondaars, nu en in het uur van, nogmaals voor Tinto. Tinto. Tinto. Ze bleven rijden, tot diep in het centrum van de stad. De auto stopte in een rustige straat en parkeerde achter een blauwe Ford. Een jonge vrouw met een witte zakdoek om haar arm stapte uit de Ford, liep op hun auto af en opende zonder iets te zeggen de achterbak. De bestuurder begon tassen met wapens en geld uit de zwarte auto naar de blauwe over te brengen. Orlando stapte achter in de Ford en ging liggen, zodat hij vanaf de straat niet te zien was. Ze vroeg zich af waar hij vannacht zou slapen, waar hij het afgelopen jaar had geslapen, waar zijn vrouw dacht dat hij was. De rest van hen verspreidde zich in vier richtingen zonder afscheid te nemen. Salomé ging langs bij een bakkerij om empanada's te kopen, zes stuks, verpakt in knisperend wit papier. Meer dan ze op kon, maar ze was uitgehongerd. Haar bus kwam aanrijden; ze ging met haar clandestiene lunch achterin zitten en zag de straten van Montevideo groter en lawaaiiger worden, lage woningen maakten plaats voor hoge appartementsgebouwen, keien voor asfalt. Montevideo, stad van guerrillastrijders met gladgeschoren wangen. Stad van duiven en hun poep en van mogelijkheden. Stad van bezwete, zachtmoedige begrafenisondernemers, verborgen wapens, gestolen koperdraad.

Ze kwam bij het ambassadegebouw en liep meteen naar de toiletten. Ze stiftte opnieuw haar lippen, trok de andere blouse aan, perste haar brandende gedachten samen tot een bal waar niemand ze kon zien en controleerde haar haar in de spiegel. Het was vier minuten voor drie, en hier stond ze, de lieve, kalme Salomé, terug van de tandarts waar ze plichtsgetrouw weken van tevoren vrijaf voor had gevraagd, klaar om aan het werk te gaan, punctueel als altijd. Ze nam snel plaats achter haar bureau en begon met het typen van de brief die boven op de stapel lag. Meneer Richards kwam naar haar toe.

'Salomé. Hoe was het bij de tandarts?'

'Goed; het viel toch wel mee.' Ze legde een hand op de wang waar ze zogenaamd pijn had.

Hij dempte zijn stem. 'Ik weet niet of ik je moet geloven.'

De adem bleef in haar keel steken.

Hij boog zich dichter naar haar toe met zijn Marlboro-geur. 'Het doet altijd pijn bij de tandarts.'

Ze lachte iets te schril. Hij grijnsde en slenterde naar zijn kantoor.

Een halfuur later kwam Viviana, de hoofdsecretaresse, de kamer binnen stormen. Haar ogen schitterden achter haar brillenglazen. 'De Naamlozen! Heb je het gehoord?'

'Nee.' Salomé keek zo onbewogen mogelijk op.

'Nou, ze hebben iets waanzinnigs gedaan in Pando…'

'O?'

'Ja, het is verschrikkelijk, maar goed, de politie heeft hen op de terugweg te pakken gekregen.'

'O ja?'

'Er was een vuurgevecht bij Toledo Chico.'

Salomé kon niets uitbrengen. Viviana had een voldane blik in haar ogen. 'Ik weet het. Ze dachten dat ze zo onoverwinnelijk waren.'

Ze dwong zich te glimlachen. 'Nou, kijk eens aan.'

'Een paar van hen zijn dood.'

'Wat?'

'Dat zeiden ze op de radio.'

Salomé staarde naar haar schrijfmachine. 'Ze hebben het verdiend.'

'Precies.'

Viviana vertrok. Salomé rende naar de wc en braakte vierenhalve empanada uit. De rest van de middag verliep in een waas. Na het werk ging ze rechtstreeks naar een bijeenkomst van haar cel. Ze kon zich de haren wel uit het hoofd trekken. Tinto was er niet.

Anna deed verslag. Zij was in Toledo Chico geweest. Haar woorden klonken vlak; ze richtte zich tegen de olielamp. De politie had twee wagens omsingeld. Drie Tupas probeerden zich over te geven. Anna had ze hun armen in de lucht zien steken en langzaam door het kniehoge gras naar de politie zien lopen. Ze werden neergeschoten en toen ze vielen renden de agenten naar hen toe en vuurden nog meer kogels af in hun lichaam, daarna schopten ze hen, en toen jaagden ze nog meer kogels in hun lijk. Eén wagen, met Anna erin, slaagde erin te ontsnappen; de andere werd aangehouden. Tinto's auto. Er zat niets anders op dan wachten en hopen op nieuws.

Salomé kon niet braken, haar maag was leeg, volledig uitgehold, alsof ze nooit had gegeten en nooit meer zou eten. Aan het eind van de bijeenkomst kwam Leona met gespreide armen op haar af.

'Salomé.'

'Ik moet gaan.'

'Salomé.'

'Laat me met rust.'

Ze strompelde al naar buiten voordat ze aan de beurt was.

Die avond aan tafel kon Salomé geen hap door haar keel krijgen. De stemmen van haar familieleden mengden zich tot een onverstaanbare kluwen. Ze hadden het over Pando, hoe choquerend het allemaal was, dat deze kant of die kant te ver was gegaan, dat het een tragedie was dat er Tupas waren omgekomen, dat het een opluchting was dat er Tupas waren omgekomen, hou je mond, hou je mond, en nu had abuelo Ignazio het tegen haar: 'Eet, Salomé,' Mamá hield haar te aandachtig in de gaten. 'Wat is er mis, wat is er aan de hand,' Roberto aan zijn kant van de tafel (ver, ver): 'Ze ziet er ziek uit,' abuelita die een arm naar haar uitstak: 'Misschien heb je koorts,' haar hand op Salomés voorhoofd, daarna op haar schouder, 'morgen moest je maar thuisblijven.'

Ze bleef vier dagen in bed. De koorts deed haar rillen, putte haar uit en bezorgde haar visioenen van Tinto met zijn mond wijd open, zijn knie gebogen, zijn hand gescheurd, zijn gezicht kapot. Ze overtrad elke regel in het ongeschreven handboek van de Tupas, ze zou moeten opstaan en kalm en gezond de wereld in kijken, maar of het kon haar niet schelen of ze kon er niets meer aan doen. Slechte guerrillastrijder, kijk jij nou, wat een beschamende scheuren in je zelfdiscipline. Hou je mond, loop naar de pomp, waar is hij nu, waar is hij? Ze wilde niets eten of drinken, maar abuela kwam bij elke maaltijd met een kom soep en donkerbruine thee aanzetten. Mamá sliep op de vloer naast haar bed. Hierdoor zag ze zich gedwongen zich slapende te houden tot ze haar moeder langzaam hoorde ademen.

'Wat is er gebeurd?'

Niet vragen.

'Salomé.'

Hou op.

'Gaat het om een jongen?'

Niet doen, mamá.

'Je kunt het me vertellen.'

'Nee. Dat is het niet.'

'Wat is er dan?'

'Gewoon, koorts.'

'Er lijkt meer aan de hand te zijn.'

'Ik voel me gewoon niet goed. Ik weet niet waarom.'

'Zeg me dan wat ik kan doen.'

Je kunt je mond houden.

Je kunt me Tinto geven.

Je kunt op me spugen en me een afschuwelijke dochter noemen.

Elke dag kwam abuelo Ignazio binnen en zong slaapliedjes voor haar, oude liedjes die hij als kleine jongen in Venetië had geleerd. Hij raakte de wijs kwijt en zong vals. De liedjes waren in het Italiaans, een taal die ze zelden hoorde en die haar deed denken aan glinsterend water en dolende engelen.

'Mijn moeder zong die liedjes voor me.'

'O.'

'Ze zorgden ervoor dat ik geen nachtmerries kreeg.'

Nachtmerries? Wat droomde je dan?

'Misschien werkt het bij jou ook.'

Ze bleven maar komen, met hun kopjes thee en woorden en liedjes, en ze was geen meisje, maar een monster vermomd in meisjeskleren, dat ze hen op deze manier behandelde, thee dronk en luisterde naar liedjes en slaap veinsde op een matras vol geheim staal. En er was een deel van haar dat wenste dat alles weer kon worden zoals het was geweest, lang geleden, toen ze nog klein was en niet wist hoe je delen van jezelf zo ver weg kon stoppen dat je het risico liep ze kwijt te raken, toen het nog veilig was om het goede voor de wereld te willen en toen ze zich tot abuelo en abuela en mamá kon wenden voor een warme omhelzing en een goed advies over lastig huiswerk of welk ander probleem ook. Dat meisje was ze niet voor hen, niet meer, zelfs niet een klein beetje.

Ze was een dief die hun meisje had gestolen en een slechte kopie in haar plaats had achtergelaten.

Leona belde de vierde dag. 'Ik heb je boek gevonden.'

Salomé zocht steun tegen de muur. Ze wilde niet in elkaar zakken. 'Waar?'

'O, in de buurt. Er is nu een gat op mijn boekenplank.' Ze zweeg even. 'Het was niet zo koud vandaag, hè?'

Gat. *Pocitos.* Het huis van Guillermo's oom was in Pocitos; hun cel was daar bijeengekomen in de kelder. Er was een luik in die kelder dat toegang bood tot een tunnel en Salomé was er nooit in gegaan maar ze wist dat die naar een *ratonera* leidde. Een rattennest. Een schuilplaats. De codewoorden daarvoor waren: koud vandaag.

'Nee, het was lekker warm.'

'Goed, ik zie je later.'

'Oké. *Adiós.*'

Salomé greep haar jas en vloog het huis uit voordat iemand haar kon tegenhouden. Ze liep naar Pocitos en klopte op de deur van de oom. Guillermo verscheen, ging haar voor naar de kelder en gaf haar een zaklantaarn. Ze liet zich door het luik zakken en klom een ladder af naar een stinkende ruimte. Toen ze de vloer bereikte, zag ze een lage tunnel. Ze bukte zich en liep erdoorheen; daar was hij, aan het eind, in een bedompte ruimte.

Hij was nog maar een schim van zichzelf, zoals hij daar ineengedoken zat naast een emmer met zijn eigen stront en pis. Hij kneep zijn ogen samen in het licht van haar zaklantaarn alsof het hem pijn deed. Ze richtte de straal naar beneden; de ruimte werd schemerig; maar ze had de brandwonden al gezien, de striemen, een gezicht zo gesloten als een verzegelde brief.

'Je had niet moeten komen.'

Ze greep de emmer. 'Ik ben zo terug.'

De tunnel door, de ladder op, voorzichtig, niet morsen, de emmer legen, uitspoelen alsof er iets aan die stank te doen was, daarna luik ladder tunnel en weer terug. Ze ging naast hem zitten. Ze zwegen een poosje en ademden de schaarse lucht in.

'Ik wilde niet dat je me zo zou zien.'

'Ik wilde je gewoon zien.'

'Maar zo?'

'Jou. Ik wilde jou zien.'

Hij haalde zijn benen van elkaar en probeerde niet gepijnigd te kijken. 'Ze weten niet hoe je heet. Niet van mij.'

Ze raakte zijn hand aan. Hij kromp in elkaar. Ze maakte aanstalten om weg te gaan.

'Nee,' zei hij. 'Blijf.'

Ze zeiden niets. Zijn onderlip trilde. Ze keek de andere kant op. Nog meer tijd verstreek.

'Salomé. Salomé.'

Ze boog zich naar de binnenkant van zijn elleboog, naar een brandwond van een sigaret waarop ze zo zacht mogelijk een kus drukte. Ze kuste zijn wonden, langzaam, één voor één. Ze volgde ze tot onder zijn kleren naar alle tedere verborgen plekjes die Het Systeem vóór haar had gemarteld. Ze bedreven voor het eerst de liefde in die donkere ruimte. Maagdelijkheid smolt weg als ijs dat in vlammen wordt geworpen. Na alle ophef en waarschuwingen was het verlies van haar maagdelijkheid zoiets simpels. Je hief gewoon je armen en slingerde het weg. De rest ligt klaar, wachtend, warm bonzend onder je huid. Dat leerde ze, zo deed ze het, zich aandrukkend tegen de gekneusde delen, de verbrande delen, alles. Het was duidelijk dat hij overal pijn had maar haar niet wilde laten gaan. Ze namen de tijd. Ze wikkelde haar benen om zijn lichaam als twee verbanden; samen drongen ze door pijn heen naar een ondraaglijke extase die verder ging dan pijn. Daarna bleven ze verstrengeld liggen, bezweet, verhit, uitgeput in een zuurstofloze ruimte, met niets dan elkaars adem om in te ademen. Met vlinderzachte vingers streelde ze de gezwollen huid, waarvan de kleuren verborgen bleven in het donker, maar ze kende ze, rode brandplekken, witte blaren, blauwe, beurse plekken.

'We krijgen ze wel,' fluisterde ze, en pas op dat moment moest Tinto Cassella huilen.

Het volk was in oorlog. Iedereen wist het. De president kondigde voor lange tijd de noodtoestand af. Alle inwoners van Montevideo moesten om negen uur binnen zijn. Soldaten lieten hun laarzen weerklinken op stenen straten, op boulevards, in lanen waar ze oude echtparen wakker maakten: *Waar is jullie zoon?* Orlando was een van de gevangenen. Salomé stond nu en dan op een verloren moment bij het raam en staarde naar de gevangenis aan de overkant. Orlando was daarbinnen, samen met anderen, honderd anonieme Tupamaros; ze probeerde zich hen voor te stellen binnen die muren, haar nieuwe buren, ver weg en toch dichtbij. Waar ze hetzelfde meemaakten als Tinto had meegemaakt. Het leek een akelige droom, dat soort pijn aan de overkant van haar huis, dit huis dat abuelo Ignazio zo lang geleden met zijn eigen handen had gebouwd. Moeilijk te geloven, moeilijker nog om die nachtmerrie weg te houden. Was het mogelijk dat die door het raam naar binnen kon glippen en zich kon mengen in hun wijn en adem en gedachten? Ze trok elke dag de gordijnen dicht en kibbelde met mamá, die ze open wilde hebben. Het licht, zei ze, wil je het licht niet binnenlaten? Salomé wilde het niet. Als de gordijnen open waren, kon ze haar blik niet van de gevangenis losmaken. De muren waren even bleek en stijlvol als altijd. Ze lieten niets zien. Ze zag ze steeds terwijl haar moeder bleef pleiten voor het licht. Mamá zat graag in het hoekje bij het raam te schrijven. Ze schreef en schreef en leek zich niet te bekommeren om de gevangenis buiten, zolang de zon eromheen danste en door het raam op haar bladzijde scheen. Ze schreef elke dag, hoe lang ze ook had gewerkt of hoe moe ze ook leek. Sommige gedichten verschenen uiteindelijk in bladen of werden voorgedragen in salons in de hele stad, maar vele leken te verdwijnen in geheime bergplaatsen in haar kamer. Ze schreef zoveel dat Salomé zich voorstelde dat haar moeders hele slaapkamer ermee vol lag, zoals dat ene gedicht dat ze onder het matras had gevonden – de laden en kasten en stoffige kieren tussen meubels en muur zouden nu wel barsten van de weggestopte woorden. Toch waren het er nog niet genoeg om mamá ermee te laten ophouden: ze bleef schrijven en schrijven, waarbij ze haar papier naar het licht toe draaide.

Anna werd het nieuwe hoofd van hun cel. Ze was veeleisend. Haar woorden waren klip en klaar en van anderen verlangde ze hetzelfde. Guillermo verliet de cel om er zelf een te beginnen. Hun aantallen groeiden. De dag in Pando had de stadsjeugd gestimuleerd op zoek te gaan naar Tupas in hun stedelijke holen. Studentengroeperingen over de hele wereld hadden zich enthousiast uitgelaten over de moedige, slimme guerrillastrijders in Uruguay, hoorden ze van ondergrondse verslaggevers. Fidel Castro zelf had hun overwinning geroemd en de Tupamaros geprezen: *De revolutie is springlevend in Uruguay.* Salomé voelde de opwinding van de nieuwe leden, het verse zweet van hun gedachten: *we maken ergens deel van uit. Robin Hood. Overal horen mensen over ons. Castro heeft het zelfs gezegd.* Ze wilde hen door elkaar schudden, ze wilde haar land door elkaar schudden, haar kleine, vergeten land, dat ondanks al zijn slimheid zo naïef was, zich zo gemakkelijk liet meeslepen door een glimpje glamour. Dat was niet eerlijk van haar. Ze waren natuurlijk gekomen om andere redenen, en ze waren verstandig genoeg om zich bewust te zijn van de risico's. Evengoed liepen ze over van hoop en vastberadenheid, terwijl zij zich oud en afgemat voelde, vol ondoorzichtige lagen waar ze zelf niet doorheen kon kijken. De herfst viel in Montevideo. Ze deed mee aan de snelle, vlekkeloos verlopende roofoverval op een casino, vervoerde stapels wapens en geld en uniformen en hielp bij de uitbraak uit een vrouwengevangenis, waardoor enkele tientallen weer aan het werk konden.

'Het is een schande.' Meneer Richards schudde zijn hoofd. Er viel as van de sigaret tussen zijn lippen. 'Jullie hadden zo'n aardig landje.'

Salomé tikte door.

'Meneer.' Viviana sloeg de dossierkast dicht. 'Met alle respect, het is nog lang niet voorbij. De rebellen maken geen kans tegen de Maatregelen van hogerhand.'

Meneer Richards keek naar Viviana's vastberaden kin. Ze zette elke ochtend koffie voor hem en hing zijn jas op. Ze was geen vrouw die je beledigde. 'Je hebt gelijk. Je moet wel gelijk hebben. Maar toch… ik moet zeggen… het is een stel bijzonder slimme guerrillastrijders.'

Salomé onderdrukte een glimlach. Ze moest zich concentreren, ze had een missie: alle dossiers zoeken die er te vinden waren over een man die Dan Mitrione heette.

Het kostte haar twee weken. Hij was moeilijk te vinden. Hij zat niet in de la met alle andere staatsburgers uit de vs in Uruguay. Hij zat in de la met topgeheimen, die meneer Richards afsloot met zijn eigen sleutel die Salomé op een dag stal en in een stuk zeep drukte. Dan Mitrione, stond er in het dossier, was een staatsfunctionaris, die gestuurd was door het Verbond voor Vooruitgang. Hij was hier om de politie te adviseren. Hij was politiecommissaris geweest in Indiana, en daarna adviseur in Brazilië en de Dominicaanse Republiek. Hij had een vrouw en negen kinderen, van wie er op dat moment zes in Uruguay woonden. Hij had een adres in Malvín. Hij was gespecialiseerd in communicatie. Er lagen een paar met de hand geschreven briefjes. Communicatie, werd daarin te berde gebracht, was een kunst. Er was onderscheidingsvermogen en oefening en precisie voor nodig. De opleiding liep goed.

'Goed werk,' zei Anna bij hun volgende bijeenkomst. 'Dit bevestigt de andere rapporten.'

Ze hield hen op de hoogte over Mitrione. Hij gaf les in een volledig ingerichte ruimte in het souterrain van zijn huis. De ruimte was geluiddicht. De politiefunctionarissen waren de protegés. Er werd geoefend aan de hand van 'voorbeelden', bedelaars, prostituees, *cantegrileros*, die met geweld werden opgepakt en nooit meer terugkeerden. Salomé keek even naar Tinto. Hij staarde naar de vlam van een kaars. Er waren vanavond geen olielampen, slechts twee kale pitten die langzaam opbrandden. Ze probeerde zijn blik te vangen, maar hij keek niet op.

'Dus wat gaan we doen?' vroeg Leona.

Anna streek haar haar naar achteren. Ze was op een harde manier mooi. 'Breng hem voor de rechter.'

Drie weken later verdween Mitrione. Hij was ontvoerd, zeiden president Pacheco en president Nixon en meneer Richards en abuelo Ignazio en alle kranten die nog uitgebracht werden. Nee, zeiden de Tuparamos in een communiqué, hij was niet ontvoerd; hij was gearresteerd en vastgezet in de Gevangenis van het Volk, wegens misdaden tegen het Uruguayaanse volk.

Het was augustus 1970, een bitterkoude winter, de Gevangenis van het Volk een ijskoude kelder. De beklaagde kreeg een jas en koffie aangeboden. Er werden hem maaltijden gebracht door bewakers die voortdurend hun gezicht afschermden. Hij werd elke ochtend verhoord – kunt u deze memo's van de politie van Montevideo uitleggen? aan de ambassade van de vs? deze foto's van Santo Domingo? wat zijn dit? nogmaals, meneer, wat zijn dit? – en al zijn antwoorden waren onvolledig, afgemeten, koel. Salomé hoorde ze vanaf haar plaats in de kamer ernaast. Ze had die dag dienst als bewaker. Slechts één dag. Ze kon het. Ze had gehuiverd van de kou zodra ze binnen was. De kamer werd verlicht door één kaal peertje en het rook er naar schimmel en zweet. Ze droeg een juten kap met gaten voor de ogen, en hield haar geweer rechtop. De muren waren beplakt met krantenpapier, van boven tot onder, een cel met woorden in plaats van tralies, overal woorden, krijsende koppen die hun gevangene insloten. Eindelijk hielden de vragen op. De gevangene had slechts eenlettergrepige antwoorden gegeven. Ze hoorde aan het geluid dat hem opnieuw een blinddoek werd omgebonden, en daarna leidden twee gemaskerde Tupas hem de kamer binnen. Ze zetten hem op een stoel, bonden hem eraan vast, knikten naar haar en vertrokken.

Ze ging tegenover de geblinddoekte man zitten. Haar handen waren klam in de leren handschoenen. Hij was lang, een beetje corpulent, en zijn donkere haar werd grijs aan de slapen. Door haar kijkgaatjes leek hij klein. Hij had een vetkwab onder zijn kin. Stoppeltjes groeiden op zijn kaken. Zijn lichaam was zacht, sterfelijk, gemaakt van vlees dat hing en uitpuilde, en opschietende haartjes, en het was monsterlijk, niet te verdedigen dat hij een man was en geen monster, Dan voor sommigen, pap voor anderen, een andere naam – welke naam? welke naam? – voor mensen aan zijn tafel, ook van vlees, even plooibaar en levend. Hij gebruikte water en elektroshocks tegelijk. Hij drong door tot in het gevoelige duister van het lichaam. Hij leerde anderen de meest sinistere martelwerktuigen gebruiken. Ze kon het niet bevatten, ze kon haar gedachten niet rijmen met de lelijke man die op een haveloze houten stoel hing, maar het leek van groot belang dat wel te doen, anders zou ze de wereld nooit helder leren zien. Haar ogen deden pijn. Ze deed ze dicht achter haar masker. Daar zit je, de vijand, kwetsbaar en blind, en ik kan niet eens naar je kijken. Wat voor een strijder ben ik dan? Wie ben jij en wat ben jij, hoe ben je Dan Mitrione geworden en hoe zijn we deze twee kille mensen geworden die in een kelder tegenover elkaar zitten zonder elkaar aan te kijken? Ze zag hem, vrij, over Tinto gebogen staan, een naakte Tinto die ineenkromp, met zijn mond wijd open, en toen veranderde hij in Mitrione, die met wijd open mond ineenkromp, en was zij degene die over hem heen stond en keek en zich naar hem toe boog om hem toe te fluisteren: Begrijp je het al? Ja? Begrijp je het?

Mitrione schoof heen en weer. 'Is er water?'

Ze schonk een glas water in uit een kan. Ze hield het voor zijn dunne, bleke lippen.

Hij dronk. 'Bedankt.'

'*De nada.*'

Hij trok zijn wenkbrauwen op. 'Een vrouw?'

Ze zei niets.

Zijn mond lachte meesmuilend. 'Je klinkt zo jong.'

'De jeugd heeft ook macht.'

'Dat denken ze.'

'Wat weet jij daarvan?' zei ze, en ze had er onmiddellijk spijt van.

'Tja, wat?' Zijn stem klonk bijna vriendelijk.

Salomé keek in zijn gezicht. De blinddoek had iets ongerijmds, een paisley bandana, gestolen uit de la van Tinto's abuelo. De bandana van El Mago Milagroso. Ze dacht aan Tinto, zijn zachte gespierdheid. Ze dacht ook aan abuela, met haar arsenaal van planten; aan mamá met haar onvermoeibare pen; aan de kinderen van Dan Mitrione, in stille bedden, die een huis deelden met hun vaders machinaties, gedempte stemmen, de aanhoudende escalatie, de wezenloze blik van agenten die een nieuwe techniek aanleerden.

'Niet genoeg.'

'Wat mag dat betekenen?'

'Niet waar het om gaat.' Ze liep terug naar haar post.

'O, jezus,' zei hij op verveelde toon.

Stilte daalde neer in de schaars verlichte, vochtige ruimte. Ze zaten tegenover elkaar, ademden dezelfde lucht in. Uiteindelijk zakte zijn hoofd naar voren en leek hij weg te dommelen. Ze liet haar greep om het geweer verslappen. Twee uur verstreken, omsloten door geschreven woorden. Haar gedachten dwaalden naar Tinto. Zijn brede handen. Op dit moment zaagden ze misschien hout, of spijkerden ze iets vast, of omvatten ze een kalebas met maté. Die avond, om middernacht, wanneer ze elkaar zagen in de auto van zijn oom, zou ze ondanks de kou zijn handschoenen uittrekken. Ze zou ze onder haar trui stoppen om ze te warmen, om ze aan de vuurproef te onderwerpen. En misschien zou deze onaangename revolutie op een dag afgelopen zijn (was het nog mogelijk? waar stevenden ze op af? op de glanzende overwinning? of zouden ze van de weg af raken, terechtkomen in de donkere goten die te diep waren om uit te klauteren, nee, niet aan denken) en konden ze trouwen in het volle daglicht, onder een regen van ongekookte rijst. Een bevrijd volk en wittebroodsweken. En daarna een rustig leven met timmerwerk, misschien kinderen, nieuw leven voor een nieuw Uruguay. En mamá zou haar niet meer opjutten zoals ze nu deed, vol ongeloof dat haar dochter op haar negentiende geen aanbidders had. Er is er vast wel een, zei ze dan, doordrammend over Salomés vermeende schoonheid, haar rustige aard, haar briljante geest. De enige manier om haar het zwijgen op te leggen was zeggen: goed, mamá, en jij dan? Mamá zou in de lach schieten – wat, zij, ha! – maar dan hield ze er tenminste over op. Eerst had Salomé dat alleen gezegd om zichzelf te verdedigen, zonder dat ze een antwoord verwachtte, maar door iets in die lach, een gouden twinkeling, was ze zich iets gaan afvragen, maar dat was natuurlijk onmogelijk, het had niets te betekenen, die twinkeling, de blos waarmee mamá soms thuiskwam van haar kapper, een vrouw, en al die chique kapsels in zware tijden, onmogelijk natuurlijk, maar wat had tío Artigas ook weer gezegd voordat hij naar Cuba vertrok? *Ik veroordeel je niet, Eva. Echt niet.* Misschien bedoelde hij haar hang naar luxe: of iets anders, het ondenkbare, het onvoorstelbare, een geheim van haar moeder dat even onvoorstelbaar was als dat van haarzelf. Mensen verdenken je niet van iets wat ze zich niet kunnen voorstellen. Als het waar was, zou niemand Eva verdenken, behalve misschien de dochter die ook weet hoe je het onvoorstelbare verborgen moet houden.

Mitrione was wakker. 'Ben jij daar nog?'

'Ja.'

'Ik wil graag nog wat water.'

Ze stond op en hield het glas aan zijn lippen. Hij maakte slurpende geluiden. Het water droop over zijn kin, als bij een baby. Ze hoefde hem niet schoon te maken – dat hoorde niet bij haar taak – maar toch tilde ze de onderkant van haar blouse op, bracht die naar zijn gezicht en veegde hem droog. Hij trok zich terug. Ze ging door met deppen en vroeg zich af waarom ze dit deed. Ze voelde zijn stoppels door de stof heen. Toen ze ermee klaar was knikte hij, alsof hij haar toestemming gaf om de opdracht die hij haar had gegeven te staken. Ze ging weer terug naar haar plaats. Ze zaten.

'Jullie Tupamaros,' zei hij. 'Jullie zijn anders dan ik verwachtte.'

'Wat verwachtte je dan? Laaghartige terroristen?'

'Natuurlijk.'

Salomé legde het geweer op haar schoot. 'Wat ironisch.'

Mitrione zuchtte, de lange, trage zucht van een man die het zwaar heeft.

Ze zaten nog een uur. Ze had honger. Buiten scheen er vast geen zon meer op straat. Ze vroeg zich af of de maan aan de hemel stond.

Toen hij weer sprak, klonk Mitrione kalm. 'Zijn jullie... zijn zij... van plan om me te doden?'

'Dat is niet onze opzet.'

Hij hield zijn hoofd schuin, alsof hij een code probeerde te kraken. Een detective met een paisley blinddoek. 'Zijn ze er nog over aan het onderhandelen?'

Inderdaad: over de vrijlating van ruim honderd Tupamaros, onder wie Orlando, in ruil voor het leven van Mitrione.

'Daar kan ik niets over zeggen.'

'Aha.' Hij zweeg even. Hij keek alsof hij in een citroen had gebeten. 'Mag ik een sigaret?'

Salomé ging weer naast hem staan, stopte een sigaret tussen zijn lippen en stak hem aan. Hij inhaleerde diep; het uiteinde van de sigaret kleurde oranje.

'Dat doen ze nooit,' zei hij. 'Ik zou het ook niet doen.'

De draad tussen hen – dun en plakkerig als die van een spin – was te veel. 'Goed,' zei ze scherp, 'geen gepraat meer.'

Zijn voorspelling bleek juist. Pacheco verklaarde dat hij niet met terroristen wilde onderhandelen, en dat er geen criminelen werden vrijgelaten uit de gevangenis. Soldaten stampten over straat, Montevideo was een trommel die trilde onder het gebonk van hun laarzen, die bij elke stap dreunend neerkwamen en de deuren van huizen open schopten, vermeende Tupamaros uit bed sleurden, *we zullen de terroristen verpletteren*, en tijdens een grotere vangst kregen ze zelfs de oprichter, Raúl Sendic, in handen, die zich lang schuil had gehouden, en die gevangengenomen werd met veel ophef en een lawine van foto's in *El País*. Salomé kon niet slapen, want als ze dat deed zou ze vast en zeker wakker worden van vuurwapens die zich in het donker op haar bed vol staal richtten en – erger nog – eruit gesleurd worden ten overstaan van abuelo en abuela en Roberto en mamá, die hulpeloos in hun pyjama in de gang zouden staan, en vooral de uitdrukking op hun gezicht zou ze niet kunnen verdragen.

De avondklok werd vervroegd tot zes uur. Hun cel kwam bij zonsopgang bijeen. Ze kropen bijeen in een voorraadkast, waar bezems en vaten schoonmaakmiddelen als strenge schildwachten om hen heen stonden.

'Het is tijd om te stemmen.' Anna zag er afgepeigerd uit, maar haar make-up zat onberispelijk, klaar om aan de slag te gaan. 'Laat je bij deze keuze niet door sentiment beïnvloeden. Dat heeft hij ook nooit gedaan. Denk politiek.' Ze keek hen vorsend aan. 'Nou?'

Héctor, een nieuw lid, een soldaat in volledig uniform, sprak als eerste. 'Als we hem executeren, zal de pers het over zijn kinderen hebben, en over zijn arme vrouw. Over hoe gewelddadig en wreed wij zijn. Het geeft hun een excuus om ons zwart te maken.'

'En als we niets doen?' vroeg Leona. 'Dan wordt er gezegd dat we ons niet aan ons woord kunnen houden.' Ze zag er zo evenwichtig uit, dacht Salomé, zo helemaal geen kind meer. 'De hele wereld kijkt naar ons.'

'Dat is waar,' zei Carla, een onderwijzeres. 'Als wij zwak overkomen, zou dat organisaties over de hele wereld kunnen schaden.'

'Hoe dan ook, ze zullen dit gebruiken om ons de nek om te draaien.'

'Dat proberen ze toch wel.'

'Dus wat gaan we doen?'

De discussie bleef duren. Voor Salomé raakten woorden hun betekenis kwijt, ze glibberden weg in gesmolten gehoorgangen. Ze probeerde zich te concentreren, maar iets klemde zich om haar longen, een strakke vuist; ze kreeg geen adem; misschien kwam het door de lucht, het gebrek aan zuurstof, slapeloze nachten en ochtenden die naar bleekmiddel stonken; een mond, die van haarzelf, die zich klaarmaakte voor een simpel ja of nee; ze was duizelig, haar hoofd tolde, de discussie was een zee van geluiden waaruit voor haar geestesoog een stoppelkin oprees, een druipende kin die op en neer ging, enorm, als een walvis.

'Salomé?' Tinto's stem klonk boven de anderen uit. 'Alles goed?'

Ze knikte. De kamer kwam weer scherp in beeld.

'Jouw beurt,' zei Anna kort. De tijd drong. 'Ja of nee?'

Ze wilde nee zeggen.

Anna fronste haar wenkbrauwen. 'Salomé.'

Ze keek de kamer rond. Twaalf gezichten draaiden zich in het schaarse licht naar haar toe. Over enkele ogenblikken zouden ze dit hol verlaten en zou ieder afzonderlijk aan zijn dag beginnen, met vanbinnen een flard van de droom.

'Ja,' zei ze.

Ze roerde tomatensaus voor het avondeten – ze zou nooit die rijke, naar zoete basilicum geurende damp vergeten – toen de telefoon ging. Ze rende erheen om op te nemen.

'*Hola?*'

'Salomé.'

Ze herkende de stem niet. 'Ja.'

'Koud vandaag, vond je niet?'

Ze voelde haar knieën, haar benen niet meer. Hou op, dacht ze, je weet wel beter.

'Ja,' zei ze. 'Ik moet mijn warmste jas aantrekken.'

'Goed idee.'

Ze luisterde naar de stille lijn.

'*Bueno. Adiós.*'

'*Adiós*,' zei ze, en ze hing op. De gang rook naar gestoofde tomaten. Ze wilde één laatste lepel proeven, maar er was geen tijd. Ze dacht snel na: haar grootouders deden een dutje, Roberto was in zijn kamer, mamá in de woonkamer vlak naast de voordeur. Zou ze langs haar weg kunnen rennen? Nee. Haar tas lag daar, misschien had ze die nodig, ze moest hem halen, ze moest gedag zeggen.

Ze pakte inderhaast wat kleren in, legde er dossiers bovenop, en liep de woonkamer in. Mamá zat op de bank, waar ze *Don Quichote* zat te herlezen. Er speelde zacht een plaat van Gardel, een oud nummer over Buenos Aires. Achter haar moeder, door het raam, zag ze een eik die zijn kale takken uitstrekte naar de zwarte hemel.

'Mamá,' zei ze, terwijl ze met grote stappen op haar tas af liep, 'ik heb de verkeerde dossiers mee naar huis gebracht. Ik ga naar kantoor om ze om te wisselen.'

Mamá legde haar hand op de tas. 'Wat?'

Salomé keek haar onwillig aan. Mamá was nog steeds mooi met haar scherpe trekken, elegant met haar zwarte haar en rode lippen. Ze straalde een zachte gloed uit, als een zacht brandende kaars in het donker. 'Die vertaling moet morgen klaar zijn.'

'Maar de avondklok dan?' Mamá gebaarde met haar hand naar het raam in de richting van de stad. 'De troepen. De gekte. Je kunt niet weg.'

Salomé keek even naar de tas. Mamá had haar vingers er als klauwen in gezet. Ze stelde zich voor dat ze er samen om vochten, rollend over de grond. 'Ik moet wel.'

'Salomé. Op zo'n avond als deze kan er van alles gebeuren.'

'Maar het is voor mijn werk.'

'Nou en?' Mamá sprong overeind. 'Je veiligheid is veel belangrijker.'

Ze keek naar Salomé, en Salomé hield van de lange zwarte wimpers, boze ogen, de mond waaruit zo veel woorden (balsem, vonken, scheermesjes) konden komen. Een ogenblik dacht ze dat ze in duizend stukjes uiteen zou vallen en toch zou blijven, een hoop puin aan haar moeders voeten. Maar nu stond haar tas onbeheerd; dit was haar kans. Ze greep hem beet en rende ermee naar de deur. 'Het komt goed,' loog ze toen die openzwaaide.

Mamá greep haar pols. 'Blijf!'

Salomé draaide zich om; hun gezichten waren slechts een paar centimeter van elkaar. Ze rook de zoete amandelgeur van haar moeders haar. Mamá keek in haar ogen, peilde ze, zocht naar een antwoord op een nog niet uitgesproken vraag, zocht naar geheimen waardoor de puzzel een geheel zou vormen, ja, stukje voor stukje.

'*Hija…*'

Salomé wrikte zich los. 'Houd de oven in de gaten,' zei ze, en ze zette het op een lopen.

Ze rende rechtstreeks naar de *ratonera* waar zij en Tinto voor het eerst de liefde hadden bedreven. Door het luik, de ladder af, de tunnel door naar de kelderruimte. Daar was Tinto, en Leona, en Héctor de soldaat. Ze knikten elkaar toe. Niemand zei iets. Ze kroop tegen Tinto aan; hij sloeg zijn armen om haar heen. Ze trilde, zijn armen maakten haar daarvan bewust. Hij greep haar stevig vast, trok haar dicht tegen zich aan en zij deed hetzelfde. De emmer stonk al maar ze nestelde zich tegen hem aan tot ze zijn lichaamsgeur rook.

Af en toe doezelden ze weg op de grond.

De volgende ochtend bracht een onbekende Tupamara brood, kaas, sigaretten, water en nieuws: het lichaam van Mitrione was gevonden door de politie. Het was burgers dringend aangeraden thuis te blijven, de banken waren dicht, de scholen waren dicht, talloze huizen waren in rep en roer. Er was een nationale dag van rouw afgekondigd voor Mitrione. Anna was opgepakt, naast vele anderen. Ze moesten zich blijven schuilhouden. De Tupa wisselde de volle emmer om voor een lege, en haastte zich weg. Hun leidster, Anna, hing als een geest in de verstikkende lucht. Leona leek een schim van zichzelf. Salomé deelde het brood in stukken. 'Leona,' zei ze, 'het spijt me.'

Leona's wenkbrauwen gingen een klein stukje omhoog om kenbaar te maken dat ze het had gehoord. Salomé gaf haar brood en kaas. Leona schudde haar hoofd.

'Je moet eten,' zei Salomé. 'Wij allemaal.'

Leona at. Ze aten allemaal in stilte, in hun schemerige kring, bij het licht van een enkele zaklamp. Salomé probeerde niet aan haar huis te denken, de laarzen van soldaten, haar schuldige matras, kapotte lampen, haar familie, haar familie, haar familie. De stilte was net zo penetrant als de stank.

'*Che*, Leona,' zei ze.

'Ja?'

'Vertel ons een verhaal.'

'Waarover?'

'Over je familie. Over Rusland. Wat dan ook.'

Leona keek ongelovig. Ze zette haar bril recht. Ze keek naar Tinto, die knikte, en naar Héctor, die zijn schouders ophaalde. Ze begon te praten. Ze vertelde het verhaal over Irina, haar overgrootmoeder, die in heel Perejaslav bekend was geweest om haar unieke stemgeluid. Als zij zong, maakten minnaars een eind aan hun gekibbel, werden zieken gezond en kwamen verdorde bruine planten weer tot leven. Ze kon sneeuw laten smelten met een lied van een uur. Toen kwam er een jaar waarin haar man en zes van haar acht kinderen werden vermoord bij een pogrom. Ze hield op met zingen. De oogst mislukte; vlierbomen gingen dood. Stadsbewoners lieten manden met fruit achter bij haar deur en smeekten haar weer te gaan zingen; ze deed het nooit meer. Maar haar dochter groeide op met hetzelfde talent, en bracht haar leven zingend en weeklagend door op het dorpsplein, en zij en haar kinderen hadden genoeg te eten, zelfs in de langste winters. Het was Leona's grootmoeder. In Leona's vroegste herinneringen lag ze opgekruld in haar armen, en luisterde ze naar oude liedjes.

Toen Leona klaar was met haar verhaal, gingen anderen door. Het ene na het andere verhaal ontspon zich, iedereen kwam aan de beurt. De verhalen vlochten zich ineen tot een mantel die hen kon beschermen tegen hun recente verleden en hun nabije toekomst, die hen kon hullen in iets wat groter en helderder was dan alles wat ze konden zien vanaf de plek waar ze zaten, gehurkt, nerveus. Tinto vertelde over het goocheloptreden van zijn grootouders, de ontmoetingen in de bakkerij van zijn ouders, zijn over-overgrootmoeder uit Paysandú die zulke lekkere empanada's maakte dat Argentino's de Río Uruguay overzwommen om ze te proeven – zestien paarden waren verdronken toen hun meester op weg ging naar het gebak, het was echt gebeurd, zelfs vandaag de dag wist men dat in Paysandú. En waar ze nu zaten deed de waarheid er in elk geval niet toe; het enige wat ertoe deed was het verhaal op zich. Salomé vertelde over de gaucho's uit wie haar grootmoeder Pajarita was geboren en de ceiboboom waarin ze kort daarna opnieuw was geboren; dat er werd gezegd dat zij, Salomé zelf, de bastaardkleindochter was van betovergrootvader José Gervasio Artigas; hoe haar moeder zich tijdens de Tweede Wereldoorlog bezighield met poëzie en daarna, aan de andere kant van de rivier, met het *peronismo* en het stencil waardoor ze was verbannen; hoe haar vader, de voortreffelijke wetenschapper, zijn patiënte uit de rolstoel had gekregen en in één klap verliefd op haar was geworden, waarna hij zijn familie had getrotseerd om te kunnen trouwen met een dichtende immigrante (en terwijl ze dit vertelde voelde ze ineens pure genegenheid voor hem); de avonturen van tío Artigas op het continent: Brazilië, de Andes, Cuba. Weer een dag verstreek, en een tweede, en een derde; ze vulden ze met hun verhalen, met hun mantel van verhalen die dat hol vol met hun stront, zweet, adem enigszins draaglijk maakte. Héctor de soldaat voegde zich uiteindelijk bij hen: hij vertelde dat zijn moeder de dochter was van een rijke *estanciero* die duizenden hectaren land bezat. Toen ze heel jong was, werd ze verliefd op een veehoeder en raakte ze zwanger van zijn bastaardkind. Ze werd verstoten door haar familie, dus vluchtte ze met haar geliefde door Argentinië naar het zuiden. Aan de rand van een Patagonische gletsjer beviel ze, na tien dagen zonder eten en uitputting raakte ze buiten bewustzijn; toen ze bijkwam, stond een gespierde poema haar pasgeboren kind te likken. Ze krijste; de poema hief zijn glanzende kop en keek haar recht aan. Later vertelde ze aan haar zoon dat ze op dat moment een vreemde, onverwachte verwantschap met dit dier voelde en wist dat hij door God gezonden was. In de dagen en maanden daarna ging de poema voor hen op jacht en hielp hen in dit grimmige gebied te overleven. De herfst naderde. De poema ging hen voor naar het noorden, terug naar Uruguay. Ze volgden hem door de dorpjes en pampa's en bossen en heuvels, totdat ze de Río Uruguay bereikten, waar hun volk oorspronkelijk vandaan kwam. Aan die rijk begroeide, murmelende oever bleef de poema staan. De moeder van de jonge soldaat smeekte haar vriend huilend bij hen te blijven, om met hen de oversteek te maken, maar het silhouet van het dier was al bijna niet meer te zien tussen de bomen.

Dat soort verhalen. Ze wikkelden zich om hen heen, hielden hen in hun greep, zorgden ervoor dat ze bij hun verstand bleven en zelfs dat ze veilig waren – totdat ze op de vierde avond, toen de zon aan een verre hemel onderging, werden ontdekt door soldaten met zware laarzen.

8

Gejammer, gehuil, hunkeren naar de zon

De dagen vloeiden in elkaar over. Haar bloed vloeide over in ander bloed. Ze wist niet meer wat voor lichaamsdelen welke vlekken hadden gemaakt op de betonnen vloer. Ze wist niet meer of het dag was of nacht, hel of dood, bloed of speeksel dat haar blinddoek doorweekte, of er drie mannen of dertig mannen in de kamer waren, dezelfde man die schreeuwde of een andere, dezelfde man die neuriede of een andere, of er daarna klappen zouden komen of lange, lange verkrachtingen of een tocht naar de kamer met het natte matras, met elektroshocks waarvan je ging vervellen, de kamer met het volledige palet van geïmporteerde kunst, het neusje van de zalm, ultramodern, staat van de kunst, kunst van de staat, o mijn land, o mijn land, jij bent dus toch niet zo primitief, kijk eens wat je hebt gekocht, kijk wat je hebt, kijk wat je ermee doet. Hoe consistent je bent. Je deinst nergens voor terug.

Eerst wilde ze haar mond niet opendoen. Ik laat niets los, en dat houd ik vol, maar de tijd sleepte zich voort zonder de dagen vorm te geven, ze kon niet denken, ze had het te koud, ze was te doorweekt, ze had honger en ze was naakt op de hoofdbedekking na, en slapen behoorde tot die andere, verre wereld waarin de zon nog opkwam en onderging; dit kan niet, dit kan niet gebeuren, niet weer, niet weer, en eindelijk wist ze dat haar mond openging om te smeken; ze was weerzinwekkend, smerig, naakt aan het smeken, er was zo weinig dat ze hun kon vertellen, echt, bijna niets, en het verraad kwam en ging zonder dat ze hen tevreden stelde. Toen er niets meer over was om te verbergen in het zachte omhulsel van haar lichaam, stortte ze in. Erger dan ze ooit had gedacht dat iemand kon overleven. Soms kon ze hen haten met een withete haat die haar schroeide als Het Systeem zelf; ze kon Salomé haten; ze kon ook iets anders haten, iets wat de mannen om haar heen bespeelde als marionetten – was het niet daar? was het niet waar? – iets met de omvang van vijftig gebouwen, zoveel groter dan een enkel menselijk wezen, boven hen allen uittorenend, slijm kwijlend, tanden als speren, begerig naar het kronkelen van sloper tegen gesloopte, naar het bloed van de gevangene en de ziel van de overmeesteraar. Maar dat waren slechts momenten, venijnig en voorbijgaand. De tijd was eindeloos en haar lichaam was niet afgebakend, het was geopend, geopend, geopend. Dit kon niet gebeuren. Ze bad om de dood. Op een dag stierf ze bijna, of misschien was het nacht, hoe moest ze het weten, in elke geval die keer dat ze hem, de dood, dichtbij voelde, zo fijn dat ze bijna zijn vleugels had gegrepen als toen niet die woorden naar boven gekomen waren: mamá's woorden: een dichtregel nota bene, die door de stemmen en het lage gegons heen brak. *Jij, mijn vuur, bent alles wat ik heb. Naakt kom ik nog steeds naar jou.* Die regel kwam boven en verdichtte zich tot een snoer van woorden: *jij mijn vuur; jij mijn vuur jij mijn vuur mijn vuur mijn vuur mijn vuur mijn vuur mijn vuur jij mijn* – een snoer van woorden om vast te houden, beet te pakken, om je lichaam te wikkelen, te laten rondzingen in de donkerste hoeken van de geest.

Het leek erop dat ze een hele lijst misdaden had toegegeven. De kap werd van haar hoofd gehaald, zodat ze haar bekentenis kon ondertekenen. Het licht sneed in haar ogen en ze kromp ineen, maar handen sleurden haar terug over de tafel. Het document telde vele pagina's, maar ze zag alleen de laatste, waar haar hand werd geleid naar de lege regel die wachtte op haar naam. Ze keek even naar de datum eronder. Er waren negen maanden verstreken.

Ze werd overgebracht naar de Vrouwengevangenis, een gebouw in een buitenwijk van de stad. Ze had erover horen praten tijdens bijeenkomsten, maar of het gebouw iets weg had van de mannengevangenis in Punta Carretas wist ze niet, aangezien ze er niets van zag tot ze binnen was. Toen de kap van haar hoofd werd gehaald, bevond ze zich in een cel: drie grijze muren, één traliewand, net genoeg ruimte voor een bed. Ze droeg een jurk van ruwe katoen tot op haar kuiten. Ze had geen ondergoed aan. Haar voeten waren bloot op de betonnen vloer. De bewaker sloot de stalen deur, tralies die tegen tralies sloegen. Hij liet de slappe hoofdkap in zijn hand schommelen. 'Niet praten,' zei hij mechanisch. Er waren geluiden in de gang, geluiden van vrouwen, gemompel en voetstappen en één schrille, afgekapte lach.

Ze had weer ogen. Ze kon zien, hoewel de dag alleen maar het idee van licht bracht, een antracietkleurig griezelig licht, ergens uit de gang. Het was ijskoud in de cel. Het was al mei, de winter stond voor de deur. Mei, dacht ze, het is nu mei, de rest heb ik gemist, de frisse wind van oktober, de hitte van januari, het onstuimige van februari, het zachte van maart. Waar ik ben geweest was nergens zachtheid, waar dan ook, behalve het zachte dat erger was dan de rest. De onderwereld. De on-wereld. En ben ik daar niet nog steeds? Nu kan ik kijken, en ik heb een paar spullen, vandaag tenminste – een jurk, een kom, een kussen. Het leek schokkend, bijna schennis, dat er een kussen aanwezig was in de onderwereld.

Ze kon zitten of staan of liggen, wat ze maar wilde. De vrijheid was overweldigend. Ze ging op het bed zitten. Het matras was dun en had scherpe veren. Ze zat doodstil. Ze kon niet denken. Haar eerste maaltijd werd gebracht, maïspap in een kom. Ze wilde de kom die op de grond stond pakken, in de veronderstelling dat het eten daar neergezet was.

'Wou je uit je schijtkom gaan eten?'

Ze trok haar hand terug.

'Je bent weerzinwekkend.'

Ze zat alleen, met de kom op haar schoot. Ze wilde niet eten. Ze kon haar lichaam niet voelen en dat deed haar goed. Honger kan me niet raken, niets kan me raken, niet deze minuut en misschien ook niet de volgende. De maïspap zag er dun en licht van kleur uit, maar toch was er iets schokkends aan dat geel. Vreemd om je eten te zien voordat je het opat. Je begint te eten met je ogen. Ik ben bijna vol, bijna misselijk van de aanblik. Ze zette de kom op de grond. In de gang hoorde ze een vrouw die haar stem verhief en zei: Álvaro, Álvaro. Salomé wilde niet denken aan Álvaro, wie hij ook was, of aan ieder ander die een naam had en buiten deze muren woonde, die het ritme van lente en zomer had meegemaakt dat zij had gemist, een langzaam, normaal ritme dat bij de andere wereld hoorde, de zonnewereld, en die nu gedachten had over haar, wie weet wat voor gedachten, nee, ze kon ze niet binnenlaten, niet één ervan, blijf daarbuiten, ik ben alleen, ik wil alleen zijn. Ik kan niet voor jou leven. Wil niet leven, misschien sterf ik hierbinnen, eet gewoon niet meer, sterf langzaam af, ik ben al halverwege en zou dat niet beter zijn? Zoals een korst die je helemaal van de huid af trekt. Beter, beter. Laat de huid glad zijn zonder die korst.

Een rat kwam tussen de tralies door naar binnen en rende op de pap af. Hij snuffelde en begon te eten.

'Nee,' zei Salomé, voordat ze het wist.

De rat keek op. Zijn ogen waren helder en alert.

'*Hijo de puta.*'

Ze pakte de kom van de vloer. De rat volgde haar onbevreesd naar het bed. 'Nee,' zei ze weer, en ineens voelde ze dat ze de rat met haar blote handen of voeten zou kunnen doden om te behouden wat van haar was. Ze schopte naar het dier, vol venijn, zo hard dat hij terug had moeten bijten, maar in plaats daarvan deinsde hij achteruit en liep weg alsof het gewoon niet de moeite was, het eten niet lekker genoeg of te veel gedoe.

Ze keek naar de pap. Ze had erom gevochten, nu moest ze hem ook opeten. Hij was lauw en smakeloos, maar ze at hem helemaal op, langzaam, plichtsgetrouw, terwijl ze dacht: van mij, kleine rotzak, van mij.

Na het eten begon haar lichaam weer langzaam iets gewaar te worden. Tegen haar wil werd ze weer een broze receptor van kou en pijn. Die nacht lag ze wakker en lette op de verschillende soorten pijn in haar lichaam. Lichaam. Ik heb het nog, en als dit lichaam in leven moet blijven, moet ik het voeden, de ogen sluiten om te slapen, neerhurken om de pis eruit te lozen, het te rusten leggen en laten opstaan, ik wil het niet, ik ben te moe om er ook maar aan te denken. Ze kon zich geen reden herinneren om te blijven leven, ze kon er niet één vinden toen ze haar geest afzocht. De wereld buiten, met al zijn straten en deuren en stemmen, was in haar ogen onwerkelijk, irrelevant, onbereikbaar. Het verleden was wazig, verbrijzeld, een trein die in de mist verongelukt was. En toch, als ze klaar was om te sterven, als ze het leven echt wilde loslaten, waarom had ze die rat dan niet laten eten? Waar kwam de wil vandaan om het dier onder haar blote voeten te vermorzelen? Koud, mijn handen, mijn voeten zijn koud. Het ruwe laken bood geen warmte. Ze trok haar knieën op zodat ze haar handen in de warme holte kon drukken om de kou eruit te verjagen. De wil om te leven, dacht ze, is iets vreemds, het is zelf een beest, met zijn eigen tanden en mysteries, dat in ons leeft met zo'n gratie en rust dat we het pas opmerken als het vlucht, vertrekt, je achterlaat als een leeg omhulsel, althans dat denk je totdat je zijn voetafdrukken ergens binnen in je vindt waar je ze het minst verwacht, afdrukken op je ziel, ooit wilde ik graag leven, het lag hier, precies hier, het levensverlangen, hier was het genesteld, totdat zeg-hetwoord-niet het verjoeg, maar heb ik vandaag zijn tanden niet zien blikkeren, zou het niet ergens dichtbij kunnen ronddolen, of zelfs ver weg, maar niet zo ver dat het niet terug zou kunnen komen?

Ze viel in slaap. In haar slaap bogen grote mannen zich over haar heen, drongen in haar, te veel.

Vijf dagen kwamen en gingen waarop het haar lukte te eten, neer te hurken, haar ogen open en dicht te doen. Op de zesde dag kwamen er bewakers om de vrouwen naar de binnenplaats te brengen. De vrouwen vormden een rij in de gang. Een vrouw voor haar liep er te vroeg uit.

'Blijf staan,' zei een bewaker, onnodig, aangezien de brede kant van zijn geweer al tegen haar aan sloeg.

De vrouw kreunde op een vreemde manier en keerde terug in de rij.

'Nu lopen. Hoofd omlaag.'

Salomé hield haar hoofd omlaag, maar ze kon heel goed kijken zonder de indruk te wekken dat ze dat deed, en tijdens het lopen zag ze vanuit haar ooghoek een glimp van de bedden van andere vrouwen, cellen voor twee, cellen voor vier, zelfs voor zes personen.

Ze gingen de binnenplaats op. De grond was nat van pas gevallen regen, de hemel was grauw en zwaar van regen die nog moest vallen. Maar buiten te zijn, de zon op je huid te voelen, hoe ver en gefilterd door de wolken ook – zon, je bestaat nog, je schijnt weer op mijn huid, mijn huid snakte naar je zonder dat ik het zelfs wist, mijn hunkerende huid, het was te veel en ze kneep haar ogen samen, ofwel tegen het felle licht, ofwel om te voorkomen dat ze ging huilen, ze wist het niet. Een stuk of twintig vrouwen liepen langzaam rond in een kring, met het hoofd omlaag, zoals hun was opgedragen. Wie te snel of te langzaam liep kreeg een klap met een geweer, maar dat kwam eigenlijk heel weinig voor, ze liepen precies in het juiste tempo en schuifelden gezamenlijk voort. Tijdens het luchten werden ze één, één grote kring van vlees, iedere vrouw was een spier van het geheel, kijk, zo loop je, in een gelijkmatig tempo, zo gaat het goed, zet je voet op tijd naar voren, als we het goed doen worden de bewakers niet boos over een oogopslag, een vluchtige blik op de grauwe jurken en grauwe gezichten, kijk naar de gezichten, vrouwen, vrouwen, gesloten gezichten die niets onthullen, die binnenhouden wat er daarbinnen ook leeft, zo moet het, zo gaat het goed, houd het binnen, die daar ook, en die, mijn god, die ken ik, daar aan de overkant, Anna's gezicht, Anna Volkova, lang en mager, de kaken gespannen, vol waardigheid, en met een klap kwam de buitenwereld bij Salomé binnen voordat ze de kans had zich ertegen te verzetten – herinneringen doemden op, beelden knalden binnen en ze zag olielampen, stampvolle kamers, Tinto's borst, het zweet op zijn slapen, het grommen van auto's, gesloten deuren, open ramen, schalen met eten, een schommelstoel, de ogen van haar moeder. Ze keek weer omlaag naar de grijze zoom van de jurk voor haar. De zoom was niet de zoom van een gevangene; het was de zoom van haar moeders jurk, mamá vlak voor haar, in slow motion, op armlengte, met haar rug naar haar toe. Nee. Stop. Grijze zoom, gevangeniszoom, mamá zou die nooit dragen; het was niet haar jurk, niet haar afwijzende rug. Maar Anna, dat was Anna – ze had het zich niet verbeeld, ze was hier niet alleen.

Na het luchten werd er gedoucht in groepjes van vier, zonder warmte, zonder zeep. Het water maakte haar huid wakker en liet hem in stilte zingen. De bewakers keken toe.

Die nacht lag ze met open ogen in bed. Het was donker, maar schemerig licht van een peertje ergens in de gang kroop binnen. Ze vroeg zich af waar Anna sliep, en welke Tupamaras hier nog meer waren. Tupas. Ik ben een Tupa, nu, nog steeds, hierbinnen moet ik denken aan mijn zusters, mijn broeders, de anderen die hebben gegeven wat ik gaf, die hebben verloren wat ik verloor, die hebben meegemaakt wat ik meemaakte. Niet alleen. De gedachte maakte haar wakker en angstig. Leona. Tinto. Guillermo. Orlando. Ze wilde het niet weten, ze moest het weten. Ze moest Leona vinden als die hier was, en ook met Anna praten, ergens, hoe dan ook. Weer contact krijgen, horen of er nieuws was, misschien zelfs een manier om hieruit te komen. Onmogelijk. Maar hadden Tupas niet veel dingen gedaan die onmogelijk leken? Waren ze niet een keer uit deze gevangenis gebroken? Ze wist het nog, ze had geholpen met de plannen. Maar dat was lang geleden, toen de politieagenten nog maar amateurs waren, lukraak martelden, onervaren, tegenstrijdig. Ze kon niet weten hoe het nu buiten was, maar alles leek veranderd. Negen maanden. Dingen waren veranderd, Uruguay was veranderd, wie weet wat voor land het intussen was geworden. Ze kon niet peilen wat er achter de betonnen muren lag, en ze wilde het ook niet, ze kon het beeld van een zeker zandkleurig huis niet toelaten dat haar te vertrouwd was en waarvan de deuren en ramen misschien gesloten waren, gesloten, gesloten. In plaats daarvan dacht ze aan de eigenzinnige Leona met haar lange haar, een ernstig kind achter haar brillenglazen; god, stel dat ze je bril hebben afgenomen, Leona, ik moet je vinden.

Ze ontdekte haar op de zevende tocht naar de binnenplaats. Ze stond vijf grijze jurken voor haar. Geen van beiden sloeg haar blik op, maar Salomé wist dat ze elkaar hadden gezien, elkaar hadden begroet met dezelfde diepe stilte die ze op school hadden gedeeld. Ze zag er mager uit, murw gemaakt, alsof ze al haar levenslust in een net opgeborgen had. Ze droeg een bril en ze leefde.

Twee vriendinnen vlakbij. Het gaf haar de moed om nog alerter te worden. Die dag merkte ze dingen op die ze nog niet eerder had gezien. De bewakers bijvoorbeeld: dat het mannen waren, gewoon mannen, met veel geschreeuw en aframmelingen, maar desondanks mannen, met hun rusteloze momenten en afleidingen, hun luie momenten en kletspraatjes met medebewakers, aangezien het per slot van rekening ook maar mensen waren die probeerden hun plicht te doen en 's avonds peso's mee naar huis te brengen. Het leek erop dat ze hun eigen olifantenhuid zat werden. Dus als je je rol speelde en in het juiste tempo liep en je hoofd omlaaghield, kon je niet alleen gehoorzamen maar hen er ook toe brengen dat ze zich ontspanden, achteroverleunden, maak je geen zorgen, die wijven gedragen zich wel, heb je de wedstrijd gezien? De binnenplaats was daar de geschiktste plaats voor; bewakers voelen de zon ook. Als ze voldoende stimulans kregen en als ze in de juiste stemming waren, letten ze niet zo goed op als de vrouwen hun rondjes liepen. Dan was het mogelijk om je stap anders te zetten, iets trager, iets doelgerichter, net ietsje anders, maar genoeg om je tot een bepaalde vrouw te wenden, en de andere vrouwen maakten dan plaats en onttrokken je stap aan het zicht door met hun jurken te zwaaien, omdat je dat ook voor hen deed, want elke keer dat de regen ophield en de aandacht van de bewakers afnam was er wel iemand die stilletjes naar iemand toe schuifelde.

Salomé kwam vlak naast Leona lopen toen het luchten bijna afgelopen was. Ze zei het woord niet echt, maar met haar adem maakte ze het hoorbaar: '*Amiga.*'

Leona hoorde het. '*Amiga.*'

'Gaat het goed?'

Het was een stomme vraag. Leona deed drie stapjes vlak achter elkaar. 'Ja. Jij?'

'Ik leef.'

Ze deden nog een paar stappen. De bewakers kwamen onwillig overeind; het was tijd om naar binnen te gaan. De volgende dag sprak Salomé Leona weer aan, en ze schuifelden in stilte door. Daarna regende het vijf weken, er was geen buitenplaats, alleen binnen bestond, en daarbinnen hoorde Salomé diep in de nacht haar lichaam meedelen wat ze het allerminst wilde horen.

Toen de grond droog werd en ze weer buiten waren, kwam Leona naast haar lopen.

'We hebben nieuws.' Leona vertraagde haar pas omdat een grijze jurk probeerde haar in te halen. 'Tinto leeft.'

Salomé hapte de witte lucht in. Er ging zoveel in haar om dat erom schreeuwde gezegd te worden, naar buiten gebracht te worden, benoemd te worden, maar als ze ermee begon vreesde ze er nooit meer mee te kunnen ophouden.

'Ik zit vier cellen verderop,' fluisterde Leona. 'Luister of je me hoort.'

Salomé luisterde elke avond, en op de derde avond hoorde ze kloppen op de muur. Het waren geen ratten; de klopsignalen hadden een bepaald patroon. Ze kwamen in groepjes, klop, stilte, klop, en toen ze telde werd de code duidelijk. Het was eenvoudig, één klop voor elke letter van het alfabet. Twaalf keer kloppen betekende een L. Vijf keer kloppen een E. Vijftien keer kloppen een O. L-E-O-V-O-O-R-S-A-L-O-M-E.

I-K-B-E-N-E-R, klopte ze terug, en ze wachtte tot de vrouw in de cel naast haar bij de andere muur was om nog eens I-K-B-E-N-E-R te kloppen. In het gezicht van haar buurvrouw herkende ze de gevolgen van sterkedrank, en 's nachts kreunde ze altijd. Salomé bedankte haar stilzwijgend, en ook de twee andere vrouwen daarnaast, anonieme vrouwen die geduldig haar boodschap doorgaven.

Ze wachtte tegen de muur, met haar handen op haar buik. Het kloppen begon. P-L-A-N-O-N-T-S-N-A-P-P-I-N-G.

H-O-E, klopte ze terug.

Ze wachtte. Haar vingers jeukten om weer verder te kloppen. Het antwoord kwam. D-O-O-R-R-I-O-O-L.

Salomé dacht aan haar lichaam dat ze door een nauwe tunnel zou moeten persen, dat door stront moest zwemmen, dat zou moeten voortschuifelen op haar buik, haar buik zoals die er over enkele weken uit zou zien. K-A-N-N-I-E-T-M-E-E.

W-A-A-R-O-M-N-I-E-T.

Salomé klopte wat ze uit had willen schreeuwen. I-K-B-E-N-Z-W-A-N-G... het was nu al duidelijk, ze had kunnen stoppen, maar haar vingers bleven kloppen tot ze het helemaal had gezegd, ook al was haar buurvrouw misschien al opgehouden om het op de andere muur door te geven.

De stilte duurde zo lang dat Salomé zich afvroeg of Leona, of iemand tussen hen in, in slaap was gevallen. Daarna begon het kloppen weer. W-I-L-J-E-B-R-E-I-N-A-A-L-D.

Ze wist wat breinaalden aanrichtten, hoe je die naar binnen moest brengen om een zwangerschap te beëindigen, hoe vrouwen het konden overleven als ze een manier vonden om het bloeden te stoppen. Ze raakte haar buik aan. Ze zou het kunnen doen en misschien moest ze het wel doen, maar het ding in haar had al de kracht van een insect, krabde haar met piepkleine tentakels, gonsde van verlangen naar de zon. N-E-E.

De klopsignalen werden overgebracht, en kwamen toen weer terug. O-K-E.

Ze zou leven. Ze moest leven. Ze was geen leeg omhulsel.

Het tegenovergestelde was zelfs waar: ze was voller dan ze ooit van haar leven was geweest, voller nog dan in haar begindagen als Tupa toen ze haar geheim bijna had uitgeschreeuwd in de bus. Nu had ze een geheim waardoor ze zich aan het leven wilde vastklampen, dat maakte dat ze elke druppel van de armzalige soep opat, waardoor ze verlangde naar voedsel, beweging, rust, kussens, nog meer eten, en misschien was het geen verlangen van haar, maar kwam het voort uit iets diepers; in elk geval deed de oorsprong er niet toe, niet de oorsprong van het verlangen noch de afschuwwekkende oorsprong van het kind. Steeds weer bande ze gedachten aan oorsprongen uit. Waar het om ging was dat ze ergens naar verlangde en dat maakte haar levenslustiger, ze wilde echt vlees op haar botten, ze had iemand kunnen vermoorden voor een schaaltje roomijs, in stukken kunnen snijden voor een

bord milanesa's, vers uit de pan, sissend heet, olie en vlees en ver-
kruimeld brood wilde ze, begeerde ze, en ook al kon ze die niet
krijgen, toch zat er alleen in dat verlangen al felle, onstuitbare
kracht. De andere Tupamaras gingen hun vrijheid tegemoet, ze
maakten plannen die ze uitvoerden door een tunnel naar het riool
te graven. Zij zou niet meegaan. Haar toekomst had voor haar onbekende, vormeloze dingen in petto die ze niet kon en niet wilde
zien. Ze hield zich er niet mee bezig, ze richtte zich alleen op het
bruisende heden. Op de buitenplaats keek Leona bedroefd, bijna
alsof ze medelijden had met Salomé de opgeslotene, Salomé het
slachtoffer, en als ze samen onder hun eucalyptusboom hadden
kunnen zitten zou ze hebben gezegd: Leona, hou ermee op, ik ben
vol. Vol volheid. Het sloeg nergens op, zij sloeg nergens op, ze was
een krankzinnige vrouw, nog gekker omdat ze bereid was toe te
geven aan haar eigen waanzin. Ze liet haar geest vrijelijk dwalen.
Hij dwaalde naar haar moeder. Mamá, ik wil je zien, het spijt me
verdomme zo, ik heb mezelf blootgesteld aan gevaar maar het was
nooit mijn bedoeling dat dit zou gebeuren en dit heb ik je nooit
willen aandoen, wat mijn afwezigheid ook voor gevolgen heeft.
En nu voelt het meest voor de hand liggende feit als een klap, dat
jij me in je hebt gedragen, lang geleden in Argentinië, en dat je
dingen voelde en dat ik werd geboren en jij mijn hoofd steunde
toen ik het niet kon en ik vraag me af wat je dacht toen je dat
deed. Of je aan je eigen moeder dacht en wat zij dacht en voelde
toen ze jou in haar lichaam droeg en je daarna ter wereld bracht
en je hoofd voor de eerste keer steunde in datzelfde huis waar we
allemaal samen in woonden. Het is vreemd om te denken aan de
vrouw die jou in haar buik droeg wanneer je zelf een kind draagt,
een bijna-kind, een kind in wording. Geen woorden om het uit te
leggen – niet in deze taal, we zouden er meer woorden voor moeten hebben – het gevoel van naakte lucht, het plotselinge besef dat
je niet langer in een baarmoeder zit, het blootgesteld-zijn en het
alleen-zijn waarmee je vanaf je geboorte leeft. De warmte die er

niet meer is. Die warmte die je je herinnert. Die je je herinnert of die opnieuw een feit wordt door de geschiedenis die zich vanbinnen herhaalt.

Het werd winter. Zelfs de rattenkeutels bevroren. Er werd minder gelucht vanwege de regen. Salomé werd dikker. Toen haar buik onder haar wijde jurk zichtbaar werd zorgden de bewakers ervoor dat ze de kolf van hun geweer en hun dwalende handen ervan afhielden. Er was één baby in de gevangenis, voor zover zij wist. Hij woonde twee maanden bij zijn moeder in de cel, en huilde wanneer zijn moeder geslagen werd. Het kind stierf toen de kou toenam.

Ze wilde het onmogelijke – altijd haar kind omringen. De harde werkelijkheid zou zich al te snel aandienen.

Salomé klopte: L-E-O-K-O-M-K-I-N-D-L-A-T-E-R-H-A-L-E-N.

O-K-E.

B-R-E-N-G-H-E-T-V-E-R-W-E-G.

O-K-E.

Z-W-E-E-R-H-E-T.

I-K-Z-W-E-E-R.

Eind juli ontsnapten ze. Ze lag de hele nacht wakker in het donker, en volgde in gedachten de vrouwen die door rioolbuizen, door slijk en modder ploeterden, terwijl ze hen aanspoorde: schiet op, schiet op, straks is er weer zuurstof, niet stoppen, niet opgeven, denk alleen aan wat er aan de andere kant is. Ze zag Leona en Anna en zesendertig andere Tupamaras overdekt met fecaliën door het stinkende water kruipen. Zonder haar. Het bijna-kind schopte en klauwde in haar.

De volgende ochtend werd ze wakker van het gebrul van de bewakers. Ze ontdekten het ene lege bed na het andere. Op de kussens lagen haren waar geen vrouwen aan vastzaten; het was afgesneden met binnengesmokkelde messen. Toen ze de lakens van het bed trokken, vonden ze alleen maar haar, neergelegd als geamputeerde ledematen.

'*La puta madre,*' zei een van de bewakers in de gang. 'De directeur zal straks onze ballen willen.'

Een andere bewaker mompelde instemmend: 'Hij zal ze aan elkaar rijgen als kerstverlichting.'

'Ik sta niet te popelen om het te vertellen.'

'*Mierda.* Laten we maté drinken.'

De eerste bewaker begon te lachen.

'Nee, ik meen het. Hier, drink op, kalmeer.'

Ze luisterde hoe ze dronken en praatten, zo van slag hadden ze nog nooit geklonken. Ze voelde zich trots en triomfantelijk en eindeloos alleen zonder Leona en de anderen, maar hoe kon ze dat voelen, ze was niet alleen, binnen in zich had ze voortdurend gezelschap van een hongerig wezentje dat elke dag sterker werd, wiens voetjes en ellebogen ronddansten op grillige muziek die Salomé niet kon horen, watermuziek, een lied zonder zwaartekracht.

In september, toen de mannen ontsnapten, waren de bewakers zo van streek dat ze de details in de gang bespraken, en Salomé hield zich stil zodat ze hen kon horen: het is ongelooflijk, absurd, de hele stad is in rep en roer, honderdzes mannen zijn ontsnapt door de riolering van Punta Carretas. De politie werd gisteravond door allerlei dingen afgeleid: een stroom van alarmtelefoontjes, een messengevecht aan de andere kant van de stad. De symfonie in de kerk naast de gevangenis werd overdreven hard gespeeld. De tunnel kwam uit in de plankenvloer van een slagerswinkel aan de overkant – en toen ze dat hoorde kon Salomé haar lachen niet houden, en de bewaker riep Kop dicht daar, maar niet echt overtuigend; zij was per slot van rekening die gekke zwangere vrouw. Er was maar één slagerswinkel tegenover die gevangenis. In gedachten zag ze het oude haveloze bord duidelijk voor zich, afbladderend, met de hand vastgespijkerd. Ze zag het voor haar geestesoog: Coco en Gregorio met hun grijze haar die in bij elkaar passende kamerjassen krom de trap af schuifelden en beneden met open mond naar de vloer staarden die openspleet. Elke tegel van die vloer was vertrouwd, afgesleten van de spelletjes die mamá er als kind op speelde, van abuela's kruk, van de schoenen van vrouwen die om geneeskrachtige kruiden kwamen. Ze rook de vloer alsof ze er zelf was, de geur van vlees en messen en de cyclus van het dierenleven, alleen moest het die nacht natuurlijk anders hebben geroken toen de tegels openbarstten en het riool ook openbarstte en de Tupamaros, onder wie Tinto, daar ben je, mijn Tinto, onder de grond uit kwamen, naar boven sprongen, de een na de ander, honderdzes mannen die de ruimte vulden waar lappen vlees aan haken hingen, onder de starende blik van een bejaard echtpaar, terugkerend in het land der levenden, overdekt met stront, reikend naar het licht.

Vijf dagen later, tijdens de bevalling, kwam datzelfde beeld bij haar terug: de vloer die openbarstte, het tevoorschijn komen uit viezigheid, de tocht naar het licht.

Het was een meisje: Victoria. Ze was te licht en te zwak en ze huilde voortdurend. Het was er niet warm genoeg. Er was niet genoeg melk. Er was stof voor luiers maar daar moest ze iets voor terugdoen, waar de baby bij was, en er was altijd meer nodig.

Toch waren dat voor haar de drie fijnste weken in de gevangenis. Anders dan de zwangerschap – nu kon ze het meisje vasthouden en zien en aanraken en ruiken en horen, en elke gewaarwording vervulde haar met verbazing. Victoria's huidje was als nectar voor haar lichaam. Haar stem was mooier dan muziek. Elke geur van haar was ongelooflijk en volmaakt, zelfs de onaangename, vooral de onaangename, omdat ze zo sterk waren. *Wees sterk.* Voor de eerste keer in jaren zong ze, zachtjes, fluisterend, flarden van melodieën: *Viqui, kleintje, liefste schat, leef, leef, leef.*

De baby was zo frêle, zo teer, haar vingertjes gespreid, haar ogen stijf dichtgeknepen, haar ogen zouden deze plek vergeten, zouden deze vrouw die van haar armen een wiegje maakte vergeten. Nee. Nee. Ja, dat was het beste. Salomé prentte zich elk moment in, elk teennageltje, elk onhandig-perfect gebaar, en bad dat Leona haar belofte zou nakomen, dat Leona haar zou vergeten, dat het haar zou lukken, dat het haar niet zou lukken.

Toen Victoria drie weken oud was, kwam een bewaker haar halen. Hij was al wat ouder en niet onvriendelijk. Hij had haar nooit aangeraakt.

'De baby gaat een reisje maken,' zei hij. 'Voor een fatsoenlijke doop.'

Salomé verstevigde instinctief de greep om haar dochter, maar de deur ging open, handen reikten naar binnen en ze verloor haar greep.

'Haar naam is Victoria,' riep ze toen de tralies dichtgeslagen werden.

De volgende ochtend werd ze wakker van twee bewakers die op de gang met elkaar stonden te praten.

'Heb je het gehoord van die baby?'

'Nee.'

'Die verdomde Tupas hebben haar gestolen. Uit de armen van haar grootmoeder.'

De seizoenen wisselden elkaar onstuimig af, alweer bijna voorbij voordat ze er waren. Aanvankelijk hoopte ze dat ze haar zouden komen halen. Een volgende ontsnapping zouden organiseren, gebaseerd op hun record van achtendertig vrouwen en een baby. Of misschien zouden ze losgeld voor iets of iemand vragen en zou de president deze keer toegeven, of ze zouden zelfs voor haar naar de rechter stappen om te zeggen dat ze geen proces had gehad, haar tijd zat erop, was het nog niet genoeg? En zo niet, hoe lang dan nog? En als het gebeurde, als ze haar hieruit kregen, zou ze naar buiten gaan en de zon voelen en haar baby zien zolang er nog baby te zien was.

Maar de stroom vrouwen leek juist de andere kant op te gaan: de gevangenis in, niet eruit. Elke maand kwamen er meer. Overal waren vrouwen, in elke cel kwamen nieuwe bedden, niemand had meer een cel alleen. Er waren jonge vrouwen, zoals zij, pas uitgebraakt door Het Systeem: Salomé maakte het op uit hun gebogen hoofd, hun verkrampte schouders, hun nachtelijk geschreeuw dat werd afgekapt door slaag. Ze zag hen langzaam lopen op de binnenplaats, tijdens de wekelijkse douche, in de keuken en de wasserij waar ze nu mocht werken en waar ze haar cel voor uit moest. Ze moest weten wat daarbuiten gaande was, in die andere wereld, de zonnewereld achter de muren, dat er zo veel vrouwen achter de tralies werden gezet. Ze vond een willige bewaker, die haar in ruil oude kranten gaf; zijn naam was Raúl, hij had ook sigaretten, het was niet zo erg, hij zou het misschien sowieso hebben gedaan, maar hij gaf de voorkeur aan zachtzinnigheid, en haar lichaam leek het te verdragen, verkrampte niet. In de kranten stond dat de Tupamaros verzwakt waren, daarna verpletterd, daarna verdwenen. Met wortel en al uitgetrokken, als onkruid dat de stad teisterde. Die woorden gebruikten ze: onkruid, wortels, teisteren. Het was te danken aan de militairen, die hadden goed werk gedaan, ze hadden voor elkaar gekregen wat de politie en president niet was gelukt. Ze hadden de boel schoongeveegd en hadden het nu op straat voor het zeggen. De straten rekenden op hen voor een normale, geordende gang van zaken. Ze keek lang naar een foto van negen generaals die in een krappe kring rond de president stonden. President Bordaberry zat daartussenin, met opgetrokken schouders, naar voren hangend, met de glimlach van een gokker die betrapt wordt op bluf. De generaals glimlachten niet. Zij stonden zo dicht bij elkaar als maar mogelijk is zonder elkaar aan te raken. De kranten die ze kreeg waren altijd twee weken oud; tegen de tijd dat ze van de staatsgreep hoorde, leefden zij en alle anderen in Uruguay al onder dictatuur. Het was een kleine stap, een formaliteit, en daarom kon het haar niet verrassen. De krant waarin het stond was van 28 juni 1973. Gisteren, stond erin, heeft de president het parlement gesloten, hij deed het gebouw op slot en liet het omsingelen door soldaten. Of de soldaten deden het gebouw op slot en omsingelden het en de president heeft het verkondigd, ja, hij zat erachter, de soldaten waren door hem gestuurd. In elk geval konden alle senatoren naar huis, er was niets meer voor hen te doen. Er zou een nieuwe militaire junta worden geformeerd. Ze keek naar zijn samengeknepen lippen op de foto. Noodzakelijk, zei hij, zoals overal elders in de wereld. Er had geen bloed gevloeid. Het was beschaafd verlopen. Het was gebeurd.

Salomé ging met haar rug tegen de muur staan. De vrouw in het andere bed sliep of deed alsof. Ze was hier nog maar een paar weken. Ze was jong en leek gedesoriënteerd, alsof ze ineens in een slechte film zat waarvan ze het begin had gemist. Waarom hadden ze haar hierheen gebracht? Was ze een misdadigster, een Tupa, had ze een afwijkende mening of was ze gewoon iemand die op het verkeerde tijdstip op de verkeerde plek was? Wat zou er nu met haar en met hen allemaal gebeuren, in dit nieuwe Uruguay? Had ik maar de kracht en de vrijheid, dacht ze, van vrouwen uit de oudheid, die in rouw hun haar uit hun hoofd trokken, die met liefde en verdriet jammerden om wat er niet meer was. Dit volk verdient het toch dat we ons allemaal de haren uit het hoofd trekken, bloeden voor wat kwetsbaar is gebleken, en dat is alles, een volk, een vrouw, een collectieve droom. Als ik de kracht had van die vrouwen uit de oudheid, en de vrijheid, zou ik me in het zwart kleden en mijn haren uit mijn hoofd trekken en in mijn rouw een berg beklimmen, ik zou El Cerro beklimmen, ons bescheiden idee van een berg, en helemaal bovenop zou ik jammeren en weeklagen om wat niet vergeten mag worden. Maar ik ben noch vrij noch een vrouw uit de oudheid, en ik moet mijn tranen en weeklachten binnenhouden. Ze vormen de brandstof die me op de been houdt. Lang geleden, toen ik nog een meisje was maar dacht dat ik een vrouw was, en toen ik dacht dat ik een strijder was maar niet wist hoeveel ik waard was, leerde ik mijn kreten samen te ballen en diep in me te bewaren waar niemand ze kon horen of aanraken of van me afnemen. Geweeklaag, gejammer, gehuil. Ik zal het niet laten horen.

Ze keek naar haar celgenote die sliep of deed alsof, totdat de bewakers de vrouwen kwamen halen om te luchten. De winterse regen was even opgehouden, en ze zouden een glimp van de hemel zien. Ze luisterde naar de celdeuren die open- en dichtgingen. Bij het opengaan klonk er een zacht gerommel dat snel voorbij was, maar het dichtslaan was een klap die steeds weer opnieuw in de gang weergalmde.

Dingen waren schaars: voedsel, water, warmte, ruimte, lucht, licht. Zij had geluk, ze had Raúl, hij bracht haar extra water als hij in een goede bui was, en dat deelde ze met de andere vrouwen in haar cel. Er waren er inmiddels drie. Je kon er bijna geen stap meer zetten. Salomé sliep op een dunne strozak op de betonnen vloer. Hun namen waren Paz en Olga en Marisol. Olga en Marisol zeiden zelden iets. Paz was de vrouw van een verslaggever, gearresteerd vanwege het misdadige feit dat ze getrouwd was met een verslaggever. Ze was in de veertig en niet bang om bewakers recht in de ogen te kijken. Ze leerde haar om haar urine op de grond te zetten in een straaltje zon dat door een stalen rooster viel. Ze verplaatste het met de zon mee, totdat de zoutkristallen neersloegen en de urine drinkbaar werd.

'Proef maar, Salomé. Het is niet heel vies.'

Salomé schudde haar hoofd.

'Probeer dan je eigen urine. Dat gaat gemakkelijker.'

Een week later moest ze Paz gelijk geven.

Het duurde maanden voordat de verhalen van de vrouwen naar buiten sijpelden, langzaam en zachtjes, in de kring op de binnen-plaats, in de waskamer, onder de douches, gefluisterd in de cel, in de klopsignalen die een nachtelijk ritme op de muren vormden: het waren vakbondsleden, studenten, professoren, socialisten, communisten, *batllistas*, kunstenaars, journalisten, of ze waren de zus of dochter of moeder of vriendin of echtgenote of part-ner daarvan. Ze waren zo van de straat opgepakt, van hun bed gelicht, uit de deuropeningen van cafés gehaald. In het nieuwe Uruguay stond iedere burger onder toezicht. Iedere burger werd ingedeeld op grond van de mate waarin hij of zij een bedreiging vormde voor de sociale orde. A of B of C. Alleen A's hoefden niet bang te zijn dat ze hun baan, familie, de buitenwereld kwijtraak-ten. Het regime had zijn handen er vol aan. Velen waren het land uit gevlucht, fluisterden de vrouwen.

Wat was er nog over van de stad, nu sommigen wegvluchtten en er zo veel mensen achter tralies zaten? Salomé probeerde het zich voor te stellen. Natuurlijk zou het leven doorgaan, dat moest wel, er waren per slot van rekening nog steeds mensen, en gebou-wen en asfalt en keien, en de rivier die er vlak langs stroomde, een levende, ademende stad met zijn alledaagse momenten. Na-tuurlijk kon geen enkele militaire junta de hele rivier leeghalen of alle alledaagse momenten uit de wereld verwijderen. Alles ging door, dat moest, daarbuiten moest het beter zijn dan hierbinnen; ergens kookte abuela nog steeds plantenwortels en bakte ze nog steeds taarten, bromden en toeterden er auto's, beierden er kerk-klokken, sneed Coco vlees (rood, bloederig, heerlijk) in een ruim-te met gerepareerde vloerdelen. Mamá rookte een sigaret terwijl in haar gedachten een gedicht vorm kreeg, abuelo pokerde met zijn geesten, Tinto schuurde hout en miste haar misschien, mis-schien, misschien, Roberto tuurde door zijn microscoop naar god weet wat en praatte aan de telefoon met hun vader, *Hoe gaat het*, en *Alles gaat goed* en *Ik zal je over mijn laatste experiment vertel-*

len, Xhana wiegde op Césars getrommel en Césars handen fladderden als vleugels, Leona deed wat ze ook zou doen zonder dat er een revolutie op komst was, meisjes en jongens leerden uit nieuwe gecensureerde geschiedenisboeken, baby's krijsten en klapten in hun handjes en leerden lopen en mamá zeggen (en naar wie ze moesten kijken als ze dat zeiden), en duizenden mannen maakten 's ochtends hun maté, onder toezicht, maar nog steeds werden ze elke dag wakker en stonden ze op; natuurlijk waren er nog microscopen en sigaretten en kerkklokken en trommels, en ook al bedierf de angst de smaak van de ochtendmaté, toch was die er nog, werd hij nog steeds van hand tot hand doorgegeven. Tenzij ze in ballingschap waren gegaan. Leona, Tinto, Orlando en Anna waren misschien gevlucht. En haar familie, die was misschien gebleven, ze wilde aan hen denken veilig en wel in Punta Carretas, maar ze kon er niet zeker van zijn dat ze allemaal een A-status hadden. Misschien betekende hun bloedband met een Tupamara een risico; of misschien hielp het in bureaucratische gebouwen dat hun dochter-zus-nicht-kleindochter allang gebroken was. Misschien wisten ze niet wat hun status was, en waren ze bang, en haatten ze haar omdat zij hen in gevaar bracht, Salomé de familieverraadster.

Soms droomde ze 's nachts van baby's die op het water dreven, zij was ook in het water, ze zwom en zwom en zocht naar slechts die ene.

In andere nachten, wanneer ze op haar strozak lag en de slaap niet kon vatten, riep ze het beeld op van de quilt uit haar kinderjaren, gemaakt door abuela Pajarita. Ze liet elk driehoekje aan haar geestesoog voorbijgaan, elk lapje, groen en blauw, met bloemetjes en strepen, totdat ze elk detail voor zich zag en de warmte voelde van zijn zwaarte, zijn souplesse, iets van zijn verpulverde blaadjes, zaden en stukjes stengel. Dan tilde ze hem in gedachten op en smeet hem door de muur, in de richting van de stad, een quilt die zijn vleugels spreidde in de avondlucht, een donkere vogel, die zwevend beoordeelde van welke kant de wind kwam om de weg naar huis te zoeken.

Raúl was vertrokken. Er waren nieuwe bewakers op haar afdeling, ze was niemands lievelingetje, niemand wilde haar voor zichzelf. Ze deelden haar. Ze lieten blauwe plekken achter. Ze kreeg geen kranten.

Jaren vlogen voorbij.

Jaren kropen langzaam, langzaam, voorbij, de tijd was een slak die stukje bij beetje verder kroop, er was tijd in overvloed, andere dingen waren schaars, maar tijd had ze volop. Voortdurend, eindeloos, onverminderd. Ze schuifelde voort, langs grijze stof, steeds weer de binnenplaats rond.

Inmiddels zat ze acht jaar in de gevangenis, waarin de tijd werd uitgerekt en ingeduwd als lucht in een accordeon, oneindig lang en samengeperst tegelijk. Je leert op die manier te leven, als een stipje gevangen in een stroom gevormd door krachten die je niet kunt zien, niets verwachtend, door niets verrast, meegevoerd op de donkere, onbekende trajecten van elke dag, ineenkrimpend tegenover druk, nauwelijks aangetast, per slot van rekening niet meer dan een stipje, te klein om littekens te hebben of weg te zakken of iemand in de weg te staan, voor niemand een last, voor niemand een bedreiging, alleen opgeborgen in de rilling van de tijd. Je trekt geen aandacht en de wereld vergeet je bestaan. Je vergeet het zelf. Je schokt jezelf met momenten waarop je bestaat.

Op een dag, in 1978, werd er samen met haar sigaretten een wonder binnengesmokkeld. Het pakje werd achtergelaten in de zak van haar schort, in de wasserij, zoals gebruikelijk. Damp steeg op uit de machines, vulde de lucht, en haar voorhoofd droop van het zweet. De bewakers, die het net zo warm hadden, waren de gang in gelopen voor een korte pauze. Ze opende het pakje en zag een papiertje opgevouwen tussen de sigaretten zitten. Ze trok het er onmiddellijk uit.

Het was een tekening. Van een boom. De stam was bruin, zoals het hoort, maar de wolk van blaadjes was goud en rood en lichtpaars, allemaal samengebracht in de zwierige streken van een kinderhand. Onder aan het papier stond een naam: VICTORIA.

Salomé trok met haar vingers de V na, en de dikke boomstam, ze ging met haar vingertop langs de kleurige banen. Ze was klaarwakker. Ze had in die tekening kunnen kruipen, in de bladeren kunnen klimmen, zich daarin kunnen nestelen als een verwaarloosd bosdier; ze voelde de druk en de warmte van al die kleuren rond haar lichaam; ze wilde de tekening opeten, erin slapen, haar terugvolgen naar waar zij vandaan kwam, naar de hand die – ergens daarbuiten in de wereld – dit kleurpotlood had uitgekozen, en dat, en dat ook.

Ze kroop erin, klom omhoog, nestelde zich er elke avond in.

Twee jaar later haalden de bewakers op commando de metalen roosters voor de ramen weg en schilderden de ruiten dicht zodat de zon er niet doorheen kon schijnen. Cellen verduisterden. 's Nachts tilde Salomé Paz op haar schouders zodat ze met haar nagels de zwarte verf eraf kon krabben. Krr, krr, een gat ontstond, en de volgende dag sijpelde er licht binnen – bleek, heerlijk, verboden licht.

In dat spaarzame licht behielden de vormen van het gebladerte hun kleur: lichtpaars was lichtpaars, rood nog steeds rood, goud een vervagend maar nog duidelijk te onderscheiden goud. Elke kleur bood haar steun en voedde elke keer dat ze ernaar keek haar ziel. Er was geen krachtiger middel tegen alle soorten gif van de wereld dan de kleur in een tekening. Ze kon haar drinken, dromen, ze kon zich erin wiegen. Denk aan de hand die het heeft getekend, stel je de vorm en zachtheid ervan voor.

Een nieuw decennium was aangebroken: een onbeschreven lei van tijd. Buiten was nog steeds een stad, en daarachter de wijde wereld. Het eerste nieuws van buiten Uruguay lekte door de landsgrenzen en de dikke muren van de gevangenis. Ver weg, in andere landen, kwam de zon nog steeds op, en ballingen uit Uruguay hadden van zich laten horen. Groeperingen die opkwamen voor de rechten van de mens hadden er aandacht aan geschonken. Ze hadden onderzoeken gedaan. Uruguay had een wereldrecord gebroken: meer politieke gevangenen per hoofd van de bevolking dan enig ander land. Van dit record werd natuurlijk geen melding gemaakt in het land, maar erbuiten, over grenzen en zeeën, waar een triest record uit een klein land niet de koppen haalde, maar in elk geval werden er wel in een paar internationale kranten een paar regeltjes aan gewijd, onder aan de pagina. Het was genoeg om de junta nerveus te maken. Ze ontwierpen een nieuwe grondwet, die nachtelijke invallen bij burgers mogelijk maakte, het leger meer formele macht gaf en een einde maakte aan vakbonden, stakingen en bepaalde politieke partijen. Op de gevangenismuren was het een geklop, gebons en gefluister van jewelste. 's Nachts vernam ze in geheimtaal, via lange klopsignalen, dat er gestemd ging worden.

Waarom? vroeg ze aan de stenen.

Waarom stonden ze stemming toe?

Vermoedens werden de nacht in geklopt.

Omdat het voor Pinochet in Chili goed had gewerkt.

Omdat iedereen hun op de vingers keek.

Om de indruk te wekken dat het er rechtvaardig toeging.

Om de wereld te laten zien dat het volk hen steunde.

Omdat het volk te geïntimideerd, te geclassificeerd is zonder andersdenkenden die dwars konden liggen.

Maar ze hadden het mis. Er werd gestemd en twee weken later lieten de muren vol euforie horen: E-R-I-S-N-E-E-G-E-S-T-E-M-D.

Salomé stelde zich inwoners van Montevideo voor die angstig over straat liepen, wegkruipend in hun huis toen ze het collectieve 'nee' hoorden dat ze hadden gestemd maar niet besproken met buren of collega's of familie of wie dan ook, en nu probeerden hun wereld te begrijpen met dit nieuwe 'nee' erin, niet alleen hun eigen 'nee', maar dat van vele heimelijke stemmen zonder naam, geschrokken van hun eigen weerklank.

Een barst in de vesting. Het gaf haar hoop. Glibberige hoop waarop je zou kunnen uitglijden of slippen.

Ze werd in de grootste afzondering dertig. Ze plande de viering al weken van tevoren. Ze bewaarde water in een kom en een tiental gesmokkelde lucifers. Op de avond van haar verjaardag wachtte ze tot haar celgenoten sliepen. De kom was koud en glad in haar handen. Voorzichtig zette ze hem op het bed voor haar. Geen druppel ging eroverheen. Ze stak een lucifer aan en boog zich over de kom. Bij het licht van het vlammetje zag ze het wateroppervlak, een zwarte kring met daarin haar spiegelbeeld. Ze staarde naar de vrouw in het water die terugstaarde, onbevreesde ogen in diepe kassen. De lucifer doofde, ze stak een volgende aan. De vrouw in het water was er nog. Ze keek naar de ingevallen wangen, het dunne haar, de mond gewoontegetrouw samengeknepen, ogen, ogen, ogen. Ze wilde die vrouw kennen, of haar in elk geval duidelijk zien, dit gezicht dat ze nooit kon zien, maar waar ze wel aldoor mee keek, waarin de verhalen opgesloten lagen, maar dat ook verhalen vertelde met haar rimpels. Haar gezicht. Dertig, dacht ze, en het voelde als een onmogelijkheid, het leek niet zozeer een getal als wel een aanwezigheid, iets wat haar omringde als een geur. Salomé, mimede ze naar het water, en de mond in het water zei hetzelfde. De lucifer doofde, en met de volgende en de volgende hield ze de blik van de waterogen vast, keek ze hoe de mond stilzwijgend bewoog, zocht ze aldoor in het water naar ogen en een mond die 'Salomé, Salomé' zei zonder het te zeggen.

Twee maanden later mocht ze bezoek ontvangen. Ze werd naar de kamer begeleid, met een kap op en handboeien om. Toen haar ogen weer konden zien, was mamá daar, achter een glazen wand, met een telefoon aan haar oor, plotseling grijs, hoewel het natuurlijk niet plotseling was gegaan, het was meer dan tien jaar geleden. Het haar was korter dan vroeger, het viel in zachte laagjes rond haar gezicht. Ze zag er moe uit en leek op haar hoede. Ze droeg rode lippenstift, net als altijd. Salomé zocht in haar moeders gezicht naar sporen van afkeuring of haat, maar die kon ze er niet in bespeuren.

Ze pakte de telefoon op. 'Mamá.'

Mamá raakte het glas aan. *'Hija...'*

'Hou je handen bij je.'

Mamá trok ze terug. *'Si*, señor, natuurlijk.' Een automatische reactie op gezag, zonder te zeggen dat het een belachelijke regel was, ze kon immers nooit door een glazen wand heen komen. De reactie, dacht Salomé, van een gevangene. Mamá staarde naar haar gezicht, haar, hals, oren, ogen, alsof ze daarin haar dochter zocht. Haar mond trilde. Salomé sloeg haar blik neer.

'Het is zo lang geleden,' zei mamá.

'Ja.'

'Ik heb geprobeerd te komen. Het kostte tijd.'

'Dank je.' Ze wilde zeggen: *Het spijt me dat je me zo moet zien,* maar er was geen andere manier waarop mamá haar kon zien. 'Het spijt me.'

Mamá veegde de woorden weg. 'Gaat het goed met je?'

'Ja.'

Mamá keek opgelucht, ook al was het duidelijk dat ze loog. 'Met ons allemaal ook.'

'Abuela?'

'Ze maakt het goed.'

'Abuelo?'

'Goed.'

'Roberto?'

'Heel goed. Hij is in de Verenigde Staten.'

Salomé staarde. Ze had niet gedacht dat hij zou moeten vluchten.

'Hij heeft een baan in Californië, al vanaf '71.'

'Aha.'

'Hij is professor. Met Flor is ook alles goed, en met hun dochter.'

'Hebben ze een dochter?'

Mamá knikte en zei langzaam: 'Hun dochter tekent bomen.'

In de warme, ongeventileerde kamer, kreeg Salomé het bloedheet. 'Met groene blaadjes?'

Mamá keek even naar de bewaker, die er apathisch bij stond. 'Nee. Rode, paarse en gele, allerlei kleuren.'

Salomé kon niet ademen.

'Je nichtje maakt een gelukkige indruk.'

Salomé kon niet ademen.

'Ze heeft alles wat ze nodig heeft.'

'O.'

Mamá staarde door het glas, haar lippen geopend, haar handen op het metalen blad voor haar. Haar wimpers waren prachtig, en Salomé vond dat bijzonder troostrijk: dat, wat er ook op de wereld gebeurde, of hoeveel ouder ze ook werden, haar moeder nog steeds elke ochtend haar wimpers verfde, ze nog steeds lang en donker maakte voor een krachtiger blik.

'Nog een minuut,' zei de bewaker.

Mamá balde haar handen tot vuisten. Ze draaide zich om naar de bewaker, daarna naar Salomé. 'Ik kom terug. Ik mag een keer per maand komen.'

Ze kwam inderdaad terug, elke maand, voor dierbare minuten in de bezoekersruimte. Salomé spaarde tussen de bezoeken door een schat aan vragen op – over de straten daarbuiten, hoe dingen smaakten, hoe het met bepaalde mensen ging, het waar en wat en hoe van Californië. Er was nooit genoeg tijd en natuurlijk waren er altijd een paar bewakers die hen in de gaten hielden, en daardoor waren de antwoorden fragmentarisch, indirect, cryptisch, geleidelijk. Ze hoorde dat abuelo en abuela in verbazend goede gezondheid tachtig waren geworden. Dat tía Xhana en tío César vertrokken waren om, zoals mamá het uitdrukte, te gaan wonen 'waar Xhana's vader is'. Dat abuela Pajarita sinds Coco's dood in het geheim geneeskrachtige middelen had verstrekt vanuit haar keuken, terwijl abuelo lange uren voor het raam zat te kijken naar de gevangenis en de eiken. Dat ze altijd genoeg te eten hadden, deels dankzij de enveloppen die uit de Verenigde Staten kwamen. Dat de stad in de vs San Francisco was, een stad met een brug die 'goud' heette te zijn, maar die in feite rood was. Dat de universiteit Stanford heette, dat het onderzoek werd gedaan naar verpopping, een proces waarbij, zo legde mamá uit, motten uit hun cocon kropen, waarbij sprake was van unieke afscheidingen, puntige vleugels en een hoop afval. Het huis was blauw en mooi en er waren twee telefoons, die eens per jaar met Kerstmis beide werden gebruikt om Uruguay te bellen. Het meisje was enig kind, een levendig kind, met kleurtjes en rolschaatsen en meer poppen dan ze kon tellen. Mamá bracht een foto mee die ze van de bewakers omhoog mocht houden aan haar kant van de doorzichtige wand: een meisje met bruin haar, bruine ogen, goed gevoed, pijnlijk mooi, twee gele strikken in haar haar, giechelend in de armen van een gigantische Mickey Mouse. Een blauw sprookjeskasteel doemde achter hen op.

Dat voorjaar werd Victoria, het nichtje, de rolschaatster, tien jaar, en ze zei 'alsjeblieft' en 'wens' en 'verjaardagstaart' en 'moeder mijn moeder is' in een verre taal, in een ver land.

De bewakers hadden opdracht de verf van de ruiten af te halen en daarvoor in de plaats roosters van groen acryl aan te brengen. Die konden niet weggekrabd worden. In de cel baadden de gezichten van de vrouwen in een vaalgroene gloed. Ze zagen eruit als zieken, of als wezens van een andere planeet die in de zware atmosfeer van de aarde binnengedrongen waren.

Het nieuws kwam druppelsgewijs binnen. Meer barstjes in de vesting. Een verbannen politicus was teruggekeerd. Een protest – een concreet protest – had zich voorgedaan. Op een avond om acht uur waren in de huizen van Montevideo alle lichten gedoofd en om kwart over acht was er in de hele stad in het donker op pannen geslagen. Er gingen geruchten waarin het woord 'verkiezing' voorkwam, het zoemde in de lucht, in de wasserij, op de binnenplaats, op de muren van de cellen. Salomé dacht aan de junta, bejaarde generaals rond een tafel, in hun bed, op het strand in Punta del Este, gekweld door de strubbelingen die zich voordoen bij het regeren van een land, gekweld door tekenen van hun eigen broosheid, dromend van rust en geld en topless danseressen, dromend van de tijd waarin ze hun taak neer konden leggen, het einde van het lastige regeren van een ondankbaar volk in een wereld die niet van je gediend was. En als ze verkiezingen zouden toestaan. Dan. Dan.

Ze spaarde dingen op voor het bezoek van mamá – ze spaarde vragen, ze spaarde sprankjes levenslust van haarzelf. Tijdens sommige bezoeken spraken ze zo gretig dat ze door elkaar heen praatten, snel, fluisterend, terwijl ze allebei luisterden, allebei praatten, te gretig om meer tijd te nemen. Tijdens andere bezoeken zaten ze minutenlang stil, met hun handen dicht bij het glas, het bijna aanrakend, terwijl ieder naar een eigen punt in de ruimte keek. Maar zelfs in de stilte was zij daar. Haar moeder, in levenden lijve, levend bewijs van het feit dat er nog een andere wereld was.

Stel, dacht Salomé, toen ze in haar cel lag. Stel dat het echt zo kon zijn dat ze niet haar hele leven hier in deze gevangenis zou moeten slijten, dat ze niet zou sterven tussen deze dikke grijze muren, dat het regime zou veranderen en dat ze weer op straat kon lopen – wat dan? Hier lag ze in haar donkere hok, met de zware ademhaling van vrouwen om haar heen, hier op deze strozak waar ze niet zozeer op sliep als wel op neerzeeg, elke avond, en zachtjes in stukken uit elkaar viel, waarbij haar spieren vrijelijk alle kanten op konden bewegen, haar geest zich steeds weer kon zuiveren van saaie uren die regelmatig doorboord werden door scherpe stekels; ze leefde nog, dat wist ze, ze ademde, ze liep, ze telde de uren tussen de bezoeken van mamá, ze volgde de instructies van de bewakers, ze stelde zich voor dat haar eigen handen gele strikken in bruin haar legden, of het mes in een hete, kort gebakken biefstuk zetten, of een boek vasthielden in haar oude woonkamer, ze voelde de linten, het mes, het boek, ze leefde, maar in hoeverre, dat was de vraag; de uren en jaren hadden hun tol van haar geëist, ze was vervlakt, het grootste deel van de dag was ze niet aanwezig in haar lichaam, maar was ze een stipje dat ergens rondzweefde, en pas hier kon ze, laat op de avond in het donker, in stukjes uiteenvallen en zichzelf ervaren, de kuil vanbinnen, donker en kolkend, waar de helft van haar wezen in was gevallen, ze was in die langzame jaren veranderd, wat was er van haar geworden? Wie zou ze zijn als ze uit deze muren wegstapte? Wat wachtte haar daarbuiten? Vrijheid zou betekenen: geen muren, en zon en vers warm eten en mensen die ze ooit had gekend voor wie de tijd ook was verstreken en tientallen kleine beslissingen die ze weer zelf zou moeten nemen. Ze vroeg zich af hoe ze dat moest redden. Ze vroeg zich af hoe het daarbuiten was.

Het jaar daarop, 1984, was anders. Het rekte zich uit als het lange lichaam van een kat die de slaap van zich af schudt. Een jaar dat zich uitrekte en oprees, om zich heen keek, wakker werd in chaos, zijn rug kromde. De verkiezingen waren gepland in november, de eerste in dertien jaar.

Het gebeurde. November kwam.

De junta verloor; de naam van de overwinnaar was Sangui-netti. Hij glimlachte naar vele camera's, zei het woord 'democratie', schudde de hand van mannen in uniform. Het verliep zonder bloedvergieten. Het gebeurde beschaafd. Het gebeurde. Het was moeilijk te geloven, ze wilde het niet geloven, geen hoop krijgen om die daarna te betreuren; hoop is iets gevaarlijks, het tilt je op zodat je daarna nog dieper valt, alles was mogelijk, ze konden van gedachten veranderen en hem en zijn gezin vermoorden, dus koester geen hoop, maar ze kon er niets aan doen – alles was anders, de soep was warmer, de maïspap dikker, de voetstappen van de vrouwen klonken harder op het beton, de aandacht van bewakers verslapte vaker. Mamá keek van achter het glas stralend naar Salomé alsof ze zonder woorden wilde zeggen: Hij zal het doen, hij zal je vrijlaten, je zult zien dat we je hieruit krijgen, en ze wilde het geloven, iedereen om haar heen leek het te geloven, de vrouwen in grijze jurken met de kin hoger geheven dan ooit, zijzelf was niet meer dezelfde, een diepe siddering ging door haar lichaam, beelden van vrijheid stroomden ongevraagd binnen, straten waarop je kon lopen, lucht die je kon proeven, brood waar je gretig je tanden in kon zetten. Ze achtervolgden haar. Ze hielden haar uit haar slaap.

Sanguinetti legde in maart de eed af, hij bestond nog steeds echt en was niet vermoord. Een week later kwamen twee bewakers 's ochtends de cellen openmaken, te vroeg voor het luchten.

'Jij. Jij. Jullie vier. Jij.'

Salomé en de meeste vrouwen uit de cel naast haar gingen zoals gebruikelijk in de rij in de gang staan. Ze wachtten. Salomé tuurde naar de rug van Paz.

De bewaker kuchte. 'De president heeft gisteren een wet ondertekend.'

Niemand maakte geluid.

'Daarmee verleent hij amnestie aan alle politieke gevangenen.'

Paz' schouders schokten even.

'Jullie worden over een halfuur vrijgelaten.'

Paz haalde diep adem. Een vrouw achteraan kreunde. Niemand zei dat ze zich koest moest houden.

Er was bijna niets om in te pakken. Salomé had haar lichaam en de jurk die ze droeg en één verbleekte tekening van een boom. Ze stopte die in haar onderbroek en terwijl ze tegen de muur van haar cel leunde probeerde ze die te zien, hem echt te zien, nu ze zich in een droom bevond waarin de cel op het punt stond een herinnering te worden. Olga huilde, Marisol stond toe te kijken, Paz hield hun hand vast en praatte op een montere toon die Salomé haar nooit eerder had horen gebruiken. Zijzelf voelde zich licht, alsof ze zo uit haar lichaam kon zweven, door de tralies naar de hemel, waar ze zou opstijgen in het blauw, en nog hoger totdat ze steeds dieper en dieper viel in de richting van de stad en neerkwam op iets wat groen was, of wit, of een andere kleur, maar niet grijs. Alles behalve grijs. De bewakers kwamen terug en gingen hen voor door de gang in een rij die zich opdeelde in opstandige groepjes vrouwen die niet maalden om straf die ze trouwens niet kregen omdat dat niet meer kon, door nog meer gangen met rijen tralies en lange kale betonnen muren, naar een naargeestige grijze hal die Salomé nooit eerder had gezien. De vrouwen dromden er samen en ondertekenden papieren, dicht tegen elkaar aan, rustig, fluisterend, daarna harder pratend, kijkend naar de deur, waar ze naartoe liepen en samen even stokstijf bleven staan, waarna ze zich naar buiten drongen, naar buiten, naar buiten, het zonlicht in. Het licht deed pijn op Salomés huid. Het was een frisse dag; het was herfst, en de zon stond laag en scheen over Montevideo, vanuit een weidse, standvastige hemel.

Ze liep naar de poort van de gevangenis. Een menigte drong er vanaf de straat tegenaan, lichamen en gezichten en open armen. Ze keek en keek totdat ze hen zag staan, wachtend in het gedrang, met maté in hun hand: abuela en mamá.

9

Miljoenen zachte tongen

Monte. Vide. Eu. Ik zie een berg, zei een man een eeuwigheid geleden, en zo vond een stad zichzelf uit. Nu moest de stad zichzelf
opnieuw uitvinden: opstaan, zijn keel schrapen, de slaap na een
nachtmerrie uit zijn ogen wrijven. Salomé zat bij het raam in de
woonkamer en keek uit op een stukje van de stad: eiken, vrouwen
op een kerktrap, auto's die vaart minderden voor de hobbelige
keien, met radio's waarop een Engelse zanger over zijn hartzeer
kweelde – zijn voeten droegen schuld en hij zou niet meer dansen. De vrouwen op de kerktrap waren grijsharig en bedroefd en
wierpen boze blikken naar de auto's met hun rock-'n-roll. De ei-
kenbladeren ruisten hoog in de bomen.

Ze bracht lange dagen door voor het raam. Ze ging het huis
niet uit. Ze kon eruit als ze wilde, ze was vrij, maar vrij was voor
haar een te ruim begrip. De weidse ruimte buiten vervulde haar
met angst, zo veel lucht kon ze niet inademen, en trouwens, ze
hoefde nergens naartoe, binnen was meer dan genoeg voor haar.
Het duurde weken voor ze gewend was aan deurknoppen en licht-
schakelaars – o, weet je nog, zo gaat dat, je kunt hem aandoen
wanneer je maar wilt, gewoon indrukken, en je hebt ander licht,
een andere kamer, het was bijna te veel. Herinneringen kwamen
uit de muren, stroomden om haar heen, soms herinneringen
van haarzelf en soms veel oudere, sommige waarheidsgetrouw,
andere opnieuw verbeeld. Ze pulseerden uit elk meubelstuk, uit

elke hoek waar zich stof had opgehoopt. Ze werd omringd door herinneringen. Elk voorwerp – vork en foto, spiegel en dienblad – had een verhaal. Een lepel bezong hoe hij talloze monden van familieleden was binnengegaan. Ik was erbij, zei de mahoniehouten tafel, toen je moeder geboren werd. Ik weet precies, neuriede de lampenkap, wat er in deze kamer in het schemerdonker werd gefluisterd. Weet je nog, zei de hoek, toen je vijf was, en toen, en toen. Ze zat er uren rustig te schommelen, omringd door het gemurmel van de kamer, dat het gemurmel in haar binnenste tot rust bracht, het *kop dicht* van de bewaker, het nachtelijke gejammer van een vrouw, de stem vanbinnen die zei dat je niet thuishoort in deze stad, niet meer, je bent als die man in het sprookje die in slaap viel onder een boom en jaren later wakker werd in een wereld die was veranderd zonder hem, die hem aan zijn eigen lot overliet. Maar ik ben geen verdwaalde ziel, hield ze zich steeds weer opnieuw voor. Ik ken het huis, het kent mij, ik ben thuis.

'Maak je niet druk om geld,' had mamá aangedrongen. 'Neem de tijd. We redden het prima.'

Ze redden het prima. Ze hadden genoeg. Ze hadden de enveloppen die Roberto stuurde, mamá's fooien van twee weekdiensten in het café, en ook buren die langskwamen. Pajarita had zeven jaar geleden, toen Coco stierf, geprobeerd haar mand weg te doen, maar de vrouwen bleven bij haar aankloppen, ze negeerden de avondklok en glipten stiekem langs de soldaten in de schemering naar haar toe om genezing te vragen voor pijn, krakende gewrichten, een falend geheugen, nare herinneringen, vreemde pijnscheuten, verdriet om kinderen die waren verdwenen of uitgevlogen, verlangen naar hun echtgenoot in de gevangenis, angst voor de gevangenis, stijve handen, vreemde stuiptrekkingen, stukgebeten lippen, zoekgeraakte sleutels of grieven, nachtzweet, duistere lustgevoelens, blinde paniek, woedeaanvallen waarbij de echtgenoot moest bukken voor keukenpannen. Abuela Pajarita stuurde nooit iemand weg. Ze nam hen mee naar haar keuken, luisterde rustig en pakte dan een van haar glazen potten. Haar status ging van A naar B als gevolg van deze verboden bezoekjes, of misschien als gevolg van de burgerlijke ongehoorzaamheid van haar kleindochter, of het geschreven woord van haar dochter. Ze vond het niet erg. Zei ze. Ze was zesentachtig. Haar vingers beefden maar vergisten zich niet. Eva verlichtte haar last door haar moeders handen te worden. Salomé keek soms naar hen als de twee vrouwen, moeder en dochter, allebei grijs, een vrouw in tranen of een vrouw met een onbewogen gezicht hielpen. Maar meestal verborg ze zich voor deze bezoekers, in haar slaapkamer of in de woonkamer bij abuelo Ignazio, die op de bank zat als op een troon. Hij was eenennegentig, verschrompeld, verbazend sterk; tijdens een en hetzelfde gesprek laveerde zijn geest van scherp naar wazig tot terug naar scherp. Hij kon urenlang bazelen over gele sjaaltjes, over hun gewicht, hun textuur en felle kleur, en het feit dat zijn vrouw erop aandrong ze uit het zicht te houden. Hij dacht dat Salomé naar de bergen geweest was. Eva had haar hiervoor gewaarschuwd tijdens de bustocht vanaf de gevangenis. 'Aanvankelijk,' had ze gezegd, 'wilde hij niet over je praten. Trek het je niet aan. Ik moet het je vertellen. Hij vermeed je naam alsof hij die nog nooit had gehoord. Daarna, in '81 was het geloof ik, begon hij over een berg te praten. Hoe hoog die was, hoe steil, vol ongerepte sneeuw. Hoe fijn Salomé het daar moest hebben, aangezien ze nog steeds niet terug was. Ik weet niet of hij dat gelooft, of het alleen maar wíl geloven. Mamá, wat denk jij?'

Pajarita keek naar haar schoot, waar haar hand die van Salomé vasthield, twee paar magere vingers die meetrilden op de beweging van de bus. 'Allebei.'

'We kunnen hem beter niet tegenspreken,' zei Eva.

Salomé had die raad opgevolgd, wat niet moeilijk was. Abuelo Ignazio was opgestaan toen ze het huis in kwam lopen. Ze werd getroffen door de kwieke manier waarop hij opstond.

'Salomé. Je bent terug!'

Ze knikte en glimlachte.

'Hoe vond je het in de Alpen?'

Ze wist niet goed wat ze moest zeggen. Ze omhelsde hem onbeholpen. Hij rook naar zeep en azijn en maar een klein beetje naar zweet.

'Was het daar koud?'

'Ja.'

'Veel sneeuw?'

'Ja.'

'Heel mooi?'

Salomé voelde zijn hand over haar rug strijken, op en neer, op en neer. Het rook in huis naar gebraden vlees en ovenwarmte en kruiden die ze niet kon onderscheiden, een maaltijd die klaargemaakt werd ter ere van haar thuiskomst, de geur van de hemel, beter nog zelfs, de hemel met daarin het beste van het aardse. 'Ik zal je de waarheid vertellen, abuelo.' Ze hoorde haar moeder al met borden rammelen in de keuken. 'Ik vind het hier fijner.'

Abuelo keek wantrouwig. Salomé voelde de vermoeidheid als een brok lood op haar schouders vallen.

Ze waren werkelijk te goed voor haar, allemaal, abuela, abuelo, en mamá. Te lief, te zorgzaam. Ze gaven haar eten voordat ze wist dat ze trek had. Ze jaagden haar de keuken uit als ze iets wilde afwassen. Ze legden de dekens op haar bed recht als ze niet keek. Ze maakten haar nooit wakker, hoe lang ze ook sliep, of hoeveel dutjes ze ook deed, tenzij ze midden in de nacht schreeuwde. Dan werd ze wakker van het geluid dat ze zelf voortbracht of anders van mamá's aanraking, haar handen in het donker, armen om haar hoofd, parfum die van haar borsten wasemde, en het enige wat ze zei was sssst, sssst, terwijl ze haar zachtjes wiegde, alsof Salomé vier was en niet vierendertig, vernederend, vreselijk, meer nog omdat ze er zo naar verlangde. Ze deed alsof ze sliep, ze deed alsof ze er 's ochtends niets meer van wist. Bij daglicht brachten zij en mamá veel tijd door zonder elkaar aan te kijken. Ze rookten samen, zaten samen, lazen samen. Ze spraken alleen over dingen in het hier en nu: over warmte of wind of motregen, het vlees dat lag te marineren, het water dat kookte voor maté, de klant die aan de deur klopte. Er waren natuurlijk allerlei soorten thee voor haar, bittere brouwsels die drie keer per dag werden bereid, en Salomé dronk ze zonder een woord. Het was een opluchting dat ze van niemand iets hoefde te zeggen. Ze had weinig te zeggen, behalve wat in haar keel bleef steken, onuitgesproken, onuitsprekelijk. Haar moeder was een labyrint, slingerend, verstolen, onnavolgbaar, een vrouw van zestig die nog steeds het huis verliet met plotselinge, vage smoesjes, naar een geheime plaats die alleen zij kende. In de gevangenis werd geheimhouden een tweede natuur. Salomé vroeg zich af hoe de dictatuur hier in de buitenwereld was ervaren, toen het land zelf misschien wel een soort gevangenis was, waarin mamá zich misschien had aangepast zoals anderen zich achter tralies aanpasten. Ze vroeg zich af of mamá er ooit over had gedacht om te vertrekken, misschien haar zoon te volgen naar het noorden van het noorden, en zo ja, wat haar in Uruguay had gehouden. Of wie. Natuurlijk haar familie, haar moeder, vader, broers, de dochter achter tralies, en misschien nog meer, een geheime reden om te blijven. Op de bladzijden van een boek probeerde ze te zien wie haar moeder was: *De breedste rivier van de wereld*, door Eva Firielli Santos. Er stonden een paar gedichten in, erotische gedichten die volgens Salomé niet geïnspireerd konden zijn door haar vader. *Ik ben geboren om jou aan te raken, mijn leven hiervoor, mijn hand over jouw huid.* Ze verslond het ene gedicht na het andere. Ze drong erin binnen. Ze wilde meer doen dan lezen: ze wilde zich klein maken en in die woorden kruipen, tussen de letters door lopen, in het topje van de A naar geheimen zoeken, in de takken klimmen van een Y en luisteren naar zijn dromen, langs een S omlaag glijden naar zijn hete, verborgen bron, een O binnengaan en de waanzinnige vrolijkheid of vrolijke waanzin in de kern ervan ervaren, de essentie van haar moeder raken – zoals die ademde toen Salomé nog een kind was, klein en open, en ergens in het wit tussen zwarte letters was blijven ademen.

Het werd winter. De regen spreidde zich als een mantel over Montevideo. Ze ging nog steeds niet de deur uit, het had ook geen zin, het was zo nat en koud. Ze hielp abuela Pajarita met het maken van soep en *puchero* en brood. Als ze kookten, luisterden ze naar de radio, naar pas geïmporteerde rocknummers en optimistische berichten over de wederopbouw, de naderende terugkeer van ballingen, uitzicht op nieuwe banen, werkloosheid, martelingen, waarvan het aantal nog steeds onbekend was, die fluisterend en jammerend prijsgegeven werden, toespraken over verdergaan in de toekomst. Salomé dacht aan generaals en bewakers en troepen waar ze niet over wilde nadenken. Ze dacht aan vliegtuigen die terugkwamen in het land, met daarin aan boord misschien Leona, Tinto, de anderen, Tinto, Tinto. Er waren jaren verstreken. Vijftien jaar. Natuurlijk had hij, waar hij ook was, een eigen leven opgebouwd en er was geen enkele reden om nú te denken aan zijn gezicht, zijn geur, zijn gespierde handen, zijn grote lichaam bij haar in het donker. Maar hij bleef haar gedachten bezighouden en zij was bij hem, als versteend in de tijd, reikend naar zijn jonge lichaam met jonge handen, lenig, roekeloos, met het vermogen te vertrouwen en te buigen en zich vol vreugde te openen. Dat meisje kon ze niet meer zijn, ook al kwam hij vandaag binnenlopen en was hij op wonderbaarlijke wijze geen dag ouder geworden. En toch raakte ze die gedachte niet kwijt. Ze kon er niet mee ophouden. Tijdens het koken met Pajarita, in haar geruststellende aanwezigheid, kwamen de gedachten boven als een eigenzinnige bron die opborrelde uit de grond. Ze dacht ook voortdurend aan de telefoon in de kamer ernaast, aan het telefoontje dat ze niet pleegde, het telefoontje dat een vermogen zou kosten, dat een vermogen waard was, naar een blauw, mooi huis in Californië. Victoria's stem, omgeven door ruis, Victoria, Victoria, ver meisje, verloren meisje, waanzinnig-snel-gegroeid meisje, hoe klink je, ik droom dat ik je hoor maar dan ontglipt het me en gaat het over in nieuwe klankkleuren, ik vrees het geluid van je echte stem en tegelijkertijd verlang ik ernaar. Maar eerst waren daar nog Roberto en Flor, en wat moest ze in vredesnaam tegen hen zeggen? Ze moest wachten. Ze bellen wel met kerst. Wachten.

Op de radio bazelden ze door over de lange weg van de wederopbouw.

In september, toen in de lente de stoepen opdroogden, verliet Salomé voor de eerste keer het huis. Ze maakte een lange wandeling door de stad. Montevideo. Monte. Vide. Eu. Stad van echo's. Stad van afgetrapte schoenen en afgeleefde gezichten. Stad van heldere zonneschijn op afbrokkelende stoepen. Ze deden haar pijn, al die straten met hun vertrouwde aanblik, hun stille steegjes, hun dierbare keien, en ook met hun veranderde aanblik: de afbladderende verf, dichtgespijkerde ramen, dichte winkels, vervallen gebouwen, scheuren in de grond, verbleekte straatborden, hoopvolle bakken met bloemen op balkons, verlepte bloemen die in vensterbanken stonden te verdorren, de geur van verbrande chorizo die nog steeds zwaar en zinloos rond lege cafés hing. Ze had haar stad nog nooit zo leeg gezien. De weinige mensen die ze tegenkwam zagen eruit als zombies die net waren opgestaan uit de dood. Ze liep door Barrio Sur, langs het oude huis van tía Xhana, naar de rivier. Aan de oever leek de stad zijn benauwdheid te verliezen en te ademen. Ze ging op de rand zitten en keek uit over stenen en water, bruin modderig water dat zich rimpelend uitstrekte, helemaal tot aan de horizon, tot aan het einde van Uruguay, waar de rest van de wereld begon. Ze liet haar blikken erover dwalen. Ze liet de wind zacht over haar huid dwalen. Een man liep achter haar langs, vertraagde zijn pas en bleef een paar passen van haar vandaan staan. Zonder zich om te draaien was ze er zeker van dat ook hij door Het Systeem te pakken was genomen. Ze zag het aan het feit dat hij beefde zonder dat hij bewoog, onzichtbaar, alsof hij werd geteisterd door een aardbeving die niemand anders had gevoeld. Ze wierp even een blik op hem; hij leunde tegen de rand en staarde naar het water. Hij droeg een kapotte bril, bij elkaar gehouden met tape. Ze vroeg zich af of zij er in de ogen van anderen ook zo uitzag, zo naakt, zonder huid, één wandelend brok zenuwen. Ze dacht erover met open armen op hem af te rennen om hem als een kleine jongen vast te houden, o kijk nou, je hebt je pijn gedaan, kom hier, wat is er in godsnaam met je bril gebeurd; ze dacht eraan de andere kant op te rennen, aan hem te ontsnappen, ik ken jou niet, jij kent mij niet, we hebben niets te zeggen. Ze verroerde zich niet. Hij ook niet. Daar stonden ze, allebei, stilzwijgend, afzonderlijk, en beiden ademden de aanwezigheid van de ander in terwijl ze naar de rivier keken waarop het gebroken licht weerkaatst werd.

Hierna kwam ze er nog vaak terug, om hier in haar eentje te staan en naar de rivier te kijken. Terwijl ze dat deed probeerde ze alles na te gaan wat ze was kwijtgeraakt, de manier waarop ze het was kwijtgeraakt, de puur verslindende kracht van water, hoeveel erin kan verdwijnen wat nooit meer teruggezien wordt. Zelfs rimpelingen verdwijnen na enige tijd. Je begint je af te vragen of wat verloren is ooit heeft bestaan. Je begint je af te vragen waarom je nog steeds op droge grond staat. Je verwondert je vooral over dat feit – de rivier, en jij ernaast in plaats van erin, longen niet vol modder maar vol lucht, ondanks alles ademend, hier alweer een dag naar de rivier kijkend; de rivier is stil en breed en laat niets, niets, niets zien, maar hij stroomt, hij ademt, hij leeft, net als jij is hij al die jaren blijven leven, en misschien heeft de rivier niet gestolen waar jij naar op zoek bent, misschien zoek je op de verkeerde plaats, per slot van rekening heeft de rivier dezelfde jaren overleefd als jij, en hij bleef maar stromen, onschuldig, opstandig, maar nee, dat klopt niet, geen enkele opstandeling behield zijn onschuld, de enige die geen schuld treft zijn de doden.

Ze liep altijd naar het westen. Alleen naar het westen. Naar de oevers van Parque Rodó, Palermo, Barrio Sur, La Ciudad Vieja, waar je vrijelijk kon wandelen. In oostelijke richting lag een ander deel van de stad en de rivier, en als ze te ver doorliep kon ze in Malvín terechtkomen, waar Dan Mitrione had gewoond en waar zijn beschermelingen misschien ook woonden, en daarachter in Punta Gorda, Carrasco, grote huizen met gazons en hekken ertussen, met hun zwembaden en prachtige porselein en mannen die niet gestraft waren, helemaal vrij, die 's ochtends konden opstaan en elke droom van zich konden afschudden en hun vrouw kussen en gewone kleren aantrekken nu uniforms uit de mode waren, die konden zeggen: *Querida, ik ga de hond uitlaten*, of *Ik ga een frisse neus halen*, en gingen wandelen en ademen en hun benen strekken op de oostelijke rand van de Rambla. Openbare lucht inademen. En dus hield ze het westen aan, sloeg ze rechts af in Punta Carretas en dwaalde door de dicht opeengepakte delen van La Rambla, de oudere delen, omzoomd door gebouwen die ouder waren dan de eeuw zelf, schaamteloos als matriarchen met hun curieuze versiering, tevreden met zichzelf, niet bang om tegen de rivier te praten of een voorbijlopende vrouw het idee te geven dat ze dat deden. Ze kon beter niet aan het oosten denken. Ze had haar handen vol aan het westen en het water en zichzelf. Ze was een dier, een verslindend dier dat jaagde op iets wat ze niet kon benoemen en dat stilzwijgend de stad af snuffelde, luisterend of ze iets hoorde, raadselachtige sporen volgend. Op haar goede dagen was haar honger enorm, een oerhonger die al door haar bloed raasde voordat ze geboren was, die door het bloed had gestroomd van haar hele familie, een eeuwenoude honger die generaties had doen zweten en paren en overleven, die haar grootouders en honderden voor hen had voortgedreven, die haar nu kon voortdrijven. Niet elke dag. Op sommige dagen was ze te zwak – ik kan niet opstaan, de dag is een lege hand die zich om me heen sluit, en alles is te zwaar, mijn armen, mijn voeten, wat er in mijn borst zit, de beelden die ik niet uit mijn hoofd krijg, de warme lucht van mijn eerste zomer in vrijheid, ik kan me niet bewegen maar ik moet, er zijn tanden te poetsen, ze worden niet altijd gepoetst. Maar ze bleef het proberen. Er kwamen lichtere dagen. Op die dagen stond ze op om de rivier te zien en hem bloot te stellen aan haar gedachten, en de dag hield haar zachtjes in zijn hand.

Dat jaar belde Roberto met Kerstmis. De telefoon ging van hand tot hand in de woonkamer. Elk moment was kostbaar.

'Hallo?'

'Salomé?' De stem van haar broer klonk blikkerig, ver, en probeerde over de ruis heen te komen.

'Ja. Hoe gaat het?'

'Goed. *Ay*, Salomé, wat fijn om je stem te horen.'

'En de jouwe.'

'Flor is ook aan de lijn.'

'Hallo, Salomé,' zei Flor, ook blikkerig, ook ver.

'Vrolijk Kerstmis,' zei Roberto.

'Dank je. Jullie ook.'

'Gaat het... gaat het goed met je?'

'Ja.'

De stilte knetterde van de ruis.

'Wil je Victoria gedag zeggen?'

'O,' zei Salomé in een poging nonchalant over te komen, 'ja.'

'Viqui,' riep haar broer in de verte, 'Salomé aan de telefoon.' Toen, nog verder van de hoorn: 'Je tante.'

Geschuifel. Een meisjesstem. 'Hallo?'

'Victoria?'

'*Sí. Hola*. Tía Salomé.'

Haar Spaans was gebrekkig en had een Engels accent. Haar stem was niet die van een meisje van twee, of drie, of zes jaar oud. Ze was veertien, een beetje stuurs, maar haar stem was helder, zelfs met die ruis, als fijn kristal dat Salomé nooit zou willen breken.

'Heb je een leuke kerst?'

'Ja.'

'Wat heb je gekregen?'

'Een stereo.'

'Wauw!'

'Ik wilde een motor.'

'Ben je daar niet te jong voor?'

Victoria, in verlegenheid gebracht, zei: 'Mja.'

In luttele seconden, dacht Salomé, was het haar gelukt om een nuffige tante te worden. Ze probeerde het te herstellen. 'Nou, ik hoop dat je alles krijgt wat je wilt. In het leven, bedoel ik, niet alleen vandaag,' voegde ze er zwakjes aan toe. Ze hoorde alleen ruis. 'Ben je daar nog?'

'Ja.' Nog meer ruis. 'Bedankt.'

Salomé zweeg even. Het was al zo lang geweest, meer dan een minuut. Abuelo Ignazio zat naast haar te wachten, hij was hierna aan de beurt. 'Nou, ik weet hoe duur dit is. Zal ik je je overgrootvader geven?'

'Oké.'

'Ik hou van je,' zei Salomé, en ze gaf snel de hoorn door.

Kristal. Stuurs kristal. Het bleef nog wekenlang in haar weerklinken.

Op een dag, tegen het eind van de zomer, belde Orlando. Hij was net terug in Uruguay. Het was voor het eerst dat ze zijn stem aan de telefoon hoorde.

'Salomé?'

'Ja?'

'God zij dank. Ik ben het – Orlando.'

Ze dacht aan een volle baard, rustige ogen, schemerige kamers, stront in een emmer. 'Waar ben je geweest?'

'In Spanje. Ik ben net terug.'

'In Montevideo?'

'Sí. Ik ben bij mijn moeder. Luister, ik hoorde dat je…'

'Dank voor je telefoontje,' viel ze hem in de rede, klaar om op te hangen.

'Salomé. Wacht. Kunnen we niet ergens maté gaan drinken?'

Ze zweeg even. Uit de keuken hoorde ze het gedempte geluid van de radio. 'Wanneer?'

'Maakt niet uit. Donderdag?'

Ze spraken af in Parque Rodó, op een bank bij de ruisende fontein. De tegels op de grond waren nog dezelfde, beschilderd met granaatappels, draken, dansende vissen, allemaal blauw, een oude mythische wereld onder hun voeten. Hij was nu in de veertig. Zijn baard was goed verzorgd en doortrokken met grijs. Zijn gezicht was verweerd, op een manier waaruit jaren zon of hard werken of hard werken in de zon af te lezen was. Hij had een buikje gekregen – te veel barbecues, zei hij, 's nachts om twee uur op het strand. Hij lachte toen hij dat zei.

'Dus Spanje beviel je wel?'

'Ja. Maar ik miste Uruguay. Ik wilde naar huis.'

Salomé gaf hem de kalebas met maté.

'Het is fijn je te zien, Salomé.'

Ze wist dat ze er even oud uitzag als hij, en misschien nog ouder, ook al was hij toen ze elkaar ontmoetten een man en zij nog maar een schoolmeisje. Ze wist dat de jaren van opsluiting van haar gezicht af te lezen waren. Ze hield haar mond dicht toen ze glimlachte om niet te laten zien dat ze tanden miste.

'Echt, Salomé, ik meen het. Je geest is niet gebroken.'

Ze haalde haar schouders op.

'Ik heb me zorgen over je gemaakt,' zei hij. 'Wij allemaal.'

De wind speelde met de groene krullenbos van de bomen. 'Wie zijn "wij"?'

'Ik, en Tinto, Anna, Leona.'

Salomés keel snoerde dicht, alsof er een touw omheen getrokken werd. 'Je hebt contact met ze.'

'Ja.'

'Waar wonen ze?'

'In Mexico Stad. Al vanaf '73.'

'Aha.' Ongewild kwam ze bij haar op: de gedachte aan Tinto's haar, borst, handen, die in haar idee meer dan perfect waren geworden. Het was alsof de draak op de tegel tussen haar voeten glimlachte. 'Denk je dat ze nu terugkomen?'

'Ik denk het niet. Ze lijken daar hun draai wel gevonden te hebben.' Hij schonk heet water in de kalebas.

'O.'

'Salomé,' zei Orlando zachtjes, 'Tinto en Anna zijn getrouwd.'

Ze wachtte tot hij zou zeggen: *maar niet met elkaar.*

'Ze hebben drie kinderen.'

De draak op de tegel lachte spottend; ze zette haar voeten erop.

'En Leona geeft les aan de universiteit.'

Ze zou gelukkig moeten zijn voor Leona, gelukkig voor iedereen, al die mensen die hun zon en tanden en tijd en baby's hadden behouden, die er waarschijnlijk zo oud uitzagen als ze waren, die andere landen hadden gezien, getrouwd waren, gestudeerd hadden, lesgegeven, feestjes op het strand hadden bezocht. Anna was zo scherp, te scherp voor Tinto, die vrouw was net een mes, ze had hem met haar aanraking vast in mootjes gesneden. Tenzij ze was veranderd. Tenzij alles en iedereen was veranderd.

'Salomé?'

'Ja?'

Orlando gaf haar de maté. Salomé pakte hem aan. Ze tuurde er even naar voordat ze dronk.

'Ik wist niet hoe ik het je moest vertellen.'

'Ik neem aan dat je een manier hebt gevonden.'

'Misschien.'

Ze zwegen weer. De wind was nog speels, ruiste nog door de bladeren met hun lichte zonnevlekjes. De fontein stortte rijkelijk zijn tranen.

'Laten we dit blijven doen,' zei Orlando.

'Waarom?'

'Waarom niet?'

'Ik hoef geen medelijden.'

'Goed zo. Ik was ook niet van plan medelijden te hebben.'

Ze keek hem aan. Hij draaide de dop van zijn thermosfles open en dicht. 'Ik ben te lang weg geweest. Mijn vrouw is in Barcelona gebleven; ze is mijn vrouw niet meer. Ik kan wel een vriendin van vroeger gebruiken.'

Ze dronken samen twee keer per week maté. Soms zwegen ze minutenlang. Orlando was iemand bij wie je gemakkelijk stil kon zijn. Hij liet zich de stilte welgevallen, het soort stilte waarin je gedachten kunnen drijven als boeien in het water. Hij was nooit bemoeizuchtig. Zijn glimlach was oprecht en leek op die van een man die veel ouder was. Soms zaten ze in het park, soms liepen ze in La Rambla en keken ze naar de zon die zijn oranje hoofd boog naar het water en de rotsen. Toen het winter werd, spraken ze af in cafés of bij elkaar thuis. Zijn moeder was een vriendelijke, forse weduwe die altijd een schort vol meelvlekken droeg. Bij Salomé thuis luisterde Orlando welwillend naar abuelo Ignazio's warrige verhalen en sprak hij over planten met abuela Pajarita, die nog nooit een man had ontmoet die over zo veel botanische kennis beschikte. Hij haalde bescheiden zijn schouders op. Ik heb in Spanje een beetje getuinierd, ik weet er niet veel van, waarvoor gebruikt u deze schors? Salomé had hem, omdat hij deel uitmaakte van haar geheime tweede leven, altijd zo angstvallig weggehouden van haar familie dat het nu vreemd was om hem hier te zien, lachend en snuffelend aan potten met haar grootmoeder, maar aan de andere kant was in dit nieuwe Uruguay alles mogelijk – er konden dingen bij elkaar komen en zich vermengen die dat nooit eerder hadden gekund. Hij praatte met Eva over politiek, als ze 's middags maté dronken in de woonkamer, over de toestand van de nieuwe democratie: De president heeft de export uitgebreid, heb je zijn toespraak gehoord. O ja, zo trots over de daling van de werkloosheid, maar die daling kwam niet doordat er meer goederen werden geëxporteerd, maar door de export van mensen, bewoners van Uruguay die emigreerden, op zoek naar werk. Ja, ja, je hebt gelijk. En ballingen komen niet terug – een vijfde van de bevolking woont nog steeds verspreid over de wereld. Eva knikte opgetogen. Waarom komen ze niet terug, net als jij? Terug naar wat? Ik heb geluk gehad – mijn moeder is hier nog – maar kijk naar ons land. Kinderen die in groepjes op boulevards staan te bedelen. O, ja, ik weet het – ik heb ze vroeg in de ochtend met een aftandse paard-en-wagen de stad af zien schuimen, dingen in vuilnis zien zoeken om mee te nemen naar de *cantegril*. Iedereen heeft ze gezien, het is een schande. Je hebt gelijk, dat is het, en hetzelfde geldt voor alle volwassen mannen die op straat oude kleren en loten verkopen, en net doen alsof ze geen arts of jurist of ingenieur zijn die verlegen zitten om een peso. Ik heb ze ook gezien. Wij allemaal, ja toch? Hoezeer de president ook zijn best doet ons een rad voor ogen te draaien. Eva vulde de kalebas voor hem. Je hebt gelijk, *si*, je hebt gelijk. Waar gaat het met dit land naartoe? Ze was bedroefd, weemoedig, geconcentreerd. Salomé had sinds haar terugkeer niet met haar moeder over politiek kunnen praten. Het onderwerp kwam te dicht bij de niet-vertelde aspecten van het verleden. Orlando's aanwezigheid maakte het hun iets gemakkelijker om een neutraal gesprek te voeren waarin bedelaars en peso's en presidenten voorkwamen zonder dat er iets over cellen waar niemand naar wilde terugkeren aan te pas kwam.

In de lente begon Orlando te schrijven voor een socialistische krant. In december had hij er een baan geregeld voor Salomé. Het kantoor was op de zolder van een huis van een voormalige Tupa, met een bureau, een stoel, een heleboel planken en een kapotte bank. Het was een deeltijdbaan, zonder loon, maar het was goed werk voor haar: ze controleerde feiten, redigeerde en vertaalde teksten uit het buitenland. Er waren onderzoeksartikelen, interviews, opinies, analyses, requiems voor de revolutie. De meest verhitte reacties werden opgeroepen door het onderwerp van de mensenrechten, naar aanleiding van steeds meer nieuwe bekentenissen, nieuw bewijsmateriaal, verdwijningen van inwoners van Uruguay in Argentinië, waar een comité alle misdaden vastlegde, maar hier was niet zo'n comité, niet in Uruguay, geen beroep op gerechtigheid, zelfs geen beroep op het geheugen; de president vroeg om amnestie voor militairen, spoorde het volk aan vooruit te kijken en het verleden achter zich te laten, maar hij roeide tegen de publieke stroom die golfde van emoties en discussies. Salomé zou zich er niet toe hebben kunnen zetten over deze dingen te schrijven. Het ontbrak haar aan scherpte. Maar ze kon wel de grammatica verbeteren, ze kon uitroeptekens weghalen, ze kon er komma's en punten bij zetten als de schrijvers die onder de druk van hun haastige pen vergeten hadden. Het had voor haar iets geruststellends om orde aan te brengen in jachtig geschreven teksten.

De dag na kerst, na weer een ongemakkelijk telefoontje met Roberto en Flor en Victoria, kreeg Salomé een brief uit Mexico Stad. Als afzender stond er LA FAMILIA CASSELLA Y VOLKOVA. Hij was dik genoeg voor een brief en misschien een of twee foto's. Ze liet hem een week lang ongeopend op haar kaptafel liggen. Elke ochtend als ze wakker werd was ze woedend vanwege zijn bestaan, vanwege het feit dat ze hem zag zodra ze haar ogen opendeed. Ze haatte zichzelf om haar eigen woede. Ze worstelde ermee. Ze opende haar ogen met haar gezicht naar de muur, de deur, het plafond, verscheurd door haar eigen gedachten tegen de tijd dat ze uit bed was. Ten slotte gooide ze de brief op nieuwjaarsdag weg.

Maar misschien bleef het niet zo. Die gedachte diende zich langzaam, behoedzaam aan, een schokkende missive, geschreven op gescheurd papier. Misschien was er een andere manier om in bed haar ogen open te doen. De seizoenen wisselden elkaar af. Ze sliep rustiger na twee jaar bruine thee, gebrouwen door abuela Pajarita's oude, gerimpelde handen. Ze werd zwetend wakker maar ze schreeuwde niet, en dat was goed, hoewel ze haar moeders geheime bezoekjes miste (dat zou ze nooit zeggen), haar ssst, sssst, haar geparfumeerde lichaam in het donker. Er waren dingen om voor wakker te worden, de wereld had meer te bieden dan pijn. Dit hield ze zich aanvankelijk voor als een trucje om onder de dekens vandaan te komen: er is daarbuiten meer dan pijn, word wakker, word wakker, leef in elk geval lang genoeg om je tanden te poetsen. Ze had tenslotte nog tanden over – ze zag het in de badkamerspiegel tijdens het poetsen, en aangezien ze niet dood of tandeloos was, wat voor smoes had ze dan nog om ze niet ergens in te zetten? In het zachte vlees van de dagen: middagjes kaarten en maté drinken met abuelo en mamá; ochtenden in de keuken met abuela, waar ze planten snoeiden, haar haar vlochten terwijl de radio tussen hen in ratelde, abuela met haar tedere, krachtige stilzwijgen, haar schitterende, onuitgesproken herinneringen. Abuela zette nog steeds haar tanden in het leven. En kijk naar mamá: zij deed het ook als ze wegging naar kaartmiddagjes die vast geen kaartmiddagjes waren, en gedichten schreef terwijl de uien lagen te braden en nu en dan aanbrandden.

'Salomé,' zei ze op een avond, terwijl ze aangebrande resten uit een pan schraapte, 'het is nooit te laat om opnieuw te beginnen.'

'Ja,' zei ze, te snel. 'Maak je geen zorgen, ik ga de uien wel hakken.'

'Ik meen het echt.'

Ze draaide zich om naar de snijplank. 'Dat weet ik.'

Drie dagen per week klom ze de trap op naar een zolderkantoor en zat ze naast Orlando, redigeerde teksten op een doorzakkende bank waarop ze allebei naar het midden gleden. Ze trokken samen naar verschillende wijken, verzamelden handtekeningen voor een referendum tegen de nieuwe wet over strafvrijstelling, klopten op gehavende deuren, keken in de gezichten van Uruguay: Dag goede heer, we willen u iets vragen, ik ben vandaag blijven leven om u te kunnen ontmoeten. Op sommige avonden haalde Orlando haar over om nog even te blijven.

'Alleen voor een drankje,' zei hij dan.

Ze wist even goed als hij dat 'alleen een drankje' in Uruguay betekent zolang als je wilt, dat de nacht om drie uur nog jong is, hoe kort het leven ook lijkt, de nachten zijn nog jong.

'Eentje dan,' zei ze dan, en ze bleef.

Ze gingen naar cafés met ronde tafels en veel kaarsen. Het liefst ging ze naar La Diablita, vanwege de piano die klonk alsof hij zolang zij leefde niet was gestemd, maar nog steeds zijn best deed. Ze ontmoetten vrienden van Orlando – onze vrienden, zei hij – oude communisten en socialisten en Tupas, niet langer verschillende kampen, maar één groot en schijnbaar verenigd links. Sommigen waren in ballingschap geweest, sommigen in de gevangenis, sommigen in allebei, allemaal aanhangers van een oude, stukgeslagen droom, discipelen na de kruisiging, toostend op de dagen toen het avondmaal niet hun laatste was geweest. Ze praatten en rookten en dronken te veel wijn, net genoeg om het verleden als pokerfiches op tafel te laten vallen.

Ik was hier.

Ik was daar.

Ik was daar niet, ik wil het weten. Vertel het me.

Nee.

Ach, kom op.

Het ging zo…

Ik heb het me altijd afgevraagd.

Ooit heb ik.

En ik.

Nu je het zegt.

En hoe was het.

En ook…

Breek me de bek niet open.

Dat heb je al gedaan.

Dat is waar.

Een andere keer was ik.

En ik.

Ik heb het nooit verteld, nooit.

Vertel het vanavond.

Vanavond...

Ze kwam laat thuis en lag wakker van hun verhalen en die van haarzelf, terwijl ze zich de duizelingwekkende stappen voorstelde die *Uruguayos* al die jaren hadden genomen: een huis in Spanje, een Australische bar, een zekere familie in Mexico, een zeker meisje op een Californisch strand, in een Californische auto, totdat ze in slaap viel en droomde van donkere meren, oceanen, Victoria op een vlot waar Salomé achteraanzwom. In andere dromen was ze alleen in een donkere kamer en ineens was Victoria daar ook, ze kon haar omtrekken zien maar niet haar gezicht, en Salomé zei dan: *Doe het licht aan, dan kan ik je zien*, maar als Victoria dat deed verdween ze, verdween de kamer, en overal om haar heen waren de schaduwen van het verleden, ze verplaatsten zich, donker, steeds groter wordend eisten ze getuigen, eisten ze ruimte, eisten ze licht.

En dan was er deze stad. Montevideo. Elke dag stond ze op met het verlangen die te zien. Het was de enige stad die ze kende, en niet bepaald de meest flitsende stad, maar wel een stad als geen andere, volgens degenen die teruggekeerd waren uit Parijs, New York, Caracas, Sydney, Salerno. Enfin, het deed er niet toe wat zij zeiden. Het was haar stad en zij dwaalde erin rond, om drie uur 's middags, om drie uur 's nachts sloop ze door de straten, raakte ruiten aan, snoof de kookluchtjes van andere mensen op, sloeg links af of rechts af, al naar gelang haar impuls haar ingaf. Ze was vrij. Ze kon overal naartoe lopen. Meestal echter brachten haar benen haar naar het water. Ze liep over La Rambla en keek naar het maanlicht dat op de brede rivier schitterde. Altijd waren er andere mensen, dag en nacht, met een thermoskan met maté onder hun arm, langzaam slenterend, pratend, lachend, nooit gehaast; misschien woonde het grootste deel van hun familieleden overzee; misschien waren ze hun baan kwijtgeraakt; misschien werden hun geliefden achternagezeten door Het Systeem; misschien wilden ze liever in de Verenigde Staten wonen, maar waren ze hier. Velen waren vertrokken. De jaren waren centrifugaal geweest, hadden de wereld die ze kende groter gemaakt, *Uruguayos* over de hele aardbol verspreid. Maar kijk, sommigen bleven trouw en zeiden: Uruguay bestaat nog steeds binnen zijn eigen grenzen, ook al is het niet hetzelfde, en zal het nooit meer hetzelfde zijn, het idyllische land dat Batlle heeft gemaakt is voor altijd verdwenen. Maar wij hebben dit land. Dit Uruguay: minder onschuldig, op de een of andere manier kleiner, kleiner vergeleken bij de opkomende wereld, meer gewond, mensen uit zijn wonden lekkend, die treurden om het verloren bloed van de ballingen en de doden en ook degenen die domweg hun schouders ophaalden en vluchtten, maar ook sterker ondanks zijn wonden, volwassen, vastberaden, beter beseffend wat het aankan, met een hart dat klopt en mensen die hun weg vinden. Ze keek naar passerende mensen. Ze maakte oogcontact en knoopte gesprekjes aan. La Rambla opende zijn bochtige pad voor iedereen, liet alle voeten weerklinken, ving hun blikken in de schittering van de rivier.

Op een avond kuste Orlando haar aan de oever, zacht, zijn tong als water.

'Ga mee naar huis,' fluisterde hij.

Ffff, deden de golven op de rotsen.

Salomé leunde tegen hem aan. Hij rook naar muskus en wol. 'Ik heb niet veel te geven.'

'Geef dan niets. Geven kan naar de pomp lopen. Ga gewoon mee.'

Die nacht raakte ze hem aan als een wilde kat, een en al klauwen en hunkering.

Victoria was groot geworden. Ze was een jonge vrouw. Salomé hoorde het aan haar stem op kerstavond 1988. Ze had er niet zo van moeten schrikken – het was normaal, onontkoombaar, het gebeurde tenslotte met iedereen – maar toch had ze de hoorn in haar hand kunnen vermorzelen.

'Victoria? Ben jij dat echt?'

'*Sí*, tía.'

'Je hebt je diploma.'

'Ja. Ik ga naar *college*.'

'Bevalt het je?'

'Meestal wel. Het is koud in New York.'

'Je zult het wel fijn vinden om weer thuis te zijn.'

'Ja.'

'Wat is je hoofdvak?'

'Dat weet ik nog niet.' Ruis. 'Hoe gaat het in Uruguay?'

'Goed. Misschien kom je ons een keertje bezoeken?'

'Dat zou ik fijn vinden.'

De intensiteit waarmee Victoria dat zei verraste haar. 'Ik ook.' Ze had hier verschrikkelijk naar uitgekeken. Het was een duur telefoontje, ze moest eigenlijk ophouden, ze moest de telefoon doorgeven. 'Er is hier altijd een plaatsje voor je.'

'Echt?'

'Echt,' zei Salomé. Nog meer ruis. 'Oké, ik kan je nu beter aan je overgrootmoeder geven, voordat ik in de problemen kom. Je weet hoe gevaarlijk ze kan worden.'

Victoria lachte. 'Oké. Vrolijk kerstfeest.'

'Vrolijk kerstfeest.'

Salomé gaf de hoorn aan Pajarita en glipte haar slaapkamer in. De stem van Victoria galmde van de kale muren. *Echt?* Ze kon de toon waarop ze dat had gevraagd niet goed plaatsen, en met elke niet-gehoorde echo veranderde die in haar oren van vrolijk naar verlangend, van verlangend naar verrast, van verrast naar niet meer dan beleefd. Ze was een meisje dat geboren was in een klein en ver land waar ze nooit meer was geweest, of althans niet sinds ze oud genoeg was om zich dat te herinneren. Misschien was ze opgevoed met stukjes en beetjes ervan: wat krom Spaans, een deurvanger van amethist, nu en dan empanada's, afbeeldingen van gaucho's ingebrand in leer aan de muren, foto's van de huizen waar haar ouders als kind hadden gewoond, selectieve verhalen over hoe het toen allemaal ging, een jaarlijks telefoontje. Misschien ook niet. Misschien voelde ze zich als een plant die bij de wortel was afgesneden. Misschien verlangde ze heel erg naar dit land – om het te leren kennen, het zich eigen te maken – of misschien kon het haar helemaal niet schelen. Misschien waren Roberto en Flor meesters in vergeten en hadden ze Victoria geleerd er niets om te geven. Maar meisjes worden niet precies zoals ze gekneed zijn, juist ik zou dat moeten weten. Al dat vergeten was vermoeiend, er waren ingewikkelde, onzichtbare hersenkronkels voor nodig, en waar was dat goed voor? Wat zou ze doen als ze geen lafaard was? Ze was een verschrikkelijke, verschrikkelijke lafaard. Het was stil in de kamer. De verzegelde envelop loerde naar haar naast het bed, weer een jaarlijkse brief uit Mexico, ongeopend, als altijd. Ze keek er een hele poos naar. Ze pakte hem op en ging met haar vinger langs de randen. Nee, ik kan het niet. Ze legde hem neer en pakte hem vier keer op voordat ze hem openscheurde. Op de voorkant van de kaart stond een afbeelding van Frida Kahlo met een bloedend hart. Binnenin stond:

Lieve Salomé,
We hopen dat je het goed maakt. Wij maken het hier goed, wij drie-
en de kinderen – Cacho is nu tien, Ernesto zeven en Salomé is

*pas zes geworden. We zijn blij met onze gezondheid, ons bescheiden
huis en het timmerwerk. Dit jaar is Leona hoogleraar geschiedenis
geworden. We hebben het gevierd met een* asado *in Uruguayaanse
stijl, en onze Mexicaanse vrienden hebben genoten!*

*We denken vaak aan je. Het aanbod om je hierheen te laten ko-
men geldt nog steeds. We hopen dat je het op een dag zult accepteren
en ons komt bezoeken, hier in México D.F.*

Veel liefs,

Leona, Tinto, Anna, Cacho, Ernesto en Salomé

Ze las de kaart nog een aantal keer. Haar handen beefden. Ze
klapte hem dicht, keek naar de afbeelding op de voorzijde, stopte
hem terug in de gescheurde envelop, haalde hem eruit, keek naar
de afbeelding, stopte hem erin en haalde hem eruit en las hem
nog eens en nog eens en nog eens. *We hopen dat je. Het aanbod
om. Salomé is pas zes geworden.* Ze was misselijk. Ze had zin om te
lachen. Ze had zin om te gooien met alles wat haar voor handen
kwam. Ze had het gevoel dat ze in een glazen kist zat en de wereld daarachter een andere lucht ademde. Ze wilde alle ruiten om
haar heen breken. Ze wilde zich vastklampen aan de verschaalde
lucht erin, maar nee, dat mag niet, dat doe je niet, dit keer niet, er
wacht te veel aan de andere kant. Ze stond op en liep naar de gang.
Vanuit de woonkamer hoorde ze abuelo een overdreven verhaal
vertellen over een man die de hele nacht opbleef om een boot te
bouwen. Hij maakte zijn vrouw aan het lachen, hij was al ver in de
negentig – echt een wonder dat ze zo gezond waren. De deur van
de slaapkamer van haar moeder stond op een kier. Ze ging er binnen zonder na te denken. Ze was alleen. Ze opende de kast, haar
handen leken al te weten wat ze ging doen voordat zij het kon bedenken, ze reikte naar de plank waar ze nu zonder moeite bij kon
en pakte de zware doos die er nog steeds op stond vanaf. Ze trok
de zijkleppen open en haalde ze eruit, haar schoenen van vroeger,

Roberto's schoenen, de schoenen met bandjes rond de enkel en gaatjesschoenen en versleten gympjes, rode overschoenen, witleren schoenen die ze voor haar eerste communie gedragen moest hebben, witleren doopschoentjes nog verder onderin, allemaal met drie eucalyptusblaadjes die er als tongen uit hingen; ergens lag er een dat gescheurd was – dat had zij gedaan – maar welke wist ze niet, ze kon het zich niet herinneren, het was te laat om dat te zoeken, te laat om die te repareren, de schoenen stonden al als een leger verspreid op de grond. Ze tuurde ernaar. Ze beschuldigden haar niet. Ze staken hun bladertongen naar haar uit.

Ze hoorde voetstappen en keek op. Mamá stond in de deuropening. Ze keken elkaar aan. Mamá maakte een geluid dat het eerste deel van een woord geweest zou kunnen zijn.

'Ik heb me altijd afgevraagd waar die voor waren,' zei Salomé.

Mamá bleef nog even staan dralen. Ze droeg een roodzijden blouse voor deze gelegenheid; zij kleurde bij haar lipstick. Haar haar was opgestoken met twee zilveren kammen. Ze liet zich op de vloer zakken, naast haar dochter. 'Ik ook.'

'Ik heb je teleurgesteld.'

'Nee.'

'Natuurlijk wel.'

'Hou op.'

'Ik dacht dat alles anders zou lopen.'

'Dat weet ik.'

'Je moet me hebben gehaat.'

Mamá keek intens bedroefd. 'Nee.'

'Hoe kan dat?'

Mamá boog zich naar voren. Ze rook naar rozenparfum. 'Salomé. Salomé.'

Salomé keek de andere kant op, naar het legertje kinderschoenen. Haar moeder greep haar vast, klaarwakker, daar bij het licht van de lamp, en huilde zonder geluid. Onuitgesproken woorden van jaren kwamen tijdens haar moeders snikken naar buiten, als stofvlokken uit een kleed dat wordt geklopt, en Salomé voelde dat het waar was – op de een of andere manier wist ze het – dat haar moeder haar niet haatte, nooit gehaat had, en dit gaf haar een beschaamd gevoel maar ook iets anders, iets zonder naam, iets scherps wat haar uitholde; ik kan nooit meer dezelfde vrouw zijn die ik was of geweest zou zijn, en als ik moet leven moet ik haar doden – nu, hier, terwijl ik op de vloer zit – moet ik de vrouw doden die ik had kunnen zijn en die ik niet kan worden. Omdat er een andere vrouw wacht die ik nog wel kan worden, maar nog niet ben, die ik nu nog maar net aan het worden ben. Ze hield haar moeder stevig vast en liet haar snikken. Over haar schouder heen keek ze naar de gaatjesschoenen, de overschoenen, de gympjes, de bandjesschoenen met hun blaadjes; ze deden niets.

Mamá kalmeerde ten slotte. Ze leunden tegen elkaar aan. De tijd verstreek.

'Mamá.'

'Ja.'

'Ik ben moe.'

'Je kunt gaan liggen...'

'Ik ben de geheimen zat.'

'Je kunt me alles vertellen.'

'Ik wil Zolá ontmoeten.'

Mamá verstijfde. 'Om je haar te laten doen?'

Salomé raakte de grijze lokken van haar moeder aan. 'Je houdt vast heel veel van haar.'

Mamá zweeg.

'Ik hoop dat ze lief voor je is.'

Heel zachtjes, bijna onhoorbaar, zei mamá: 'Dat is ze.'

Salomé draaide met haar vinger langzaam kringen over het hoofd van haar moeder.

Zolá was een elegante dame van in de zestig. Haar haar was glad en wit. Haar appartement was een tableau van perzikkleurig marmer, spiegels, goud. Ze ontving Salomé met maté en een schaal *bizcochos*. Salomé nam plaats op een fluwelen bank bij een raam van boven tot beneden, waar je je blik kon laten dwalen over gebouwen tot aan de rivier tot aan de hemel. Ze was nog nooit van haar leven zo hoog geweest.

'Dank voor je bezoek aan een oude dame als ik.' Zolá glimlachte. Ze droeg parels, gedurfde make-up en een maagdenpalmblauwe jurk. 'Ga je gang. Vraag maar.'

'Vraag wat?'

'Wat je maar wilt.'

'Hoe hebt u mijn moeder leren kennen?'

'Heeft ze je dat niet verteld?'

'Nee.'

'Lang geleden, toen we nog kinderen waren. We kwamen elkaar weer tegen toen ze terugkeerde uit Buenos Aires.'

'Hoe lang zijn jullie al…?'

'Drieëndertig jaar.'

Salomé keek hoe haar gastvrouw de kalebas vulde. 'En houdt u…'

'Onmetelijk veel.'

'Ah.'

'Wie zou dat niet doen?'

Salomé glimlachte en deed bijna haar mond open, ze vergat bijna dat ze een paar tanden miste. 'Ik zou het niet weten.'

Zolá gaf haar de maté aan. 'Ik ben blij je te ontmoeten.'

Salomé dronk.

'Ik ben blij dat je nog heel bent.'

Ze zoog totdat de kalebas leeg was en er een gorgelend geluid kwam uit de bladeren op de bodem. Ze stelde zich voor dat haar moeder hier al die jaren was gekomen, terwijl haar dochter gevangenzat, om te huilen of te kussen of haar vuist te ballen naar de hemel die een paar trappen hoger lag dan deze ruimte. Zola's huis, het heiligdom. Het mooiste geheim. Buiten spreidde de zon zijn laatste zonnestralen over het water, waarvan flarden weerkaatsten op de golven. Een meeuw steeg op van een dak en scheerde weg. 'Ben ik heel?'

'Vraag je dat aan mij?'

Ze gaf de kalebas terug. 'Waarom niet?'

Zolá vulde de maté bij en dronk. Ze liet de kalebas zakken. Ze keek Salomé aan. Haar ogen waren donker en bijna pijnlijk open. Ondanks alle poeder op dit vrouwengezicht hielden haar ogen niets verborgen. 'Wil je me je haar laten wassen?'

In de wasbak gaf Salomé zich langzaam over. Ze werd ondergedompeld in de geur van haar moeder, die doordringend zoete uitwaseming van rozen en amandelen, weelderig, mysterieus toen ze nog een kind was. Twee handen zakten in het water en raakten haar aan, licht, golvend, als vissen. Als vissen doken ze door haar haar en raakten haar hoofdhuid, die zo naakt en zo bleek was, het was ondraaglijk, deze aanraking, het deed pijn, het was lief, een zoete pijn die haar deed walgen, ze deinsde ervoor terug, maar toen de vingers zich terugtrokken hoorde ze haar eigen stem zeggen: *Nee, kom alsjeblieft terug*, en dat deden ze. Ze wist niet wat er van haar af viel, in dat water, welke onzichtbare korsten eraf vielen en in schuim of vuil of in zeepokken veranderden, maar ze was naakt met een opengereten huid en een man lachte terwijl hij haar verkrachtte; nee, niet waar, ze was niet daar, ze was thuis bij Zolá, en een stem kwam door het water: *Adem, Salomé, adem*. Wat een zachte handen. Nu wiegden ze haar hoofd alsof ze een baby was die het zelf niet kon optillen. Rozen. Amandelen. Ze sijpelden haar hoofdhuid binnen.

Na afloop wikkelde Zolá haar in een schone, warme handdoek. 'Niet opstaan. Ontspan maar.'

Ze verloor elk besef van tijd. Toen ze haar ogen opendeed, zat

Zolá te lezen op de bank. De zon was nog verder gezakt en staarde recht de kamer in.

Zolá keek op. 'Hoe gaat het?'

'Ik wilde je niet lastigvallen.'

'Integendeel. Je kunt blijven eten.'

'Ik moet ergens naartoe,' loog ze.

'Weet je zeker dat alles goed is?'

'Meer dan goed. Ik weet niet hoe ik je moet bedanken.'

Zolá glimlachte. 'Dat is simpel. Kom gewoon terug.'

Salomé liep vijftien verdiepingen naar beneden en wandelde naar La Rambla. In het licht op de stoep zat goud, stromend goud, het soort dat elk moment door het duister opgeslokt kon worden. Ze volgde het met grote stappen.

De week daarop ging ze terug naar Zolá. Ze wilde geknipt worden. Zolá ontving haar met open armen, warm water en een schaar. Knip, knip, daar vielen haar lokken, met dode, gespleten haarpunten, op de vloer. Na haar eerste knipbeurt ging ze naar Orlando en ze huilde zeven uur lang (hij stelde geen vragen, hij droogde haar gezicht met zijn hand, zijn overhemd, zijn handdoek, hij hield haar in zijn armen, hij rook naar bosgrond). De volgende middag werd ze om vier uur wakker, uitgeput, met zware ledematen, langzaam bijkomend uit een diepe mist.

Toen ze zich voor de tweede keer liet knippen had ze pen en papier in haar tas. Daarna ging ze naar het bankje in Parque Rodó waar ze vroeger altijd met Tinto kwam, maar ze kon er niet zitten omdat er een jong stelletje verstrengeld zat. Hun opwinding om elkaars aanrakingen was tastbaar. Ze bleef op een afstand en onderdrukte de opwelling om op hen af te rennen en te zeggen: Dat deden wij ook, maar niet in de volle zon, we deden het onder dekking van de nacht, we hadden zoveel te verbergen, het spijt me, stoor ik jullie? Natuurlijk stoorde ze hen. Ze waren jong, ze konden zich niet voorstellen en wilden zich niet voorstellen dat een stelletje ruim twintig jaar geleden zijn toevlucht had gezocht op datzelfde bankje. In plaats daarvan liep ze naar de fontein en ging ertegenover zitten. Het water spoot omhoog en viel en fluisterde in een vloeibare taal die ze niet kon vertalen. Ze staarde naar de groene boomtoppen. Pen en papier lagen nog lang in haar handen, totdat ze uiteindelijk schreef aan La Familia Cassella y Volkova: *Bedankt, het is heel fijn om van jullie te horen, ik zal de uitnodiging graag aannemen, misschien volgend jaar.*

Na de derde knipbeurt dronk ze een hele fles rode wijn, alleen op haar kamer, terwijl ze keek hoe de eik voor haar raam de koude maan wiegde. Om twee uur 's nachts, toen ze zeker wist dat iedereen sliep, liep ze naar de gang en pakte de hoorn van de telefoon. Ze draaide een nummer. De zoemtoon klonk langdurig en buitenlands.

Haar broer nam op. 'Hallo?'

'Roberto. Met Salomé.'

'Wat is er?' Uit de verte klonk zijn stem ongerust. 'Hoe laat is het bij jullie?'

'Ik hoop dat ik je niet heb wakker gemaakt.'

'Natuurlijk niet. We zijn net klaar met eten.'

'Mooi.'

'Is alles goed?'

'Ja. Het spijt me. Geen sterfgevallen in de familie.'

'O. Gelukkig.'

'Ik wil het even met je over Victoria hebben.'

Een knetterende stilte.

'Ik wil het haar vertellen.'

Nog meer stilte.

'Roberto?'

'Ik ben er nog. Dit is duur. Ik bel je zo terug.'

Ze hing op. Ze wachtte. De gang was vol schaduwen; door haar slaapkamerdeur zag ze haar raam en daarachter, verder weg, de eik. Ze zag zichzelf in bed, toen ze zeven was, starend naar die eik, toen ze besloot voor het eerst een regel te overtreden. De telefoon rinkelde schel. Snel nam ze op. 'Roberto?'

'Ja. Flor luistert ook mee.'

'*Hola*, Salomé,' zei Flor kortaf, of misschien kwam het door de ruis, het was moeilijk te zeggen.

'*Hola*, Flor. Hoe gaat het?'

'Prima.'

'Dus je hebt hierover nagedacht,' zei Roberto.

'Kennelijk.'

'Luister, ik wil…'

'Sorry, Roberto. Sorry. Niet ophangen.'

'Dat doe ik niet. Doe niet zo gek.'

Salomé probeerde zich hen voor te stellen in hun mooie huis, met de borden opgestapeld in de gootsteen, klaar om afgewassen te worden, op dit moment ieder aan een telefoon, op smaakvolle stoelen, terwijl ze elkaar door de kamer heen blikken toewierpen. Ze zag haar broer voor zich in zijn oude Donald Duck-pyjama.

'Waarom nu?' vroeg hij.

Salomé sloot haar ogen. 'Omdat ze oud genoeg is. Omdat ik het haar verschuldigd ben. Omdat ik het nu eindelijk kan.' Ze zwegen. Ze wachtte. 'Ben je er nog?'

'We zijn er,' zei Flor.

Salomé beet op haar lip.

'Het is niet zo dat wij er niet over hebben nagedacht,' zei Flor.

'Ah.'

'Alleen wilden wíj het haar vertellen.'

Salomé wachtte tot ze verder zou gaan: *Omdat wij haar ouders zijn.*

'Geef ons een ogenblikje,' zei Roberto.

'Natuurlijk,' zei Salomé. Ze hoorde het geluid van hoorns die werden neergelegd. Ergens, duizenden kilometers ver, liep een echtpaar naar de keuken of naar de veranda of de gang om fluisterend te overleggen, na te denken. De telefoonlijn knetterde in haar oor. De hoorn was glibberig van haar zweet. Ze verwonderderde zich erover dat dit kon op die afstand, dat de stem van haar broer haar hier bereikte terwijl haar broer zelf in een huis ver weg stond, op een plaats waar ze niets van wist maar die van hem was en waar hij zijn dochter, haar dochter, had grootgebracht, wat een kronkelige stamboom, vervlochten en vertakt over de hele wereld. Ze tuurde naar buiten, door haar slaapkamer, door het raam naar de eikenboom met zijn takken die omhoogkronkelden met nog maar een paar blaadjes eraan.

Vijf minuten verstreken. Zes. Zeven. Ze overwoog op te hangen. Ze dacht aan de kosten van elke seconde stilte. Daarna ritsel, ritsel, en ze waren allebei terug.

Roberto sprak als eerste. 'Salomé?'

'Ja?'

'Bedankt voor het wachten.'

'Ja.'

'Luister,' zei hij, 'doe het niet aan de telefoon.'

'Alsjeblieft,' zei Flor. 'De verbinding is verschrikkelijk. Je klinkt alsof je in een wisselstroomgenerator zit.'

Roberto zei: 'We vragen ons af of je haar een brief wilt schrijven. Wat je haar te zeggen hebt. We zorgen dat we bij haar zijn als ze hem leest. Dat komt nog het dichtst bij het haar samen vertellen.'

Salomé leunde tegen de muur. Hij voelde koud tegen haar rug.

'Salomé?' zei Roberto. 'Ben je daar?'

'Ja.'

'Vind je dat goed?'

'Ja. Geweldig. *Gracias.*'

'*De nada.*'

'Het kan nog wel even duren. Voor ik schrijf.'

'Geeft niet,' zei haar broer.

'Dat geeft niet,' zei Flor.

Ze luisterden alle drie naar de ruis.

'Het is al laat voor je,' zei Roberto. 'Misschien moest je maar naar bed gaan.'

'Oké, *hermano*. Welterusten, Flor.'

'Welterusten, Salomé.'

'Welterusten, Roberto.'

'Welterusten.'

Het was veel moeilijker om de brief te schrijven dan ze had gedacht. Ze had het idee dat één verkeerd woord alles kon verpesten. Maar met de juiste woorden kon er misschien een wonder gebeuren – een cirkel gesloten worden die jaren geleden was opengebarsten; misschien konden zelfs diepere, oudere cirkels gesloten worden, cirkels die ze zelf nauwelijks had gezien. Ze begon tientallen keren aan de brief, steeds opnieuw, zoekend naar de juiste toon, de opening, de vorm. Soms vergat ze aan wie ze schreef.

Lieve Victoria, schreef ze, *Ik hoop dat je me kunt vergeven.*

Nee. Dat was niet goed.

Lieve Victoria, hier is de verschrikkelijke waarheid.

Lieve Victoria, hier is de schokkende waarheid.

Lieve Victoria, hier is de waarheid.

Lieve Victoria, wat is waarheid? En wie bepaalt wat schokkend is? Soms ben ik geschokt door het feit dat ik leef. Maar dat wilde ik je niet vertellen, dus

Lieve Victoria, je zult je wel afvragen wie ik ben.

Lieve Victoria, ik ben je moeder, het klinkt vreemd – laat me het uitleggen.

Lieve Victoria, ik hou van je, God weet hoeveel, ik weet dat je me zult haten. Ik heb mezelf al veel te lang gehaat – het brengt me geen stap verder – en als het me te zwaar wordt schrijf ik het soms op – dat doe ik op dit moment – het klinkt waanzinnig eenvoudig, maar dat is het niet – maar wacht, wacht, dat wilde ik niet schrijven…

Lieve Victoria, je verwekking is geen mooi verhaal, maar toch moet je het kennen.

Lieve Victoria, het spijt me. Je conceptie was een wrede nachtmer-

rie die me nog steeds tot in mijn diepste wezen laat trillen. Maar jij bent het mooiste wat ik ooit heb voortgebracht – is dat geen paradox? Ken je het woord 'paradox' in het Spaans? Gebruik je een woordenboek bij deze brief? Je zult dit nooit lezen, ik laat het je niet lezen, dit ontwerp is een ramp.

Lieve Victoria, lees alsjeblieft de hele brief, gooi hem alsjeblieft niet weg.

Lieve Victoria, ik schrijf je voor het geval je iets van je achtergrond wilt weten.

Lieve Victoria, je achtergrond is van wezenlijk belang. We bestaan al lang voordat we geboren worden.

Lieve Victoria, laat je niet overstuur maken door de leugens over je achtergrond. Mensen hebben heel veel over dat onderwerp te zeggen, maar je achtergrond bepaalt niet wie je bent. Laat je nooit door iemand je gedachten voorschrijven. Jezus, nu doe ik het zelf, je gedachten voorschrijven.

Lieve Victoria, luister, ik heb dertien jaar in de gevangenis gezeten en daar heb ik je ter wereld gebracht.

Lieve Victoria, je paarse boom heeft me in leven gehouden – herinner je je hem nog? Waarom zou je? Hij was perfect, prachtig, zo vol kleuren. Ik heb in jouw kleuren kunnen dromen, ademen en wiegen.

Lieve Victoria, ik moet je iets zeggen, en ik weet niet hoe.

Lieve Victoria, geloof me alsjeblieft, ik schrijf dit niet om je leven te ontwrichten – ik heb al genoeg ontwricht en ik wil nu iets anders – echt – zoals bouwen, hopen, dingen maken, luisteren, rondlopen, me verwonderen, kijken – vooral kijken.

Lieve Victoria, wat is je lievelingskleur? Heb je ooit die motor gekregen?

Lieve Victoria, het spijt me dat ik zo veel tijd voorbij heb laten gaan. Het spijt me heel erg.

Lieve Victoria, ik wil je leren kennen. Ik weet niet precies hoe dat moet. Ik vraag me af wat het betekent om een ander te kennen. Ik vraag me af wat het betekent om jezelf te kennen. Hier ben ik, bijna

veertig, en ik heb geen idee wat het betekent om jezelf te kennen, iets
wat eigenlijk zo eenvoudig lijkt. Socrates was er lang geleden kort
maar duidelijk over, en toch lopen wij, mensen van nu, in kringetjes
als verdwaalde honden, niet in staat te ontdekken wat er in ons leeft.
Misschien jij niet. Misschien ken jij jezelf wel, en ik wil jou leren
kennen, Victoria, meer dan wat ook.

Lieve Victoria, ik wou dat ik je als kind had gekend.

Lieve Victoria, kun je niet weer vijf worden? Voor een dagje maar?

Lieve Victoria, wat gebeurt er met me in die brieven? Wat doe
je met me, voor me? Ik vind woorden waarvan ik niet wist dat ik
ze had geschreven. Ik vind 's ochtends velletjes papier tussen mijn
lakens, verkreukeld in mijn slaap. Als ik schrijf, raak ik verward in
gedachten aan jou. Er zijn er zoveel, gedachten, gedachten, ze roe-
pen om het hardst en rennen naar het papier, een troep die elk geluid
brult dat je je kunt voorstellen, en ineens wegrent. Ik ben bang dat je
ze niet duidelijk zult horen. Ik ben bang dat je het niet begrijpt.

Lieve Victoria, op jouw leeftijd sliep ik op wapens. Jij hopelijk
niet.

Lieve Victoria, ik zou het je niet kwalijk nemen als je deze brief
verbrandt. Ik hoop dat je het niet doet.

Lieve Victoria,

Lieve Victoria,

Lieve Victoria.

De hele winter, de hele lente tot aan de warme decembermaand
vulden papieren de ene doos na de andere.

Die lente stierf tío Artigas in Havana. Xhana stuurde een brief
met een foto van een hoop aarde en een grafsteen waarin een
trommel gegraveerd was. Hij had de respectabele leeftijd van
viernegentig bereikt, schreef ze. Toen Pajarita het nieuws hoorde, verloor ze haar anker in de wereld. Ze zorgde niet langer voor
haar planten; ze verwelkten in hun pot; voor het eerst in zestig

jaar was er een leeg stuk aanrecht te zien. Ze wilde niet opstaan uit haar schommelstoel, niet voor maaltijden, niet voor de deur; de familie bracht haar haar lunch en avondeten op een blad, ze aten vlak naast haar op de bank, terwijl ze haar om beurten voerden, hapje voor hapje. Ze was niet bedroefd of ziek; alleen afwezig, ambivalent, open voor wat er na deze wereld kwam. Ze zei zelden iets. Eva smeekte haar te eten, nog een klein hapje, eentje nog. Ignazio zat naast haar in paniek te staren, Italiaanse woorden mompelend, en schudde haar arm.

'Papá, je moet haar niet schudden. Laat haar maar rusten.'

'Rusten? Ze zit alleen maar uit het raam te staren.'

'Laat haar dat dan doen.'

Ignazio schudde zijn vrouw, die zich niet verzette, maar ook niet ophield met staren.

'Papá.'

'Goed, goed.'

Salomé zag haar grootmoeder staren naar de overkant, naar de gevangenis. De eiken wierpen schaduwen op de ivoorwitte muren. Ze was ertegenover opgegroeid, net als mamá, en het was moeilijk te geloven dat het zou veranderen, dat de verbouwing al binnen een jaar zou beginnen. Dat het een winkelcentrum zou worden, het grootste van Uruguay, naar het model van de *yanqui*, met glanzende geïmporteerde producten in glanzende winkels. De buitenmuur rond de binnenplaats met zijn fraaie kantelenrand zou blijven staan. Winkelende mensen zouden door dezelfde hekken lopen waarachter de gevangenen hadden gezeten. Maar het gebouw achter die hekken, de gevangenis zelf, zou met de grond gelijkgemaakt worden en plaatsmaken voor een nieuw bouwwerk, waarvan in de kunstmatig in stand gehouden temperatuur en in de verborgen buizen waarschijnlijk niets te vinden zou zijn van het verleden, geen spoor, alleen de schone glans van de toekomst. Ze had een vernietigend commentaar geredigeerd voor de krant, 'een nieuw soort gevangenis voor een nieuw tijdperk; dit is waanzin; wat we eigenlijk zouden moeten doen... de fout ligt bij... Herinneren is pijnlijk, maar vergeten nog meer.' Abuela Pajarita leek beide dingen niet meer te kunnen, of anders had ze ze gecombineerd in één enkel geestesgebaar. Ze keek naar de gevangenismuur alsof al het andere overbodig was, alsof die het hele verhaal bevatte, verteld in het idioom van zon en schaduw.

Toen de dokter kwam, liet Pajarita beleefd zijn stethoscoop toe. Haar pols was zwak, zei hij. Ze moest rustig aan doen, ze was heel oud, maar haar gezondheid leek over het algemeen goed. Hij schreef pillen en rust voor.

In december verliet Pajarita de schommelstoel en het raam en bleef ze in bed. De dagen werden lang en klam. Salomé sponsde het zweet van haar frêle lichaam. Langzaam en zachtjes veegde ze het vocht uit de plooien van haar huid, abuela, abuela, dus dit is je lichaam, hier zijn jouw geheime vouwen, je verouderende opslagplaatsen van duisternis. Abuela hield haar ogen dicht. Haar lichaam gaf zich zachtmoedig over aan de handen van haar kleindochter. Haar huid voelde als heel dun papier, waardoor je de schaduw van een hand kunt zien. Salomé vroeg zich af of ze het zelf zou meemaken dat haar eigen huid ook zo slap en zacht en teer zou worden. Ze wilde het wel. Dat besefte ze terwijl ze de heupen van haar grootmoeder inzeepte: ik wil op deze wereld blijven totdat mijn heupen broos en pijnlijk zijn en overdekt met rimpels, en zelfs naar urine ruiken totdat iemand me wast, zelfs dan, het kan me niet schelen, ik wil leven.

Rond de derde week kwamen familieleden het huis binnen stromen, dag na dag, allemaal ooms van Salomé (Bruno, Marco, Tomás) en tantes (Mirna, Raquel, Carlota) en haar neven en nichten (Elena, Raúl, Javier, Félix, al diegenen die niet vertrokken waren) met hun echtgenoten en kinderen, bezorgd dromden ze samen in de gang, ze wilden haar zien, ze wilden helpen, en Salomé rende heen en weer om vazen te pakken voor de bloemen, om borden vol te scheppen. Op kerstavond waren er zo veel mensen aan wie de telefoon moest worden doorgegeven dat ze Roberto, Flor of Victoria niet kon begroeten, wat niet erg was omdat ze er nog niet klaar voor was. Pajarita lag op een troon van kussens te staren naar de mensen om haar heen, en hield haar ogen lang achter elkaar gesloten. Wanneer haar ogen dicht waren, werden de stemmen gedempt tot gefluister om haar te laten slapen.

Drie dagen na kerst bracht Javiers dochter, Clara, Pajarita haar laatste maaltijd. Het was een enkele empanada met rundvlees. Ze had hem zelf gebakken zoals Pajarita haar had geleerd, met als extraatje een snufje kaneel, wat ze van haar Libanese overgrootmoeder, María Chamoun, had geleerd. Clara sneed een stukje af met heel weinig korst en prikte het op een vork. Pajarita hapte. Ze kauwde heel langzaam. Het werd stil in de kamer. Vanaf de drempel zag Salomé haar met een heldere blik de kamer rond kijken, naar ieder lid van haar uitgebreide familie, naar mamá, naar abuelo Ignazio die met zijn mond open zat als een in de steek gelaten puppy, weer naar mamá, naar Salomé zelf, met een onrustbarende intensiteit waarin Salomé had durven zweren niet alleen de oude Pajarita te zien, maar ook de jonge Pajarita en Pajarita het kleine meisje en zelfs Pajarita de vreemde, legendarische baby, allemaal in die donkerbruine ogen die verbaasd de kamer rond tuurden.

'Ah,' zei Pajarita, en ze sloot haar ogen.

Haar hart hield in haar slaap op met slaan.

Ignazio wilde per se een gondel. Voor een echte Venetiaanse begrafenis, zei hij. Zijn zoons probeerden het hem uit zijn hoofd te praten door alle mogelijke bezwaren op te noemen: het was niet praktisch, er waren hier geen gondels, er was nergens een boot waar een doodskist in kon, zijn vrouw kwam trouwens niet eens uit Venetië. Ignazio had op elke bezwaar een antwoord. Ze was weliswaar geen Venetiaanse, maar hij was haar een stukje Venetië verschuldigd. De gondel hoefde haar nergens naartoe te brengen; ze konden hem op het strand zetten, eromheen gaan staan, praten, huilen, en daarna haar kist naar het kerkhof dragen. Ze hoefden geen gondel te kopen, hij had er een in zijn hoofd zitten; zij zouden hem bouwen; hij zou hun vertellen wat ze moesten doen.

Het was gekkenwerk, dat wist iedereen, en ze zouden voet bij stuk hebben gehouden als hij geen rode ogen had gehad en niet zo bedroefd was, een broze oude man die wie weet nog hoelang te gaan had op deze aarde. Als de dagen tellen, hoe kun je die dan beter slijten dan met een aanval van gekte? En trouwens, dacht Salomé, het verdriet moest ergens naartoe. Het verdriet in haar rees op in een koude, enorme zilte golf die almaar hoger werd, groter dan zij, dan het huis, dan de stad, nat en eeuwenoud, om haar heen ruisend, haar helemaal onderdompelend, met een reinigende kracht die in staat leek de hele wereld te overspoelen, en zij zou er niet in verdrinken als ze haar handen iets kon laten doen, iets maken, timmeren, sjouwen, zagen. Ze kon niet ophouden. De gondel kreeg vorm in de garage van tío Bruno. Het duurde drie dagen en drie nachten. Er moesten planken verzameld worden, maaltijden opgediend, spijkers geslagen, tranen gedroogd, hout gezaagd, hout geschuurd, hout gekerfd, instructies opgevolgd van Ignazio, vanuit zijn schommelstoel, met zijn reumatische handen in zijn schoot. Overal kroop zaagsel in: in Salomés kleren, in haar adem, onder haar nagels, in de geur van al haar neven die aan het werk waren. Mamá maakte een voering van fijne gele zijde, en tijdens het naaien treurde ze niet maar leek ze in vervoering, gehypnotiseerd, een vrouw die de stof van verdriet of passie of tijd stikte. De binnenkant van de boot kreeg vorm en daarna het geraamte, lang en glooiend.

'Er moet een roeispaan bij,' zei Ignazio.

'Waarom?'

'Nee toch.'

'We gaan niet roeien.'

Ignazio keek vol minachting. 'Zonder roeispaan is het geen gondel.'

Ze maakten een roeispaan. Ze kerfden afbeeldingen in de zijkanten van de gondel: bladeren, kruisen, slingerende wijnranken, vissen, manen, messen, grof gebeitelde engelen, nog grovere luchtgeesten (op aandringen van abuelo) die een paring uitvoerden, hun armen uitgestrekt in V-vorm, als vogels tijdens hun vlucht.

Op nieuwjaarsdag 1990 sleepte de familie de gondel en de kist naar het water. Ze vertrokken bij zonsopgang zodat niemand hen zag, alle zesentwintig in het zwart. De eerste zonnestralen schenen bleek op de traptreden die naar het zand voerden. Achter hen was de stad nog aan het dansen of hij lag te slapen, te dromen aan het begin van een nieuw decennium.

De gondel werd aan de rand van het water gelegd. Salomé hielp haar ooms de kist erin te tillen. De menigte ging er in een kring omheen staan. Ze stonden stil. Iemand kuchte.

'*Bueno*,' zei abuelo. 'Wie begint?'

Tío Marco vertelde als eerste een verhaal over zijn moeder, hoe sterk haar wil was, hoe kwaad ze was toen haar kleine zoontjes meegenomen werden naar een café. Tía Mirna sprak over Pajarita's geduld. Ze legde dingen uit met zo'n gratie, zo'n kalmte, ze heeft me geleerd hoe ik moeder moest zijn. Clara vertelde het verhaal over de laatste empanada, dat iedereen kende omdat ze erbij waren geweest, maar waar ze toch van genoten. Eva las een gedicht voor dat ze jaren geleden had geschreven in Argentinië, een gedicht over een vrouw die een visioen heeft van haar moeder in een hemelse boom, en de vrouw is ziek, en het visioen redt haar leven. Salomé luisterde niet langer. De woorden werden klanken die in elkaar overgingen en haar evenveel vertelden als woorden zelf. Ze keek langs de in het zwart geklede gestaltes naar het water. Ze had opnieuw een slapeloze nacht achter de rug en spoedig zou ze weer gaan liggen, maar op dit moment was haar uitputting een zwaard, scherp en helder, dat door de lucht kliefde om de lagen van de tijd af te pellen, zodat ze achter haar eigen verlangen en pijn het geheel kon zien, de enorme overspanning van de rivier, en ze had durven zweren dat het in het lange bruine water wemelde van de mensen – ze waren er allemaal, ze voeren op de golven: de jongeman in zijn boot uit Italië; het poëziemeisje dat uit een mooie stad wegvluchtte; Artigas; Pajarita; de doden en de voorbije schimmen van de levenden, zuchtend op het wateroppervlak, luisterend naar stemmen van het land, schuivend, drijvend, starend, vonkend, vervagend, reikend, zich naar de kant haastend – en het was alsof ze altijd op het water waren geweest, alsof het water niet kon bestaan zonder hen, alsof ze zich een weg baanden naar verleden en dood en droefheid zonder ooit aan te komen, een duister, uniek geheim met zich mee voerend. Ten slotte werd het na de laatste woorden stil. De nabestaanden schuifelden ongemakkelijk heen en weer. De wind kietelde hun nek.

Ignazio keek rond. Hij leek een papieren versie van zichzelf. 'Ik wil een momentje met haar zijn. Alleen.'

Ze aarzelden.

'Ga helemaal terug naar de trap, zodat jullie ons niet kunnen horen.'

Onwillig liepen ze weg, een wolk zwarte kleren die over het zand liep. Ze verzamelden zich bij de trap. Tío Bruno haalde zijn maté tevoorschijn. Salomé ging op de trap zitten en sloot haar ogen. Achter haar oogleden zag ze nog steeds de druk bevolkte rivier, en ze zag zichzelf op de oever, op een steenworp van de schimmen. We zijn er nog, zeiden hun gezichten, en zij antwoordde zonder woorden: Ik ook. Ze ontmoette hun blik en ze staarden terug, hun gezichten badend in blauwgroen licht.

Ze opende haar ogen toen ze haar ooms hoorde schreeuwen. Ze begreep niet wat ze zeiden, maar toen zag ze hen, haar ooms, met gespreide armen naar het water rennen, als onhandige raven. De gondel was verdwenen – nee, niet verdwenen: hij was de rivier op geduwd, hij voer weg, en abuelo zat erin met de kist, met zijn rug naar de oever. Hij roeide uit alle macht met schrikbarend veel kracht, meebuigend met de beweging, vijfennegentig was hij, en hij wilde wegkomen met zijn gestolen goederen, een piraat met zijn schat, zijn kist, terwijl zijn kinderen en kleinkinderen en achterkleinkinderen aan de waterkant stonden te schreeuwen en met al hun kleren aan in het water sprongen, hem achternazwommen, maar wie kon zeggen waar die oude man zijn kracht vandaan haalde, wat een hufter, wat een idioot, op de hele wereld was niemand zoals hij, hij roeide steeds verder de rivier op, hij zou naar Argentinië kunnen roeien, naar de Atlantische Oceaan, voor zover zij wist zou hij terug kunnen roeien naar Venetië, of hij zou verdrinken met zijn armen rond een kist; en Salomé rende naar de waterkant, schopte haar schoenen uit en rende erin. Het water was koud en kalmerend, het doorweekte haar rok, wit schuim vormde zich als een rouwkrans rond haar knieën, wssssj, witte tongen van schuim en daaronder de onderstroom, zachte tongen, maar miljoenen ervan konden een waterlijn in rotsen uitslijpen. De zwarte stof van haar rok bolde om haar heen op, drijfnat bleef hij drijven, en ze schreeuwde mee met de anderen, maar vanbinnen schreeuwde ze *Roei*, voor Ignazio, voor zijn gekte, voor de vrouw in de kist, voor de schimmen op de rivier, voor allen die aan de oever zouden blijven leven, voor de stad zelf, haar stad, Montevideo, de vlakste stad die ooit de naam van een berg had durven aannemen. Het water glinsterde in de ochtendzon. De schittering deed pijn aan haar ogen. Ignazio werd een zwarte stip op het water. Haar tenen boorden zich in nat zand, haar blik was op de horizon gericht. Ze was verrukt – maar voordat ze vandaag ging eten, voordat ze ging slapen, voordat haar rok de kans had gekregen om te drogen, zou ze pen en papier pakken en een brief schrijven, omdat ze nu eindelijk wist met welke woorden ze moest beginnen. *Victoria*, zou ze schrijven, *mijn liefste schat, wat is het lang geleden dat ik je heb gezien.*

Dankwoord

Hoewel dit boek op fantasie berust, is veel ervan gebaseerd op feitelijke gebeurtenissen uit het verleden. Voor mijn uitgebreide research heb ik tal van teksten en bronnen geraadpleegd. Ik heb vooral veel te danken aan *The Tupamaros* van María Ester Gilio en aan het fotoarchief van het gemeentehuis van Montevideo. Ook dank ik Evelyn Rinderknecht Alaga, die me vanuit Uruguay naar huis liet gaan met een stapel beduimelde boeken die me juweeltjes hebben opgeleverd voor mijn onderzoek.

Een van de belangrijkste hulpbronnen was mijn eigen familie. In Uruguay hebben mijn nicht Andrea Canil en mijn neef Oscar Martínez me gastvrij ontvangen, en onder het genot van maté of een glaasje *grappa miel* hebben ze tot laat op de avond met me gepraat over de geschiedenis en cultuur van Uruguay. Tía Mary Marazzi heeft de eerste versie gelezen en haar geloof in mij bewezen door een van mijn vroegere opstellen jarenlang in haar tas te dragen. Germán Martínez heeft mijn hoop en wensen voor de toekomst van Uruguay versterkt. Veel van mijn familieleden in Argentinië, de Verenigde Staten en Frankrijk hebben me tijdens de lange jaren waarin ik schreef gekoesterd en gesteund, en ieder van hen leeft in mijn hart: Cuti, Guadalupe en Mónica López Ocón; Daniel, Claudio en Diego Batlla; Ceci, Alex en Megan De Robertis; Cristina De Robertis; en niet te vergeten Margo Edwards en Thomas Frierson jr.

Mijn dank gaat uit naar mijn fantastische agente Victoria Sanders, voor haar visie, scherpzinnigheid en toewijding, en ook naar Benee Knauer voor haar inzicht en steun. Ik dank Carole Baron bij Knopf voor haar vakkundigheid, passie en redactionele vaardigheid. Ook mijn Britse redactrice Susan Watt heeft me inzichten gegeven waarvoor ik haar innig dankbaar ben.

Tevens bedank ik Shanna Lo Presti – zonder haar aanmoediging en vriendschap had ik dit boek misschien nooit afgemaakt; Carlos en Yvette Aldama voor hun wijsheid en het openen van de meest wonderbaarlijke deuren; Micheline Aharonian Marcom voor de weg naar de bron; Daniel Alarcón voor zijn onstuitbare ruimhartigheid; Joyce Thompson, die op het juiste moment altijd het juiste wist te zeggen; en Jill Nagle, die haar wijsheid met me wilde delen. Nog veel meer mensen hebben eerdere versies of uittreksels van dit boek in verschillende stadia gelezen, zowel deelnemers aan schrijfgroepen als vrienden, en ieder van hen ben ik erkentelijk voor hun tijd, aandacht en feedback – in het bijzonder Natalia Bernal, Ilana Gerjuoy, Denise Mewbourne en Luis Vera. Ik dank ook de niet te evenaren faculteit en staf van Mills College en de getalenteerde studenten die ik daar heb ontmoet, voor de energie die ik daar heb opgedaan, de groei die ik heb doorgemaakt en de ontdekkingen die ik heb gedaan.

Dit boek zou simpelweg niet het licht hebben gezien zonder mijn vrouw Pamela Harris, die de woorden 'trouw' en 'steun' een nieuwe, gloedvolle betekenis heeft gegeven. Niemand heeft meer in dit boek geloofd dan jij, niemand heeft meer vreugde en avontuur in mijn leven gebracht. *De onzichtbare berg* is zowel jouw boek als het mijne, en dat van vele anderen.

Ten slotte dank ik mijn voorvaderen voor hun leven en hun verhalen. Er bestaat op deze wereld geen waardevoller erfgoed.